C000215097

COLLECTION FOLIO

Simone de Beauvoir

Les mandarins

I

Gallimard

© Éditions Gallimard, 1954.

Simone de Beauvoir a écrit des Mémoires où elle nous donne elle-même à connaître sa vie, son œuvre. Quatre volumes ont paru de 1958 à 1972 : *Mémoires d'une jeune fille rangée, La force de l'âge, La force des choses* et *Tout compte fait*, auxquels s'adjoint le récit de 1964 *Une mort très douce*. L'ampleur de l'entreprise autobiographique trouve sa justification, son sens, dans une contradiction essentielle à l'écrivain : choisir lui fut toujours impossible entre le bonheur de vivre et la nécessité d'écrire ; d'une part la splendeur contingente, de l'autre la rigueur salvatrice. Faire de sa propre existence l'objet de son écriture, c'était en partie sortir de ce dilemme.

Simone de Beauvoir est née à Paris le 9 janvier 1908. Elle fit ses études jusqu'au baccalauréat dans le très catholique Cours Désir. Agrégée de philosophie en 1929, elle enseigna à Marseille, à Rouen et à Paris jusqu'en 1943. *Quand prime le spirituel* fut achevé bien avant la guerre de 1939 mais ne paraîtra qu'en 1979. C'est *L'Invitée* (1943) qu'on doit considérer comme son véritable début littéraire. Viennent ensuite *Le sang des autres* (1945), *Tous les hommes sont mortels* (1946), *Les mandarins*, roman qui lui vaut le prix Goncourt en 1954, *Les belles images* (1966) et *La femme rompue* (1968).

Outre le célèbre *Deuxième sexe*, paru en 1949, et devenu l'ouvrage de référence du mouvement féministe mondial, l'œuvre théorique de Simone de Beauvoir comprend de nombreux essais philosophiques ou polémiques, tels *Privi-*

lèges (1955, réédité sous le titre du premier article *Faut-il brûler Sade ?*) et *La vieillesse* (1970). Elle a écrit, pour le théâtre, *Les bouches inutiles* (1945) et a raconté certains de ses voyages dans *L'Amérique au jour le jour* (1948) et *La Longue Marche* (1957).

Après la mort de Sartre, Simone de Beauvoir a publié *La cérémonie des adieux* (1981) et les *Lettres au Castor* (1983) qui rassemblent une partie de l'abondante correspondance qu'elle reçut de lui. Jusqu'au jour de sa mort, le 14 avril 1986, elle a collaboré activement à la revue fondée par Sartre et elle-même, *Les temps modernes,* et manifesté sous des formes diverses et innombrables sa solidarité totale avec le féminisme.

à Nelson Algren

CHAPITRE PREMIER

I

Henri jeta un dernier regard sur le ciel : un cristal noir. Mille avions saccageant ce silence, c'était difficile à imaginer; pourtant les mots se carambolaient dans sa tête avec un bruit joyeux : offensive stoppée, débâcle allemande, je vais pouvoir partir. Il tourna le coin du quai. Les rues sentiraient l'huile et la fleur d'oranger, des gens jacasseraient aux terrasses illuminées, il boirait du vrai café au son des guitares. Ses yeux, ses mains, sa peau avaient faim : quel long jeûne ! Il monta lentement l'escalier glacé.

— Enfin ! Paule l'étreignait comme si elle l'avait retrouvé après de longs dangers; par-dessus son épaule, il regarda le sapin clinquant que reflétaient à l'infini les grands miroirs; la table était chargée d'assiettes, de verres, de bouteilles; des touffes de gui et de houx gisaient en vrac au pied d'un escabeau; il se dégagea et lança son pardessus sur le divan.

— As-tu entendu la radio? il y a de bonnes nouvelles.

— Ah! dis-moi vite Elle n'écoutait jamais la

radio, elle ne voulait apprendre les nouvelles que de sa bouche.

— Tu n'as pas remarqué comme il fait clair ce soir ? on parle de mille avions sur les arrières de von Rundstedt.

— Mon Dieu ! alors ils ne reviendront pas.

— Il n'a jamais été question qu'ils reviennent.

Pour être sincère, l'idée lui avait traversé la tête à lui aussi.

Paule sourit mystérieusement : « J'avais pris mes précautions.

— Quelles précautions ?

— Au fond de la cave, il y a un cagibi ; j'ai demandé à la concierge de le dégager : tu te serais caché là.

— Tu n'aurais pas dû parler de ça à la concierge : c'est comme ça qu'on crée des paniques. »

Elle serrait dans sa main gauche les pointes de son châle, elle avait l'air de protéger son cœur.

— Ils t'auraient fusillé, dit-elle. Toutes les nuits je les entends : ils frappent, j'ouvre, je les vois.

Immobile, les yeux mi-clos, elle semblait vraiment entendre des voix.

— Ça n'arrivera pas, dit Henri gaiement.

Elle ouvrit les yeux et laissa retomber ses mains.

— La guerre est vraiment finie ?

— Il n'y en a plus pour longtemps. Henri installa l'escabeau sous la grosse poutre qui barrait le plafond : « Veux-tu que je t'aide ?

— Les Dubreuilh vont venir m'aider.

— Pourquoi les attendre ? »

Il prit le marteau ; Paule posa la main sur son bras : « Tu ne vas pas travailler ?

— Pas ce soir.

— Tu dis ça tous les soirs. Il y a maintenant plus d'un an que tu n'as rien écrit.

12

— Ne t'inquiète pas : j'ai envie d'écrire.

— Ce journal te prend trop de temps ; regarde à quelle heure tu rentres. Je suis sûre que tu n'as rien mangé. Tu n'as pas faim ?

— Pas pour l'instant.

— Tu n'es pas fatigué ?

— Mais non. »

Sous ces yeux qui le dévoraient avec sollicitude il se sentait un grand trésor fragile et dangereux : c'était ça qui le fatiguait. Il monta sur l'escabeau et se mit à frapper sur un clou à petits coups prudents : la maison n'était pas jeune.

— Je peux même te dire ce que j'écrirai : ça sera un roman gai.

— Qu'est-ce que tu veux dire ? dit Paule d'une voix inquiète.

— Juste ce que je dis j'ai envie d'écrire un roman gai.

Pour un peu il l'aurait inventé sur place ce roman, ça l'aurait amusé d'y réfléchir à voix haute, mais Paule rivait sur lui un regard si intense qu'il se tut.

— Passe-moi la grosse touffe de gui.

Il suspendit avec précaution la boule verte piquée de petits yeux blancs, et Paule lui tendit un autre clou. Oui, la guerre était finie : du moins pour lui ; ce soir c'était une vraie fête ; la paix commençait, tout recommençait : les fêtes, les loisirs, le plaisir, les voyages, peut-être le bonheur, sûrement la liberté. Il acheva d'accrocher au long de la poutre le gui, le houx, les guirlandes de cheveux d'ange.

— Ça va ? demanda-t-il en descendant de l'escabeau.

— C'est parfait. Elle s'approcha du sapin, redressa une des bougies : « S'il n'y a plus de danger, tu vas partir pour le Portugal ?

13

— Naturellement.

— Tu ne travailleras encore pas pendant ce voyage ?

— Je ne suppose pas. »

Elle tripotait d'un air hésitant une des boules dorées qui se balançaient aux branches et il dit les mots qu'elle attendait :

— Je suis désolé de ne pas t'emmener.

— Je sais bien que ça n'est pas de ta faute. Ne te désole pas : j'ai de moins en moins envie de courir le monde. A quoi ça sert-il ? Elle sourit : « Je t'attendrai attendre, quand c'est dans la sécurité, ce n'est pas ennuyeux. »

Henri eut envie de rire : A quoi ça sert-il ? Quelle question ! Lisbonne. Porto. Cintra. Coïmbre. Les beaux noms ! Et il n'avait même pas besoin de les prononcer pour sentir la joie lui sauter à la gorge. Il lui suffisait de se dire : Je ne serai plus ici ; je serai ailleurs. Ailleurs : c'était un mot encore plus beau que les plus beaux noms.

— Tu ne vas pas t'habiller ? demanda-t-il.

— J'y vais.

Elle monta l'escalier intérieur et il s'approcha de la table. Réflexion faite, il avait faim mais dès qu'il avouait un appétit l'inquiétude ravageait les traits de Paule ; il coucha un morceau de pâté sur une tranche de pain et mordit dedans. Il se dit avec décision : « En revenant du Portugal, j'irai m'installer à l'hôtel. » C'est tellement agréable de rentrer le soir dans une chambre où personne ne vous attend ! Même au temps où il était amoureux de Paule, il avait toujours tenu à avoir ses quatre murs à lui. Seulement, entre 39 et 40 Paule tombait chaque nuit morte sur son cadavre affreusement mutilé : quand il lui avait été rendu, comment aurait-il osé rien lui refuser ? Et puis le couvre-feu rendait cette combinaison commode. « Tu pourras

14

toujours t'en aller », disait-elle : il n'avait pas encore pu. Il saisit une bouteille et enfonça le tire-bouchon dans le liège crissant. En un mois Paule s'habituerait a se passer de lui : et si elle ne s'habituait pas, tant pis. La France n'était plus une prison, les frontières s'ouvraient, la vie ne devait plus être une prison. Quatre ans d'austérité, quatre ans à ne s'occuper que des autres : c'est beaucoup, c'est trop. Il était temps qu'il s'occupe un peu de lui. Et pour ça il avait besoin d'être seul et d'être libre. Ce n'est pas facile de se retrouver au bout de quatre ans ; il y avait un tas de choses qu'il devait tirer au clair. Lesquelles ? eh bien, il ne le savait pas clairement, mais là-bas, tout en se promenant dans les petites rues qui sentent l'huile, il essaierait de faire le point. De nouveau il eut un coup au cœur : le ciel serait bleu, du linge flotterait aux fenêtres. Il marcherait, les mains dans les poches, en touriste, au milieu de gens qui ne parleraient pas sa langue et dont les soucis ne le concerneraient pas. Il se laisserait vivre, il se sentirait vivre : ça suffirait peut-être pour que tout devienne clair.

— Que c'est gentil ! tu as débouché toutes les bouteilles ! Paule descendait l'escalier à petits pas soyeux.

— Décidément, tu es vouée au violet ! dit-il avec un sourire.

— Mais tu adores le violet ! dit-elle. Il adorait le violet depuis dix ans : dix ans, c'est long. « Tu ne l'aimes pas cette robe ?

— Oh ! elle est très jolie, dit-il avec empressement. Je pensais seulement qu'il y a d'autres couleurs qui t'iraient bien : le vert par exemple, lança-t-il au hasard.

— Le vert ? tu me vois en vert ? »

Elle s'était plantée devant une des glaces, l'air désemparé ; c'était tellement inutile ! en vert ou en

15

jaune, jamais il ne la retrouverait telle que dix ans plus tôt il l'avait désirée quand elle lui avait tendu d'un geste nonchalant ses longs gants violets. Il lui sourit : « Viens danser.

— Oui, dansons », dit-elle d'une voix si ardente qu'Henri se glaça. Leur vie commune avait été tellement morne pendant cette dernière année que Paule elle-même avait paru s'en dégoûter ; mais elle avait brusquement changé au début de septembre ; à présent dans toutes ses paroles, ses baisers, ses regards, il y avait un frémissement passionné. Quand il l'enlaça, elle se colla à lui et elle murmura :

— Tu te rappelles, la première fois que nous avons dansé ensemble ?

— A la Pagode, oui ; tu m'as dit que je dansais très mal.

— C'était le jour où je t'ai révélé le Musée Grévin ; tu ne connaissais pas le Musée Grévin, tu ne connaissais rien, dit-elle d'une voix attendrie. Elle appuya son front contre la joue d'Henri : « Je nous revois. »

Lui aussi, il se revoyait. Ils étaient montés sur un socle au milieu du Palais des Mirages et partout autour d'eux leur couple s'était multiplié à l'infini parmi les forêts de colonnes : « Dis-moi que je suis la plus belle des femmes. — Tu es la plus belle des femmes. — Et tu seras l'homme le plus glorieux du monde. » Il tourna les yeux vers un des grands miroirs : leur couple enlacé se répétait à l'infini au long d'une allée de sapins et Paule lui souriait d'un air émerveillé. Est-ce qu'elle ne se rendait pas compte que ça n'était plus le même couple ?

— On a frappé, dit Henri ; il se précipita vers la porte ; c'était les Dubreuilh, chargés de paniers et de cabas ; Anne serrait dans ses bras une gerbe de roses et Dubreuilh avait jeté sur son épaule d'énormes grappes de piments rouges ; Nadine les suivait, l'air maussade.

16

— Joyeux Noël !

— Joyeux Noël !

— Vous savez la nouvelle ? l'aviation a enfin pu donner.

— Oui, mille avions !

— Ils sont nettoyés.

— C'est la fin.

Dubreuilh déposa sur le divan la brassée de fruits rouges : « Voilà pour décorer votre petit bordel.

— Merci », dit Paule sans chaleur. Ça l'agaçait que Dubreuilh appelât ce studio son bordel : à cause de toutes ces glaces et de ces tentures rouges, disait-il. Il inspectait la pièce : « Il faut les suspendre à la poutre du milieu ; ça sera plus joli que ce gui.

— J'aime le gui, dit Paule, d'une voix ferme.

— C'est bête le gui, c'est rond, c'est historique ; et puis c'est un parasite.

— Accrochez les piments en haut de l'escalier, le long de la balustrade, suggéra Anne.

— Ici ça serait beaucoup mieux, dit Dubreuilh.

— Je tiens à mon gui et à mon houx, dit Paule.

— Bon, bon ; vous êtes chez vous », dit Dubreuilh ; il fit signe à Nadine : « Viens m'aider. »

Anne déballait des rillettes, du beurre, des fromages, des gâteaux. « Ça c'est pour le punch », dit-elle en posant sur la table deux bouteilles de rhum. Elle mit un paquet dans les mains de Paule : « Tiens, c'est ton cadeau ; et voilà pour vous, dit-elle en tendant à Henri une pipe de terre, une serre d'oiseau étreignant un petit œuf ; exactement la pipe que Louis fumait, quinze ans plus tôt.

17

— C'est formidable ; voilà quinze ans que j'ai envie d'une pipe pareille, comment avez-vous deviné ?

— Parce que vous me l'avez dit !

— Un kilo de thé ! tu me sauves la vie, s'exclama Paule, et comme il sent bon : du vrai thé ! »

Henri se mit à tailler des tartines ; Anne les enduisait de beurre et Paule de rillettes tout en observant anxieusement Dubreuilh qui enfonçait des clous à grands coups de marteau.

— Vous savez ce qui manque ici ? cria-t-il à Paule. Un grand lustre en cristal. Je vous en trouverai un.

— Mais je n'en veux pas !

Dubreuilh suspendit les grappes de piment et descendit l'escalier.

— Pas mal ! dit-il en examinant son travail d'un œil critique. Il s'approcha de la table et ouvrit un sachet d'épices ; ça faisait des années qu'à la moindre occasion il confectionnait ce punch dont il avait recueilli la recette à Haïti. Appuyée à la balustrade, Nadine mâchonnait un piment ; à dix-huit ans, en dépit de ses vagabondages dans des lits français et américains, elle semblait encore en plein âge ingrat.

— Ne mange pas le décor, lui cria Dubreuilh. Il vida une bouteille de rhum dans le saladier et se tourna vers Henri : « J'ai rencontré Samazelle avant-hier, et je suis bien content parce qu'il a l'air disposé à marcher avec nous Vous êtes libre demain soir ?

— Je ne peux pas quitter le journal avant onze heures, dit Henri.

— Passez à onze heures, dit Dubreuilh ; on doit discuter le coup et je voudrais beaucoup que vous soyez là. »

Henri sourit : « Je ne vois pas bien pourquoi.

— Je lui ai dit que vous travaillez avec moi, mais votre présence aura plus de poids.

18

— Je ne pense pas qu'un type comme Samazelle y attache beaucoup d'importance, dit Henri en continuant à sourire. Il doit bien savoir que je ne suis pas un homme politique.

— Mais il pense comme moi qu'il ne faut plus abandonner la politique aux politiciens, dit Dubreuilh. Venez, même si ce n'est que pour un petit moment ; il y a un groupe intéressant derrière lui, Samazelle, des types jeunes, il nous les faut.

— Écoutez, vous n'allez pas encore parler de politique ! dit Paule d'une voix fâchée. C'est fête ce soir

— Et alors ? dit Dubreuilh. Les jours de fête c'est défendu de parler de ce qui intéresse ?

— Mais pourquoi tenez-vous à embarquer Henri dans cette histoire ! dit Paule. Il se fatigue déjà assez et il vous a dit vingt fois que la politique l'ennuie.

— Je sais, vous me prenez pour un vicieux qui essaie de débaucher ses petits camarades, dit Dubreuilh en souriant. Mais la politique n'est pas un vice, ma beauté, ni un jeu de société. Si une nouvelle guerre éclatait dans trois ans, vous seriez la première à vous plaindre.

— Ça c'est du chantage ! dit Paule. Quand cette guerre aura fini de finir, personne n'aura envie d'en recommencer une autre.

— Vous croyez que ça compte, les envies des gens ! » dit Dubreuilh.

Paule allait répondre, mais Henri lui coupa la parole : « Vraiment, dit-il, sans mauvaise volonté, je n'ai pas de temps.

— Le temps ne manque jamais, dit Dubreuilh.

— A vous, non, dit Henri en riant ; mais moi je suis un être normal ; je ne peux pas travailler vingt heures d'affilée ni me passer de sommeil pendant un mois.

— Mais moi non plus ! dit Dubreuilh. Je n'ai plus

mes vingt ans. On ne vous en demande pas tant », ajouta-t-il en goûtant le punch d'un air inquiet.

Henri le regarda gaiement : vingt ans ou quatre-vingts, Dubreuilh aurait toujours l'air aussi jeune à cause de ces yeux énormes et rieurs qui dévoraient tout. Quel fanatique ! Par comparaison Henri était tenté souvent de se juger dissipé, paresseux, inconsistant ; mais c'était inutile de se forcer. A vingt ans, il admirait tant Dubreuilh qu'il s'était cru obligé de le singer ; résultat : il avait tout le temps sommeil, il se bourrait de drogues, il sombrait dans l'imbécillité. Il fallait qu'il en prît son parti : privé de loisirs, il perdait le goût de vivre et du même coup celui d'écrire, il se transformait en machine. Pendant quatre ans il avait été une machine, maintenant il tenait avant tout à redevenir un homme.

— Je me demande à quoi mon inexpérience pourrait bien vous servir, dit-il.

— Ça a ses bons côtés, l'inexpérience, dit Dubreuilh ; il eut un petit sourire : « Et puis à l'heure qu'il est, vous avez un nom qui représente beaucoup, pour beaucoup de gens. » Son sourire s'accentua : « Samazelle a traîné avant la guerre dans toutes les fractions et fractions de fractions, mais ce n'est pas pour ça que je veux l'avoir : c'est parce qu'il est un héros du maquis, son nom porte. »

Henri se mit à rire ; jamais Dubreuilh ne lui semblait plus ingénu que lorsqu'il se voulait cynique ; Paule avait raison de l'accuser de chantage : s'il avait cru à l'imminence d'une troisième guerre, il n'aurait pas été de si bonne humeur. La vérité c'est qu'il voyait s'ouvrir des possibilités d'action et qu'il grillait de les exploiter. Henri se sentait moins enthousiaste. Évidemment, il avait changé depuis 39. Autrefois, il était de gauche parce que la bourgeoisie le dégoûtait, parce que l'injustice l'indignait, parce qu'il considérait tous les hommes comme des frères : de beaux sentiments généreux qui ne l'engageaient à rien. Il savait maintenant que s'il voulait vraiment se désolidariser de sa classe, il fallait qu'il paie de sa personne. Malefilatre, Bourgoin, Picard avaient laissé leur peau à la lisière du petit bois, mais il penserait toujours à eux comme à des vivants. Il était attablé avec eux devant un civet de lapin, ils buvaient du vin blanc, et sans beaucoup y croire, ils parlaient de l'avenir ; quatre grivetons ; mais la guerre finie ça ferait de nouveau un bourgeois, un paysan, deux métallos ; Henri avait compris à cet instant qu'aux yeux des trois autres et aux siens, il apparaîtrait comme un privilégié plus ou moins honteux, mais consentant, il ne serait plus des leurs ; pour rester leur copain, il n'y aurait qu'un moyen : continuer à faire des choses avec eux. Il avait mieux compris encore quand en 41 il avait travaillé avec le groupe de Bois-Colombes ; au début ça n'avait pas marché tout seul. Flamand l'exaspérait en répétant à tout bout de champ : « Tu comprends, moi je suis un ouvrier, je raisonne comme un ouvrier. » Mais grâce à lui Henri avait touché du doigt quelque chose qu'il ignorait auparavant, dont désormais il sentirait toujours la menace : la haine. Il l'avait désarmée : dans l'action commune, ils l'avaient reconnu pour leur camarade ; mais si jamais il redevenait un bourgeois indifférent, elle renaîtrait et à bon droit. A moins qu'il ne fasse la preuve du contraire, il était un ennemi pour des centaines de millions d'hommes, un ennemi de l'humanité. Il ne voulait de ça à aucun prix : il ferait la preuve. Le malheur, c'est que l'action avait changé de figure. La Résistance était une chose, la politique une autre. C'était loin de passionner Henri, la politique. Et il savait ce que signifiait un mouvement comme celui

21

qu'envisageait Dubreuilh . comités, conférences, congrès, on parle, on parle ; et il faut sans fin manœuvrer, transiger, accepter des compromis boiteux ; temps perdu, concessions rageuses, sombre ennui, rien de plus rebutant. Diriger un journal, ça c'était un travail qu'il aimait ; mais évidemment l'un n'empêchait pas l'autre et même, les deux se complétaient ; impossible d'utiliser *L'Espoir* comme alibi. Non, Henri ne se sentait pas le droit de se défiler ; il essaierait seulement de limiter les frais.

— Mon nom, quelques actes de présence, je ne peux pas vous refuser ça, dit-il. Mais il ne faut pas me demander beaucoup plus.

— Je vous demanderai sûrement plus, dit Dubreuilh.

— En tout cas, pas tout de suite. D'ici mon départ, j'ai du travail par-dessus la tête.

Dubreuilh planta son regard dans les yeux d'Henri : « Ça tient toujours, ce projet de voyage ?

— Plus que jamais. Dans trois semaines au plus tard je m'en vais. »

Dubreuilh dit d'une voix fâchée : « Ce n'est pas sérieux !

— Ah ! je suis tranquille ! dit Anne en le regardant d'un air narquois. Si vous aviez envie d'aller vous promener, vous iriez et vous expliqueriez que c'est la seule chose intelligente à faire.

— Mais je n'en ai pas envie, c'est ma supériorité, dit Dubreuilh.

— Je dois dire que les voyages, ça me semble un mythe », dit Paule ; elle sourit à Anne : « Une rose que tu m'apportes me donne plus que les jardins de l'Alhambra après quinze heures de train.

— Oh ! ça peut être passionnant un voyage, dit

Dubreuilh; mais en ce moment, c'est encore bien plus passionnant d'être ici.

— Eh bien, moi, j'ai tellement envie d'être ailleurs qu'au besoin je partirais à pied avec des pois secs plein mes souliers, dit Henri.

— Et *L'Espoir*, vous le plaquez comme ça pendant un mois ?

— Luc s'en tirera très bien sans moi », dit Henri.

Il les regarda tous les trois avec étonnement. « Ils ne se rendent pas compte ! » Toujours les mêmes têtes, le même décor, les mêmes conversations, les mêmes problèmes, plus ça change et plus c'est pareil : à la fin, on se sent mourir tout vif. L'amitié, les grandes émotions historiques, il avait apprécié tout ça à son prix ; mais maintenant il avait besoin d'autre chose : un besoin si violent que ça aurait été dérisoire d'essayer de s'en expliquer.

— Joyeux Noël !

La porte s'ouvrait : Vincent, Lambert, Sézenac, Chancel, toute l'équipe du journal. Ils apportaient des bouteilles et des disques, leurs joues étaient roses de froid, ils chantaient à tue-tête la rengaine des journées d'août :

> *Nous ne les reverrons plus.*
> *C'est fini, ils sont foutus.*

Henri leur sourit joyeusement ; il se sentait aussi jeune qu'eux et en même temps il avait l'impression de les avoir tous un peu créés. Il se mit à chanter avec eux ; soudain l'électricité s'éteignit, le punch flambait, les épis de Noël crépitaient, Lambert et Vincent aspergeaient Henri d'étincelles ; Paule allumait sur le sapin les bougies enfantines.

— Joyeux Noël !

Ils arrivaient par couples, par groupes; ils écou-
taient la guitare de Django Reinhardt, ils dansaient, ils
buvaient, tous riaient. Henri enlaça Anne et elle dit
d'une voix émue : « C'est juste comme la veille du
débarquement; le même endroit, les mêmes gens!

— Oui. Et maintenant, c'est arrivé.

— Pour nous, c'est arrivé », dit-elle.

Il savait ce qu'elle pensait : en cette minute des
villages belges brûlaient, la mer déferlait sur les
campagnes hollandaises. Pourtant ici c'était un soir de
fête : le premier Noël de paix. Il faut bien que ce soit
fête, quelquefois, sinon à quoi serviraient les victoires?
C'était fête; il reconnaissait cette odeur d'alcool, de
tabac et de poudre de riz, l'odeur des longues nuits.
Mille jets d'eau couleur d'arc-en-ciel dansaient dans sa
mémoire; avant-guerre, il y avait eu tant de nuits :
dans les cafés de Montparnasse où on se saoulait de
cafés-crème et de mots, dans les ateliers qui sentaient
la peinture à l'huile, dans les petits dancings où il
serrait dans ses bras la plus belle des femmes, Paule; et
toujours dans l'aube aux rumeurs métalliques une voix
doucement délirante murmurait en lui que le livre
qu'il était en train d'écrire serait bon et que rien n'était
plus important au monde.

— Vous savez, dit-il, j'ai décidé d'écrire un roman
gai.

— Vous? Anne le regarda d'un air amusé : « Quand
commencez-vous?

— Demain. »

Oui, il avait hâte soudain de redevenir ce qu'il était,
ce qu'il avait toujours voulu être : un écrivain. Il
reconnaissait aussi cette joie inquiète : je commence
un nouveau livre. Il allait parler de toutes ces choses
qui étaient en train de renaître : les aubes, les longues
nuits, les voyages, la joie.

— Vous avez l'air de bien bonne humeur, ce soir, dit Anne.

— Je le suis. J'ai l'impression de sortir d'un long tunnel. Pas vous ?

Elle hésita : « Je ne sais pas. Il y a tout de même eu de bons moments dans ce tunnel.

— Bien sûr. »

Il sourit à Anne. Elle était jolie, ce soir, et il la trouvait romanesque, dans son tailleur austère. Si elle n'avait pas été une vieille amie et la femme de Dubreuilh, il lui aurait volontiers fait un doigt de cour. Il la fit danser plusieurs fois de suite, et puis il invita Claudie de Belzunce qui, en grand décolleté, couverte de bijoux de famille, était venue s'encanailler avec l'élite intellectuelle. Il invita Jeannette Cange, Lucie Lenoir. Toutes ces femmes, il les connaissait trop : mais il y aurait d'autres fêtes, il y aurait d'autres femmes. Henri sourit à Preston qui s'avançait à travers le studio, en titubant légèrement ; c'était le premier Américain de connaissance qu'Henri eût rencontré en août et ils étaient tombés dans les bras l'un de l'autre.

— J'ai tenu à venir célébrer avec vous ! dit Preston

— Célébrons, dit Henri.

Ils burent, et Preston se mit à parler sentimentale-ment des nuits de New York. Il était un peu saoul et il s'appuyait sur l'épaule d'Henri. « Vous devez venir à New York, répétait-il d'une voix impérieuse. Je garan-tis que vous serez un grand succès.

— Bien sûr, j'irai à New York, dit Henri.

— En arrivant, louez un petit avion, c'est la meil-leure manière de voir le pays, dit Preston.

— Je ne sais pas piloter.

— Oh ! c'est plus facile que de conduire une auto.

— J'apprendrai à piloter », dit Henri.

Oui, le Portugal n'était qu'un début ; ensuite, il y

aurait l'Amérique, le Mexique, le Brésil, et peut-être l'U.R.S.S., la Chine : tout. Henri conduirait de nouveau des autos, il piloterait des avions. L'air gris-bleu était lourd de promesses, l'avenir s'élargissait à l'infini.

Soudain, il se fit un silence. Henri vit avec surprise que Paule s'asseyait au piano. Elle commença à chanter. Il y avait bien longtemps que ça ne lui était pas arrivé. Henri essaya de l'écouter d'une oreille impartiale : jamais il n'avait réussi à se faire une idée exacte sur la valeur de cette voix ; certainement ce n'était pas une voix indifférente : par instants on aurait cru entendre, emmitouflé de velours, l'écho d'une cloche de bronze. Une fois de plus il se demanda : « Pourquoi au juste a-t-elle laissé tomber ? » Sur le moment, il avait vu dans son sacrifice une bouleversante preuve d'amour ; plus tard, il s'était étonné que Paule éludât toutes les occasions de tenter sa chance et il s'était demandé si elle n'avait pas pris prétexte de leur amour pour se dérober à l'épreuve.

Les applaudissements éclatèrent ; il applaudit avec les autres et Anne murmura : « Sa voix est toujours aussi belle. Si elle reparaissait en public, je suis sûre qu'elle aurait du succès.

— Vous croyez ? il est un peu tard, non ? dit Henri.

— Pourquoi donc ? En reprenant quelques leçons... » Anne regarda Henri d'un air un peu hésitant : « Il me semble que ça serait bien pour elle. Vous devriez l'encourager.

— Peut-être », dit-il.

Il dévisagea Paule qui écoutait en souriant les compliments emportés de Claudie de Belzunce. Évidemment ça lui changerait la vie ; le désœuvrement ne lui valait rien. « Et moi, ça me simplifierait les choses ! » se dit-il. Après tout pourquoi pas ? Ce soir tout semblait possible. Paule deviendrait célèbre, elle se passionnerait pour sa carrière, il serait libre, il se promènerait partout, et il aurait par-ci par-là des amours joyeuses et brèves. Pourquoi pas ? Il sourit et s'approcha de Nadine qui debout à côté du poêle mastiquait du chewing-gum d'un air morne :

— Pourquoi ne dansez-vous pas ?

Elle haussa les épaules : « Avec qui ?

— Avec moi si vous voulez. »

Elle n'était pas jolie, elle ressemblait trop à son père et c'était gênant de retrouver ce visage bourru au-dessus d'un corps de jeune fille ; les yeux étaient bleus comme ceux d'Anne mais si froids qu'ils semblaient à la fois usés et puérils ; pourtant, sous la robe de lainage, la taille était plus souple, les seins plus affirmés qu'Henri ne l'eût pensé.

— C'est la première fois que nous dansons ensemble, dit-il.

— Oui. Elle ajouta : « Vous dansez bien.

— Ça vous étonne ?

— Je comprends. Aucun de ces petits morveux ne sait danser.

— Ils n'ont guère eu l'occasion d'apprendre.

— Je sais, dit-elle. On n'a eu l'occasion de rien. »

Il lui sourit ; même laide, une femme jeune est une femme ; il aimait son odeur austère d'eau de Cologne, de linge frais. Elle dansait mal, mais c'était sans importance, il y avait ces voix jeunes, ces rires, le chorus de cette trompette, le goût du punch, au fond des miroirs ces sapins fleuris de flammèches, derrière les rideaux un pur ciel noir. Dubreuilh était en train de faire un numéro de prestidigitation : il découpait en morceaux un journal et le raccommodait d'un tour de main ; Lambert et Vincent se battaient en duel avec des bouteilles vides, Anne et Lachaume chantaient un

27

grand opéra; des trains, des avions, des bateaux tournaient autour de la terre et on pouvait y monter.

— Vous ne dansez pas mal, dit-il poliment.

— Je danse comme un veau; mais je m'en fous : je n'aime pas danser. Elle l'examina avec soupçon : « Les petits zazous, le jazz, les caves qui puent le tabac et la sueur, ça vous amuse, vous ?

— De temps en temps. » Il demanda : « Qu'est-ce qui vous amuse ?

— Rien. »

Elle avait répondu d'une voix si farouche qu'il la dévisagea avec curiosité; il se demandait si c'était la déception ou le plaisir qui l'avaient jetée dans tant de bras. Peut-être le trouble adoucissait-il la dure charpente de son visage. La tête de Dubreuilh sur un oreiller, à quoi ça ressemblait-il ?

— Quand je pense que vous allez au Portugal, vous êtes drôlement verni, dit-elle avec rancune.

— Bientôt ça sera de nouveau facile de voyager, dit-il.

— Bientôt! vous voulez dire dans un an, dans deux ans! Comment vous êtes-vous débrouillé ?

— Ce sont les services de propagande française qui m'ont demandé des conférences.

— Évidemment, personne ne me demandera des conférences, à moi, murmura-t-elle. Vous en ferez beaucoup ?

— Cinq ou six.

— Et vous vous baladerez pendant un mois!

— Il faut bien que les vieilles gens aient des compensations, dit-il gaiement.

— Et lesquelles a-t-on quand on est jeune ? dit Nadine; elle soupira avec bruit : « Si au moins il se passait des choses.

— Quelles choses ?

— Depuis le temps qu'on est soi-disant en révolution ! et puis rien ne bouge...

— En août ça a tout de même un peu bougé, dit Henri.

— En août on racontait que tout allait changer, et c'est juste pareil qu'avant : c'est toujours ceux qui travaillent le plus qui bouffent le moins, et tout le monde continue à trouver ça très bien.

— Personne ici ne trouve ça bien, dit Henri.

— Mais tout le monde s'en arrange, dit Nadine d'une voix irritée. Déjà, c'est assez dégoûtant d'être obligé de perdre son temps à travailler : si c'est pour ne même pas manger à sa faim, moi j'aimerais mieux me faire gangster.

— Je suis bien d'accord, nous sommes tous d'accord, dit Henri. Mais attendez un peu, vous êtes trop pressée. »

Nadine l'interrompit : « Vous parlez si on me l'a expliqué en long et en large à la maison, qu'il faut attendre ; mais je me méfie des explications. » Elle haussa les épaules : « Pour de vrai, personne n'essaie rien.

— Et vous ? dit Henri en souriant. Est-ce que vous essayez quelque chose ?

— Moi ? Je n'ai pas l'âge qu'il faut, dit Nadine ; je compte pour du beurre. »

Henri se mit à rire franchement.

— Ne vous désolez pas ; ça viendra, l'âge ; ça viendra vite !

— Vite ! il faut trois cent soixante-cinq jours pour faire une année ! dit Nadine. Elle baissa la tête et pendant un moment elle rumina en silence ; brusquement elle leva les yeux : « Emmenez-moi.

— Où ça ? dit Henri.

— Au Portugal. »

29

Il sourit : « Ça ne me paraît pas très possible.

— Il suffirait que ça le soit un peu. » Il ne répondit pas et elle demanda d'une voix insistante : « Pourquoi ça n'est pas possible ?

— D'abord on ne me donnerait pas deux ordres de mission.

— Allons donc ! vous connaissez tout le monde. Dites que je suis votre secrétaire. » La bouche de Nadine riait mais son regard était passionnément sérieux. Il dit sérieusement :

— Si j'emmenais quelqu'un, ça serait Paule.

— Elle n'aime pas les voyages.

— Mais elle serait contente de m'accompagner.

— Ça fait dix ans qu'elle vous voit tous les jours, et elle n'en a pas fini : un mois de plus ou de moins, qu'est-ce que ça peut lui faire ?

De nouveau Henri sourit · « Je vous rapporterai des oranges. »

Le visage de Nadine se durcit, et Henri eut devant les yeux le masque intimidant de Dubreuilh : « Vous savez que je n'ai plus huit ans.

— Je sais.

— Non ; pour vous je serai toujours la sale môme qui donnait des coups de pied dans la cheminée.

— Pas du tout ; la preuve c'est que je vous ai invitée à danser.

— Oh ! c'est une soirée de famille. Mais vous ne m'inviteriez pas à sortir avec vous. »

Il la dévisagea avec sympathie. En voilà une au moins qui souhaitait changer d'air ; elle souhaitait un tas de choses : d'autres choses. Pauvre môme ! c'est vrai qu'elle n'avait eu l'occasion de rien. L'Ile-de-France à bicyclette, c'est à peu près tout ce qu'elle avait fait comme voyage ; une austère jeunesse, et puis ce garçon était mort ; elle semblait s'être vite consolée, mais ça devait être tout de même un sale souvenir.

— Eh bien, vous vous trompez, dit-il. Je vous invite.

— C'est vrai ? Les yeux de Nadine brillaient. Elle devenait beaucoup plus gentille à regarder quand son visage s'animait.

— Le samedi soir je ne vais pas au journal : retrouvons-nous à huit heures au Bar Rouge.

— Et qu'est-ce qu'on fera ?

— Vous déciderez.

— Je n'ai pas d'idée.

— D'ici là j'en aurai. Venez boire un verre.

— Je ne bois pas, mais je mangerais bien encore un sandwich.

Ils s'approchèrent du buffet ; Lenoir et Julien étaient en train de se disputer : c'était chronique. Chacun reprochait à l'autre d'avoir trahi sa jeunesse de la manière qui n'était pas la bonne. Autrefois, trouvant l'extravagance du surréalisme trop mesurée, ils avaient fondé ensemble le mouvement « parahumain ». Lenoir était devenu professeur de sanskrit et il écrivait des poèmes hermétiques ; Julien était bibliothécaire et il avait cessé d'écrire, peut-être parce qu'après de précoces succès il avait redouté une mûre médiocrité.

— Qu'est-ce que tu en penses ? dit Lenoir. Il faut prendre des mesures contre les écrivains collabo, non ?

— Ce soir je ne pense pas ! dit Henri gaiement.

— Mauvaise tactique de les empêcher de publier, dit Julien ; pendant que vous rédigerez à tour de bras vos libelles, eux ils prendront tout leur temps et ils écriront de bons livres.

Une main impérieuse se posa sur l'épaule d'Henri : Scriassine.

— Regarde ce que j'apporte : du whisky américain ;

j'ai pu en passer deux bouteilles ; le premier réveillon parisien : c'est une bonne occasion pour les boire.

— Magnifique ! dit Henri. Il remplit un verre de bourbon qu'il tendit à Nadine.

— Je ne bois pas, dit-elle d'un air offensé.

Elle tourna les talons et Henri porta le verre à sa bouche ; il avait tout à fait oublié ce goût ; à vrai dire, autrefois il buvait plutôt du scotch, mais comme il avait aussi oublié le goût du scotch ça ne faisait guère de différence :

— Qui veut un coup de vrai whisky ?

Luc s'approcha, en traînant ses gros pieds goutteux, Lambert et Vincent le suivaient. Ils remplirent leurs verres.

— J'aime mieux une bonne fine, dit Vincent.

— Ce n'est pas mauvais, dit Lambert sans conviction ; il interrogea du regard Scriassine : « C'est vrai qu'ils en boivent douze par jour, en Amérique ?

— *Ils*, qui ça *ils* ? dit Scriassine. Il y a cent cinquante millions d'Américains et ils ne ressemblent pas tous aux héros d'Hemingway. » Sa voix était désagréable ; il n'était pas souvent aimable avec les types plus jeunes que lui ; il se tourna délibérément vers Henri :

— Je viens de causer sérieusement avec Dubreuilh ; je suis très inquiet.

Il avait l'air préoccupé ; c'était son air habituel ; on aurait dit que tout ce qui se passait là où il était et même là où il n'était pas le concernait personnellement. Henri n'avait aucune envie de partager ses inquiétudes. Il demanda du bout des lèvres :

— Pourquoi donc ?

— Ce mouvement qu'il est en train de constituer, je pensais qu'il aurait pour but essentiel de décrocher le prolétariat du P.C. et ce n'est pas du tout ce que

Dubreuilh semble envisager, dit Scriassine d'une voix sombre.

— Non, pas du tout, dit Henri.

Il pensa avec accablement : « Voilà le genre de conversation que j'aurai à subir à longueur de journée, quand je me serai laissé embringuer par Dubreuilh. » De nouveau il se sentit envahi de la tête aux pieds par une envie dévorante d'être ailleurs.

Scriassine le regarda dans les yeux : « Tu marches avec lui ?

— A très petits pas, dit Henri. La politique, ce n'est pas mon fort.

— Tu n'as sans doute pas compris ce que Dubreuilh est en train de mijoter », dit Scriassine. Il fixa sur Henri un regard réprobateur : « Il rassemble une gauche soi-disant indépendante mais qui accepte l'unité d'action avec les communistes.

— Oui, je sais, dit Henri. Alors ?

— Eh bien, il fait leur jeu ; il y a un tas de gens que le communisme effraie et qu'il va rapprocher d'eux.

— Ne me dis pas que tu es contre l'unité d'action, dit Henri. Ça serait joli si la gauche commençait à se diviser !

— Une gauche asservie aux communistes ! c'est une mystification, dit Scriassine. Si vous êtes décidés à marcher avec eux, inscrivez-vous au P.C. ça sera plus franc.

— Pas question. Sur un tas de points, on n'est pas d'accord ! » dit Henri.

Scriassine haussa les épaules : « Alors d'ici trois mois les staliniens vous dénonceront comme social-traîtres.

— On verra », dit Henri.

Il n'avait aucune envie de poursuivre la discussion mais Scriassine plongea son regard dans le sien : « On

33

m'a dit que *L'Espoir* a beaucoup de lecteurs dans la classe ouvrière. C'est vrai ?

— C'est vrai.

— Ainsi tu as en main le seul journal non communiste qui atteigne le prolétariat ! tu te rends compte de tes responsabilités ?

— Je me rends compte.

— Si tu mets *L'Espoir* au service de Dubreuilh, tu es complice d'une manœuvre dégoûtante, dit Scriassine. Dubreuilh a beau être ton ami, ajouta-t-il, il faut le contrer.

— Écoute, pour ce qui est du journal, il ne sera jamais au service de personne : ni de Dubreuilh ni de toi, dit Henri.

— Il faudra bien qu'un de ces jours *L'Espoir* définisse son programme politique, dit Scriassine.

— Non. Je n'aurai jamais de programme a priori, dit Henri. Je tiens à dire ce que je pense, comme je le pense, sans me laisser enrégimenter.

— Ça ne tient pas debout », dit Scriassine.

La voix placide de Luc s'éleva soudain : « Nous ne voulons pas de programme politique parce que nous voulons sauver l'unité de la Résistance. »

Henri se versa un verre de bourbon. « Tout ça c'est des conneries ! » grommela-t-il entre ses dents. Luc n'avait que ces mots à la bouche : l'esprit de la Résistance, l'unité de la Résistance. Et Scriassine voyait rouge dès qu'on lui parlait de l'U.R.S.S. Ils auraient mieux fait de s'en aller délirer chacun dans son coin. Henri vida son verre. Il n'avait pas besoin qu'on lui donne de conseils, il avait ses idées à lui sur ce que doit être un journal. Bien sûr, *L'Espoir* serait amené à prendre parti politiquement : mais en toute indépendance. Si Henri avait gardé le journal, ce n'était pas pour en faire un canard pareil à ceux

34

d'avant-guerre ; en ce temps-là, toute la presse bluffait le public à coups d'autorité ; on avait vu le résultat : privés de leur oracle quotidien, les gens avaient été complètement désorientés. Aujourd'hui, tout le monde s'entendait à peu près sur l'essentiel, finies les polémiques et les campagnes partisanes : il fallait en profiter pour former les lecteurs au lieu de leur bourrer le crâne. Non pas leur dicter des opinions, mais leur apprendre à juger par eux-mêmes. Ce n'était pas simple ; souvent ils exigeaient des réponses ; il ne fallait pas leur donner une impression d'ignorance, de doute, d'incohérence. Mais justement, c'était ça la gageure : mériter leur confiance au lieu de la leur voler. La preuve que la méthode rendait, c'est qu'on achetait *L'Espoir* un peu partout. « Pas la peine de reprocher aux communistes leur sectarisme si on est aussi dogmatique qu'eux », se dit Henri. Il interrompit Scriassine :

— Tu ne crois pas qu'on pourrait remettre cette discussion à un autre jour ?

— Soit ; prenons rendez-vous, dit Scriassine. Il tira un carnet de sa poche. Je pense qu'il est urgent de confronter nos positions.

— Attendons jusqu'à mon retour de voyage, dit Henri.

— Tu pars en voyage ? Un voyage d'information ?

— Non, d'agrément.

— Maintenant ?

— Eh oui ! dit Henri.

— Est-ce que ce n'est pas une désertion ? dit Scriassine

— Une désertion ? dit Henri gaiement. Je ne suis pas soldat. Il désigna du menton Claudie de Belzunce : « Tu devrais faire danser Claudie, cette dame très nue qui a des bijoux partout ; c'est une vraie femme du monde et elle t'admire beaucoup.

35

— Les femmes du monde, c'est un de mes vices », dit Scriassine avec un petit sourire. Il secoua la tête : « J'avoue que je ne comprends pas. »

Il alla inviter Claudie ; Nadine dansait avec Lachaume, Dubreuilh et Paule tournaient autour de l'arbre de Noël : elle n'aimait pas Dubreuilh, mais souvent il réussissait à la faire rire.

— Tu as joliment scandalisé Scriassine ! dit Vincent gaiement.

— Ça les scandalise tous que je parte en voyage, dit Henri. Dubreuilh le premier.

— Ils sont formidables ! dit Lambert. Tu en as fait plus qu'eux, non ? Tu as bien le droit de prendre des vacances !

« Décidément, se dit Henri, c'est avec les jeunes que je m'entends le mieux. » Nadine l'enviait, Vincent et Lambert le comprenaient : eux aussi, dès qu'ils avaient pu, ils s'étaient dépêchés d'aller voir ce qui se passait ailleurs, ils s'étaient tout de suite fait inscrire comme correspondants de guerre. Il resta longtemps avec eux et ils se racontèrent pour la centième fois les fameuses journées où ils avaient occupé les bureaux du journal, où on vendait *L'Espoir* au nez des Allemands pendant qu'Henri écrivait son éditorial avec un revolver dans son tiroir. Ce soir, il trouvait un charme tout neuf à ces vieilles histoires parce qu'il les entendait de très loin : il était couché sur du sable tendre, la mer était bleue, il pensait avec nonchalance à des temps révolus, à des amis lointains et il s'enchantait d'être seul et libre ; il était heureux.

Soudain il se retrouva dans le studio rouge, à quatre heures du matin. Beaucoup de gens étaient déjà partis, tous allaient partir, et il resterait avec Paule. Il faudrait lui parler, la caresser.

— Petit chou, ta soirée était un chef-d'œuvre, dit

36

Claudie en embrassant Paule. Et tu as une voix merveilleuse. Si tu voulais, tu serais une des lionnes de l'après-guerre.

— Je n'en demande pas tant, dit Paule gaiement.

Non, elle n'avait pas ce genre d'ambition. Il savait ce qu'elle souhaitait : se retrouver la plus belle des femmes dans les bras de l'homme le plus glorieux du monde ; et ça ne serait pas un petit travail que de la faire changer de rêve. Les derniers invités s'en allaient : brusquement le studio fut vide ; il y eut du bruit dans l'escalier, des pas martelèrent le silence de la rue et Paule se mit à ramasser les verres oubliés sous les fauteuils.

— Claudie a raison, dit Henri ; ta voix est toujours aussi belle. Voilà si longtemps que je ne t'avais pas entendue ! Pourquoi ne chantes-tu plus jamais ?

Le visage de Paule s'éclaira : « Tu aimes ma voix ? Tu veux que je chante pour toi, quelquefois ?

— Bien sûr. » Il sourit : « Tu ne sais pas ce que m'a dit Anne : c'est que tu devrais recommencer à chanter en public. »

Paule le regarda d'un air scandalisé : « Ah ! non ! ne me parle pas de ça. C'est une affaire réglée depuis longtemps.

— Et pourquoi ? dit Henri. Tu as vu comme ils ont applaudi ? Ils étaient tous remués. Il y a un tas de boîtes qui s'ouvrent en ce moment et les gens ont envie de vedettes neuves... »

Paule l'interrompit : « Non, je t'en supplie, n'insiste pas. M'exhiber en public : ça me ferait horreur. N'insiste pas », répéta-t-elle d'une voix implorante.

Il la dévisagea avec perplexité : « Horreur ? dit-il d'un ton incertain. Je ne comprends pas : ça ne te faisait pas horreur autrefois, et tu n'as pas vieilli, tu sais, tu as même encore embelli.

— C'était une autre époque de ma vie, dit Paule, une époque enterrée à jamais. Je chanterai pour toi et pour personne d'autre », ajouta-t-elle avec tant de passion qu'Henri se tut. Mais il se promit de revenir à la charge. Il y eut un silence et elle dit : « Nous montons ?

— Montons. »

Paule s'assit sur le lit ; elle détacha ses boucles d'oreilles et fit glisser ses bagues : « Tu sais, dit-elle d'une voix apaisée, si j'ai eu l'air de blâmer ton voyage, je m'excuse.

— Quelle idée ! tu as bien le droit de ne pas aimer les voyages et de le dire », dit Henri. Ça le mettait mal à l'aise de penser que pendant toute la soirée elle avait scrupuleusement entretenu ce remords.

— Je comprends parfaitement que tu aies envie de partir, dit-elle ; je comprends même très bien que tu veuilles partir sans moi.

— Ce n'est pas que je veuille.

Elle l'interrompit d'un geste. « Tu n'as pas besoin d'être poli. » Elle posa ses mains à plat sur ses genoux ; les yeux fixes, le buste très droit, elle avait l'air d'une calme pythie. « Je n'ai jamais songé à t'enfermer dans notre amour. Tu ne serais pas toi-même si tu ne souhaitais pas des horizons nouveaux, des aliments nouveaux. » Elle se pencha en avant et posa sur lui son regard figé. « Il me suffit de t'être nécessaire. »

Henri ne répondit pas. Il ne voulait ni la désespérer, ni l'encourager. « Si du moins je pouvais lui en vouloir ! » pensait-il. Mais non, pas un grief.

Paule se leva et sourit ; son visage redevint humain ; elle mit ses mains sur les épaules d'Henri, sa joue contre sa joue : « Tu pourrais te passer de moi ?

— Tu sais bien que non.

— Oui, je sais, dit-elle gaiement ; tu me dirais le contraire que je ne te croirais pas. »

Elle marcha vers la salle de bains ; c'était impossible de ne pas lui abandonner de temps à autre un lambeau de phrase, un sourire ; elle embaumait ces reliques dans son cœur et elle leur extorquait des miracles quand par hasard sa foi vacillait. « Mais malgré tout, au fond, elle sait que je ne l'aime plus », se dit-il pour se rassurer. Il commença à se déshabiller et enfila son pyjama. Elle le savait, soit, mais ça n'avançait à rien tant qu'elle n'y consentait pas. Il entendit un bruit de soie froissée, puis un bruit d'eau et de cristal : ces bruits qui lui coupaient la respiration, autrefois. Il se dit avec malaise : « Non, pas ce soir. » Paule apparut dans l'embrasure de la porte, les cheveux épars sur les épaules, grave et nue ; elle était presque aussi parfaite qu'autrefois, seulement pour Henri toute cette beauté ne signifiait plus rien. Elle se glissa sous les draps et se serra contre lui sans un mot : il ne trouvait aucun prétexte pour la repousser ; déjà elle soupirait avec extase en se collant plus étroitement à lui ; il se mit à caresser l'épaule, les flancs familiers, et il sentit que son sang affluait docilement dans son sexe : tant mieux ; Paule n'aurait pas été d'humeur à se contenter d'un baiser sur la tempe et ça prendrait bien moins de temps de la satisfaire que de s'expliquer. Il embrassa la bouche brûlante qui s'ouvrit sous la sienne selon la routine ordinaire ; mais au bout d'un instant, Paule quitta ses lèvres, et il l'entendit avec gêne murmurer de vieux mots qu'il ne lui disait plus jamais : « Je suis toujours ta belle grappe de glycine ?

— Toujours.

— Et tu m'aimes ? dit-elle en posant la main sur le sexe gonflé. C'est vrai que tu m'aimes toujours ? »

Il ne se sentait pas le courage de provoquer un drame ; il était résigné à tous les aveux et elle le savait : « C'est vrai.

— Tu es à moi ?

— Je suis à toi.

— Dis-moi que tu m'aimes, dis-le.

— Je t'aime. »

Elle eut un long râle crédule ; il l'étreignit avec violence, il étouffa sa bouche sous ses lèvres ; sans attendre il entra en elle : pour avoir plus vite fini. En elle il faisait rouge comme dans le studio trop rouge ; elle se mit à gémir et à crier des mots, comme autrefois. Mais autrefois l'amour d'Henri la protégeait ; ses cris, ses plaintes, ses rires, ses morsures étaient des offrandes sacrées ; aujourd'hui il était couché sur une femme égarée qui disait des paroles obscènes et dont les griffes faisaient mal. Il avait horreur d'elle et de lui. La tête renversée, les yeux clos, les dents nues, elle était si totalement donnée, si affreusement perdue qu'il eut envie de la gifler pour la ramener sur terre, de lui dire : C'est toi, c'est moi et nous faisons l'amour, c'est tout. Il lui semblait violer une morte ou une folle et il n'arrivait pas à se délivrer de son plaisir. Quand enfin il se laissa retomber sur Paule, il entendit un gémissement triomphant ; elle murmura :

— Tu es heureux ?

— Bien sûr.

— Je suis tellement heureuse ! dit-elle ; elle le regardait avec des yeux illuminés où brillaient des larmes. Il cacha contre son épaule ce visage à l'éclat insoutenable. « Les amandiers seront en fleur..., se dit-il en fermant les yeux. Et il y aura des oranges sur les orangers. »

Non, ce n'est pas aujourd'hui que je connaîtrai ma mort ; ni aujourd'hui, ni aucun jour. Je serai morte pour les autres sans jamais m'être vue mourir.

J'ai refermé les yeux, mais sans pouvoir me rendormir. Pourquoi la mort a-t-elle de nouveau traversé mes rêves ? elle rôde, je la sens qui rôde. Pourquoi ?

Je n'ai pas toujours su que je mourrais. Enfant, j'ai cru en Dieu. Une robe blanche et deux ailes lustrées m'attendaient dans les vestiaires du ciel : je souhaitais crever les nuées. Je m'étendais sur mon édredon, les mains jointes, et je m'abandonnais aux délices de l'au-delà. Parfois dans mon sommeil je me disais : « Je suis morte » et ma voix vigilante me garantissait l'éternité. Le silence de la mort, c'est avec horreur que je l'ai découvert. Une sirène expirait au bord de la mer ; pour l'amour d'un jeune homme elle avait renoncé à son âme immortelle et il ne restait d'elle qu'un peu d'écume blanche sans souvenir, sans voix. Je me disais pour me rassurer : « C'est un conte ! »

Ce n'était pas un conte. C'est moi la sirène. Dieu est devenu une idée abstraite au fond du ciel et un soir je l'ai effacée. Je n'ai jamais regretté Dieu : il me volait la terre. Mais un jour, j'ai compris qu'en renonçant à lui je m'étais condamnée à mort ; j'avais quinze ans : dans l'appartement désert, j'ai crié. En reprenant mes sens, je me suis demandé : « Comment les autres gens font-ils ? Comment ferai-je ? Est-ce que je vais vivre avec cette peur ? »

Du moment où j'ai aimé Robert, je n'ai plus jamais eu peur, de rien. Je n'avais qu'à prononcer son nom et j'étais en sécurité. Il travaille dans la pièce voisine : je peux me lever et ouvrir la porte... Mais je reste couchée : je ne suis pas certaine qu'il n'entende pas lui aussi ce petit bruit rongeur. La terre craque sous nos pieds ; au-dessus de nos têtes, il y a un abîme, et je ne sais plus qui nous sommes, ni ce qui nous attend.

Je me suis redressée en sursaut, j'ai ouvert les yeux : comment admettre que Robert soit en danger ? comment le tolérer ? Il ne m'a rien dit de vraiment inquiétant, il n'a rien dit de neuf. Je suis fatiguée, j'ai trop bu, c'est un petit délire de quatre heures du matin. Mais qui peut décider à quelle heure on y voit clair ? N'est-ce pas quand je croyais être encore en sécurité que je délirais ? et est-ce que je le croyais vraiment ?

Je ne peux pas me rappeler ; nous n'étions pas très attentifs à notre propre vie. Les événements seuls comptaient : l'exode, le retour, les sirènes, les bombes, les queues, nos réunions, les premiers numéros de *L'Espoir*. Dans le studio de Paule une chandelle brune crachait des escarbilles, avec deux boîtes de conserve nous avions fabriqué un réchaud où nous faisions brûler du papier, la fumée nous piquait les yeux. Dehors il y avait des flaques de sang, le claquement des balles, le grondement des canons et des tanks ; c'était en nous tous le même silence, la même faim, le même espoir. Chaque matin nous étions réveillés par la même question : la croix gammée flotte-t-elle encore sur le Sénat ? c'était la même fête dans nos cœurs lorsque nous dansions carrefour Montparnasse autour d'un feu de joie. Et puis l'automne a passé et tout à l'heure, tandis qu'aux lumières de l'arbre de Noël nous achevions d'oublier nos morts, je me suis avisée que nous recommencions à exister, chacun pour soi. « Tu crois que le passé peut ressusciter ? » demandait Paule ; et Henri m'a dit : « J'ai envie d'écrire un roman gai. » Ils peuvent de nouveau parler à voix haute, publier leurs livres, ils discutent, ils s'organisent, ils

font des projets, c'est pour ça qu'ils sont tous heureux :
enfin, presque tous ; ce n'est pas le moment que je
devrais choisir pour me tourmenter. C'est fête cette
nuit : le premier Noël de paix ; le dernier Noël à
Buchenwald, le dernier Noël sur terre, le premier Noël
que Diégo n'a pas vécu. Nous dansions, nous nous
embrassions autour de l'arbre scintillant de promesses, et ils étaient nombreux, ah ! si nombreux à ne
pas être là ! Personne n'avait recueilli leurs dernières
paroles et ils n'étaient enterrés nulle part : le vide les
avait engloutis. Deux jours après la Libération Gene-
viève avait touché un cercueil : était-ce bien le bon ?
On n'avait pas retrouvé le corps de Jacques ; un
camarade prétendait qu'il avait enterré des carnets
sous un arbre : quels carnets ? quel arbre ? Sonia avait
fait demander un pull-over et des bas de soie, et puis
elle n'avait plus jamais rien demandé. Où étaient les os
de Rachel et ceux de la très belle Rosa ? Dans ses bras
qui tant de fois avaient étreint le doux corps de Rosa,
Lambert serrait Nadine, et Nadine riait comme au
temps où Diégo la serrait dans ses bras. Je regardais
l'allée de sapins au fond des grands miroirs, et je
pensais : Voici les bougies, le houx, le gui qu'ils ne
voient pas ; tout ce qui m'est donné, je le leur vole.
« On les a abattus. » Qui le premier ? son père ou lui ?
la mort n'entrait pas dans ses plans : a-t-il su qu'il
allait mourir ? s'est-il révolté, résigné ? comment
savoir ? et maintenant qu'il est mort, quelle importance ?

Pas d'anniversaire, pas de tombe : c'est pour ça que
je le cherche encore à tâtons à travers cette vie qu'il
aimait avec tumulte. Je tends la main vers la poire
électrique, je la laisse retomber : dans mon secrétaire
il y a une photographie de Diégo mais j'aurai beau la
regarder pendant des heures, jamais je ne retrouverai

sous la broussaille des cheveux son visage de chair, ce visage où tout était trop grand : les yeux, le nez, les oreilles, la bouche. Il était assis dans le bureau et Robert demandait : « En cas de victoire nazie, que feriez-vous ? » Il a répondu : « La victoire nazie n'entre pas dans mes plans. » Ses plans, c'était d'épouser Nadine et de devenir un grand poète. Il aurait réussi, peut-être : à seize ans, il savait déjà changer les mots en braise ; peut-être n'avait-il besoin que de très peu de temps : cinq ans, quatre ans. Il vivait si vite. Nous nous pressions autour du radiateur électrique, et je m'amusais à le regarder dévorer Hegel ou Kant : il tournait les pages aussi rapidement que s'il eût feuilleté un roman policier ; et le fait est qu'il comprenait. Seuls ses rêves étaient lents.

Il passait chez nous presque tout son temps. Son père était un Juif espagnol qui s'entêtait à gagner de l'argent dans les affaires ; il se disait protégé par le consul d'Espagne. Diégo lui reprochait son luxe et une opulente maîtresse blonde. Notre austérité lui plaisait. Et puis il était à l'âge où on admire, il admirait Robert : il était venu un jour lui apporter ses poèmes et c'est ainsi que nous l'avions connu. Dès l'instant où il avait rencontré Nadine, il lui avait donné impétueusement son amour : son premier, son unique amour ; elle avait été bouleversée de se sentir enfin nécessaire. Elle avait installé Diégo à la maison. Il avait de l'affection pour moi, bien qu'il me trouvât trop raisonnable. Le soir, Nadine exigeait que j'aille la border, comme naguère, et couché à côté d'elle il me demandait : « Et moi ? vous ne m'embrassez pas ? » Je l'embrassais. Cette année-là nous avons été des amies, ma fille et moi. Je lui savais gré d'être capable d'un sincère amour ; elle m'était reconnaissante de ne pas avoir contrarié son cœur. Pourquoi l'aurais-je fait ? Elle n'avait que dix-sept ans : mais nous pensions Robert et moi qu'il n'est jamais trop tôt pour le bonheur.

Ils savaient être heureux avec tant de fougue ! Près d'eux, je retrouvais ma jeunesse. « Venez dîner avec nous, viens, ce soir c'est fête », disaient-ils en me tiraillant chacun par un bras. Ce jour-là, Diégo avait volé à son père une pièce d'or : il aimait mieux prendre que recevoir, c'était de son âge ; il avait monnayé sans peine son trésor et il avait passé l'après-midi avec Nadine sur les montagnes russes de Luna Park. Quand je les rencontrai le soir dans la rue, ils étaient en train de dévorer une énorme tarte achetée dans l'arrière-boutique d'un boulanger : c'était leur manière de s'ouvrir l'appétit. Robert, convié par téléphone, refusa de quitter son travail ; moi je les accompagnai. Leurs visages étaient barbouillés de marmelade, leurs mains noires de toute la poussière des foires, et il y avait dans leurs yeux l'arrogance des criminels heureux ; le maître d'hôtel crut certainement qu'ils venaient dépenser en hâte l'argent d'un mauvais coup. Il nous désigna une table tout au fond et demanda avec une politesse glacée : « Monsieur n'a pas de veston ? » Sur le vieux chandail troué de Diégo, Nadine jeta sa propre veste, découvrant un corsage froissé et sali : on nous servit cependant. Ils commandèrent d'abord des glaces, et des sardines, et puis des steaks, des frites, des huîtres et encore des glaces. « De toute manière, ça se mélange dans l'estomac », m'expliquaient-ils en pataugeant à pleine bouche dans l'huile et dans la crème. Ils étaient si joyeux de manger à leur faim ! J'avais beau faire, nous avions toujours plus ou moins faim. « Mange, mangez », me disaient-ils avec autorité. Et ils mirent dans leurs poches des morceaux de pâté pour Robert.

Ce fut à peu de temps de là qu'un matin les Allemands sonnèrent chez M. Serra : le consul d'Espagne avait été changé sans qu'il en fût avisé. Diégo avait dormi chez son père, cette nuit-là. La blonde ne fut pas inquiétée. « Dites à Nadine de ne pas avoir peur pour moi, dit Diégo. Je reviendrai parce que je veux revenir. » Ce furent les derniers mots qu'on recueillit de lui ; toutes ses autres paroles se sont englouties à jamais, lui qui aimait tant parler.

C'était le printemps, le ciel était très bleu, les pêchers étaient roses. Quand nous roulions à bicyclette, Nadine et moi, entre les jardins pavoisés, il y avait dans nos poumons la gaieté des week-ends de paix. Les gratte-ciel de Drancy crevaient brutalement ces mensonges. La blonde avait versé trois millions à un Allemand nommé Félix qui nous transmettait des messages des prisonniers et qui avait promis de les faire évader ; deux fois, à travers des lorgnettes, nous pûmes apercevoir Diégo à une lointaine fenêtre ; on avait rasé ses boucles laineuses et ce n'était plus tout à fait lui qui nous souriait : son image mutilée flottait hors du monde.

Par un après-midi de mai nous avons trouvé les grandes casernes désertes ; des paillasses prenaient l'air sur le rebord des fenêtres ouvertes sur des chambres vides. On nous dit au café où nous garions nos bicyclettes que trois trains avaient quitté la gare dans la nuit. Debout contre la muraille des barbelés, nous avons guetté longtemps. Et soudain nous avons distingué très loin, très haut, deux silhouettes solitaires qui se penchaient vers nous. Le plus jeune a agité son béret d'un grand geste triomphal : Félix n'avait pas menti, Diégo n'avait pas été embarqué. La joie nous suffoquait tandis que nous roulions vers Paris.

« Ils sont dans un camp de prisonniers américains, nous dit la blonde, ils vont bien, ils prennent des bains de soleil. » Mais elle ne les avait pas vus ; nous leur avons envoyé des chandails, du chocolat; ils nous remerciaient par la bouche de Félix; mais aucun message écrit ne nous parvenait plus; Nadine a réclamé un signe : la bague de Diégo, une mèche de cheveux; mais justement on les avait changés de camp, ils étaient quelque part, loin de Paris. Peu à peu leur absence a cessé de se situer en aucun lieu : ils furent absents, rien de plus. N'être nulle part, ne plus être, ça ne fait pas beaucoup de différence. Il n'y a rien eu de changé quand Félix dit enfin avec mauvaise humeur : « Il y a bien longtemps qu'on les a abattus. »

Nadine a hurlé pendant des nuits. Du soir au matin, je la gardais dans mes bras. Et puis elle a retrouvé le sommeil; d'abord Diégo venait dans ses rêves la nuit et il avait un air méchant. Un peu plus tard, son fantôme même s'est évaporé. Elle a raison, ce n'est pas vrai que je la blâme. Que faire d'un cadavre ? Je sais : on les utilise pour confectionner des drapeaux, des boucliers, des fusils, des décorations, des porte-voix et aussi des bibelots d'appartement : mieux vaut encore laisser leurs cendres en paix. Des monuments ou de la poussière : et ils avaient été nos frères. Mais nous n'avons pas le choix : pourquoi nous ont-ils quittés ? Qu'ils nous laissent en paix eux aussi. Oublions-les. Restons entre nous. Nous avons déjà bien assez à faire avec nos vies. Les morts sont morts; pour eux, il n'y a pas de problèmes; mais nous les vivants, après cette nuit de fête, nous allons nous réveiller; et alors comment vivrons-nous ?

Nadine riait avec Lambert, un disque tournait, le plancher tremblait sous nos pieds, les flammèches bleues vacillaient. Je regardais Sézenac qui était couché de tout son long sur un tapis : il rêvait sans doute aux jours glorieux où il se promenait dans Paris avec son fusil en bandoulière. Je regardais Chancel qui avait été condamné à mort par les Allemands et échangé à la dernière minute contre un de leurs prisonniers ; et Lambert dont le père avait dénoncé la fiancée, et Vincent qui avait achevé de sa main douze miliciens. Que vont-ils faire de ce passé si lourd, si court, et de leur avenir informe ? Est-ce que je saurai les aider ? Aider c'est mon métier : je peux les étendre sur un divan et leur faire raconter leurs rêves ; mais je ne ressusciterai pas Rosa, ni les douze miliciens que Vincent a achevés de sa main. Et même si je réussis à neutraliser leur passé, quel avenir ai-je à leur offrir ? J'estompe les peurs, je lime les rêves, je rogne les désirs, j'adapte, j'adapte, mais à quoi les adapterai-je ? Je ne vois plus rien autour de moi qui tienne debout.

Décidément, j'ai trop bu ; ce n'est pas moi qui ai créé le ciel et la terre, personne ne me demande de comptes : pourquoi est-ce que je suis tout le temps en train de m'occuper des autres ? je ferais aussi bien de m'occuper un peu de moi. J'appuie ma joue contre l'oreiller ; je suis là, c'est moi : l'ennui, c'est que sur moi, je ne trouve rien à penser. Oh ! si on me demande qui je suis, je peux montrer mon fichier ; pour devenir analyste, j'ai dû me faire analyser ; on m'a trouvé un complexe d'Œdipe assez prononcé qui explique mon mariage avec un homme de vingt ans plus âgé que moi, une nette agressivité par rapport à ma mère, quelques tendances homosexuelles qui se sont convenablement liquidées. Je dois à mon éducation catholique un sur-moi fortement développé : c'est là la raison de mon puritanisme et de la déficience de mon narcissisme. L'ambivalence des sentiments que je porte à ma fille provient de mon inimitié à l'égard de ma mère, de mon indifférence envers moi-même. Mon histoire est des plus classiques, elle s'est très docilement pliée aux cadres prévus. Aux yeux des catholiques mon cas est aussi fort banal : j'ai cessé de croire en Dieu lorsque j'ai découvert les tentations de la sensualité; mon mariage avec un incroyant a achevé de me perdre. Socialement, nous sommes Robert et moi des intellectuels de gauche. Rien de tout cela n'est tout à fait inexact. Me voilà donc clairement cataloguée et acceptant de l'être, adaptée à mon mari, à mon métier, à la vie, à la mort, au monde, à ses horreurs. C'est moi, tout juste moi, c'est-à-dire personne.

N'être personne, c'est somme toute un privilège. Je les regardais aller et venir à travers le studio eux tous qui avaient des noms, et je ne les enviais pas. Robert, soit, il était prédestiné; mais les autres, comment osent-ils ? Comment peut-on être assez arrogant ou assez étourdi pour se jeter en pâture à une meute d'inconnus ? leurs noms se salissent dans des milliers de bouches; les curieux crochètent leur pensée, leur cœur, leur vie : si j'étais livrée moi aussi à la cupidité de tous ces chiffonniers, je finirais par me prendre pour un monceau d'ordures. Je me félicitais de n'être pas quelqu'un.

Je me suis approchée de Paule; la guerre n'a pas abattu son élégance agressive; elle portait une longue jupe de soie aux reflets violets, et à ses oreilles des grappes d'améthystes.

— Tu es bien belle ce soir, dis-je.

Elle jeta un coup d'œil sur une des grandes glaces.

— Oui, je suis belle, dit-elle tristement.

Elle était belle, mais sous ses yeux il y avait des cernes assortis à la couleur de sa toilette; au fond, elle savait très bien qu'Henri aurait pu l'emmener au Portugal, elle en savait plus long qu'elle ne le prétendait.

— Tu dois être contente : tu l'as réussi ton réveillon !

— Henri aime tant les fêtes, dit Paule. Ses deux

mains chargées de bagues d'évêque lissaient machinalement la soie changeante de sa robe.

— Tu ne vas pas nous chanter quelque chose ? ça me
ferait plaisir de t'entendre.

— Chanter ? dit-elle avec surprise.

— Oui, chanter, dis-je en riant ; tu as oublié qu'autrefois tu chantais ?

— Autrefois, c'est loin, dit-elle.

— Plus maintenant ; maintenant c'est de nouveau
comme autrefois.

— Tu crois ? Son regard plongea tout au fond de mes
yeux et on aurait cru qu'il interrogeait par-delà mon
visage une boule de verre : « Tu crois que le passé peut
ressusciter ? »

Je savais quelle réponse elle attendait de moi, et j'ai
ri avec un peu de gêne : « Je ne suis pas un oracle. »

— Il faut que Robert m'explique ce que c'est que le
temps », dit-elle d'un ton méditatif.

Elle était prête à nier l'espace et le temps avant
d'admettre que l'amour pût n'être pas éternel. J'avais
peur pour elle. Elle avait compris pendant ces quatre
ans qu'Henri ne lui accordait plus qu'une affection
ennuyée ; mais depuis la Libération, je ne sais quel
espoir fou s'était réveillé dans son cœur.

— Tu te rappelles ce *negro spiritual* que j'aimais
tant ? tu ne veux pas nous le chanter ?

Elle a marché vers le piano, elle a soulevé le
couvercle. Sa voix était un peu sourde, mais toujours
aussi émouvante. J'ai dit à Henri : « Elle devrait
paraître de nouveau en public. » Il a eu l'air étonné.
Quand les applaudissements se furent éteints, il s'est
approché de Nadine et ils se sont mis à danser : je
n'aimais pas la façon dont elle le regardait. Elle non
plus, je n'avais aucun moyen de l'aider. Je lui avais
donné ma seule robe décente et prêté mon plus joli

collier : c'était tout ce que je pouvais faire. Inutile d'explorer ses rêves : je sais. Ce dont elle a besoin, c'est de l'amour que Lambert est tout prêt à lui donner ; mais comment l'empêcher de le saccager ? Pourtant, quand Lambert était entré dans le studio, elle avait dévalé quatre à quatre le petit escalier du haut duquel elle nous surveillait d'un air de blâme ; elle s'est figée sur la dernière marche, embarrassée par son élan ; il s'est avancé vers elle, il lui a souri gravement :

— Je suis si heureux que tu sois venue !

Elle a dit d'un ton brusque :

— Je suis venue pour te voir.

Il était vraiment beau ce soir dans son élégant complet sombre ; il s'habille avec une recherche austère de quadragénaire ; il a des manières cérémonieuses, une voix posée, et il surveille ses sourires, mais le désarroi de son regard, la douceur de sa bouche révèlent sa jeunesse. Nadine est flattée par son sérieux, et rassurée par sa faiblesse ; elle le dévisageait avec une complaisance un peu niaise :

— Tu t'es bien amusé ? il paraît que c'est si joli l'Alsace !

— Tu sais, dès qu'un paysage est militarisé, il devient lugubre.

Ils ont été s'asseoir sur une marche de l'escalier, ils ont causé, dansé et ri pendant un long moment ; et puis pour changer ils ont dû se disputer : avec Nadine ça finit toujours comme ça. Maintenant Lambert était assis à côté du poêle, l'air fâché, et il n'était pas question d'aller les chercher aux deux bouts du studio et de joindre leurs mains.

J'ai marché vers le buffet et j'ai bu un verre de fine. Mon regard est descendu le long de ma jupe noire et s'est arrêté sur ma jambe : c'était drôle de penser que j'avais une jambe, personne ne s'en doutait, pas même moi ; elle était mince et décidée sous sa robe de soie couleur de pain brûlé, elle en valait bien une autre ; et un jour elle serait enterrée sans avoir jamais existé : ça semblait injuste. J'étais absorbée à la contempler quand Scriassine est venu vers moi

— Vous n'avez pas l'air de beaucoup vous amuser ?

— Je fais ce que je peux.

— Il y a trop de jeunes gens, les jeunes gens ne sont jamais gais. Et beaucoup trop d'écrivains. D'un mouvement de menton, il désigna Lenoir, Pelletier, Cange : « Ils écrivent tous, n'est-ce pas ?

— Tous.

— Vous, vous n'écrivez pas ? »

Je dis en riant : « Grand Dieu non ! »

Ses manières abruptes me plaisaient. Autrefois j'avais lu comme tout le monde son livre fameux *Le Paradis rouge*, mais surtout j'avais été émue par son ouvrage sur l'Autriche nazie : c'était bien mieux qu'un reportage, un témoignage passionné. Il avait fui l'Autriche après la Russie et il s'était fait naturaliser français ; mais il avait passé ces quatre années en Amérique et nous l'avions rencontré pour la première fois cet automne. Il avait tout de suite tutoyé Robert et Henri, mais il n'avait jamais paru remarquer mon existence. Son regard se détourna de moi : « Je me demande ce qu'ils vont devenir

— Qui ?

— Les Français en général et ceux-ci en particulier. »

A mon tour je l'examinai ; ce visage triangulaire, aux pommettes saillantes, aux yeux vifs et durs, à la bouche mince et presque féminine, ce n'était pas un visage français ; l'U.R.S.S. était pour lui un pays ennemi, il n'aimait pas l'Amérique : pas un endroit sur terre où il se sentît chez lui.

— Je suis revenu de New York sur un bateau anglais, dit-il avec un petit sourire. Le steward m'a dit un jour : « Les pauvres Français, ils ne savent pas s'ils ont gagné la guerre ou s'ils l'ont perdue. » Ça me semble résumer assez bien la situation.

Il y avait dans sa voix une complaisance qui m'irrita. Je dis : « Les noms qu'on donne aux événements passés, c'est sans intérêt ; ce qui est en question, c'est l'avenir.

— Justement, dit-il avec vivacité, pour réussir l'avenir, il faut regarder le présent en face ; et j'ai l'impression que les gens d'ici ne se rendent pas du tout compte. Dubreuilh me parle d'une revue littéraire, Perron d'un voyage d'agrément : ils ont l'air de s'imaginer qu'ils pourront vivre comme avant la guerre.

— Et le ciel vous a envoyé pour leur dessiller les yeux ? »

Ma voix était sèche et Scriassine sourit :

— Savez-vous jouer aux échecs ?

— Très mal.

Il continuait à sourire, et toute pédanterie s'était effacée de son visage : nous étions depuis toujours d'intimes amis, des complices ; j'ai pensé : Le voilà qui me fait du charme slave ; mais le charme agissait, j'ai souri moi aussi.

— Aux échecs, quand j'assiste du dehors à une partie, je vois les coups bien plus lucidement que les joueurs, même si je ne suis pas plus fort qu'eux. Eh bien, ici c'est pareil : j'arrive du dehors ; alors, je vois.

— Quoi ?

— L'impasse.

— Quelle impasse ?

Soudain c'est avec anxiété que je l'interrogeais ; pendant si longtemps nous avions vécu entre nous,

53

coude à coude et sans témoin : ce regard venu d'ailleurs m'inquiétait.

— Les intellectuels français sont dans une impasse. C'est leur tour, ajouta-t-il avec une espèce de satisfaction ; leur art, leur pensée ne garderont un sens que si une certaine civilisation réussit à se maintenir ; et s'ils veulent la sauver, il ne leur restera plus rien à donner à l'art ni à la pensée.

— Ce n'est pas la première fois que Robert fait activement de la politique, dis-je. Et ça ne l'a jamais empêché d'écrire.

— Oui, en 34 Dubreuilh a sacrifié beaucoup de son temps à la lutte antifasciste, dit Scriassine d'une voix urbaine ; mais elle lui semblait moralement conciliable avec des préoccupations littéraires. Il ajouta avec une espèce de colère : « En France vous n'avez jamais senti dans toute son urgence la pression de l'histoire ; en U.R.S.S., en Autriche, en Allemagne, c'était impossible de l'éluder. C'est pourquoi moi par exemple je n'ai pas écrit.

— Vous avez écrit.

— Croyez-vous que je ne rêvais pas aussi à d'autres livres ? mais il n'en était pas question. » Il haussa les épaules : « Il fallait avoir derrière soi une sacrée tradition d'humanisme pour s'intéresser à des problèmes de culture face à Staline et à Hitler. Évidemment, reprit-il, au pays de Diderot, de Victor Hugo, de Jaurès, on s'imagine que la culture et la politique marchent la main dans la main. Paris s'est longtemps pris pour Athènes. Athènes n'existe plus, c'est fini.

— Pour ce qui est de sentir la pression de l'histoire, je crois que Robert pourrait vous rendre des points, dis-je.

— Je n'attaque pas votre mari, dit Scriassine avec un petit sourire qui refusait toute portée à mes

54

paroles; il les réduisait à une explosion de loyauté conjugale. En fait, ajouta-t-il, je considère que les deux plus grands esprits de ce temps sont Robert Dubreuilh et Thomas Mann. Mais justement : si je prédis qu'il abandonnera la littérature, c'est que je fais confiance à sa lucidité. »

Je haussai les épaules ; s'il voulait m'amadouer, il s'y prenait mal : je déteste Thomas Mann.

— Jamais Robert ne renoncera à écrire, dis-je.

— Ce qu'il y a de remarquable dans l'œuvre de Dubreuilh, dit Scriassine, c'est qu'il a su concilier de hautes exigences esthétiques avec une inspiration révolutionnaire. Dans sa vie il avait réalisé un équilibre analogue : il organisait les comités de Vigilance, et il écrivait des romans. Mais, justement, c'est ce bel équilibre qui est devenu impossible.

— Robert en inventera un autre, comptez sur lui, dis-je.

— Il sacrifiera ses exigences esthétiques, dit Scriassine. Son visage s'illumina ; il demanda d'un air triomphant : « Avez-vous étudié la préhistoire ?

— Guère plus que les échecs.

— Mais vous savez peut-être que pendant une vaste période les peintures murales et les objets trouvés dans les fouilles témoignent d'un progrès artistique continu. Brusquement, dessins et sculptures disparaissent, on constate une éclipse de plusieurs siècles coïncidant avec l'essor de nouvelles techniques. Eh bien, nous abordons une ère où pour des raisons différentes l'humanité sera en proie à des problèmes qui ne lui laisseront plus le luxe de s'exprimer.

— Les raisonnements par analogie ne prouvent pas grand-chose, dis-je.

— Laissons tomber cette comparaison, dit Scriassine d'une voix patiente. Je suppose que vous avez vécu cette guerre de trop près pour bien la comprendre ; c'est tout autre chose qu'une guerre : la liquidation d'une société et même d'un monde ; le commencement de la liquidation. Les progrès de la science et de la technique, les changements économiques vont à tel point bouleverser la terre que nos manières mêmes de penser et de sentir en seront révolutionnées : nous aurons du mal à nous rappeler qui nous avons été. Entre autres, l'art et la littérature ne nous sembleront plus que des divertissements périmés. »

Je secouai la tête et Scriassine reprit avec feu :

— Voyons, quelle portée gardera le message des écrivains français le jour où l'hégémonie du monde appartiendra à l'U.R.S.S. ou aux U.S.A. ? Personne ne les comprendra plus ; on ne parlera même plus leur langage.

— On dirait que cette perspective vous réjouit, dis-je.

Il haussa les épaules : « Voilà bien une réflexion de femme ; elles sont incapables de rester sur un terrain objectif.

— Restons-y, dis-je. Objectivement, il n'est pas prouvé que le monde doive devenir américain ou russe.

— A plus ou moins longue échéance, c'est pourtant fatal. » Il m'arrêta d'un geste et me fit un joli sourire slave : « Je vous comprends. La libération est encore toute fraîche ; vous nagez tous en pleine euphorie ; pendant quatre ans vous avez beaucoup souffert ; vous pensez que vous avez assez payé : on ne paie jamais assez », dit-il avec une brusque âpreté. Il me regarda dans les yeux : « Savez-vous qu'il y a à Washington une faction très puissante qui voudrait prolonger la campagne d'Allemagne jusqu'à Moscou ? De leur point de vue, ils ont raison. L'impérialisme américain comme le totalitarisme russe exigent une expansion illimitée : il

56

faudra qu'un des deux l'emporte. » Sa voix s'attrista :
« Vous vous croyez en train de fêter la défaite allemande : mais c'est la Troisième Guerre mondiale qui
s'ouvre.

— Ce sont vos pronostics personnels, dis-je.

— Je sais que Dubreuilh croit à la paix et aux
chances d'une Europe », dit Scriassine ; il sourit avec
indulgence : « Il arrive même aux grands esprits de se
tromper. Nous serons annexés par Staline ou colonisés
par l'Amérique.

— Alors il n'y a pas d'impasse, dis-je gaiement.
Inutile de s'en faire : ceux que ça amuse d'écrire n'ont
qu'à continuer.

— Écrire s'il n'y a personne pour vous lire, quel jeu
idiot !

— Quand tout est foutu, il ne reste qu'à jouer à des
jeux idiots. »

Scriassine se tut et puis un sourire rusé passa sur son
visage : « Certaines conjonctures seraient tout de
même moins défavorables que d'autres, dit-il d'un ton
de confidence. Au cas où l'U.R.S.S. gagnerait, pas de
problème : c'est la fin de la civilisation et notre fin à
tous. Au cas où ce serait l'Amérique, le désastre serait
moins radical. Si nous réussissons à lui imposer
certaines valeurs, à maintenir certaines de nos idées,
on peut espérer que les générations futures renoueront
un jour avec notre culture et nos traditions : mais il
faut envisager la mobilisation intégrale de toutes nos
possibilités.

— Ne me dites pas qu'en cas de conflit vous souhaiteriez la victoire de l'Amérique ! dis-je.

— De toute façon, l'histoire doit fatalement aboutir
à l'avènement d'une société sans classe, dit Scriassine :
c'est l'affaire de deux ou trois siècles. Pour le bonheur
des hommes qui vivront dans l'intervalle, je souhaite

57

ardemment que la révolution se fasse dans un monde dominé par l'Amérique et non par l'U.R.S.S.

— Dans un monde dominé par l'Amérique, j'ai comme une idée que la révolution se fera drôlement attendre, dis-je.

— Et vous imaginez ce que serait une révolution faite par les staliniens ? La révolution : elle était bien belle en France, vers 1930. En U.R.S.S. je vous réponds qu'elle l'était déjà moins. » Il haussa les épaules : « Vous vous préparez de drôles de surprises ! Le jour où les Russes occuperont la France vous commencerez à vous rendre compte. Malheureusement il sera trop tard !

— Une occupation russe : vous n'y croyez pas vous-même, dis-je.

— Hélas ! » dit Scriassine. Il soupira : « Enfin, soit ; soyons optimistes. Admettons que l'Europe ait ses chances. On ne pourrait la sauver que par une lutte de tous les instants. Pas question de travailler pour soi. »

A mon tour, je me tus ; tout ce que souhaitait Scriassine c'était réduire au silence les écrivains français, je comprenais bien pourquoi ; et ses prophéties n'avaient rien de convaincant ; pourtant sa voix tragique éveillait un écho en moi : « Comment allons-nous vivre ? » La question me lancinait depuis le début de la soirée ; depuis combien de jours et de semaines ?

Scriassine me menaça du regard : « De deux choses l'une ; ou bien des hommes comme Dubreuilh et Perron regarderont la situation en face, ils s'engageront dans une action qui les exigera tout entiers ; ou bien ils tricheront, ils s'obstineront à écrire : leurs œuvres seront coupées de la réalité et privées de tout avenir ; ce seront des travaux d'aveugles, aussi navrants que la poésie des alexandrins. »

C'est difficile de discuter avec un interlocuteur qui tout en parlant du monde et d'autrui parle sans arrêt de soi-même. Je ne pouvais pas me rassurer sans le blesser. Je dis tout de même :

— C'est oiseux d'enfermer les gens dans des dilemmes ; la vie les fait toujours éclater.

— Pas en ce cas. Alexandrie ou Sparte, il n'y a pas d'autre choix. Il vaut mieux se dire ces choses-là aujourd'hui, ajouta-t-il avec une espèce de douceur : les sacrifices cessent d'être douloureux quand on les a derrière soi.

— Je suis sûre que Robert ne sacrifiera rien.

— Nous en reparlerons dans un an, dit Scriassine. Dans un an ou bien il aura déserté ou il n'écrira plus ; je ne pense pas qu'il déserte.

— Il ne cessera pas d'écrire.

Le visage de Scriassine s'anima : « Qu'est-ce qu'on parie ? Une bouteille de champagne ?

— Je ne parie rien du tout. »

Il sourit : « Vous êtes comme toutes les femmes ; il vous faut des étoiles fixes au ciel et des bornes kilométriques sur les routes.

— Vous savez, dis-je en haussant les épaules, elles ont drôlement valsé pendant ces quatre ans, les étoiles fixes.

— Oui, mais vous restez tout de même persuadée que la France sera toujours la France et Robert Dubreuilh, Robert Dubreuilh ; sinon vous vous croiriez perdue.

— Dites donc, dis-je gaiement, votre objectivité me paraît bien douteuse.

— Je suis obligé de vous suivre sur votre terrain : vous ne m'opposez que des convictions subjectives » dit Scriassine. Un sourire réchauffa ses yeux inquisiteurs.

— Vous prenez les choses très au sérieux, n'est-ce pas ?

— Ça dépend.

— On m'avait prévenu, dit-il, mais j'aime bien les femmes sérieuses.

— Qui vous a prévenu ?

D'un geste vague il désigna tout le monde et personne : « Les gens.

— Qu'est-ce qu'ils vous ont dit ?

— Que vous étiez distante et austère, mais je ne trouve pas. »

Je serrai les lèvres pour ne pas poser d'autre question ; le piège des miroirs, j'ai su le déjouer ; mais les regards, qui peut résister à ce gouffre vertigineux ? Je m'habille en noir, je parle peu, je n'écris pas et tout ça me compose une figure et les autres la voient. Je ne suis personne, c'est facile à dire : je suis moi. Qui est-ce ? où me rencontrer ? Il faudrait être de l'autre côté de toutes les portes, mais si c'est moi qui frappe, ils se tairont. J'ai senti soudain mon visage qui me brûlait, j'aurais voulu l'arracher.

— Pourquoi n'écrivez-vous pas ? dit Scriassine.

— Il y a bien assez de livres.

— Ce n'est pas la seule raison. Il me fixait de ses petits yeux fureteurs : « La vérité c'est que vous ne voulez pas vous exposer.

— M'exposer à quoi ?

— Vous avez l'air très sûre de vous, mais au fond vous êtes extrêmement timide. Vous êtes de ces gens qui mettent leur orgueil dans ce qu'ils ne font pas. »

Je l'interrompis : « N'essayez pas de me faire ma psychologie, je la connais dans les coins : je suis psychiatre.

— Je sais. » Il me sourit : « Est-ce qu'on ne pourrait pas dîner ensemble un de ces soirs ? On est si perdu dans ce Paris tout noir ; on ne connaît plus personne. »

Je pensai brusquement : « Tiens, pour lui j'ai des

jambes. » Je tirai mon carnet ; je n'avais aucune raison de refuser.

— Dînons ensemble, dis-je. Voulez-vous le 3 janvier ?

— D'accord. A huit heures au bar du Ritz ; ça va ?

— Ça va.

Je me sentais mal à l'aise ; oh ! ce qu'il pensait de moi après tout, ça m'était égal ; quand je devine au fond d'une conscience étrangère ma propre image, j'ai toujours un moment de panique, mais ça ne dure pas, je passe outre ; ce qui me déconcertait, c'est d'avoir aperçu Robert à travers des yeux qui n'étaient pas les miens. Était-il vraiment dans une impasse ? Il avait attrapé Paule par la taille, il la faisait tourner en rond et de son autre main il dessinait je ne sais quoi dans l'air ; peut-être lui expliquait-il le cours du temps, en tout cas elle riait, il riait, il n'avait pas l'air en danger ; s'il avait été en danger, il l'aurait su : il ne se trompe pas souvent et il ne se ment jamais. J'allai me cacher dans l'embrasure d'une fenêtre, derrière un rideau rouge. Scriassine avait dit beaucoup de sottises, mais il avait posé certaines questions dont je ne pouvais pas si facilement me débarrasser. Pendant toutes ces semaines, j'avais fui les questions ; on a tant attendu ce moment : la Libération, la victoire, je voulais en profiter ; il serait toujours temps demain de penser au lendemain. Eh bien, voilà que j'y pensais et je me demandais ce que Robert en pensait. Ses doutes ne se traduisent jamais par de l'abattement, mais par un excès d'activité : est-ce que ces conversations, ces lettres, ces coups de téléphone, ces débauches de travail nocturne ne dissimulaient pas une inquiétude ? Il ne me cache rien, mais tout de même ça lui arrive de garder provisoirement pour lui certains soucis. « Et d'ailleurs, pensais-je avec remords, cette nuit encore il a dit à Paule : On est à la croisée des chemins. » Il le disait souvent et c'est par lâcheté que j'évitais de donner leur vrai poids à ces mots. « La croisée des chemins. » Donc aux yeux de Robert, le monde était en danger. Pour moi le monde, c'est lui : il était en danger ! Tandis que nous revenions bras dessus bras dessous le long des quais à travers les ténèbres familières, sa voix volubile ne suffisait pas à me rassurer. Il avait énormément bu et il était très gai ; quand il est resté enfermé pendant des jours et des nuits, la moindre sortie devient une épopée ; cette soirée prenait dans sa bouche tant de relief qu'il me semblait l'avoir traversée en aveugle. Lui, il avait des yeux tout autour de la tête, et douze paires d'oreilles ; je l'écoutais, mais en sourdine je continuais à m'interroger. Ces mémoires qu'il avait écrits avec passion pendant toute la guerre, il ne les achevait pas, pourquoi ? Était-ce un symptôme ? De quoi ?

— Infortunée Paule ! c'est une catastrophe pour une femme d'être aimée par un littérateur, disait Robert ; elle a cru à tout ce que Perron lui racontait sur elle.

J'essayai de concentrer mon intérêt sur Paule :

— J'ai peur que la Libération ne lui ait porté à la tête, dis-je. L'an dernier elle ne se faisait plus guère d'illusions ; et voilà qu'elle recommence à jouer à l'amour fou ; mais elle y joue seule.

— Elle voulait absolument me faire dire que le temps n'existe pas, dit Robert. Il ajouta : « Le meilleur de sa vie est derrière elle. Maintenant que la guerre est finie elle espère retrouver le passé.

— On a tous espéré ça, non ? » demandais-je. Ma voix m'avait paru rieuse mais Robert serra mon bras.

— Qu'est-ce qui ne va pas ?

— Rien, tout va très bien, dis-je d'un ton dégagé.

— Allons ! allons ! je sais ce que ça veut dire quand

tu prends ta voix de dame du monde, dit Robert. Je suis sûr qu'en ce moment ça tourne dur dans cette tête. Combien de verres de punch as-tu bus?

— Sûrement moins que vous; et le punch n'y est pour rien.

— Ah! tu avoues! dit Robert d'un ton triomphant; il y a quelque chose et le punch n'y est pour rien : quoi donc?

— C'est Scriassine, dis-je en riant; il m'a expliqué que les intellectuels français étaient foutus.

— Il voudrait bien!

— Je sais; mais il m'a fait peur tout de même.

— Une grande fille de ton âge qui se laisse influencer par le premier prophète venu! Je l'aime bien Scriassine; il s'agite, il divague, il bouillonne, l'œil bouge autour de lui; mais il ne faut pas le prendre au sérieux.

— Il dit que la politique va vous manger, que vous n'écrirez plus!

— Et tu l'as cru? dit Robert gaiement.

— C'est pourtant vrai que vous n'achevez pas vos souvenirs, dis-je.

Robert hésita une seconde : « C'est un cas spécial, dit-il.

— Pourquoi donc?

— Je donne tellement d'armes contre moi dans ces mémoires!

— C'est pour ça que le livre vaut ce qu'il vaut, dis-je vivement. Un homme qui ose se découvrir, c'est si rare! Et finalement quand il ose, il gagne la partie.

— Oui, une fois qu'il est mort », dit Robert. Il haussa les épaules : « Me voilà rentré dans la vie politique, j'ai un tas d'ennemis : tu te rends compte de leur jubilation le jour où ces souvenirs paraîtraient?

— Vos ennemis trouveront toujours des armes contre vous, celles-là ou d'autres, dis-je.

— Imagine ces mémoires dans les mains de Lafaurie, ou de Lachaume, ou du petit Lambert. Ou dans celles d'un journaliste », dit Robert.

Coupé de toute vie politique, de tout avenir, de tout public, ignorant même si ce livre serait jamais publié, Robert avait retrouvé en l'écrivant la solitude anonyme du débutant qui se risque sans repère, sans garde-fou, à l'aventure. A mon avis, il n'avait jamais rien écrit de meilleur. Je dis avec impatience :

— Alors quand on fait de la politique, on n'a plus le droit d'écrire des livres sincères ?

— Si, mais pas des livres scandaleux, dit Robert. Et tu sais bien qu'aujourd'hui il y a mille choses dont un homme ne peut pas parler sans scandale. Il sourit : « A vrai dire, tout ce qui est individuel prête au scandale. »

Nous avons fait quelques pas en silence : « Vous avez passé trois ans à écrire ces souvenirs, ça vous est égal de les jeter au fond d'un tiroir ?

— Je n'y pense plus. Je pense à un autre livre.

— Quoi donc ?

— Je t'en parlerai dans quelques jours. »

Je dévisageai Robert avec soupçon : « Et vous croyez que vous trouverez le temps de l'écrire ?

— Bien sûr.

— Oh ! ça ne me semble pas si sûr : vous n'avez pas une minute à vous.

— En politique, c'est le début qui est le plus dur : ensuite ça se tasse. »

Sa voix m'a paru trop ronde ; j'ai insisté : « Et si ça ne se tassait pas ? Vous laisseriez tomber votre mouvement ou vous cesseriez d'écrire ?

— Tu sais, ça n'aurait rien de tragique si je m'arrêtais un moment, dit Robert avec un sourire. J'en ai noirci du papier dans ma vie ! »

Mon cœur s'est serré : « Vous disiez l'autre jour que votre œuvre est devant vous.

— Je le pense toujours ; mais elle peut attendre.

— Attendre : un mois ? un an ? dix ans ? demandai-je.

— Écoute, dit Robert d'une voix conciliante, un livre de plus ou de moins sur terre, ce n'est pas tellement important. Et la situation est passionnante ; rends-toi compte : c'est la première fois que la gauche tient son sort dans ses mains, c'est la première fois qu'on peut tenter un rassemblement indépendant des communistes sans risquer de servir la droite : on ne va pas laisser passer cette chance ! je l'ai attendue toute ma vie.

— Moi, je trouve vos livres très importants, dis-je. Ce qu'ils apportent aux gens, c'est quelque chose d'unique. Tandis qu'un travail politique, vous n'êtes pas le seul à pouvoir vous en charger.

— Je suis le seul qui puisse le mener à mon idée, dit Robert gaiement. Tu devrais me comprendre : les comités de Vigilance, la résistance, c'était bien utile ; mais ça restait négatif. Aujourd'hui, il s'agit de construire : c'est autrement intéressant.

— Je comprends très bien ; mais votre œuvre m'intéresse encore davantage.

— Nous avons toujours pensé qu'on n'écrit pas pour écrire, dit Robert. A certains moments d'autres formes d'action sont plus urgentes.

— Pas pour vous, dis-je. Vous êtes d'abord un écrivain.

— Tu sais bien que non, dit Robert avec reproche. Ce qui compte d'abord pour moi, c'est la révolution.

— Oui, dis-je. Mais le meilleur moyen que vous ayez de servir la révolution, c'est d'écrire vos livres. »

Robert secoua la tête : « Ça dépend des circonstances. Nous sommes à un moment critique : il faut d'abord gagner la partie sur le terrain politique.

— Et qu'est-ce qui arrivera si on ne la gagne pas ? dis-je. Vous ne croyez pas vraiment qu'on risque une nouvelle guerre ?

— Je ne crois pas qu'une nouvelle guerre éclate demain, dit Robert. Mais ce qu'il faut éviter c'est qu'il se crée dans le monde une situation de guerre : en ce cas on recommencera tôt ou tard à se taper dessus. Il faut éviter aussi que cette victoire ne soit exploitée par le capitalisme. » Il haussa les épaules : « Il y a un tas de choses qu'il faut empêcher, avant de s'amuser à écrire des livres que personne ne lira peut-être jamais. »

Je m'arrêtai pile au milieu de la chaussée : « Quoi ? Vous pensez vous aussi que les gens vont se désintéresser de la littérature !

— Ma foi, ils vont avoir beaucoup d'autres chats à fouetter ! » dit Robert.

Sa voix était décidément trop ronde. Je dis avec indignation : « Ça n'a pas l'air de vous émouvoir. Mais ça serait horriblement triste un monde sans littérature et sans art.

— De toute façon à l'heure qu'il est il y a des millions d'hommes pour qui la littérature c'est zéro ! dit Robert.

— Oui, mais vous comptiez bien que ça changerait.

— J'y compte toujours, qu'est-ce que tu crois ? dit Robert. Mais justement, si le monde se décide à changer, on traversera sans doute une période où il ne sera guère question de littérature. »

Nous entrions dans le bureau et je m'assis sur le bras du fauteuil de cuir ; oui, j'avais bu trop de punch, les murs tournaient autour de moi. Je regardai la table sur laquelle Robert écrivait nuit et jour depuis vingt ans.

66

Maintenant il en avait soixante; si cette période durait longtemps, il risquait de ne jamais en voir la fin : ça ne pouvait pas lui être si indifférent que ça.

— Voyons, vous pensez que votre œuvre est encore devant vous; vous disiez il y a cinq minutes que vous alliez commencer un nouveau livre : ça suppose qu'il y ait des gens pour vous lire...

— Oh! c'est le plus probable, dit Robert. Mais enfin l'autre hypothèse est aussi à envisager. Il s'assit dans le fauteuil, près de moi : « Elle n'est pas si terrible que tu dis, ajouta-t-il gaiement. La littérature est faite pour les hommes et non les hommes pour la littérature.

— Pour vous, ça serait très triste, dis-je. Si vous n'écriviez plus, vous ne seriez plus du tout heureux.

— Je ne sais pas », dit Robert. Il sourit : « Je n'ai pas d'imagination. »

Il en a; et je me rappelais comme il était anxieux le soir où il m'a dit : « Mon œuvre est encore devant moi! » Il tient à ce que cette œuvre pèse, à ce qu'elle reste. Il a beau protester : il est avant tout un écrivain. Au commencement peut-être il ne songeait qu'à servir la révolution, la littérature n'était qu'un moyen : elle est devenue une fin, il l'aime pour elle-même, tous ses livres le prouvent; et en particulier ces mémoires qu'il ne veut plus publier : il les a écrits pour le plaisir d'écrire. Non, la vérité c'est que ça l'ennuyait de parler de lui, et cette répugnance n'était pas de bon augure.

— Moi j'en ai, dis-je.

Les murs tournaient, mais je me sentais très lucide, beaucoup plus lucide qu'à jeun. A jeun on a trop de défense, on s'arrange pour ne pas savoir ce qu'on sait. Soudain j'y voyais clair. La guerre finissait : une nouvelle histoire commençait où rien n'était plus garanti. L'avenir de Robert n'était pas garanti : il était possible qu'il cesse d'écrire, et même que toute son œuvre passée s'engloutisse dans le vide.

— Qu'est-ce que vous pensez pour de vrai ? demandai-je. Que les choses tourneront bien ou mal ?

Robert se mit à rire : « Ah ! moi je ne suis pas prophète ! Tout de même, on a beaucoup d'atouts en main, ajouta-t-il.

— Mais combien de chances de gagner ?

— Tu veux que je te fasse le grand jeu ? ou préfères-tu le marc de café ?

— Ce n'est pas la peine de vous moquer de moi, dis-je. On peut bien se poser des questions, de temps en temps.

— Je m'en pose, tu sais », dit Robert.

Il s'en posait et plus sérieusement que moi ; moi je n'agissais pas, c'est pour ça que je devenais facilement pathétique ; je me rendais compte que j'avais tort, mais avec Robert ça me coûte si peu d'avoir tort !

— Vous ne posez que celles auxquelles vous pouvez répondre, dis-je

Il rit de nouveau : « De préférence oui. Les autres ne servent pas à grand-chose.

— Ça n'est pas une raison pour ne pas les poser », dis-je. Ma voix devenait agressive, mais ce n'est pas à Robert que j'en avais : à moi-même plutôt, à mon aveuglement de ces dernières semaines : « Je voudrais tout de même me faire une idée de ce qui va nous arriver, dis-je.

— Tu ne crois pas qu'il est bien tard, que nous avons bu beaucoup de punch et que nous aurons des idées plus claires demain matin ? » dit Robert.

Demain matin les murs ne tangueraient plus, les meubles et les bibelots seraient bien en ordre, toujours dans le même ordre, mes idées aussi et je recommencerais à vivre au jour le jour, sans tourner la tête en arrière, en regardant devant moi à bonne distance, je ne m'occuperais plus de ces menus charivaris dans mon cœur. J'étais fatiguée de cette hygiène. Je regardai le coussin sur lequel Diégo s'asseyait au coin de la cheminée ; il disait : « La victoire nazie n'existe pas dans mes plans. » Et puis on l'avait abattu.

— Les idées sont toujours trop claires ! dis-je. La guerre est gagnée, voilà une idée claire. Eh bien, moi j'ai trouvé que c'était une drôle de fête, ce soir, avec tous ces morts qui n'étaient pas là !

— C'est tout de même différent de se dire que leur mort a servi à quelque chose ou à rien du tout, dit Robert.

— Celle de Diégo n'a servi à rien du tout, dis-je. Et même si elle avait servi ? Je dis avec irritation : « Ça arrange bien les vivants, ce système où tout se dépasse vers autre chose ; mais les morts restent morts ; on les trahit : on ne les dépasse pas.

— On ne les trahit pas forcément, dit Robert.

— On les trahit quand on les oublie et aussi quand on les utilise, dis-je. Un regret, ça doit être inutile, ou alors ce n'est plus un vrai regret. »

Robert hésita : « Je suppose que je ne suis pas doué pour les regrets, dit-il d'un air perplexe. Les questions auxquelles je ne peux pas répondre, les événements auxquels je ne peux rien changer, je ne m'en occupe pas beaucoup. Je ne dis pas que j'aie raison, ajouta-t-il.

— Oh ! dis-je. Je ne dis pas que vous ayez tort. De toute façon, les morts sont morts et nous, nous vivons : les regrets n'y changent rien. »

Robert posa sa main sur la mienne : « Ne t'invente donc pas de remords. Nous mourrons aussi tu sais ; ça nous rapproche bien d'eux. »

Je retirai ma main ; en cet instant toute amitié

m'était ennemie; je ne voulais pas être consolée, pas encore.

— Ah! c'est vrai que votre maudit punch m'a barbouillé le cœur, dis-je. Je vais aller dormir.

— Va dormir. Et demain on se posera toutes les questions que tu voudras, même celles qui ne servent à rien, dit Robert.

— Et vous? vous n'allez pas dormir?

— Je crois que je vais plutôt prendre une douche et travailler.

« Évidemment, Robert est mieux armé que moi contre les regrets, me suis-je dit en me couchant. Il travaille, il agit, alors l'avenir existe pour lui plus que le passé. Et il écrit : tout ce qui tombe hors de son action, le malheur, l'échec, la mort, il leur fait leur part dans ses livres, et il se sent quitte. Moi je n'ai aucun recours ; ce que je perds, nulle part je ne le récupère et rien ne rachète mes infidélités. » Soudain je me suis mise à pleurer. J'ai pensé : « Ce sont mes yeux à moi qui pleurent ; il voit tout, mais pas avec mes yeux. » Je pleurais, et pour la première fois depuis vingt ans j'étais seule : seule avec mes remords, avec ma peur. Je me suis endormie et j'ai rêvé que j'étais morte. Je me suis réveillée en sursaut et la peur était toujours là. Depuis une heure, je me débats contre elle ; elle est encore là, et la mort continue à rôder. J'allume, j'éteins ; si Robert voit de la lumière sous ma porte, il s'inquiétera ; c'est inutile ; cette nuit il ne peut pas m'aider. Quand j'ai voulu lui parler de lui, il a éludé mes questions : il se sait en danger. C'est pour lui que j'ai peur. Jusqu'ici j'ai toujours fait confiance à son destin ; jamais je n'ai essayé de prendre sa mesure : la mesure de toutes choses, c'était lui ; j'ai vécu avec lui comme en moi-même, sans distance. Mais soudain, je n'ai plus confiance, en rien. Ni étoile fixe, ni borne,

Robert est un homme, un homme de soixante ans faillible et vulnérable que le passé ne protège plus et que l'avenir menace. Je m'adosse à l'oreiller, les yeux ouverts. Il faut que je m'arrange pour prendre du recul, pour le voir, comme si je ne l'avais pas aimé pendant vingt ans sans jamais hésiter.

C'est difficile. Il y a eu un temps où je le voyais à distance ; mais j'étais trop jeune, je le regardais de trop loin. Des camarades me l'avaient montré du doigt à la Sorbonne, on parlait énormément de lui avec un mélange d'admiration et de scandale. On chuchotait qu'il buvait et qu'il courait les bordels. Ça, ça m'aurait plutôt attirée ; j'étais mal guérie de mon enfance pieuse ; à mes yeux le péché manifestait avec pathéti-que l'absence de Dieu et si on m'avait dit que Dubreuilh violait les petites filles je l'aurais pris pour une espèce de saint. Mais ses vices restaient mineurs et les gloires trop bien établies m'agaçaient. Quand je commençai à suivre ses cours, j'étais décidée à le tenir pour un faux grand homme. Évidemment il était différent de tous les autres professeurs ; il s'amenait en coup de vent, il était toujours en retard de quatre ou cinq minutes ; pendant un instant il nous inspectait de ses gros yeux malins et puis il se mettait à parler, d'un ton très amical ou très agressif. Il y avait quelque chose de provocant dans son visage bourru, dans sa voix violente, dans ses éclats de rire qui nous paraissaient parfois un peu fous. Il portait du linge très blanc, ses mains étaient soignées, il était impeccablement rasé, si bien que ses blousons, ses chandails, ses gros souliers ne pouvaient pas s'excuser par de la négligence. Il préférait le confort à la décence avec une désinvolture que je déclarai affectée. J'avais lu ses romans et je ne les avais guère aimés ; j'attendais qu'ils me délivrent quelque message exaltant, et ils me parlaient de gens quelconques, de sentiments frivoles, d'un tas de choses qui ne me semblaient pas essentielles. Quant à ses cours, ils étaient intéressants, d'accord, mais enfin il ne disait rien de génial ; et il était tellement sûr d'avoir raison que ça me donnait une irrésistible envie de le contredire. Oh ! j'étais convaincue moi aussi que la vérité était à gauche ; depuis mon enfance je trouvais à la pensée bourgeoise une odeur de bêtise et de mensonge, une très mauvaise odeur ; et puis j'avais appris dans l'Évangile que les hommes sont tous égaux, tous frères, et ça je continuais à y croire dur comme fer. Seulement, pour mon âme longtemps gavée d'absolu, le vide du ciel rendait toute morale dérisoire et Dubreuilh s'imaginait qu'il pouvait y avoir un salut sur cette terre ; je m'en suis expliquée dans ma première dissertation. « La révolution, bon, disais-je, et puis après ? » Quand il m'a rendu mon papier, huit jours plus tard à la sortie du cours, il s'est vivement moqué de moi : mon absolu, c'était selon lui un rêve abstrait de petite bourgeoise incapable de faire face à la réalité. Je n'avais pas les moyens de lui tenir tête, il gagnait à tous les coups, forcément, mais ça ne prouvait rien et je le lui ai dit. Nous avons recommencé à discuter la semaine suivante et cette fois-ci il a cherché à me convaincre et non à m'accabler. J'ai dû reconnaître qu'en tête à tête il n'avait pas du tout l'air de se prendre pour un grand homme. Il s'est mis à me parler souvent après les cours, parfois il me raccompagnait jusqu'à ma porte, en faisant des détours, et puis nous sommes sortis ensemble l'après-midi, le soir : nous ne causions plus de morale, ni de politique, ni d'aucun sujet élevé. Il me racontait des histoires, et surtout il m'emmenait promener ; il me montrait des rues, des squares, des quais, des canaux, des cimetières, des zones, des entrepôts, des terrains vagues, des bistrots, un tas de coins de Paris que je ne connaissais pas ; et je m'apercevais que je n'avais jamais vu les choses que je croyais connaître. Avec lui tout prenait mille sens : les visages, les voix, les vêtements des gens, un arbre, une affiche, une enseigne au néon, n'importe quoi. Du coup, j'ai relu ses romans. Et j'ai compris que je n'y avais rien compris. Dubreuilh donnait l'impression d'écrire capricieusement, pour son seul plaisir, des choses tout à fait gratuites ; et pourtant, le livre fermé, on se retrouvait bouleversé de colère, de dégoût, de révolte, on voulait que les choses changent. A lire certains passages de son œuvre, on l'aurait pris pour un pur esthète : il a le goût des mots ; et il s'intéresse sans arrière-pensée à la pluie et au beau temps, aux jeux de l'amour et du hasard, à tout ; seulement il n'en reste pas là : soudain vous vous trouvez jeté dans la foule des hommes et tous leurs problèmes vous concernent. Voilà pourquoi je tiens tant à ce qu'il continue d'écrire. Je sais par moi-même ce qu'il apporte à ses lecteurs. Entre sa pensée politique et ses émotions poétiques, il n'y a pas de distance. C'est parce qu'il aime tant la vie qu'il veut que tous les hommes en aient largement leur part ; et parce qu'il aime les hommes, tout ce qui appartient à leur vie le passionne.

Je relisais ses livres, je l'écoutais, je l'interrogeais, j'étais si occupée que je ne pensais pas à me demander pourquoi au juste il se plaisait avec moi : déjà le temps me manquait pour déchiffrer ce qui se passait dans mon propre cœur. Quand il m'a prise dans ses bras, une nuit, au milieu des jardins du Carrousel, j'ai dit avec scandale : « Je n'embrasserai qu'un homme que j'aimerai. » Il m'a répondu tranquillement : « Mais vous m'aimez ! » Et aussitôt j'ai su que c'était vrai. Si

je ne m'en étais pas avisée c'est que c'était arrivé trop
vite : avec lui, tout allait tellement vite ! c'est même ce
qui m'a d'abord subjuguée ; les autres gens étaient si
lents, la vie si lente. Lui, il brûlait le temps et il
bousculait tout. Du moment où j'ai su que je l'aimais,
je l'ai suivi avec enthousiasme de surprise en surprise.
J'apprenais qu'on pouvait vivre sans meubles et sans
horaire, se passer de déjeuner, ne pas se coucher de la
nuit, dormir l'après-midi, faire l'amour dans les bois
aussi bien que dans un lit. Ça m'a paru simple et
joyeux de devenir une femme entre ses bras ; quand le
plaisir m'effrayait, son sourire me rassurait. Une seule
ombre sur mon cœur : les vacances approchaient et
l'idée d'une séparation me terrorisait. Robert s'en est
rendu compte, évidemment : est-ce pour ça qu'il m'a
proposé de nous marier ? alors cette idée ne m'a pas
même effleurée : à dix-neuf ans, il semble aussi naturel
d'être aimée par l'homme qu'on aime que par des
parents respectés ou par Dieu tout-puissant.

« Mais je t'aimais ! » m'a répondu Robert, beaucoup
plus tard. Dans sa bouche, que signifient au juste ces
mots ? M'aurait-il aimée un an plus tôt, quand il était
encore pris corps et âme dans la bagarre politique ? et
cette année-là, pour se consoler de son inaction n'aurait-il pas pu en choisir une autre ? Voilà bien le genre
de questions qui ne servent à rien, passons. Ce qui est
sûr c'est qu'il a voulu mon bonheur avec emportement
et qu'il n'a pas manqué son coup. Jusque-là je n'étais
pas malheureuse, non, mais je n'étais pas heureuse non
plus. Je me portais bien, alors j'avais des moments de
joie mais je passais le plus clair de mon temps à me
désoler. Sottise, mensonge, injustice, souffrance :
autour de moi c'était un chaos très noir. Et quelle
absurdité, ces journées qui se répètent de semaine en
semaine, de siècle en siècle, sans aller nulle part !

Vivre, c'était attendre la mort pendant quarante ou soixante ans en piétinant dans du néant. Voilà pourquoi j'étudiais avec tant de zèle : il n'y avait que les livres et les idées qui tenaient le coup, eux seuls me semblaient réels.

Grâce à Robert, les idées sont descendues sur terre et la terre est devenue cohérente comme un livre, un livre qui commence mal mais qui finira bien ; l'humanité allait quelque part, l'histoire avait un sens, et ma propre existence aussi ; l'oppression, la misère enfermaient la promesse de leur disparition ; le mal était déjà vaincu, le scandale balayé. Le ciel s'est refermé au-dessus de ma tête et les vieilles peurs m'ont quittée. Ce n'est pas à coups de théories que Robert m'en a délivrée : il m'a démontré que la vie se suffisait en vivant. La mort, il s'en fichait complètement, et ses activités n'étaient pas des divertissements : il aimait ce qu'il aimait, il voulait ce qu'il voulait, il ne fuyait rien. Somme toute, je ne demandais qu'à lui ressembler. Si j'avais mis la vie en question, c'était surtout parce que je m'ennuyais à la maison : et maintenant je ne m'ennuyais plus. Robert avait tiré du chaos un monde plein, ordonné, purifié par cet avenir qu'il produisait : ce monde était le mien. La seule question, c'était de m'y tailler ma place à moi. Être la femme de Robert, ça ne me suffisait pas ; jamais avant de l'épouser je n'avais envisagé de faire une carrière d'épouse. D'autre part, je ne songeai pas une minute à m'occuper activement de politique. Dans ce domaine, les théories peuvent me passionner et j'ai quelques sentiments forts mais la pratique me rebute. Je dois avouer que je manque de patience : la révolution est en marche, mais elle marche si lentement, à petits pas si incertains ! Pour Robert, si une solution est meilleure qu'une autre, elle est bonne, un moindre mal, il le tient pour un bien. Il a raison, bien sûr, mais sans doute n'ai-je pas tout à fait liquidé mes vieux rêves d'absolu : ça ne me satisfait pas. Et puis l'avenir me paraît bien lointain, j'ai peine à m'intéresser aux hommes qui ne sont pas encore nés, j'ai plutôt envie d'aider ceux qui se trouvent vivre juste en ce moment. C'est pour ça que ce métier me tentait. Oh ! je n'ai jamais pensé qu'on pût du dehors apporter à quelqu'un un salut préfabriqué, mais souvent ce sont des niaiseries qui séparent les gens de leur bonheur, et je voulais les en débarrasser. Robert m'a encouragée ; là-dessus, il se sépare des communistes orthodoxes : il croit qu'il peut y avoir un usage valable de la psychanalyse dans la société bourgeoise et que peut-être elle aura encore un rôle à jouer dans une société sans classe ; ça lui semblait même un travail passionnant, de repenser la psychanalyse classique à la lumière du marxisme. Le fait est que ça m'a passionnée. Mes journées étaient aussi pleines que la terre autour de moi. Chaque matin se réveillait la joie du précédent matin et je me retrouvais le soir enrichie de mille nouveautés. C'est une grande chance à vingt ans de recevoir le monde de la main qu'on aime ! c'est une grande chance d'y occuper exactement sa place ! Robert a aussi réussi ce tour de force : il m'a protégée de l'isolement sans me priver de la solitude. Tout nous était commun : pourtant j'avais mes amitiés, mes plaisirs, mon travail, mes soucis à moi. Je pouvais à mon gré passer la nuit dans la tendresse d'une épaule, ou bien comme aujourd'hui seule dans ma chambre, en jeune fille. Je regarde ces murs, le rai de lumière sous la porte : combien de fois ai-je connu cette douceur : m'endormir pendant qu'il travaille à portée de ma voix ? Il y a des années déjà qu'entre nous le désir s'est usé ; mais nous étions trop étroitement unis pour que l'union de nos corps pût avoir une

76

grande importance ; en y renonçant, nous n'avons pour ainsi dire rien perdu. Je pourrais croire que c'est une nuit d'avant-guerre. Cette inquiétude même qui me tient éveillée n'est pas neuve. Souvent l'avenir du monde a été bien noir. Qu'y a-t-il donc de changé ? Pourquoi est-ce que la mort est revenue rôder ? Elle continue à rôder : pourquoi ?

Quel entêtement insensé ! J'ai honte. Pendant ces quatre ans, en dépit de tout, je me suis persuadée qu'après-guerre nous allions retrouver l'avant-guerre. Tout à l'heure encore je disais à Paule : « Maintenant, c'est de nouveau comme autrefois. » Voilà que j'essaie de me dire : Autrefois, c'était juste comme maintenant. Mais non, je mens : ce n'est pas, ça ne sera plus jamais comme autrefois. Autrefois, les crises les plus inquiétantes, j'étais sûre au fond qu'on en sortirait ; Robert devait s'en sortir, forcément ; son destin me garantissait celui du monde, et réciproquement. Mais avec ce passé derrière nous, comment se fier encore à l'avenir ? Diego est mort, il y a eu trop de morts, le scandale est revenu sur terre, le mot de bonheur n'a plus de sens : autour de moi, c'est de nouveau le chaos. Peut-être que le monde s'en sortira ; mais quand ? C'est trop long, deux ou trois siècles, nos jours à nous sont comptés : si la vie de Robert s'achève dans l'échec, dans le doute et le désespoir, rien ne rattrapera ça, jamais.

On bouge doucement dans son bureau ; il lit, il réfléchit, il tire des plans. Va-t-il réussir ? Et sinon quoi ? Pas besoin d'envisager le pire, personne ne nous a dévorés ; simplement, nous végétons au hasard d'une histoire qui n'est plus la nôtre, Robert est réduit au rôle de témoin passif : qu'est-ce qu'il fera de sa peau ? Je sais à quel point la révolution lui tient aux moelles : elle est son absolu à lui ; sa jeunesse l'a marqué pour toujours. Pendant toutes ces années où il a grandi parmi des maisons et des vies couleur de suie, le socialisme était son seul espoir; il n'y a pas cru par générosité, ni par logique, mais par besoin. Devenir un homme, ça signifiait pour lui devenir comme son père un militant. Il lui en a fallu beaucoup pour l'écarter de la politique : la déception furieuse de 14, sa rupture avec Cachin deux ans après Tours, son impuissance à réveiller dans le parti socialiste la vieille flamme révolutionnaire. A la première occasion il s'est de nouveau jeté dans l'action; et en ce moment il est plus passionné que jamais. Je me dis pour me rassurer qu'il a bien de la ressource. Après notre mariage, pendant ces années qu'il a passées sans militer, il a beaucoup écrit et il était heureux. Mais d'abord, l'était-il ? Ça m'arrangeait de le croire; et jusqu'à cette nuit je n'ai jamais osé épier ce qu'il se dit seul à seul : je ne me sens plus très sûre de notre passé. S'il a voulu si vite un enfant, c'est sans doute parce que je ne suffisais pas à justifier son existence; peut-être aussi cherchait-il une revanche contre cet avenir sur lequel il n'avait plus de prise. Oui, ce désir de paternité me paraît bien significatif. Significative aussi la tristesse de notre pèlerinage à Bruay. Nous nous promenions dans les rues de son enfance, il me montrait l'école où son père enseignait, et la sombre bâtisse où à neuf ans il avait entendu Jaurès; il me recontait ses premières rencontres avec le malheur quotidien, avec le travail sans espoir; il parlait trop vite, d'un ton trop détaché; et soudain il a dit d'une voix agitée : « Rien n'a changé; mais moi j'écris des romans. » J'ai voulu croire à une émotion fugitive; Robert était bien trop gai pour que je lui suppose de sérieux regrets. Mais, après le congrès d'Amsterdam, pendant toute l'époque où il a organisé les comités de Vigilance, j'ai vu qu'il pouvait être beaucoup plus gai encore et j'ai dû m'avouer la vérité :

auparavant il rongeait son frein. S'il se retrouve condamné à l'impuissance, à la solitude, tout lui semblera vain, même d'écrire ; surtout d'écrire. Entre 25 et 32, tout en rongeant son frein, il écrivait, oui. Mais c'était bien différent. Il était resté lié avec les communistes et certains socialistes ; il gardait l'espoir de l'unité ouvrière et d'une victoire finale ; je sais par cœur ce mot de Jaurès qu'il répétait à tout bout de champ : « L'homme de demain sera le plus complexe, le plus riche de vie qu'ait jamais connu l'histoire. » Il était convaincu que ses livres aidaient à bâtir l'avenir et que l'homme de demain les lirait : alors évidemment, il écrivait. Devant un avenir barré, ça ne garderait aucun sens. Si ses contemporains ne l'écoutent plus, si la postérité ne le comprend plus, il n'a qu'à se taire.

Et alors ? qu'est-ce qu'il va devenir ? Une créature vivante qui se change en écume, c'est affreux, mais il y a un sort pire : celui du paralytique à la langue nouée. Mieux vaut la mort. En viendrai-je à souhaiter un jour la mort de Robert ? Non. Ce n'est pas imaginable. Il a eu déjà des coups durs, il s'en est toujours sorti, il s'en sortira encore. Je ne sais pas comment, mais il inventera quelque chose. Ce n'est pas impossible, par exemple, qu'il s'inscrive un jour au parti communiste ; bien sûr en ce moment il n'y songe pas, il critique trop violemment leur politique : mais supposons que leur ligne change ; supposons qu'il n'existe en dehors des communistes aucune gauche cohérente : plutôt que de rester inactif, je me demande si Robert ne finirait pas par les rejoindre. Je n'aime pas cette idée. Ça lui serait plus dur qu'à n'importe qui de se plier à des mots d'ordre avec lesquels il ne serait pas d'accord. Sur la tactique à suivre, il a toujours eu ses idées bien à lui. Et puis il a beau s'essayer au cynisme je sais bien qu'il restera toujours fidèle à sa vieille morale ; l'idéalisme des autres le fait sourire : il a aussi le sien ; il y a certains procédés communistes qu'il ne pourra jamais encaisser. Non cette solution n'en est pas une. Trop de choses le séparent d'eux ; son humanisme n'est pas le même que le leur. Non seulement il ne pourrait plus rien écrire de sincère, mais il serait obligé de renier tout son passé.

« Tant pis ! » me dira-t-il. Tout à l'heure il disait : « Un livre de plus ou de moins, ça n'a pas grande importance. » Mais est-ce qu'il le pense vraiment ? Moi j'attache beaucoup de valeur aux livres, j'en attache peut-être trop. Au temps de ma propre préhistoire, je les préférais au monde réel : il m'en est resté quelque chose ; ils ont gardé pour moi un petit goût d'éternité. Oui, c'est une des raisons qui me font prendre l'œuvre de Robert tellement à cœur : si elle périt, nous redevenons tous les deux périssables ; l'avenir n'est plus qu'une tombe. Robert ne voit pas les choses comme ça : mais il n'est pas non plus un militant exemplaire parfaitement oublieux de lui-même ; il espère bien laisser un nom derrière lui, un nom qui signifie beaucoup, pour beaucoup de gens. Et puis écrire, c'est ce qu'il aime le plus au monde, c'est sa joie, c'est son besoin, c'est lui-même. Y renoncer ça serait un suicide.

Eh bien, il n'aurait qu'à se résigner à écrire sur commande, d'autres le font : d'autres, mais pas Robert. A la rigueur je l'imagine militant à contre-cœur : mais écrire c'est une autre affaire ; s'il ne pouvait plus s'exprimer à sa guise, la plume lui tomberait des mains.

Ah ! je la vois, l'impasse. Robert tient solidement à quelques idées et nous étions sûrs avant la guerre qu'elles s'incarneraient un jour dans la réalité ; toute sa vie il s'est employé à la fois à les enrichir et à préparer leur incarnation : mais supposons que celle-ci ne doive jamais se produire ? l'humanisme que Robert a toujours défendu, supposons que la révolution s'accomplisse contre lui ? Qu'est-ce que Robert peut faire ? S'il aide à bâtir un avenir hostile à toutes les valeurs auxquelles il croit, son action est absurde ; mais s'il s'entête à maintenir des valeurs qui ne descendront jamais sur terre, il devient un de ces vieux rêveurs auxquels il tient avant tout à ne pas ressembler. Non, dans cette alternative, aucun choix n'est possible : c'est, en tout cas, l'échec, l'impuissance ; pour Robert, c'est mourir tout vif. Voilà pourquoi il se jette avec cette passion dans la lutte : il me dit que la situation lui offre une chance qu'il a attendue toute sa vie, soit ; mais elle comporte aussi un danger plus grave qu'aucun de ceux qu'il a connus, et il le sait. Oui, j'en suis sûre, tout ce que je viens de me dire, il se le dit aussi. Il se dit que pour lui l'avenir sera peut-être une tombe, qu'il s'y engloutira sans laisser plus de trace que Rosa et Diégo. Et c'est même pire ; peut-être les hommes de demain le regarderont-ils comme un attardé, une dupe, un mystificateur ; inutile ou coupable, un déchet. Il se peut qu'un jour il soit tenté de se voir lui-même avec leurs yeux cruels : alors il finira sa vie dans le désespoir. Robert désespéré : c'est un scandale plus intolérable que la mort même. Je veux bien consentir à ma mort, à la sienne : pas à son désespoir. Non. Je ne supporterai pas de m'éveiller demain et les jours qui suivront avec cette énorme menace à l'horizon. Non. Mais je peux répéter cent fois : non, non et non, je n'y changerai rien. Je m'éveillerai devant cette menace demain et les jours qui suivront. Une certitude, on pourrait du moins en mourir ; mais cette peur sans fond, il va falloir la vivre.

CHAPITRE II

I

Le lendemain matin la radio confirma la débâcle allemande. « C'est vraiment la paix qui commence » se répéta Henri en s'asseyant à sa table. « Enfin je peux écrire ! » Il décida : « Je m'arrangerai pour écrire tous les jours. » Quoi au juste ? Il ne savait pas, et il s'en félicitait ; les autres fois il savait trop. Ce coup-ci il essaierait de s'adresser au lecteur sans préméditation, comme on écrit à un ami ; et il réussirait peut-être à lui dire toutes ces choses qui n'avaient jamais trouvé place dans ses livres trop construits. Tant de choses qu'on voudrait retenir avec des mots et qui se perdent ! Il leva la tête et regarda à travers la fenêtre le ciel froid. Dommage de penser que cette matinée allait être perdue ; tout semblait si précieux, ce matin : le papier blanc, l'odeur d'alcool et de tabac refroidi, la musique arabe qui montait du café voisin ; Notre-Dame était froide comme le ciel, un clochard dansait au milieu de la ruelle, il portait une énorme collerette en plumes de coq bleues et deux filles endimanchées le regardaient en riant. C'était Noël, c'était la débâcle allemande et quelque chose recommençait. Oui, tous ces matins, tous ces soirs qu'il avait laissés filer entre ses doigts pendant ces quatre ans, pendant trente ans Henri allait essayer de les récupérer ; on ne peut pas tout dire, d'accord, mais on peut tout de même tenter de rendre le vrai goût de sa vie · chacune a un goût, qui n'est qu'à elle, et il faut le dire, ou ce n'est pas la peine d'écrire : « Parler de ce que j'ai aimé, de ce que j'aime, de ce que je suis. » Il dessina un bouquet. Qui était-il ? Qui retrouvait-il après cette longue absence ? C'est difficile, du dedans, de se définir et de se limiter. Il n'était pas un maniaque de la politique ni un fanatique de l'écriture, ni un grand passionné ; il se sentait plutôt quelconque ; mais somme toute ça ne le gênait pas. Un homme comme tout le monde, qui parlerait sincère-ment de lui, il parlerait au nom de tout le monde, pour tout le monde. La sincérité : c'était la seule originalité qu'il dût viser, la seule consigne qu'il eût à s'imposer. Il ajouta une fleur à son bouquet. Ce n'est pas si facile d'être sincère. Il n'envisageait pas de se confesser. Et qui dit roman dit mensonge. Ah ! il verrait ça plus tard. Pour l'instant, il ne fallait surtout pas s'embarrasser de problèmes ; partir au hasard, commencer n'importe comment : par les jardins d'El Oued sous la lune. Le papier était nu, il fallait en profiter.

— Tu as commencé ton roman gai ? demanda Paule.

— Je ne sais pas.

— Comment tu ne sais pas ? Tu ne sais pas ce que tu écris ?

— Je me fais une surprise, dit-il en riant.

Paule haussa les épaules ; pourtant c'était vrai : il ne voulait pas savoir ; il fixait en désordre sur le papier un tas de moments de sa vie, ça l'amusait énormément et il ne demandait rien de plus. Le soir où il alla retrouver Nadine il abandonna son travail à regret. Il avait dit à Paule qu'il sortait avec Scriassine : il avait appris pendant cette dernière année à économiser sa franchise ; ces simples mots : « Je sors avec Nadine » auraient provoqué tant de questions et tant de commentaires qu'il en avait préféré d'autres ; mais c'était vraiment absurde de se cacher pour sortir cette fille ingrate, qu'il regardait comme une espèce de nièce ; c'était surtout absurde de lui avoir donné ce rendez-vous. Il poussa la porte du Bar Rouge et s'approcha de la table où elle était assise entre Lachaume et Vincent.

— Pas de bagarre aujourd'hui ?

— Zéro, dit Vincent avec dépit.

Les jeunes s'entassaient dans ce boyau rouge moins pour se retrouver entre camarades que pour affronter leurs adversaires : toutes les factions politiques y étaient représentées. Henri venait souvent y passer un moment ; il aurait bien aimé s'asseoir et causer à bâtons rompus avec Lachaume et Vincent tout en regardant les gens ; mais Nadine se leva tout de suite.

— Vous m'emmenez dîner ?

— Je suis venu pour ça.

Dehors, il faisait noir, le trottoir était couvert d'une boue glacée : qu'est-ce qu'il allait bien pouvoir faire de Nadine ? Il demanda : « Où voulez-vous aller ? chez l'Italien ?

— Chez l'Italien. »

Elle n'était pas contrariante ; elle le laissa choisir leur table, elle commanda comme lui des *peperoni* et un *ossobuco* ; elle approuvait tout ce qu'il disait avec un air réjoui qui parut bientôt suspect à Henri : en vérité, elle ne l'écoutait pas, elle mangeait avec une hâte placide en souriant à son assiette ; il laissa tomber la conversation sans qu'elle parût s'en apercevoir. La dernière bouchée avalée, elle s'essuya la bouche d'un geste large :

— Et maintenant, où m'emmenez-vous ?

— Vous n'aimez ni le jazz, ni la danse ?

— Non.

— On peut essayer le Tropique du Cancer.

— C'est marrant ?

— Vous en connaissez, vous, des boîtes marrantes ? au Tropique on n'est pas mal pour causer.

Elle haussa les épaules : « Pour causer, les bancs du métro sont très bien » ; son visage s'éclaira : « Il y a des boîtes que j'aime bien : celles où on voit des dames nues.

— Pas possible ? ça vous amuse ?

— Oh ! oui ; c'est plus drôle dans les bains turcs, mais même les cabarets c'est pas mal.

— Vous ne seriez pas un rien vicieuse ? dit Henri en riant.

— C'est possible, dit-elle sèchement. Qu'est-ce que vous proposez de mieux ? »

Regarder des femmes nues en compagnie de cette grande fille qui n'était ni vierge ni femme, on ne pouvait rien imaginer de plus incongru ; mais enfin Henri s'était chargé de la distraire et il manquait d'inspiration. Ils s'assirent « Chez Astarté » devant un seau à champagne ; la salle était encore vide ; autour du bar les entraîneuses bavardaient. Nadine les examina longuement.

— Si j'étais un homme, tous les soirs je ramènerais une bonne femme différente.

— Tous les soirs une femme différente : ça finit par être la même.

— Sûrement pas ; la petite brune, et la rousse qui a de si jolis faux seins, sous leurs robes, ça n'est pas du tout pareil. Elle s'appuya son menton contre la paume de sa main et dévisagea Henri : « Ça ne vous amuse pas les femmes ?

— Pas comme ça.

86

— Comme quoi ?

— Eh bien, j'aime bien les regarder quand elles sont jolies, danser avec elles, ou causer.

— Pour causer, il vaut mieux des hommes », dit Nadine ; son regard devint soupçonneux : « En somme, pourquoi m'avez-vous invitée ? je ne suis pas jolie, je danse mal et je ne cause pas bien. »

Il sourit : « Vous ne vous rappelez pas ? vous m'avez reproché de ne jamais vous inviter.

— Chaque fois qu'on vous reproche de ne pas faire une chose, vous la faites ?

— Et pourquoi avez-vous accepté mon invitation ? » dit Henri.

Elle lui coula un regard si naïvement provocant qu'il fut déconcerté ; est-ce que vraiment, comme le prétendait Paule, elle ne pouvait pas voir un homme sans s'offrir à lui ?

— Il ne faut jamais rien refuser, dit-elle d'un ton sentencieux.

Pendant un moment elle battit son champagne en silence ; la conversation se remit à clapoter, mais de temps en temps Nadine se taisait avec insistance, elle regardait fixement Henri, et il y avait sur son visage un air de reproche étonné. « Je ne peux tout de même pas l'embarquer » se disait-il ; elle ne lui plaisait qu'à moitié, il la connaissait trop, c'était trop facile, et puis ça l'aurait gêné à cause des Dubreuilh ; il essayait de remplir les silences, mais par deux fois elle bâilla avec affectation. Lui aussi, il trouvait le temps long. Quelques couples dansaient : surtout des Américains et des filles, et puis un ou deux faux ménages de province. Il décida de s'en aller dès que les girls auraient fait leur numéro et il fut soulagé quand il les vit enfin s'amener. Elles étaient six, en soutien-gorge et slip pailleté, coiffées de hauts-de-forme aux couleurs françaises et américaines ; elles ne dansaient ni bien ni mal, elles étaient laides sans excès, c'était un spectacle sans intérêt et qui ne prêtait pas à rire ; pourquoi Nadine avait-elle l'air si réjouie ? Quand les filles détachèrent leur soutien-gorge pour découvrir leurs seins paraffinés, elle jeta sur Henri un coup d'œil sournois : « Laquelle vous plaît le plus ?

— Elles se valent.

— La blonde à gauche, vous ne trouvez pas qu'elle a un ravissant petit nombril ?

— Mais une gueule bien triste. »

Nadine se tut : elle inspectait les femmes d'un regard expert et un peu blasé ; quand elles furent sorties, à reculons, agitant d'une main leur slip, de l'autre plaquant contre leur sexe leur chapeau tricolore, Nadine demanda :

— Est-ce que c'est plus important d'avoir une jolie gueule, ou d'être bien faite ?

— Ça dépend.

— De quoi ?

— De l'ensemble, et aussi des goûts.

— Quelle note je mérite dans l'ensemble et à votre goût ?

Il la toisa : « Je vous le dirai dans trois ou quatre ans : vous n'êtes pas finie de faire.

— On n'est jamais fini avant d'être mort » dit-elle d'une voix fâchée. Son regard errait tout autour de la salle, il s'arrêta sur la danseuse à la triste figure qui était venue s'asseoir au bar, vêtue d'une petite robe noire : « C'est vrai qu'elle a l'air triste. Vous devriez l'inviter à danser.

— Ce n'est pas ça qui l'égaierait beaucoup.

— Ses copines ont des types ; elle a l'air d'un laissé-pour-compte. Invitez-la donc, qu'est-ce que ça vous coûte ? » dit-elle avec une soudaine véhémencé ; sa voix s'adoucit et se fit suppliante : « Juste une fois !

— Si vous y tenez tant », dit Henri.

La blonde le suivit sur la piste sans enthousiasme ; elle était banalement niaise et il ne voyait pas du tout pourquoi Nadine s'intéressait à elle ; à vrai dire les caprices de Nadine commençaient à l'ennuyer. Quand il revint s'asseoir près d'elle, elle avait rempli les deux coupes de champagne et le contemplait d'un air méditatif.

— Vous êtes très gentil, dit-elle en lui faisant les yeux doux ; elle sourit brusquement : « Est-ce que vous devenez drôle quand vous êtes saoul ?

— Quand je suis saoul je me trouve très drôle.

— Et les autres qu'est-ce qu'ils en pensent ?

— Quand je suis saoul je ne m'occupe pas de ce qu'ils pensent. »

Elle désigna la bouteille : « Saoulez-vous.

— Avec du champagne je n'irai pas loin.

— Combien de coupes pouvez-vous boire sans être saoul ?

— Des tas.

— Plus de trois ?

— Certainement. »

Elle le regarda d'un air incrédule : « Je voudrais bien voir ça. Vous avaleriez ces deux coupes d'un trait ça ne vous ferait rien ?

— Rien du tout.

— Allez-y.

— Pour quoi faire ?

— Les gens se vantent toujours : il faut les mettre au pied du mur.

— Après ça, vous me demanderez de marcher sur la tête ? dit Henri.

— Après, vous pourrez rentrer vous coucher. Buvez ; coup sur coup. »

Il avala une des coupes et il sentit un choc au creux de l'estomac ; elle lui mit l'autre coupe dans la main :

— On a dit coup sur coup.

Il avala l'autre coupe.

Il se réveilla couché dans un lit, nu, à côté d'une femme nue qui l'avait empoigné par les cheveux et qui lui secouait la tête ; il murmurait : « Qui est là ?

— C'est Nadine ; réveille-toi, il est tard. »

Il ouvrit les yeux ; l'électricité était allumée, c'était une chambre inconnue, une chambre d'hôtel ; oui, il se rappelait le bureau, l'escalier ; avant il avait bu du champagne, sa tête lui faisait mal.

— Qu'est-ce qui est arrivé ? je ne comprends pas.

— Ton champagne, il était coupé de marc, à soixante-dix, dit Nadine avec un grand rire.

— Tu as foutu du marc dans le champagne ?

— Un peu ! c'est un truc dont je me sers souvent avec les Américains quand j'ai besoin qu'ils soient saouls ; elle sourit : « C'était le seul moyen de t'avoir.

— Et tu m'as eu ?

— Si on peut dire.

Il se toucha le crâne : « Je ne me rappelle rien.

— Oh ! il n'y avait pas de quoi. »

Elle bondit hors du lit, sortit un peigne de son sac et nue devant l'armoire à glace elle commença à se peigner ; comme son corps était jeune ! avait-il vraiment serré contre lui ce mince buste aux épaules rondes, aux seins légers ? Elle surprit son regard : « Ne me regarde pas comme ça ! Elle saisit sa combinaison et l'enfila en hâte.

—- Tu es très jolie !

— Ne dis pas de bêtises ! dit-elle d'une voix rogue.

— Pourquoi te rhabilles-tu : viens. »

Elle secoua la tête et il dit avec un peu d'inquiétude :

« As-tu quelque chose à me reprocher ? j'étais saoul tu sais. »

Elle revint vers le lit et embrassa Henri sur une joue : « Tu as été très gentil. Mais je n'aime pas recommencer, ajouta-t-elle en s'éloignant ; pas le même jour. »

C'était vraiment vexant de ne rien se rappeler ; elle enfilait ses socquettes et il se sentait mal à l'aise, couché nu sous ces draps : « Je vais me lever : tourne-toi.

— Tu veux que je me tourne ?

— S'il te plaît. »

Elle se planta dans un coin, le nez au mur, les mains derrière le dos comme une écolière en pénitence ; tout de suite elle demanda d'une voix moqueuse : « Ça ne suffit pas ?

— Ça suffit », dit-il en bouclant la ceinture de son pantalon.

Elle l'examina d'un air critique : « Ce que tu es compliqué !

— Moi ?

— Tu en fais des histoires pour te mettre au lit et pour en sortir.

— Quel mal de crâne tu m'as foutu ! » dit Henri.

Il regrettait qu'elle n'eût pas voulu recommencer. Elle avait un joli corps et c'était une drôle de fille.

Quand ils furent assis devant de faux cafés, dans le petit Biard qui s'éveillait à côté de la gare Montparnasse, il demanda gaiement : « En somme pourquoi tenais-tu à coucher avec moi ?

— Pour faire connaissance.

— C'est toujours comme ça que tu fais connaissance ?

— Quand on couche avec quelqu'un, ça brise la glace ; on est bien mieux ensemble qu'avant, non ?

— La glace est brisée, dit Henri en riant. Mais

91

pourquoi voulais-tu tant faire connaissance avec moi ?

— Je voulais que tu me trouves gentille.

— Je te trouve très gentille. »

Elle le regarda d'un air à la fois malicieux et embarrassé : « Je veux que tu me trouves assez gentille pour m'emmener au Portugal.

— Ah ! c'est donc ça ! » Il posa sa main sur le bras de Nadine : « Je t'ai dit que c'était impossible.

— A cause de Paule ? mais puisqu'elle ne vient pas avec toi, je peux bien venir.

— Mais non, tu ne peux pas : ça la rendrait très malheureuse.

— Ne lui dis pas.

— Ça serait un trop gros mensonge ; il sourit : d'autant plus qu'elle le saurait.

— Alors, pour lui éviter une peine, tu me prives d'un truc dont j'ai tellement envie ?

— Tu en as tellement envie ?

— Un pays où il y a du soleil et de quoi bouffer : je vendrais mon âme pour y aller.

— Tu as eu faim pendant la guerre ?

— Tu parles ! remarque que pour ça, maman était formidable ; elle se tapait des quatre-vingts kilomètres à vélo pour nous ramener un kilo de champignons ou un bout de charogne ; mais ça n'empêchait pas. Le premier Américain qui m'a foutu sa caisse de rations dans les bras, j'étais folle.

— C'est pour ça que tu aimais tant les Américains ?

— Oui ; et puis au début ça m'amusait. » Elle haussa les épaules : « Maintenant, ils sont trop organisés, ça n'est plus drôle. Paris est de nouveau sinistre. » Elle regarda Henri d'un air suppliant : « Emmène-moi. »

Il aurait bien aimé lui faire ce plaisir ; donner à quelqu'un un vrai bonheur, c'est si réconfortant ! mais comment faire encaisser ça à Paule ?

— Ça t'est déjà arrivé d'avoir des histoires, dit Nadine, et Paule s'en est arrangée.

— Qui t'a raconté ça ?

Nadine rit d'un air sournois : « Une femme qui parle de ses amours à une autre femme, ça cause fort. »

Oui, Henri avait avoué à Paule quelques infidélités qu'elle avait excusées avec superbe ; la difficulté aujourd'hui c'est qu'une explication l'amènerait fatalement ou à s'enferrer dans un mensonge dont il ne voulait plus, ou à revendiquer cruellement sa liberté, et pour ça le courage lui manquait.

Il murmura :

— Un voyage d'un mois, c'est une autre affaire.

— Mais on se quitterait au retour ; je ne veux pas te prendre à Paule ! Nadine rit avec insolence : « Je veux me promener, c'est tout. »

Henri hésita. Se promener dans les rues inconnues, s'asseoir aux terrasses des cafés, avec une femme qui lui rirait au visage ; le soir dans la chambre d'hôtel retrouver son jeune corps tiède ; oui, c'était tentant. Et puisqu'il était décidé à en finir avec Paule, qu'est-ce qu'il gagnait à attendre ? Le temps n'arrangeait rien, au contraire.

— Écoute, dit-il, je ne peux rien te promettre. Dis-toi bien que ce n'est pas une promesse : mais je vais essayer de parler à Paule et si ça me semble possible de t'emmener, eh bien, d'accord.

II

Je regardai avec découragement le petit tableau. Deux mois plus tôt j'avais dit à l'enfant : « Dessine une maison », et il avait dessiné une villa avec ses toits, sa cheminée, sa fumée ; pas une fenêtre ; pas une porte, et tout autour une haute grille noire aux barreaux pointus. « Maintenant, dessine une famille », et il avait dessiné un homme qui donnait la main à un petit garçon. Voilà qu'aujourd'hui il avait encore peint une maison sans porte, entourée de barreaux noirs et acérés : nous n'avancions pas. Était-ce un cas particulièrement difficile, ou était-ce moi qui ne savais pas le traiter ? Je rangeai le dessin dans un dossier. Je ne savais pas, ou je ne voulais pas ? Peut-être la résistance de l'enfant traduisait-elle celle que je sentais en moi : cet inconnu qui était mort deux ans plus tôt à Dachau, ça me faisait horreur de le chasser du cœur de son fils. « Alors, je devrais abandonner cette cure », me dis-je. Je restai debout à côté de ma table de travail. J'avais deux heures devant moi, j'aurais pu classer mes notes, mais je ne me décidais pas. Bien sûr, je me suis toujours posé un tas de questions ; guérir, c'est souvent mutiler ; dans une société injuste, l'équilibre individuel, qu'est-ce que ça vaut ? Mais ça me passionnait d'avoir à inventer en chaque cas une réponse. Mon but n'était pas de procurer à mes malades un confort intérieur fallacieux ; si je cherchais à les délivrer de leurs chimères intimes, c'était pour les rendre capables d'affronter les vrais problèmes qui se posent dans le monde ; et chaque fois que j'y réussissais, j'estimais avoir fait un travail utile ; la tâche est si vaste, elle réclame la coopération de tous : c'est ce que je pensais hier. Mais ça supposait que tout homme sensé avait un rôle à jouer dans une histoire qui acheminait l'humanité vers le bonheur. Je ne crois plus à cette belle harmonie. L'avenir nous échappe, il se fera sans nous. Alors à s'en tenir au présent, quel avantage y a-t-il à ce que le petit Fernand devienne rieur et étourdi comme les autres enfants ? « Je file un bien mauvais coton, me dis-je. Si ça dure, il ne me restera qu'à fermer mon cabinet. » Je marchai vers la salle de bains, j'en rapportai une cuvette et une brassée de vieux journaux, et je m'agenouillai devant la cheminée où brûlaient sans entrain des boulets de papier ; j'humectai les feuilles imprimées, je commençai à les pétrir. J'avais moins de répugnance qu'autrefois pour ce genre de travaux ; avec l'aide de Nadine et quelquefois un coup de main de la concierge je tenais tant bien que mal la maison. Du moins, pendant que je triturais ces vieux journaux, j'étais sûre de faire quelque chose d'utile. L'ennui c'est que ça n'occupait que mes mains. J'ai réussi à ne plus penser au petit Fernand, ni à mon métier, mais je n'y gagnai pas grand-chose ; le disque a recommencé à tourner dans ma tête : « A Stavelot, il n'y a plus assez de cercueils pour enterrer tous les enfants assassinés par les S.S... » Nous, nous avions échappé ; mais ailleurs c'était arrivé. On avait caché en hâte les drapeaux, noyé les armes, les hommes avaient fui vers les champs, les femmes s'étaient barricadées derrière les portes, et dans les rues abandonnées à la pluie on avait entendu leurs voix rauques ; cette fois, ils n'arrivaient pas en conquérants magnanimes, ils revenaient avec la haine et la mort au cœur. Ils étaient repartis ; mais du village en fête, il ne restait qu'une terre calcinée et des monceaux de petits cadavres.

Une coulée de froid me fit frissonner : Nadine avait ouvert brusquement la porte :

— Pourquoi ne m'as-tu pas demandé de t'aider ?

— Je croyais que tu t'habillais.

— Il y a longtemps que je suis prête. Elle s'agenouilla à côté de moi et empoigna un journal. « Tu as peur que je ne sache pas ? C'est quand même à ma portée. »

Le fait est qu'elle s'y prenait mal : elle mouillait trop

le papier, elle ne le comprimait pas assez ; malgré
tout j'aurais dû l'appeler. Je l'inspectai.

— Laisse-moi t'arranger un peu, dis-je.

— Pour qui ça ? pour Lambert ?

J'allai chercher dans mon armoire une écharpe et
une broche ancienne et je lui tendis les escarpins à
semelle de cuir dont m'avait fait cadeau une cliente
qui se croyait guérie. Elle hésita :

— Mais tu sors ce soir : qu'est-ce que tu vas mettre ?

— Personne ne regardera mes pieds, dis-je en riant.

Elle prit les souliers et grommela : « Merci ! »

J'eus envie de répondre : « Il n'y a pas de quoi ! »
Mes soins, mes libéralités la mettaient mal à l'aise
parce qu'elle ne m'en était pas vraiment reconnaissante et qu'elle se le reprochait ; je la sentais qui
hésitait entre la gratitude et le soupçon, tandis qu'elle
pétrissait maladroitement des boulets. Elle avait raison de se méfier ; mon dévouement, ma générosité,
c'était la plus injuste de mes ruses : je la mettais dans
son tort alors que je ne cherchais qu'à éluder ses
remords. Remords parce que Diégo était mort, parce
que Nadine n'avait pas de robe de fête, parce qu'elle
riait mal et que la morosité la rendait laide. Remords
parce que je ne savais pas me faire obéir d'elle et
parce que je ne l'aimais pas assez. Il aurait été plus
honnête de ne pas l'étourdir de mes bienfaits. Peut-
être l'aurais-je soulagée si je l'avais prise dans mes
bras en lui disant : « Ma pauvre petite fille, pardonne-
moi de ne pas t'aimer davantage. » Si je l'avais tenue
dans mes bras, peut-être aurais-je été défendue contre
ces petits cadavres qu'on n'avait pas les moyens
d'enterrer.

Elle leva la tête : « Tu as reparlé à papa de ce
secrétariat ?

96

— Pas depuis avant-hier, non. » J'ajoutai avec empressement : « La revue ne sort qu'en avril, on a tout le temps.

— Mais j'ai besoin de savoir à quoi m'en tenir », dit Nadine ; elle jeta un boulet dans le feu : « Je ne comprends vraiment pas pourquoi il est contre.

— Il te l'a dit : il trouve que tu vas perdre ton temps. » Un métier, des responsabilités de grande personne : moi je pensais que ça serait bon pour Nadine ; mais Robert était plus ambitieux.

— Et la chimie, ce n'est pas du temps perdu ? dit-elle avec un haussement d'épaules.

— Personne ne t'oblige à faire de la chimie.

C'est pour nous offenser que Nadine avait choisi la chimie ; elle n'en était que trop punie.

— Ce n'est pas la chimie qui m'emmerde, dit-elle, c'est d'être étudiante. Papa ne se rend pas compte : je suis bien plus vieille que tu n'étais à mon âge ; je veux faire quelque chose de réel.

— Tu sais bien que je suis d'accord, dis-je. Et sois tranquille, si ton père voit que tu ne changes pas d'avis, il finira par dire oui.

— Il dira oui : je sais sur quel ton ! dit Nadine d'un air boudeur.

— Nous le convaincrons, dis-je. Tu sais ce que je ferais si j'étais toi : j'apprendrais tout de suite à taper à la machine.

— Tout de suite, je ne peux pas, dit-elle. Elle hésita et puis elle me regarda avec un peu de défi : « Henri m'emmène avec lui au Portugal. »

J'ai été prise au dépourvu : « Vous avez décidé ça hier ? ai-je demandé d'une voix qui cachait mal mon déplaisir.

— Il y a longtemps que je l'avais décidé », dit Nadine ; elle ajouta sur un ton agressif : « Naturellement tu me blâmes ? tu me blâmes à cause de Paule ? »

Je roulai un boulet humide entre mes paumes : « Je pense que tu vas te rendre malheureuse.

— Ça me regarde.

— En effet. »

Je n'ajoutai rien ; je savais que mon silence l'irritait mais elle m'agace quand elle repousse d'un ton coupant les explications qu'elle souhaite ; elle veut que je lui force la main et moi je répugne à entrer dans son jeu. Je fis tout de même un effort : « Henri ne t'aime pas, dis-je ; il n'est pas en humeur d'aimer...

— Tandis que Lambert, il serait assez con pour m'épouser ? dit-elle avec hostilité.

— Je ne t'ai jamais poussée à te marier, dis-je ; le fait est que Lambert t'aime. »

Elle m'interrompit : « D'abord, il ne m'aime pas ; il ne m'a seulement jamais demandé de coucher avec lui, même que l'autre nuit, au réveillon, je lui ai fait des avances et qu'il m'a envoyée bondir.

— C'est qu'il attend autre chose de toi.

— Si je ne lui plais pas, c'est son affaire ; d'ailleurs, je comprends qu'après avoir eu une fille comme Rosa on soit difficile ; et je te prie de croire que je m'en contrebalance. Seulement ne viens pas me raconter qu'il en pince pour moi. » La voix de Nadine se montait. Je haussai les épaules.

— Fais ce que tu veux ! dis-je. Je te laisse libre, qu'est-ce que tu demandes de plus ?

Elle toussota, comme elle faisait toujours quand elle était intimidée : « Entre Henri et moi il ne s'agit que d'une aventure. Au retour, on se quitte.

— Franchement, Nadine, tu y crois ?

— Oui, j'y crois, dit-elle avec trop de conviction.

— Quand tu auras passé un mois avec Henri, tu tiendras à lui.

— Pas du tout. » De nouveau le défi s'alluma dans ses yeux : « Si tu veux savoir, j'ai couché avec lui hier et ça ne m'a rien fait du tout. »

Je détournai les yeux : je ne tenais pas à savoir. Je dis sans avouer ma gêne : « Ce n'est pas une raison. Je suis sûre qu'au retour, tu voudras le garder : il ne voudra pas.

— C'est à voir, dit-elle.

— Ah ! tu en conviens : tu espères le garder. Tu te trompes : tout ce qu'il souhaite à l'heure qu'il est, c'est sa liberté.

— Il y a une partie à jouer : ça m'amuse.

— Calculer, manœuvrer, guetter, attendre, ça t'amuse ! et tu ne l'aimes même pas !

— Peut-être que je ne l'aime pas, dit-elle, mais je le veux. »

Elle jeta dans la grille une poignée de boulets.

— Avec lui, je vivrai, tu comprends ?

— On n'a besoin de personne pour vivre, dis-je avec humeur.

Elle regarda autour d'elle : « Tu appelles ça vivre ! Franchement, ma pauvre maman, tu crois que tu as vécu ? Causer avec papa la moitié de la journée et soigner des cinglés pendant l'autre moitié, tu parles d'une existence ! » Elle se releva et épousseta ses genoux ; sa voix s'exaspérait : « Ça m'arrive de faire des sottises, je ne dis pas ; mais j'aimerais mieux finir dans un bordel que de me promener dans la vie avec des gants de chevreau glacé : jamais tu ne les enlèves, tes gants. Tu passes ton temps à donner des conseils ; et qu'est-ce que tu connais des hommes ? Et je suis bien sûre que jamais tu ne te regardes dans la glace et que tu n'as jamais de cauchemars. »

C'était sa tactique de m'attaquer chaque fois qu'elle était dans son tort ou simplement qu'elle doutait d'elle-même ; je ne répondis rien et elle marcha vers la porte ; sur le seuil elle s'arrêta et elle demanda d'une voix plus calme :

— Tu viendras prendre une tasse de thé avec nous ?...

— Tu n'auras qu'à m'appeler.

Je me levai, j'allumai une cigarette. Que pouvais-je faire ? Je n'osais plus rien faire. Quand Nadine a commencé à chercher et à fuir Diégo de lit en lit, j'ai tenté d'intervenir : mais elle avait découvert trop brutalement le malheur, elle en restait trop égarée de révolte et de désespoir pour qu'on pût avoir prise sur elle. Dès que j'ai essayé de lui parler, elle s'est bouché les oreilles, elle a crié, elle s'est enfuie : elle n'est rentrée à la maison qu'à l'aube. Sur ma demande, Robert a entrepris de la raisonner ; ce soir-là, elle n'a pas été retrouver son capitaine américain, elle est restée enfermée dans sa chambre ; mais le lendemain elle a disparu en laissant un mot : « Je m'en vais. » Toute une nuit, tout un jour, toute une nuit encore Robert l'a cherchée, moi j'attendais à la maison. L'horrible attente ! Vers quatre heures du matin un barman de Montparnasse a téléphoné. J'ai trouvé Nadine couchée sur une banquette du bar, ivre morte, avec un œil au beurre noir. « Laisse-la donc libre. Il ne faut pas la buter », m'a dit Robert. Je n'avais pas le choix. Si j'avais continué à lutter, Nadine se serait mise à me haïr et elle aurait fait exprès de me narguer. Mais elle sait que j'ai cédé à contrecœur et que je la blâme : elle m'en veut. Peut-être n'a-t-elle pas tout à fait tort ; si je l'avais aimée davantage, nos rapports auraient été différents : peut-être aurais-je su l'empêcher de mener une vie que je blâme. Je restai long-

temps debout à regarder les flammes en me répétant :
« Je ne l'aime pas assez. »

Je ne l'ai pas désirée ; c'est Robert qui a souhaité
tout de suite un enfant. J'en ai voulu à Nadine de
déranger notre tête-à-tête. J'aimais trop Robert et je ne
m'intéressais pas assez à moi pour que ça m'atten-
drisse de retrouver ses traits ou les miens chez cette
petite intruse. Je constatai sans indulgence ses yeux
bleus, ses cheveux, son nez. Je la grondai le moins
possible, mais elle a senti mes réticences : je lui ai
toujours été suspecte. Aucune petite fille n'a mis plus
d'acharnement à triompher de sa rivale dans le cœur
de son père ; et jamais elle ne s'est résignée à appartenir à la même espèce que moi ; quand je lui expliquai
qu'elle allait bientôt être réglée et ce que ça signifiait,
elle m'a écoutée avec une attention hagarde et puis elle
a fracassé contre le sol son vase préféré. Après la
première souillure, sa colère a été si puissante qu'elle
est restée pendant dix-huit mois sans saigner. Diégo
avait créé entre nous un climat nouveau : elle avait
possédé enfin un trésor qui n'appartenait qu'à elle, elle
s'était sentie mon égale et une amitié était née entre
nous. Mais après, tout est devenu pire ; à présent tout
est pire.

— Maman.

Nadine m'appelait. En suivant le corridor, je calcu-
lai : Si je reste trop longtemps, elle dira que j'accapare
ses amis ; si je pars trop vite, elle pensera que je les
méprise. Je poussai la porte ; il y avait Lambert,
Sézenac, Vincent, Lachaume ; pas de femme, Nadine
n'avait aucune amie. Ils buvaient du café américain
autour d'un radiateur électrique ; elle me tendit une
tasse d'une eau noire et âcre.

— Chancel s'est fait descendre, dit-elle brusquement.

101

Je ne connaissais pas beaucoup Chancel; mais dix jours plus tôt, je l'avais vu rire avec les autres autour de l'arbre de Noël; Robert avait peut-être raison : il n'y a pas tant de distance entre les vivants et les morts; pourtant, ces futurs morts qui buvaient leur café en silence avaient l'air honteux, comme moi, d'être si vivants. Les yeux de Sézenac étaient encore plus vides que de coutume, il ressemblait à un Rimbaud décérébré. J'ai demandé :

— Comment est-ce arrivé ?

— On ne sait rien, dit Sézenac. Son frère a reçu un mot disant qu'il était mort au champ d'honneur.

— Est-ce qu'il ne l'a pas fait exprès ?

Sézenac haussa les épaules : « Peut-être.

— Peut-être aussi qu'on ne lui a pas demandé son avis, dit Vincent. Ils ne lésinent pas sur le matériel humain, nos généraux, c'est des grands seigneurs. »

Au milieu de son visage blême, ses yeux injectés de sang avaient l'air de deux plaies; et sa bouche ressemblait à une cicatrice; on ne s'apercevait pas d'abord que ses traits étaient réguliers et fins. La face de Lachaume au contraire était placide et tourmentée comme un rocher.

— Question de prestige ! dit-il. Si on veut encore jouer à la grande puissance, il nous faut un nombre convenable de morts.

— Et puis, dis donc, désarmer les F.F.I., c'était pas mal : mais si on pouvait les liquider en douce, ça arrangerait encore mieux ces messieurs, dit Vincent; sa cicatrice béa dans une espèce de sourire.

— Qu'est-ce que tu insinues ? demanda Lambert d'une voix sévère en regardant Vincent dans les yeux. De Gaulle a donné à de Lattre l'ordre de se débarrasser de tous les communistes ? Si c'est ça que tu veux dire dis-le : aie au moins ce courage.

— Pas besoin d'ordre, dit Vincent. Ils se comprennent à demi-mot.

Lambert haussa les épaules : « Tu n'y crois pas toi-même.

— C'est peut-être vrai, dit Nadine d'une voix agressive.

— Bien sûr que ce n'est pas vrai.

—Qu'est-ce qui le prouve ? dit-elle.

— Ah ! tu as attrapé la technique, dit Lambert. On invente un fait de toutes pièces, et après ça on vous demande de prouver qu'il est faux ! Évidemment, je ne peux pas te démontrer que Chancel n'a pas été tué d'une balle dans le dos. »

Lachaume sourit : « Vincent n'a pas dit ça. »

Ça se passait toujours ainsi. Sézenac se taisait ; Vincent et Lambert se chamaillaient et au bon moment Lachaume intervenait ; généralement il reprochait à Vincent son gauchisme et à Lambert ses préjugés petits-bourgeois. Nadine se rangeait dans un camp ou dans un autre, selon ses humeurs. J'évitai de me mêler à leur dispute ; elle fut plus véhémente que de coutume, sans doute parce que la mort de Chancel les avait plus ou moins bouleversés. De toute façon, Vincent et Lambert n'étaient pas faits pour s'entendre. Lambert sentait le fils de famille ; avec sa canadienne et son fin visage malsain, Vincent avait plutôt l'air d'un voyou ; il y avait quelque chose de pas très rassurant dans ses yeux, mais je n'arrivais tout de même pas à croire qu'il avait tué de vrais hommes, avec un vrai revolver. Chaque fois que je le voyais, j'y pensais, mais sans arriver à y croire. Peut-être Lachaume avait-il tué aussi, d'ailleurs, mais il n'en avait parlé à personne et ça ne le dérangeait pas.

Lambert se tourna vers moi : « Même avec des copains, on ne peut plus parler, dit-il. Ah ! ce n'est pas drôle, Paris en ce moment. Je me demande si Chancel n'a pas eu raison, je ne dis pas de se faire ratatiner, mais d'aller se battre. »

Nadine le regarda d'un air fâché : « Tu n'y es jamais à Paris ! dit-elle.

— J'y suis assez pour trouver que c'est sinistre. Et quand je me promène sur le front je ne me sens pas fier.

— Tu as pourtant fait tout ce qu'il fallait pour être correspondant de guerre ! dit-elle d'une voix aigre.

— J'aimais encore mieux ça que de rester ici ; mais c'est une demi-mesure.

— Oh ! si tu t'emmerdes à Paris, personne ne te retient, dit Nadine dont le visage était franchement courroucé. Il paraît que de Lattre aime les jolis garçons. Va donc jouer au héros, va.

— Ça vaut d'autres jeux », grommela Lambert en fixant sur elle un regard lourd de sous-entendus.

Nadine le toisa un moment : « Tu ne serais pas mal en grand blessé, avec des bandages partout. » Elle ricana : « Seulement ne compte pas sur moi pour te rendre visite à l'hôpital. D'ici quinze jours je serai au Portugal.

— Au Portugal ?

— Perron m'emmène comme secrétaire, dit-elle d'un ton négligent.

— Eh bien, il en a de la chance, dit Lambert ; il t'aura pour lui tout seul, pendant tout un mois !

— Tout le monde n'est pas aussi dégoûté que toi, dit Nadine.

— Oui, ces temps-ci les hommes sont faciles, dit Lambert entre ses dents, faciles comme des femmes.

— Tu es grossier ! » dit Nadine.

Je me demandais avec agacement comment ils se laissaient prendre à leurs puériles manœuvres ! J'étais sûre pourtant qu'ils auraient pu s'aider à revivre ;

ensemble ils auraient réussi à vaincre ces souvenirs qui les unissaient et les séparaient. Mais peut-être était-ce justement pour ça qu'ils se déchiraient : chacun détestait dans l'autre sa propre infidélité. En tout cas, intervenir eût été la pire maladresse. Je les laissai se chamailler et je quittai la pièce. Sézenac me suivit dans l'antichambre.

— Je peux vous dire un mot ?

— Allez-y.

— C'est un service, dit-il, un service que je voulais vous demander.

Je me rappelais comme il avait grande allure, le 25 août, avec sa barbe, son fusil, son foulard rouge : un vrai soldat de 48. A présent ses yeux bleus étaient morts, sa face bouffie ; et j'avais remarqué en lui serrant la main que ses paumes étaient moites.

— Je dors mal, dit-il. J'ai... j'ai des douleurs. Une fois un ami m'a donné un suppositoire d'eubine et ça m'a beaucoup soulagé. Seulement les pharmaciens exigent une ordonnance...

Il me regardait d'un air suppliant.

— Quel genre de douleurs ?

— Oh ! partout. Dans la tête. Des cauchemars surtout...

— On ne guérit pas les cauchemars avec de l'eubine.

Son front devint moite comme ses mains :

— Je vais tout vous dire. J'ai une amie ; une amie que j'aime beaucoup, je voudrais l'épouser ; mais je... je ne peux rien faire avec elle si je ne prends pas d'eubine.

— L'eubine, c'est à base d'opium, dis-je. Vous en prenez souvent ?

Il eut l'air effarouché : « Oh ! non ; seulement une fois de temps en temps, quand je passe la nuit avec Lucie.

— Tant mieux ; on a vite fait de s'intoxiquer avec ces trucs-là. » Il me regardait d'un air suppliant, la sueur perlait sur son front : « Venez donc me voir demain matin, dis-je ; je verrai si je peux vous donner cette ordonnance. »

Je regagnai ma chambre ; certainement il était déjà plus ou moins intoxiqué ; quand avait-il commencé à se droguer ? pourquoi ? Je soupirai. Encore un que j'allais étendre sur le divan et essayer de vider. Par moments, ils m'excédaient, tous ces gisants ; dehors, debout sur leurs pieds, ils jouaient tant bien que mal leur rôle d'adultes ; ici, ils redevenaient des nourrissons au derrière breneux et c'était à moi de les laver de leur enfance. Cependant, je parlais d'une voix impersonnelle qui était la voix de la raison, de la santé. Leur vraie vie était ailleurs : la mienne aussi ; ça n'était pas étonnant que je sois fatiguée d'eux et de moi.

J'étais fatiguée. « Des gants de chevreau glacé » disait Nadine. « Distante, intimidante » avait dit Scriassine ; est-ce ainsi que je leur apparaissais ? Est-ce ainsi que j'étais ? Je me rappelais mes colères d'enfance, et les battements de mon cœur adolescent, et les fièvres de ce mois d'août ; mais tout ça c'était loin déjà. Le fait est que plus rien ne bougeait au-dedans de moi. Je passai un peigne dans mes cheveux, je retouchai mon maquillage. On ne peut pas persévérer indéfiniment dans la peur, on se fatigue ; et puis Robert commençait un livre, il était d'excellente humeur ; je ne me réveillais plus la nuit avec des suées d'angoisse ; mais je restais abattue. Je ne voyais aucune raison d'être triste, non ; ce qu'il y a c'est que ça me rend malheureuse de ne pas me sentir heureuse, j'ai sans doute été trop gâtée. Je pris mon sac, mes gants, et j'allai frapper chez Robert. Je n'avais aucune envie de sortir.

— Vous n'avez pas trop froid ? vous ne voulez pas un petit feu de papier ?

Il recula son fauteuil, me sourit : « Je suis très bien. »

Bien sûr. Robert se trouvait toujours bien. Il s'était nourri joyeusement pendant deux ans de choucroute aux navets et de rutabagas ; il n'avait jamais froid : à croire qu'il produisait lui-même sa chaleur à la manière des yogis ; quand je rentrerais vers minuit il serait encore en train d'écrire, drapé dans son plaid écossais, et il s'étonnerait : « Mais quelle heure est-il donc ? » Il ne m'avait encore parlé que confusément de son nouveau livre, mais j'avais l'impression qu'il en était content. Je m'assis.

— Nadine vient de m'annoncer une drôle de nouvelle, dis-je : elle accompagne Perron au Portugal.

Il leva vivement les yeux vers moi : « Ça te contrarie ?

— Oui ; Perron, ce n'est pas le genre de type qu'on ramasse et qu'on laisse tomber : elle va se mettre à tenir beaucoup trop à lui. »

Robert posa sa main sur la mienne : « Ne t'en fais donc pas pour Nadine ; d'abord ça m'étonnerait qu'elle s'attache à Perron ; et en tout cas, elle se consolera vite.

— Elle ne va tout de même pas passer sa vie à se consoler ! » dis-je.

Robert se mit à rire : « Il n'y a rien à faire ça te choquera toujours que ta fille couche à tort et à travers comme un garçon. J'en faisais autant à son âge. »

Jamais Robert n'avait voulu considérer que Nadine n'était pas un garçon ; je dis : « Ce n'est pas pareil ; Nadine s'agrippe à un homme après l'autre parce que quand elle est seule elle ne se sent pas venir ; c'est ça qui m'inquiète.

— Écoute, on comprend bien qu'elle ait peur d'être seule ; c'est encore tout frais l'histoire de Diégo. »

Je secouai la tête : « Ce n'est pas seulement à cause de Diégo.

— Je sais, tu prétends qu'il y a de notre faute », dit-il d'un ton sceptique. Il haussa les épaules : « Elle changera, elle a tout le temps de changer.

— Espérons-le. » Je regardai Robert avec insistance : « Vous savez, ça serait très important pour elle d'avoir une occupation à laquelle elle s'intéresserait vraiment. Donnez-lui ce poste de secrétaire ; elle vient encore de m'en parler ; elle y tient énormément.

— Ça n'a pourtant rien de passionnant, dit Robert. Taper des enveloppes et tenir des fichiers à longueur de journée : intelligente comme elle est, c'est un crime.

— Elle se sentira utile, ça l'encouragera, dis-je.

— Elle peut faire tellement mieux ! Qu'elle continue donc ses études.

— Pour l'instant elle a besoin de faire bien quelque chose, et elle serait une bonne secrétaire. » J'ajoutai : « Il ne faut pas trop demander aux gens. »

Pour moi les exigences de Robert avaient toujours été toniques, mais elles avaient fini par décourager Nadine. Il ne lui donnait pas d'ordres : il lui faisait confiance, il attendait, et elle se piquait au jeu ; elle avait lu trop jeune des livres trop sévères, elle avait participé trop précocement aux conversations des adultes. Et puis elle s'était fatiguée de ce régime, elle s'était dépitée d'abord contre elle-même, et elle prenait maintenant une espèce de revanche en s'appliquant à décevoir Robert. Il me regarda avec perplexité, comme chaque fois qu'il pressent dans mes paroles un reproche.

— Si tu crois vraiment que c'est ce qui lui convient... dit-il. Tu sais mieux que moi.

— Je crois vraiment, dis-je.

— Alors, soit.

Il avait cédé bien facilement : ça prouvait que Nadine n'avait que trop réussi à le désappointer ; quand il ne peut plus se donner sans réserve à une affection ou à une entreprise, Robert a vite fait de s'en désintéresser : « Évidemment, un métier qui la rendrait indépendante de nous, ça serait encore mieux, dis-je.

— Mais ce n'est pas ce qu'elle veut : elle veut jouer l'indépendance », dit Robert avec sécheresse. Il n'avait plus envie de parler de Nadine et je ne pouvais pas lui insuffler de l'enthousiasme pour un projet qu'il désapprouvait. Je laissai tomber. Il dit d'un ton soudain animé :

— Je ne comprends vraiment pas que Perron fasse ce voyage.

— Il a envie de vacances, dis-je ; moi je comprends. J'ajoutai avec chaleur : « Je trouve qu'il a bien le droit de prendre un peu de bon temps ; il en a fait assez...

— Il en a fait plus que moi, dit Robert, mais ce n'est pas la question. » Il me regarda d'un air impérieux : « Pour que le S.R.L. démarre, il nous faut un journal.

— Je sais », dis-je. J'ajoutai avec hésitation : « Je me demande...

— Quoi ?

— Si Henri vous le cédera jamais, ce journal, il y tient tant.

— Il n'est pas question qu'il nous le cède, dit Robert.

— Il est question qu'il se mette aux ordres du S.R.L.

— Mais il en fait partie ; et il aurait tout avantage à adopter un programme défini : un journal sans programme politique, ça ne tient pas debout.

— C'est leur idée.

— Tu appelles ça une idée ! » Robert haussa les épaules.

— « Perpétuer l'esprit de la Résistance par-delà les

109

fractions ! » : c'est bon pour ce pauvre Luc, ce genre de salade. L'esprit de la Résistance, tiens, ça me fait penser à l'esprit de Locarno. Perron ne donne pas dans les tables tournantes. Je suis tranquille, il finira par marcher ; seulement en attendant, on perd du temps.

J'avais peur que Robert ne se préparât une mauvaise surprise ; quand il est buté sur un projet, il prend les gens pour de simples outils. Ce journal, Henri s'y était donné corps et âme, c'était sa grande aventure, il ne se laisserait pas volontiers dicter des programmes.

— Pourquoi ne lui en avez-vous pas encore parlé ? demandai-je.

— Il ne pense qu'à aller se promener.

Robert avait l'air si mécontent que je suggérai :

— Essayez de le convaincre de rester.

Pour Nadine ça m'aurait arrangée qu'Henri renonçât à ce voyage ; mais pour lui je l'aurais regretté : il s'en faisait une telle fête.

— Tu le connais bien ! dit Robert. Quand il est buté, il est buté ! Il vaut mieux que j'attende son retour. Il ramena la couverture autour de ses genoux : « Ce n'est pas pour te chasser ! dit-il gaiement, mais d'ordinaire tu détestes être en retard... »

Je me levai : « Vous avez raison ; il faut que je parte. Vous êtes sûr que vous ne voulez pas venir ?

— Oh ! non ! je n'ai aucune envie de parler politique avec Scriassine ; toi, il t'épargnera peut-être.

— Souhaitons-le », dis-je.

Dans les périodes où Robert se claustrait, ça m'arrivait souvent de sortir sans lui ; mais ce soir, quand je fonçai dans le froid, dans le noir, je regrettai d'avoir accepté l'invitation de Scriassine. Oh ! je me comprenais : j'étais un peu fatiguée de voir toujours les mêmes têtes ; les amis, je les connaissais trop ; pendant quatre années nous avions vécu coude à coude, ça tenait chaud ; maintenant notre intimité s'était refroidie, elle sentait le renfermé, sans bénéfice ; j'avais cédé à l'attrait de la nouveauté. Mais qu'allions-nous trouver à nous dire ? Moi non plus, je n'avais aucune envie de parler politique. Je m'arrêtai dans le vestibule du Ritz et je m'examinai dans une glace ; pour rester élégante malgré les cartes de textile il aurait fallu y penser sans cesse ; j'avais préféré ne plus m'en soucier du tout : avec ma redingote défraîchie et mes souliers à semelle de bois, je n'avais vraiment pas bonne mine. Mes amis me prenaient telle que j'étais ; mais Scriassine arrivait d'Amérique où les femmes sont si soignées, il allait remarquer mes sabots. « Je n'aurais pas dû tant me laisser aller », pensai-je.

Bien entendu, le sourire de Scriassine ne le trahit pas. Il baisa ma main, ce que je déteste ; une main c'est plus nu qu'un visage, ça me gêne qu'on le regarde de si près.

— Que prendrez-vous ? demanda-t-il. Un martini ?

— Va pour un martini.

Le bar était plein d'officiers américains et de femmes bien habillées ; la chaleur, l'odeur des cigarettes, le goût coupant du gin me montèrent tout de suite à la tête et je me sentis contente d'être là. Scriassine avait passé quatre ans en Amérique, le grand pays libérateur, le pays où les fontaines crachent des flots de jus de fruits et de crème glacée : je l'interrogeai avidement. Il répondait de bonne grâce pendant que je buvais un second martini. Nous avons été dîner dans un petit restaurant où je me gorgeai sans scrupule de viande rouge et de choux à la crème. A son tour, Scriassine me faisait parler : c'était difficile de répondre à ses questions trop précises. Si j'essayais de retrouver le goût quotidien de mes journées — l'odeur de la soupe aux choux dans la maison barricadée par le

111

couvre-feu, ce silence dans mon cœur quand Robert tardait à rentrer d'une réunion clandestine — il m'interrogeait avec autorité ; il écoutait très bien, on sentait que les mots faisaient en lui un long chemin : mais il fallait parler pour lui, non pour soi ; il demandait des renseignements pratiques : Comment s'y prenait-on pour fabriquer de faux papiers, pour imprimer *L'Espoir*, pour le distribuer ? Et il réclamait aussi de vastes fresques : Dans quel climat moral vivions-nous ? Je m'appliquai à le satisfaire ; mais j'y réussissais mal : tout avait été pire ou plus supportable que ce qu'il imaginait ; les vrais malheurs ce n'est pas à moi qu'ils étaient arrivés, et pourtant ils avaient hanté ma vie : comment parler de la mort de Diégo ? les mots étaient trop pathétiques pour ma bouche, trop secs pour sa mémoire. Ce passé, je n'aurais voulu pour rien au monde le recommencer ; et pourtant il prenait à distance une sombre douceur. Je comprenais que Lambert s'ennuyât dans cette paix qui nous rendait à nos vies sans nous rendre nos raisons de vivre. En retrouvant à la porte du restaurant le froid, l'obscurité, je me rappelais avec quel orgueil nous les affrontions naguère ; maintenant, j'avais envie de lumière, de chaleur : moi aussi, j'avais envie de quelque chose d'autre ; Scriassine venait de se jeter sans provocation dans une longue diatribe et je souhaitais qu'il changeât bientôt de sujet ; il reprochait furieusement à de Gaulle son voyage à Moscou.

— Ce qui est grave, me dit-il d'une voix accusatrice, c'est que tout le pays a l'air de l'approuver. Voir Perron et Dubreuilh, des hommes honnêtes, marcher la main dans la main avec les communistes, c'est un déchirement sans nom pour quelqu'un qui sait.

112

— Robert ne marche pas avec les communistes, dis-je pour l'apaiser. Il essaie de créer un mouvement indépendant.

— Il m'en a parlé; mais il a bien spécifié qu'il n'entend pas travailler contre les staliniens. A côté d'eux, mais pas contre eux! dit Scriassine avec accablement.

— Vous ne voudriez tout de même pas qu'il fasse de l'anticommunisme, en ce moment! dis-je.

Scriassine me regarda sévèrement : « Vous avez lu mon livre, *Le Paradis rouge*?

— Bien sûr.

— Alors vous avez une idée de ce qui nous arrivera quand nous aurons fait cadeau de l'Europe à Staline.

— Ce n'est pas de ça qu'il s'agit, dis-je.

— C'est exactement ce dont il s'agit.

— Mais non! il faut gagner la partie contre la réaction, et si la gauche commence à se diviser, elle est perdue.

— La gauche! » dit Scriassine d'une voix ironique; il eut un geste coupant : « Ah! ne parlons pas de politique; j'ai horreur de parler politique avec les femmes.

— Ce n'est pas moi qui ai commencé, dis-je.

— C'est juste, dit-il avec une gravité inattendue; je m'excuse. »

Nous sommes revenus nous asseoir dans le bar du Ritz et Scriassine a commandé deux whiskies. Ce goût me plaisait parce que c'était un goût nouveau; et Scriassine avait le grand mérite de ne pas m'être familier. Cette soirée était imprévue et c'est pourquoi elle exhalait un antique parfum de jeunesse : autrefois il y avait des soirées qui ne ressemblaient pas aux autres; on rencontrait des gens inconnus qui disaient des paroles inattendues; et quelquefois, quelque chose arrivait. Des tas de choses étaient arrivées depuis cinq ans : au monde, à la France, à Paris, à d'autres ; pas à moi. Est-ce qu'il ne m'arriverait plus jamais rien ?

— C'est drôle d'être ici, dis-je.

— Pourquoi drôle ?

— La chaleur, le whisky, ce bruit, ces uniformes...

Scriassine regarda autour de lui : « Je n'aime pas cet endroit ; on m'y a réquisitionné une chambre, parce que je suis correspondant d'une revue France-Amérique » ; il sourit : « Heureusement ça va devenir beaucoup trop cher pour moi, je serai obligé de m'en aller.

— Vous ne pouvez pas partir sans y être obligé ?

— Non ; c'est pourquoi je trouve l'argent très corrupteur. » Un éclat de gaieté rajeunit son visage : « Dès que j'en ai, je me dépêche de m'en débarrasser.

— Victor Scriassine, n'est-ce pas ? » Un petit vieillard chauve aux yeux très doux s'était approché de notre table.

— Oui. Dans les yeux de Scriassine je lisais de la méfiance, mais aussi une sorte d'espoir.

— Vous ne me reconnaissez pas ? J'ai beaucoup vieilli depuis Vienne. Manès Goldman ; je m'étais promis si jamais je vous rencontrais de vous dire merci : merci pour votre livre.

— Manès Goldman ! bien sûr ! dit Scriassine avec chaleur. Vous vivez en France, maintenant ?

— Depuis 35. J'ai passé une année au camp de Gurs, mais j'en suis sorti juste à temps... Il parlait d'une voix plus douce encore que son regard, si douce qu'elle semblait morte. « Je ne veux pas vous déranger ; je suis content d'avoir serré la main de l'homme qui a écrit *Vienne la brune*.

— Je suis content de vous avoir revu », dit Scriassine.

Le petit Autrichien s'était déjà éloigné à pas feutrés ;

il disparut par la porte vitrée, derrière un officier américain. Scriassine l'avait suivi des yeux ; il dit brusquement :

— Encore une défaite !

— Une défaite ?

— J'aurais dû le faire asseoir, lui parler ; il voulait quelque chose, et je ne sais pas son adresse, je ne lui ai pas donné la mienne. Il y avait de la colère dans la voix de Scriassine.

— S'il veut vous retrouver, il s'adressera ici.

— Il n'osera pas ; c'était à moi de prendre les devants, de l'interroger ; ce n'était pourtant pas difficile ! Un an à Gurs, et je suppose que pendant quatre autres années il s'est caché. Il a mon âge et on dirait un vieillard. Certainement il espérait quelque chose ; et je l'ai laissé partir !

— Il n'avait pas l'air déçu. Peut-être bien qu'il voulait seulement vous remercier.

— C'est le prétexte qu'il se donnait. Scriassine vida son verre d'un trait : « Et c'était si simple de lui dire de s'asseoir ; quand on pense à tout ce qu'on pourrait faire et qu'on ne fait pas ! toutes les occasions qu'on laisse échapper ! on n'a pas l'idée, pas l'élan ; au lieu d'être ouvert on est fermé ; c'est ça le plus grand péché : le péché par omission. » Il parlait sans m'associer à son monologue, dans une passion de remords : « Moi pendant ces quatre ans j'étais en Amérique, au chaud, en sécurité, bien nourri.

— Vous ne pouviez pas rester ici, dis-je.

— J'aurais pu me cacher moi aussi.

— Je ne vois pas à quoi ça aurait servi.

— Quand mes camarades ont été déportés en Sibérie, j'étais à Vienne ; d'autres ont été assassinés à Vienne par les chemises brunes et j'étais à Paris ; et j'étais à New York pendant l'occupation de Paris. La

115

question est de savoir si ça sert à quelque chose de rester vivant. »

L'accent de Scriassine me touchait ; nous aussi, quand nous pensions aux déportés, nous avions honte : nous ne nous reprochions rien, mais nous n'avions pas assez souffert.

— Les malheurs qu'on ne partage pas, c'est comme si on en était coupable, dis-je ; j'ajoutai : « C'est odieux de se sentir coupable. »

Brusquement Scriassine me sourit d'un air de secrète connivence : « Ça dépend. »

Pendant un instant je scrutai ce visage rusé et tourmenté : « Vous voulez dire qu'il y a certains remords qui nous protègent contre d'autres. »

Il me regarda à son tour : « Vous n'êtes vraiment pas sotte. En général je n'aime pas les femmes intelligentes : peut-être parce qu'elles ne sont pas assez intelligentes ; alors elles veulent se donner des preuves, elles parlent tout le temps et elles ne comprennent rien. Ce qui m'a frappé la première fois que je vous ai vue, c'est votre manière de vous taire. »

Je me mis à rire : « Je n'avais guère le choix.

— Nous parlions tous beaucoup, Dubreuilh, Perron, moi-même ; vous écoutiez d'un air tranquille...

— Vous savez, dis-je, c'est mon métier d'écouter.

— Oui, mais il y a la manière » ; il hocha la tête : « Vous devez être une très bonne psychiatre ; si j'avais dix ans de moins, je me remettrais entre vos mains.

— Ça vous tente, de vous faire analyser ?

— Maintenant c'est trop tard ; un homme fait : c'est un homme qui s'est servi de ses déficiences et de ses tares pour se construire ; on peut le démolir, mais pas le guérir.

— Ça dépend de quelle maladie.

116

— Il n'y en a qu'une qui compte : être soi-même, justement soi. »

Son visage était désarmé soudain par une sincérité presque insupportable ; la tristesse confiante de sa voix m'alla au cœur ; je dis avec élan : « Il y a plus malade que vous.

— Comment ça ?

— Il y a des gens, on se demande en les voyant comment ils peuvent se supporter ; on se dit qu'à moins d'être gâteux ils devraient se faire horreur : ce n'est pas l'effet que vous produisez. »

Le visage de Scriassine restait grave : « Vous ne vous faites jamais horreur ?

— Non » ; je souris : « Mais j'ai très peu de rapports avec moi-même.

— C'est pour ça que vous êtes si reposante, dit Scriassine ; je vous ai tout de suite trouvée reposante : vous aviez l'air d'une jeune fille bien élevée qui laisse causer les grandes personnes.

— J'ai une fille de dix-huit ans, dis-je.

— Ça ne veut rien dire. D'ailleurs, je ne peux pas souffrir les jeunes filles. Mais une femme qui ressemble à une jeune fille, c'est charmant. » Il m'examina avec minutie :

— C'est drôle ; dans le milieu où vous vivez, toutes les femmes sont très affranchies : et vous on se demande si vous avez jamais trompé votre mari.

— Trompé : quel mot affreux ! nous sommes libres Robert et moi et nous ne nous cachons rien.

— Mais vous n'avez jamais usé de cette liberté ?

Je dis avec un peu de gêne : « A l'occasion. » Je vidai mon verre de martini par contenance. Il n'y avait pas eu beaucoup d'occasions ; sur ce point j'étais très différente de Robert ; ça lui paraissait normal de ramasser dans un bar une jolie putain et de passer une

117

heure avec elle. Moi je n'aurais jamais accepté pour amants des hommes dont je n'aurais pas pu faire des amis et mon amitié était exigeante. Pendant ces cinq années j'avais vécu chaste, sans regret et je pensais que je le demeurerais à jamais ; c'était naturel que ma vie de femme fût finie : il y avait tant d'autres choses qui étaient finies, à jamais...

Scriassine me dévisageait en silence :

— En tout cas, je parierais qu'il n'y a pas eu beaucoup d'hommes dans votre vie.

— C'est juste, dis-je.

— Pourquoi ?

— Ça ne s'est pas trouvé.

— Si ça ne s'est pas trouvé, c'est que vous n'avez guère cherché.

— Pour tout le monde je suis la femme de Dubreuilh, ou le docteur Anne Dubreuilh : ça n'inspire que le respect.

Il rit : « Je ne suis pas tellement tenté de vous respecter. »

Il y eut un petit silence et je dis :

— Pourquoi est-ce qu'une femme affranchie couche-rait avec toute la terre ?

Il me regarda sévèrement : « Si un homme pour qui vous auriez quelque sympathie vous proposait de but en blanc de passer la nuit avec lui, le feriez-vous ?

— Ça dépendrait.

— De quoi ?

— De lui, de moi, des circonstances.

— Supposons que je vous le propose, maintenant.

— Je ne sais pas. »

Je le voyais venir depuis un bon moment, mais j'étais quand même prise au dépourvu.

— Je vous le propose : c'est oui ou c'est non ?

— Vous allez trop vite, dis-je.

— J'ai horreur des simagrées : faire la cour à une femme, c'est avilissant pour soi et pour elle. Je ne suppose pas que vous aimiez les marivaudages...

— Non. Mais j'aime réfléchir avant de prendre une décision.

— Réfléchissez.

Il commanda deux autres whiskies. Non, je n'avais pas envie de coucher avec lui ni avec aucun homme ; mon corps était installé depuis trop longtemps dans une torpeur égoïste : par quelle perversion aurais-je dérangé son repos ? D'ailleurs, ça semblait impossible. Je m'étais souvent ébahie que Nadine se donnât si aisément à des inconnus ; entre ma chair solitaire et l'homme qui buvait solitairement à mes côtés, il n'y avait pas le moindre lien. Me penser nue dans ses bras nus, c'était aussi incongru que d'y supposer ma vieille mère. Je dis :

— Attendons de voir comment cette soirée tournera.

— C'est absurde, dit-il. Comment voulez-vous que nous parlions politique ou psychologie avec cette question qui nous rôdera dans la tête ? Vous devez bien savoir ce que vous allez décider : dites-le tout de suite.

Son impatience m'assurait qu'après tout je n'étais pas ma vieille mère ; il fallait bien croire que j'étais, ne fût-ce que pour une heure, désirable, puisqu'il me désirait. Nadine soutenait qu'il était aussi indifférent de se mettre au lit qu'à table : peut-être avait-elle raison ; elle m'accusait d'aborder la vie avec des gants de chevreau glacé ; était-ce vrai ? Qu'arriverait-il si j'ôtais mes gants ? Si je ne les ôtais pas ce soir, les enlèverais-je jamais ? « Ma vie est finie », me disais-je raisonnablement ; mais contre toute raison il me restait encore beaucoup d'années à tuer.

Je dis brusquement : « Soit, ce sera oui. »

— Ah ! voilà une bonne réponse », dit-il d'une voix

encourageante de médecin ou de professeur. Il voulut prendre ma main, mais je refusai cette récompense.

— Je voudrais un café. J'ai peur d'avoir trop bu.

Il sourit : « Une Américaine demanderait un autre whisky, dit-il. Mais vous avez raison : ça serait moche si un de nous deux n'avait plus toute sa tête. »

Il commanda deux cafés et il y eut un silence gêné. J'avais dit oui en grande partie par sympathie pour lui, à cause de cette intimité précaire qu'il avait su créer entre nous : et maintenant ce oui glaçait ma sympathie. Dès que nos tasses furent vides, il dit :

— Montons dans ma chambre.

— Tout de suite ?

— Pourquoi non ? Vous voyez bien que nous ne trouvons plus rien à nous dire.

J'aurais voulu avoir le temps de m'habituer à ma décision ; j'espérais que de notre pacte naîtrait peu à peu une complicité. Mais le fait est que je ne trouvais rien à dire.

— Montons.

La chambre était encombrée de valises ; il y avait deux lits de cuivre, dont l'un était couvert de vêtements et de papiers ; sur une table ronde, des bouteilles de champagne vides. Il m'a prise dans ses bras, j'ai senti sur ma bouche une bouche violente et gaie ; oui, c'était possible, c'était facile ; quelque chose m'arrivait : autre chose. Je fermai les yeux, j'entrai dans un rêve aussi lourd que la réalité et dont je me réveillerais à l'aube, le cœur léger. Alors j'ai entendu sa voix. « On dirait que la jeune fille est intimidée. Nous ne ferons pas de mal à la jeune fille ; nous la déflorerons, mais sans lui faire de mal. » Ces mots qui ne s'adressaient pas à moi m'éveillèrent durement. Je n'étais pas venue ici pour jouer à la pucelle violée, ni à aucun autre jeu. Je m'arrachai de son étreinte.

120

— Attendez.

Je me réfugiai dans la salle de bains, je fis une toilette hâtive en repoussant toutes les pensées : il était trop tard pour penser. Il me rejoignit dans le lit avant qu'aucune idée n'ait eu le temps de lever en moi et je m'agrippai à lui : à présent il était mon seul espoir. Ses mains arrachèrent ma combinaison, elles caressaient mon ventre, et je m'abandonnais à la houle noire du désir ; emportée, ballottée, submergée, soulevée, précipitée ; par instants je tombais à pic dans le vide ; j'allais échouer dans l'oubli, dans la nuit, quel voyage ! Sa voix me rejeta sur le lit : « Faut-il que je fasse attention ? — Si c'est possible. — Tu n'es pas bouchée ? » La question était si brutale que j'eus un haut-le-corps : « Non, dis-je. — Ah ! pourquoi ? » C'était difficile de repartir ; de nouveau je me recueillis sous ses mains, je rassemblai le silence, je me collai à sa peau et je dévorai sa chaleur par tous mes pores : mes os, mes muscles fondaient à ce feu et la paix s'enroulait autour de moi en soyeuses spirales quand il dit impérieusement : « Ouvre les yeux. »

Je soulevai mes paupières, mais elles pesaient lourd, elles retombaient d'elles-mêmes sur mes yeux que la lumière blessait. « Ouvre les yeux, disait-il. C'est toi, c'est moi. » Il avait raison, et je ne voulais pas nous fuir. Mais d'abord il fallait que je m'habitue à cette présence insolite : ma chair ; regarder son visage étranger, et sous son regard me perdre en moi-même, c'était trop à la fois. Je le regardai puisqu'il l'exigeait : je m'arrêtai à mi-chemin du trouble, dans une région sans lumière et sans nuit où je n'étais ni corps ni chair. Il rejetait le drap et dans le même instant je pensais que la chambre était mal chauffée et que je n'avais plus un ventre de jeune fille ; je livrai à sa curiosité une dépouille qui n'avait ni froid ni chaud. Sa bouche

121

taquina mes seins, rampa sur mon ventre, et descendit vers mon sexe. Je refermai hâtivement les yeux, je me réfugiai tout entière dans le plaisir qu'il m'arrachait : un plaisir lointain, solitaire comme une fleur coupée ; là-bas, la fleur mutilée s'exaltait, s'effeuillait, et il bredouillait pour lui seul des mots que j'essayais de ne pas entendre ; mais moi je m'ennuyais. Il revint vers moi, un instant sa chaleur me ranima ; avec autorité il mit son sexe dans ma main ; je le flattai sans enthousiasme et Scriassine dit avec reproche :

— Tu n'as pas un vrai amour pour le sexe de l'homme.

Cette fois il me marquait un mauvais point. Je pensais : « Comment aimer ce morceau de chair si je n'aime pas tout l'homme ? et pour cet homme-ci où prendrais-je de la tendresse ? » Il y avait dans ses yeux une hostilité qui me décourageait : pourtant je n'étais pas coupable envers lui, pas même par omission.

Je ne sentis pas grand-chose quand il entra en moi ; et tout de suite il recommença à dire des mots. Ma bouche était pleine de ciment, je n'aurais pas pu faire passer un soupir entre mes mâchoires. Il se tut un moment et puis il dit : « Regarde. » Je secouai faiblement la tête : ce qui se passait là-bas me concernait si peu que si j'avais regardé, je me serais fait l'effet d'un voyeur. Il dit : « Tu as honte ! la jeune fille a honte ! » Ce triomphe l'occupa un moment puis de nouveau il parla : « Dis-moi ce que tu sens ? dis-le-moi. » Je restai muette. Je devinais une présence en moi, sans vraiment la sentir, comme on s'étonne de l'acier du dentiste dans une gencive engourdie. « As-tu du plaisir ? Je veux que tu aies du plaisir. » Sa voix s'irritait, elle exigeait des comptes : « Tu n'en as pas ? ça ne fait rien : la nuit est longue. » La nuit serait trop courte, l'éternité trop courte : la partie était perdue, je le savais. Je me demandais comment en finir : on est bien désarmée quand on se trouve la nuit seule, nue, dans des bras ennemis. Je desserrais les dents, je m'arrachais des mots. « Ne vous occupez pas tant de moi, laissez-moi... — Pourtant tu n'es pas froide, dit-il avec colère. Tu résistes avec la tête. Mais je te forcerai...

— Non, dis-je. Non... » C'était trop difficile de m'expliquer. Il y avait une vraie haine dans ses yeux et j'eus honte de m'être laissé prendre à un mirage douceâtre de bien-être charnel : un homme, ce n'est pas un hammam, je m'en apercevais.

— Ah ! tu ne veux pas ! disait-il. Tu ne veux pas ! Tête de mule ! Il me frappa légèrement au menton ; J'étais trop lasse pour m'évader dans la colère ; je me mis à trembler : un poing qui s'abat ; mille poings... « La violence est partout », pensai-je ; je tremblais et des larmes se mirent à couler.

Maintenant il embrassait mes yeux, il murmurait : « Je bois tes larmes », il y avait sur son visage une tendresse conquérante qui le ramenait à son enfance et j'eus pitié de lui autant que de moi : nous étions tous deux aussi perdus, aussi déçus. Je caressais ses cheveux, je m'imposais le tutoiement rituel.

— Pourquoi me détestes-tu ?

— Ah ! c'est forcé, dit-il avec regret. C'est forcé.

— Moi je ne te déteste pas. J'aime bien être dans tes bras.

— C'est vrai ?

— C'est vrai.

En un sens c'était vrai ; quelque chose se passait : c'était manqué, triste, ridicule, mais c'était réel. Je souris :

— Tu me fais passer une drôle de nuit : jamais je n'ai passé une pareille nuit.

123

— Jamais? même avec de jeunes gens? tu ne mens pas?

Les mots avaient menti pour moi : j'endossai leur mensonge.

— Jamais.

Il me serra contre lui avec fougue; et puis de nouveau il entra en moi. « Je veux que tu jouisses en même temps que moi, dit-il. Tu veux? tu me diras : C'est maintenant... »

Je pensais avec agacement : Voilà ce qu'ils ont trouvé : la synchronisation! comme si ça prouvait quelque chose; comme si ça pouvait tenir lieu d'entente. Même si nous jouissions ensemble, en serions-nous moins séparés? Je sais bien que mon plaisir n'a pas d'écho dans son cœur, et si j'attends le sien avec impatience, c'est seulement pour être délivrée. Cependant j'étais vaincue : j'acceptai de soupirer, de geindre; pas très adroitement, j'imagine, puisqu'il me demanda :

— Tu n'as pas joui?

— Si, je t'assure.

Il était vaincu lui aussi, car il n'insista pas. Presque tout de suite il s'endormit contre moi et je m'endormis aussi. Son bras en travers de ma poitrine me réveilla.

— Ah! tu es là! dit-il; il ouvrit les yeux. « Je faisais un cauchemar; je fais toujours des cauchemars. » Il me parlait de très loin, du fond des ténèbres :

— Tu n'as pas un endroit où tu pourrais me cacher?

— Te cacher?

— Oui; ça serait bon de disparaître; on ne pourrait pas disparaître ensemble, quelques jours?

— Je n'ai pas d'endroit; et je ne peux pas partir.

— C'est dommage, dit-il. Il demanda : « Tu n'as jamais de cauchemars, toi?

— Pas souvent.

124

— Ah! je t'envie. J'ai besoin de quelqu'un près de moi, la nuit.

— Mais il va falloir que je parte, dis-je.

— Pas tout de suite. Ne t'en va pas. Ne me laisse pas. » Il saisit mon épaule : j'étais une bouée ; dans quel naufrage ? Je dis :

— J'attendrai que tu dormes. Tu veux qu'on se revoie demain ?

— Bien sûr. Je serai à midi au café-tabac à côté de chez toi. Ça va ?

— Entendu. Tâche de dormir tranquillement.

Quand sa respiration s'épaissit, je me glissai hors du lit ; c'était dur de m'arracher à cette nuit qui collait à ma peau ; mais je ne voulais pas éveiller les soupçons de Nadine ; chacune avait sa manière de duper l'autre : elle me disait tout, je ne lui disais rien. Tout en réajustant devant la glace un masque de décence, je pensai qu'elle avait pesé sur ma décision et je lui en voulus. En un sens je ne regrettais rien. On apprend tant de choses sur un homme, dans un lit ! bien plus qu'en l'obligeant à divaguer pendant des semaines, sur un divan. Seulement, pour ce genre d'expérience j'étais trop vulnérable.

J'ai été très occupée toute la matinée ; Sézenac n'est pas venu mais j'ai eu beaucoup d'autres clients. Je n'ai pu penser que sourdement à Scriassine : j'avais besoin de le revoir. Notre nuit me restait sur le cœur, inachevée, absurde, et j'espérais qu'en nous parlant nous réussirions à la conclure, à la sauver. Je suis arrivée au café la première : un petit café très rouge, aux tables lisses, où j'achetais souvent des cigarettes mais où je ne m'étais jamais assise ; dans les boxes, des couples chuchotaient ; je commandai un faux porto ; j'avais l'impression d'être dans une ville étrangère et je ne savais plus bien ce que j'attendais. Scriassine est arrivé en coup de vent :

— Je m'excuse ; j'avais dix rendez-vous.

— C'est gentil d'être venu quand même.

Il me sourit : « Bien dormi ?

— Très bien. »

Il commanda lui aussi un faux porto puis il se pencha vers moi ; il n'y avait plus rien d'hostile dans son visage :

— Je voudrais vous poser une question ?

— Posez-la.

— Pourquoi avez-vous accepté si facilement de monter dans ma chambre ?

Je souris : « Par sympathie, dis-je.

— Mais vous n'étiez pas saoule ?

— Pas du tout.

— Et vous n'avez pas regretté ?

— Non. »

Il hésita ; je sentais qu'il souhaitait pour son catalogue intime une note critique détaillée : « Je voudrais savoir ; à un moment vous m'avez dit que jamais vous n'aviez passé une pareille nuit : était-ce vrai ? »

Je ris avec un peu de gêne : « Oui et non.

— Ah ! c'est ce que je pensais, dit-il, déçu. Ça n'est jamais vrai.

— C'est vrai sur le moment ; ça l'est moins le lendemain. »

Il avala d'un trait le vin poisseux et j'enchaînai : « Vous savez ce qui m'a glacée : c'est que par moments vous aviez l'air tellement hostile. »

Il haussa les épaules : « Ça ne pouvait pas s'éviter !

— Pourquoi ? la lutte des sexes ?

— Nous ne sommes pas du même bord. Je veux dire politiquement. »

126

Un instant je restai stupéfaite : « La politique tient si peu de place dans ma vie !

— L'indifférence aussi est une prise de position, dit-il sèchement ; dans ce domaine-là, voyez-vous, si on n'est pas entièrement avec moi on est très loin de moi.

— Alors vous n'auriez pas dû me demander de monter dans votre chambre », dis-je avec reproche.

Un sourire rusé plissa ses yeux :

— Mais ça m'est égal qu'une femme soit loin de moi, si je la désire : je pourrais très bien coucher avec une fasciste.

— Ça ne vous est pas égal puisque vous étiez hostile.

Il sourit encore :

— Au lit, ça n'est pas mauvais de se détester un peu.

— C'est horrible, dis-je. Je le dévisageai : « Vous ne sortez pas facilement de vous-même ! dis-je. Vous pouvez rejoindre les gens dans la pitié, dans le remords : sûrement pas dans la sympathie.

— Ah ! c'est vous qui me faites ma psychologie aujourd'hui, dit-il. Continuez : j'adore ça. »

Il y avait dans ses yeux la même avidité maniaque que lorsqu'il m'épiait, la nuit : je n'aurais pu la supporter que chez un enfant ou un malade.

— Vous croyez que la solitude ça peut se briser à coups d'autorité : en amour il n'y a rien de plus maladroit.

Il marqua le coup !

— En somme, cette nuit a été un échec ?

— Plus ou moins.

— La recommencerais-tu ?

J'hésitai.

— Oui. Je n'aime pas rester sur un échec.

Son visage durcit : « C'est une mauvaise raison », dit-il. Il haussa les épaules : « On ne fait pas l'amour avec la tête. »

C'était bien mon avis : si ses paroles et ses désirs m'avaient blessée, c'est qu'ils venaient de son cerveau. Je dis : « Je suppose que nous avons trop de tête tous les deux.

— Alors il vaut mieux ne pas recommencer, dit-il.

— C'est ce que je pense aussi.

Oui, un second échec aurait été pire ; et une réussite n'était pas concevable : nous ne nous aimions pas du tout ; les mots mêmes étaient inutiles, il n'y avait rien eu à sauver et cette histoire ne comportait pas de conclusion ; nous avons encore échangé poliment quelques balivernes et je suis rentrée à la maison.

Je ne lui en veux pas ; je m'en veux à peine. D'ailleurs comme Robert me l'a dit tout de suite, c'est sans grande importance : rien qu'un souvenir qui traîne dans nos mémoires et qui ne concerne que nous. Seulement quand je suis remontée dans ma chambre, je me suis promis que plus jamais je n'essaierais d'arracher mes gants de chevreau glacé : « C'est trop tard, ai-je murmuré en jetant un coup d'œil sur ma glace. Maintenant mes gants sont greffés à ma peau, pour les ôter il faudrait m'écorcher. » Non, ce n'était pas seulement la faute de Scriassine si les choses avaient tourné comme ça ; c'était aussi la mienne. Je m'étais couchée dans ce lit par curiosité, par défi, par fatigue et pour me prouver je ne savais trop quoi : j'avais sûrement prouvé le contraire. Je restais plantée devant la glace. Je pensais vaguement que j'aurais pu avoir une vie différente ; j'aurais pu m'habiller, m'exhiber, connaître les petits plaisirs de la vanité ou les grandes fièvres des sens. C'était trop tard. Et soudain j'ai compris pourquoi mon passé me semble parfois celui d'une autre ; c'est à présent que je suis une autre : une femme de trente-neuf ans, une femme qui a un âge !

128

J'ai dit à voix haute : « J'ai un âge ! » Avant la guerre, j'étais trop jeune pour que les années me pèsent ; ensuite pendant cinq ans je me suis tout à fait oubliée. Je me retrouve pour apprendre que je suis condamnée : ma vieillesse m'attend, aucun moyen de lui échapper ; déjà je l'entrevois au fond du miroir ! Oh ! je suis encore une femme, je saigne encore chaque mois, rien n'est changé ; seulement maintenant, je sais. Je soulève mes cheveux : ces stries blanches, ce n'est plus une curiosité ni un signe : un commencement ; ma tête va prendre, vivante, la couleur de mes os. Mon visage peut encore paraître lisse et dru, mais d'un instant à l'autre, le masque va s'effondrer, dénudant des yeux enrhumés de vieille femme. Les saisons se recommencent, les défaites se réparent : mais il n'y a aucun moyen d'arrêter ma décrépitude. « Il n'est même plus temps de m'inquiéter, pensais-je en me détournant de mon image. Il est trop tard même pour les regrets ; il n'y a qu'à continuer. »

CHAPITRE III

Nadine vint chercher Henri plusieurs soirs de suite au journal ; une nuit même ils montèrent de nouveau dans une chambre d'hôtel, sans grand profit. Pour Nadine, faire l'amour était évidemment une occupation ennuyeuse : Henri s'ennuya vite lui aussi. Mais il aimait bien sortir avec Nadine, la voir manger, l'entendre rire, parler avec elle. Elle était aveugle à beaucoup de choses ; mais elle réagissait vivement à ce qu'elle voyait et sans jamais tricher ; il se disait qu'elle serait un plaisant compagnon de voyage et il était touché par son avidité. Chaque fois elle demandait :

— Tu as parlé ?

— Pas encore.

Elle baissait la tête d'un air si désolé qu'il se sentait en faute ; du soleil, de quoi manger, un vrai voyage, tout ce dont elle avait été privée, voilà qu'il l'en privait encore. Puisqu'il était décidé à une rupture, autant l'en faire profiter ; d'ailleurs, même dans l'intérêt de Paule, il valait mieux qu'il s'expliquât avant de partir plutôt que de la laisser se consumer d'espoir pendant leur séparation. Loin d'elle, il se sentait dans son droit : il ne lui avait guère joué de comédie ; elle se mentait quand elle feignait de croire à la résurrection d'un

131

passé mort et enterré. Mais quand il se retrouvait près d'elle, il s'avisait qu'il avait ses torts lui aussi : « Suis-je un salaud d'avoir cessé de l'aimer ? se demandait-il en la regardant aller et venir à travers le studio. Ou est-ce que ç'a été une faute de l'aimer ? » Il était au Dôme avec Julien et Louis et à une table voisine il y avait cette belle femme couleur de glycine qui lisait *La Mésaventure* avec affectation ; elle avait posé sur le guéridon de longs gants violets ; en passant devant elle, il avait dit : « Vous avez de bien beaux gants ! — Ils vous plaisent ? ils sont à vous. — Et qu'est-ce que j'en ferai ? — Vous les garderez en souvenir de notre rencontre. » Ensemble, ils avaient velouté leur regard ; quelques heures plus tard il la serrait contre lui, nue, et il disait : « Tu es trop belle ! » Non, il ne pouvait pas se condamner. C'était naturel qu'il eût été ébloui par la beauté de Paule, par sa voix, par le mystère de son langage, par la sagesse lointaine de son sourire. Elle était un peu plus âgée que lui, elle connaissait un tas de petites choses qu'il ignorait et qui lui paraissaient bien plus importantes que les grandes. Ce qu'il admirait le plus en elle, c'était le mépris où elle tenait les biens de ce monde ; elle planait dans une région surnaturelle où il désespérait de la rejoindre ; et il était bouleversé qu'elle daignât se faire chair entre ses bras. « Bien sûr je me suis un peu monté la tête », s'avoua-t-il. Elle avait cru aux serments d'éternité et au miracle d'être elle-même ; c'est sans doute là qu'il avait été coupable : quand il avait exalté Paule avec démesure pour prendre ensuite trop lucidement sa mesure. Oui, des torts ils en avaient tous les deux, ce n'était pas la question : la question c'était de sortir de là. Il retournait des phrases dans sa bouche : s'en doutait-elle ? En général quand il gardait le silence, elle était prompte à l'interroger.

— Pourquoi changes-tu ces bibelots de place ? demanda-t-il.

— Tu ne trouves pas que c'est plus joli comme ça ?

— Ça t'ennuierait de t'asseoir une minute ?

— Je t'agace ?

— Pas du tout ; mais je voudrais te parler.

Elle eut un petit rire crispé : « Comme tu as l'air solennel ! Tu ne vas pas me dire que tu ne m'aimes plus ?

— Non.

— Alors tout le reste m'est égal », dit-elle en s'asseyant ; elle se pencha vers lui d'un air patient, un peu railleur : « Parle, mon amour ; je t'écoute.

— S'aimer, ne pas s'aimer : ça n'est pas la seule question, dit-il.

— Pour moi, c'est la seule.

— Pas pour moi, tu le sais ; d'autres choses comptent.

— Oui, je sais : ton travail, les voyages ; je ne t'en ai jamais détourné.

— Il y a autre chose aussi à quoi je tiens, je te l'ai dit souvent : ma liberté. »

Elle sourit de nouveau : « Ne me raconte pas que je ne te laisse pas libre !

— Aussi libre qu'une vie commune le permet ; mais pour moi liberté, ça veut dire d'abord solitude. Tu te souviens, quand je me suis installé ici, on avait convenu que c'était seulement pour la durée de la guerre.

— Je ne pensais pas t'être lourde », dit-elle. Elle ne souriait plus.

— Personne ne pourrait l'être moins que toi. Mais je trouve que c'était mieux quand on vivait chacun de son côté.

Paule sourit : « Tu me retrouvais ici chaque nuit ;

133

tu disais que sans moi tu ne pouvais pas dormir. »

Il avait dit ça pendant un an, pas davantage, mais il ne protesta pas ; il dit : « D'accord ; mais je travaillais dans ma chambre, à l'hôtel...

— C'était une de tes lubies de jeune homme, cette chambre, dit-elle d'une voix indulgente. Pas de promiscuité, pas de collage : avoue que c'était bien abstrait, ton code ; je ne peux pas croire que tu le prennes encore au sérieux.

— Mais non, ce n'est pas abstrait. La vie commune, ça amène à la fois de la tension et du laisser-aller ; je me rends compte que je suis souvent désagréable, ou négligent et que ça te fait de la peine. Il vaut bien mieux ne se voir que quand on en a vraiment envie.

— J'ai toujours envie de te voir, dit-elle avec reproche.

— Moi quand je suis fatigué, ou de mauvaise humeur, ou quand je travaille, je préfère être seul. »

La voix d'Henri était sèche ; de nouveau Paule sourit :

— Tu vas être seul tout un mois. On verra au retour si tu n'as pas changé d'avis...

— Non, je n'en changerai pas, dit-il fermement.

Brusquement le regard de Paule vacilla ; elle murmura : « Jure-moi une chose.

— Quoi ?

— Jamais tu ne t'installeras avec une autre femme ?...

— Tu es folle ! Quelle idée ! Bien sûr je te le jure.

— Alors, tu peux reprendre tes chères habitudes de jeune homme », dit-elle d'un ton résigné.

Il la dévisagea avec curiosité : « Pourquoi m'as-tu demandé ça ? »

De nouveau le regard de Paule s'affola ; elle garda un moment le silence : « Oh ! je sais qu'aucune autre femme n'aura jamais ma place dans ta vie, dit-elle d'un ton faussement calme. Mais je m'attache à des symboles. » Elle fit un mouvement pour se lever, comme si elle avait craint d'en entendre davantage ; il l'arrêta :

— Attends, dit-il ; il faut que je te parle tout à fait franchement ; je ne vivrai jamais avec une autre, jamais. Mais, c'est sans doute à cause de l'austérité de ces quatre années : j'ai envie de nouveauté, d'aventures ; j'ai envie d'histoires sans importance avec des femmes.

— Mais tu en as une, n'est-ce pas ? dit Paule posément ; avec Nadine.

— Comment le sais-tu ?

— Tu mens très mal.

Parfois elle était si aveugle ! et parfois si perspicace ! il était déconcerté ; il dit avec gêne : « J'ai été idiot de ne pas t'en parler ; mais j'avais peur de te faire de la peine, et sans raison ; il ne s'est presque rien passé, et ça ne durera pas longtemps.

— Oh ! rassure-toi ! je ne suis pas jalouse d'une enfant ; surtout pas de Nadine ! Elle se rapprocha d'Henri et s'assit sur le bras de son fauteuil : « Je te l'ai dit la nuit de Noël : un homme comme toi n'est pas asservi aux mêmes lois que les autres. Il y a une forme banale de fidélité que je ne réclamerai jamais de toi. Amuse-toi avec Nadine, et avec qui tu voudras. » Elle caressa gaiement les cheveux d'Henri : « Tu vois que je respecte ta liberté !

— Oui », dit-il ; il était soulagé et déçu, cette victoire trop facile ne le menait à rien. Du moins fallait-il la pousser jusqu'au bout : « En fait, Nadine n'a pas l'ombre d'un sentiment pour moi, ajouta-t-il ; tout ce qu'elle veut c'est que je l'emmène en voyage ; mais il est bien entendu qu'au retour nous nous quitterons.

— En voyage ?

— Elle va m'accompagner au Portugal.

— Non ! » dit Paule. Brusquement son masque serein vola en éclats, Henri eut devant lui un visage de chair et d'os, aux lèvres tremblantes, aux yeux luisants de larmes : « Tu m'as dit que tu ne pouvais pas m'emmener !

— Tu n'y tenais pas, alors je ne me suis pas acharné.

— Je n'y tenais pas ! Mais j'aurais donné une main pour aller avec toi. Seulement j'ai compris que tu voulais être seul. Je veux bien me sacrifier à ta solitude, cria-t-elle avec révolte, mais pas à Nadine, non !

— Seul ou avec Nadine, ça ne fait pas beaucoup de différence, dit-il avec mauvaise foi : puisque tu n'es pas jalouse d'elle.

— Ça fait toute la différence du monde ! dit-elle d'une voix bouleversée. Seul, j'étais avec toi, nous restions ensemble. Le premier voyage d'après-guerre : tu n'as pas le droit de le faire avec une autre.

— Écoute, dit-il, si tu vois là un symbole quelconque, tu as bien tort. Nadine a envie de voir le monde, c'est une pauvre gosse qui n'a jamais rien vu ; ça me fait plaisir de la promener : ça ne va pas plus loin.

— Alors, si vraiment ça ne va pas plus loin, dit Paule lentement, ne l'emmène pas. » Elle regarda Henri d'un air suppliant : « Je te le demande au nom de notre amour. »

Ils se toisèrent un instant en silence ; tout le visage de Paule n'était que prière ; mais Henri se sentait soudain aussi buté que s'il avait eu à affronter, au lieu d'une femme aux abois, des tortionnaires en armes : « Tu viens de me dire que tu respectais ma liberté, dit-il.

— Oui, dit-elle d'un ton farouche ; mais si tu voulais

136

te détruire, je t'en empêcherais. Je ne te laisserai pas trahir notre amour.

— Autrement dit, je suis libre de faire ce que tu veux, dit-il d'une voix ironique.

— Oh! que tu es injuste! dit-elle dans un sanglot. J'accepte tout de toi, tout! Mais là je sais que je ne dois pas accepter. Personne d'autre que moi ne doit partir avec toi.

— C'est toi qui le décrètes, dit-il.

— Mais c'est évident!

— Pas à mes yeux.

— Parce que tu t'aveugles, parce que tu veux t'aveugler! Écoute, dit-elle d'une voix raisonnable, tu ne tiens pas à cette fille et tu vois quelle peine tu me fais : ne l'emmène pas. »

Henri garda le silence ; il n'y avait pas grand-chose à répondre à cet argument ; il en voulut à Paule, comme si elle avait usé contre lui d'une contrainte physique.

— Ça va, je ne l'emmènerai pas! dit-il. Il se leva et marcha vers l'escalier : « Seulement ne viens plus me parler de liberté! »

Paule le suivit et posa les mains sur ses épaules :

— Ta liberté, c'est de me faire souffrir ?

Il se dégagea brusquement : « Si tu décides que tu souffres quand je fais ce que j'ai envie de faire, il faut que je choisisse entre ma liberté et toi. »

Il fit un pas et elle appela d'une voix inquiète : « Henri! » Il y avait de la panique dans ses yeux : « Qu'est-ce que tu veux dire ?

— Ce que je dis ?

— Tu ne vas pas faire exprès d'abîmer notre amour ? »

Henri se retourna vers elle : « Bon! Eh bien, puisque tu y tiens, expliquons-nous une bonne fois! » dit-il. Il était assez irrité contre elle pour aller enfin jusqu'au bout de la vérité : « Il y a un malentendu entre nous. Nous ne nous faisons pas la même idée de l'amour...

— Il n'y a aucun malentendu, dit Paule précipitamment. Je sais ce que tu vas me dire : l'amour est toute ma vie et tu veux qu'il soit seulement une chose dans ta vie. Je le sais, et je suis d'accord.

— Oui, mais à partir de là des questions se posent, dit Henri.

— Mais non! dit Paule. Ah! tout ça c'est stupide, ajouta-t-elle d'une voix agitée. Tu ne vas pas remettre notre amour en question parce que je te demande de ne pas partir avec Nadine!

— Je ne partirai pas avec elle, c'est entendu. Mais c'est de bien autre chose qu'il s'agit...

— Oh! écoute, dit Paule brusquement. Finissons-en. Si tu as absolument besoin de l'emmener pour te prouver que tu es libre, je préfère encore que tu l'emmènes. Je ne veux pas que tu penses que je te tyrannise.

— Je ne l'emmènerai certainement pas, si tu dois te ravager pendant tout ce voyage!

— Je me ravagerai encore bien plus si tu t'amuses à démolir notre amour par rancune. » Elle haussa les épaules : « Tu en es bien capable : tu attaches tant d'importance à tes moindres caprices. »

Elle le regarda d'un air implorant ; elle attendait qu'il réponde : « Je ne te garderai pas rancune » ; elle pouvait attendre longtemps. Elle soupira : « Tu m'aimes, mais tu ne veux rien sacrifier à notre amour. Il faut que ce soit moi qui donne tout.

— Paule, dit-il d'une voix amicale, si je fais ce voyage avec Nadine, je te répète qu'au retour je cesserai de la voir et qu'entre toi et moi rien ne sera changé. »

Elle se tut. « C'est du chantage ce que je fais là, pensa

138

Henri, c'est un peu ignoble. » Le plus moche c'est que Paule aussi en était consciente ; elle allait jouer la générosité tout en sachant qu'elle acceptait un marché assez sordide. Mais quoi ? il faut vouloir ce qu'on veut. Il voulait emmener Nadine.

— Tu feras ce que tu voudras, dit Paule. Elle soupira : « Je suppose que j'attache trop d'importance aux symboles. Pour de vrai, que cette fille t'accompagne ou pas, ça ne fait guère de différence.

— Ça ne fait aucune différence », dit Henri avec autorité.

Paule ne revint pas sur la question les jours suivants, seulement chacun de ses gestes, chaque silence, signifiait : « Je suis sans défense, et tu en abuses. » C'est vrai qu'elle n'avait aucune arme, pas la moindre : mais ce dénuement même était un piège. Il ne laissait à Henri d'autre issue que de se faire victime ou bourreau ; il n'avait aucune envie de jouer les victimes ; l'ennui c'est qu'il n'était pas non plus un bourreau. Il se sentait plutôt mal dans sa peau le soir où il rejoignit Nadine sur un quai de la gare d'Austerlitz.

— Tu n'es pas en avance, dit-elle d'un air bougon.

— Je ne suis pas en retard.

— Dépêchons-nous de monter : si le train partait.

— Il ne partira pas avant l'heure.

— On ne sait jamais.

Ils montèrent et choisirent un compartiment vide. Un long moment Nadine resta plantée d'un air perplexe entre les deux banquettes, et puis elle s'assit à côté de la fenêtre, le dos tourné à la locomotive ; elle ouvrit sa valise et entreprit de s'installer avec des soins méticuleux de vieille fille : elle enfilait une robe de chambre, des pantoufles, elle enroulait une couverture autour de ses jambes, elle calait un oreiller sous sa tête ; du cabas qui lui tenait lieu de sac elle tira une tablette de chewing-gum ; alors elle se rappela l'existence d'Henri et sourit d'un air engageant :

— Elle a gueulé Paule quand elle a vu que décidément tu m'emmenais ?

Henri haussa les épaules : « Évidemment ça ne lui a pas fait plaisir.

— Qu'est-ce qu'elle a dit ?

— Rien qui te concerne, dit-il sèchement.

— Mais ça m'amuse de savoir.

— Ça ne m'amuse pas de te raconter. »

Elle sortit de son cabas un tricot grenat et se mit à faire cliqueter ses aiguilles tout en mâchonnant son chewing-gum : « Elle exagère », pensa Henri avec humeur ; peut-être le provoquait-elle exprès, parce qu'elle soupçonnait que les remords d'Henri s'attardaient dans le studio rouge ; Paule l'avait embrassé sans larmes : « Fais un beau voyage ». Mais en ce moment elle pleurait. « J'écrirai tout de suite en arrivant », se dit-il. Le train s'ébranlait, il filait à travers un triste crépuscule de banlieue et Henri ouvrit un roman policier ; il jeta un coup d'œil sur le visage renfrogné, en face de lui. Pour l'instant il ne pouvait rien contre la tristesse de Paule, ça n'était pas la peine de gâcher le plaisir de Nadine par-dessus le marché ; il fit un effort et dit avec allant :

— Demain à cette heure-ci nous traverserons l'Espagne.

— Oui.

— Ils ne m'attendent pas si tôt à Lisbonne, nous aurons deux jours tout à nous.

Elle ne répondit rien ; un moment elle continua à tricoter avec application ; et puis elle s'étendit sur la banquette, elle enfonça des boules de cire dans ses oreilles, se banda les yeux avec un foulard et tourna sa croupe vers Henri. « Moi qui espérais me faire récom-

140

penser des larmes de Paule par des sourires ! » se dit-il avec ironie ; il acheva son roman et éteignit ; il n'y avait plus de peinture bleue sur les vitres, mais les plaines étaient toutes noires sous un ciel sans étoiles, il faisait froid dans le compartiment ; pourquoi était-il dans ce train, en face de cette étrangère qui respirait bruyamment ? Soudain ça semblait impossible que le passé fût au rendez-vous.

« Elle pourrait tout de même être un peu plus aimable ! » se dit-il le lendemain matin avec rancune, sur la route qui conduisait à Irun ; Nadine n'avait pas même souri lorsqu'en sortant de la gare d'Hendaye ils avaient senti sur leur peau le soleil et le vent léger ; pendant qu'il faisait viser leurs passeports, elle bâillait sans retenue ; maintenant, elle marchait devant lui à grands pas garçonniers ; il portait les deux lourdes valises, il avait chaud sous ce soleil nouveau et il regardait sans plaisir les fortes jambes un peu velues dont les socquettes soulignaient l'ingrate nudité. Une barrière s'était refermée derrière eux, pour la première fois depuis six ans il foulait un sol qui n'était pas français ; une barrière se leva devant eux et il entendit le cri de Nadine : « Oh ! » C'était un gémissement passionné qu'il avait en vain cherché à lui arracher par ses caresses.

— Oh ! regarde !

Au bord de la route, près d'une maison incendiée, était dressé un éventaire : des oranges, des bananes, du chocolat ; Nadine s'élança, elle saisit deux oranges et en tendit une à Henri ; à la vue de cette joie facile que deux kilomètres séparaient inexorablement de la France, il sentit dans sa poitrine cette chose noire et dure, qui depuis quatre ans lui tenait lieu de cœur, se changer en étoupe ; il avait regardé sans broncher les photographies des enfants hollandais agonisant de

141

faim : et voilà qu'il avait envie de s'asseoir sur le bord du fossé, la tête dans ses mains, et de ne plus bouger.

Nadine avait retrouvé sa bonne humeur ; elle se gorgea de fruits et de bonbons à travers les campagnes basques et les déserts castillans ; elle regardait en souriant le ciel d'Espagne. Ils passèrent encore une nuit couchés dans la poussière des banquettes ; le matin ils suivirent une rivière bleu pâle qui serpentait parmi des oliviers et qui se changea en fleuve, puis en lac. Et le train s'arrêta : Lisbonne.

— Tous ces taxis !

Une file de taxis attendait dans la cour de la gare ; Henri posa les valises à la consigne et il dit à un des chauffeurs : « Promenez-nous. » Nadine serrait son bras en criant de terreur tandis qu'ils dévalaient à une allure qui paraissait vertigineuse les rues abruptes où ferraillaient les tramways : ils avaient perdu l'habitude de rouler en auto. Henri riait lui aussi en serrant le bras de Nadine ; il tournait la tête à droite, à gauche, avec une joie incrédule : le passé était au rendez-vous. Une ville du Sud, une ville brûlante et fraîche avec à l'horizon la promesse de la mer et un vent salé battant ses promontoires : il reconnaissait. Et pourtant elle l'étonnait plus qu'autrefois Marseille, Athènes, Naples, Barcelone, parce qu'aujourd'hui toute nouveauté touchait au prodige ; elle était belle cette capitale au cœur sage, aux collines désordonnées, avec ses maisons glacées de couleurs tendres et ses grands bateaux blancs.

— Laissez-nous quelque part dans le centre, demanda-t-il. Le taxi s'arrêta sur une grande place entourée de cinémas et de cafés ; aux terrasses étaient assis des hommes en complets sombres : pas de femmes ; les femmes se bousculaient dans la rue commerçante qui descendait vers l'estuaire; tout de suite Henri et Nadine tombèrent en arrêt.

— Tu te rends compte!

Du cuir, du vrai cuir épais et souple dont on devinait l'odeur; des valises en peau de porc, des gants de pécari, des blagues à tabac fauves, et surtout ces souliers, aux épaisses semelles de crêpe, des souliers dans lequels on marcherait sans faire de bruit et sans se mouiller les pieds. De la vraie soie, de la vraie laine, des complets en flanelle, des chemises de popeline. Henri réalisa soudain qu'il était plutôt minable avec son complet de fibranne et ses souliers craquelés qui rebiquaient du bout; et parmi ces femmes qui portaient des fourrures, des bas de soie, de fins escarpins, Nadine avait l'air d'une clocharde.

— Demain on va s'acheter des choses, dit-il; des tas de choses!

— Ça n'a pas l'air vrai! dit Nadine. Dis donc, qu'est-ce qu'ils diraient s'ils voyaient ça les gens de Paris!

— Juste ce que nous disons, dit Henri en riant.

Ils s'arrêtèrent devant une pâtisserie, et cette fois ce ne fut pas la convoitise, mais le scandale qui figea le regard de Nadine; lui aussi, il resta un moment pétrifié d'incrédulité et il poussa Nadine par l'épaule : « Entrons. »

A part un vieillard et un petit garçon, il n'y avait que des femmes autour des guéridons, des femmes aux cheveux huileux, accablées de fourrures, de bijoux et de cellulite qui s'acquittaient religieusement de leur gavage quotidien. Deux petites filles aux nattes noires, qui portaient en bandoulière un ruban bleu et un tas de médailles à leur cou, dégustaient d'un air réservé un épais chocolat surchargé de crème fouettée.

— Tu en veux? dit Henri.

Nadine fit oui de la tête; quand la serveuse eut posé

la tasse devant elle, elle la porta à ses lèvres, et le sang se retira de son visage. « Je ne peux pas », dit-elle ; elle ajouta sur un ton d'excuse : « Mon estomac n'a plus l'habitude. » Mais son malaise n'était pas venu de son estomac ; elle avait pensé à quelque chose ou à quel-qu'un. Il ne lui posa pas de question.

La chambre d'hôtel était tendue de cretonnes pimpantes ; il y avait dans la salle de bains de l'eau chaude, du vrai savon, des peignoirs en tissu-éponge. Nadine retrouva toute sa gaieté. Elle exigea de frotter Henri au gant de crin et quand sa peau fut de la tête aux pieds rouge et brûlante, elle le renversa en riant sur le lit. Elle fit l'amour avec tant de bonne humeur qu'on aurait cru qu'elle y prenait plaisir. Ses yeux brillaient le lendemain matin tandis qu'elle palpait de sa main rude les lainages opulents, les soieries : « Est-ce qu'il y avait d'aussi beaux magasins à Paris ?

— Il y en avait de bien plus beaux. Tu ne t'en souviens pas ?

— Je n'allais pas dans les beaux magasins, j'étais trop petite. » Elle regarda Henri avec espoir : « Tu crois que ça reviendra un jour ?

— Un jour, peut-être.

— Mais comment sont-ils si riches ici ? Je croyais que c'était un pays pauvre.

— C'est un pays pauvre où il y a des gens très riches. »

Ils achetèrent, pour eux et pour les gens de Paris, des étoffes, des bas, du linge, des souliers, des sweaters. Ils déjeunèrent dans un sous-sol tapissé d'affiches multi-colores où des toreros à cheval défiaient des taureaux furieux. « Viande ou poisson : ils ont tout de même des restrictions ! » dit Nadine en riant. Ils mangèrent des beefsteaks couleur de cendre. Et puis, chaussés tous deux de souliers d'un jaune agressif mais aux semelles luxueuses, ils escaladèrent les rues pavées de cailloux ronds qui montaient vers les quartiers populeux ; à un carrefour des enfants aux pieds nus regardaient sans rire un petit guignol décoloré ; la chaussée devenait étroite, les façades écaillées, le visage de Nadine s'assombrit.

— C'est dégueulasse cette rue, il y en a beaucoup comme ça ?

— Je crois bien que oui.

— Ça n'a pas l'air de t'indigner ?

Il n'était pas en humeur de s'indigner. En vérité, c'est même avec un élancement de plaisir qu'il revoyait le linge bariolé séchant aux fenêtres ensoleillées, au-dessus d'un trou d'ombre. Ils suivirent en silence une sentine et Nadine s'arrêta au milieu d'un escalier aux pavés gras : « C'est dégueulasse ! répéta-t-elle. Allons-nous-en.

— Oh ! continuons encore un peu », dit Henri.

A Marseille, à Naples, au Pirée, dans le Bario-Chino il avait passé des heures à errer dans ces ruelles criardes ; bien sûr, alors comme aujourd'hui il souhaitait qu'on en finisse avec toute cette misère ; mais ce vœu restait abstrait, jamais il n'avait eu envie de fuir : cette violente odeur humaine l'étourdissait. C'était du haut en bas de la colline le même grouillement vivant, le même ciel bleu brûlait par-delà les toits ; il semblait à Henri que d'un instant à l'autre il allait retrouver dans toute son intensité la vieille joie ; c'est elle qu'il poursuivait de ruelle en ruelle : mais il ne la retrouvait pas. Les femmes accroupies devant les portes faisaient griller des sardines sur des morceaux de charbon de bois ; l'odeur du poisson défraîchi couvrait celle de l'huile chaude ; leurs pieds étaient nus ; ici tout le monde marchait pieds nus. Dans les caves ouvertes sur la rue, pas un lit, pas un meuble, pas une image : des

145

grabats, des enfants couverts de gourme et de loin en loin une chèvre ; dehors pas une voix gaie, pas un rire, des yeux morts. La misère était-elle plus désespérée ici que dans les autres villes ? ou bien est-ce qu'au lieu de s'endurcir on se sensibilise au malheur ? Le bleu du ciel semblait cruel au-dessus de l'ombre malsaine, et Henri se sentait gagné par la consternation muette de Nadine. Ils croisèrent une femme vêtue de haillons noirs, un enfant accroché à son sein nu, qui courait d'un air hagard, et Henri dit brusquement :

— Ah ! tu as raison, allons-nous-en.

Mais ça n'avait servi à rien de s'en aller, Henri s'en rendit compte dès le lendemain au cours du cocktail donné par le consulat français. La table était chargée de sandwiches et de gâteaux fabuleux, les femmes portaient des robes aux couleurs oubliées, tous les visages riaient, on parlait français, la colline de Grâce était bien loin, dans un pays tout à fait étranger dont les malheurs ne concernaient pas Henri. Il riait poliment avec les autres, quand le vieux Mendoz das Viernas l'entraîna dans un coin du salon ; il portait un col dur, une cravate noire, il avait été ministre avant la dictature de Salazar ; il posa sur Henri un regard méfiant :

— Quelle impression vous a faite Lisbonne ?

— C'est une bien belle ville ! dit Henri. Le regard s'assombrit et Henri ajouta avec un sourire : « Je dois dire que je n'ai pas encore vu grand-chose.

— D'ordinaire, les Français qui viennent ici s'arrangent pour ne rien voir du tout, dit das Viernas avec rancune. Votre Valéry : il a admiré la mer, les jardins ; pour le reste, un aveugle. » Le vieux fit une pause : « Est-ce que vous tenez vous aussi à vous boucher les yeux ?

— Au contraire ! dit Henri. Je ne demande qu'à m'en servir.

— Ah ! d'après ce qu'on m'avait dit de vous, c'est ce que j'espérais, dit das Viernas d'une voix radoucie. Nous allons prendre rendez-vous pour demain et je me charge de vous montrer Lisbonne. Une belle façade oui ! mais vous verrez ce qu'il y a derrière !

— J'ai déjà fait un tour hier sur la colline de Grâce, dit Henri.

— Mais vous n'êtes pas entré dans les maisons ! Je veux que vous constatiez par vous-même ce que les gens mangent, comment ils vivent : vous ne me croiriez pas. » Das Viernas haussa les épaules : « Toute cette littérature sur la mélancolie portugaise et son mystère ! c'est pourtant simple : sur sept millions de Portugais, il y en a soixante-dix mille qui mangent à leur faim. »

Impossible de se défiler : Henri passa la matinée suivante à visiter des taudis. L'ancien ministre avait convoqué des amis en fin d'après-midi tout exprès pour les lui faire rencontrer : impossible de refuser. Ils portaient tous des complets sombres, des cols durs, des melons, ils parlaient avec cérémonie mais de temps en temps la haine transfigurait leurs visages raisonnables. C'était d'anciens ministres, d'anciens journalistes, d'anciens professeurs que leur refus de se rallier au régime avait ruinés ; ils avaient tous des parents et des amis déportés, ils étaient pauvres et traqués ; ceux qui s'obstinaient encore à agir savaient que l'île d'enfer les guettait : un médecin qui soignait gratuitement des miséreux, qui essayait d'ouvrir un dispensaire ou d'introduire un peu d'hygiène dans les hôpitaux était aussitôt suspect ; quiconque organisait un cours du soir, quiconque accomplissait un geste généreux ou simplement charitable était un ennemi de l'Église et de l'État. Ils s'entêtaient pourtant. Et ils voulaient croire que la ruine du nazisme entraînerait la fin de ce fascisme cagot. Ils rêvaient de renverser Salazar et de créer un Front National analogue à celui qui s'était reconstitué en France. Ils se savaient bien seuls : les capitalistes anglais avaient de gros intérêts au Portugal, les Américains négociaient avec le gouvernement l'achat de bases aériennes aux Açores. « La France est notre seul espoir », répétaient-ils. Ils suppliaient : « Dites aux Français la vérité ; ils ne savent pas, s'ils savaient ils viendraient à notre secours. » Ils imposèrent à Henri des rendez-vous quotidiens ; on l'accablait de faits, de chiffres, on lui dictait des statistiques, on le promenait dans les faubourgs affamés : ce n'était pas exactement le genre de vacances qu'il avait rêvé, mais il n'avait pas le choix. Il promettait de toucher l'opinion par une campagne de presse : la tyrannie politique, l'exploitation économique, la terreur policière, l'abêtissement systématique des masses, la honteuse complicité du clergé, il dirait tout. « Si Carmona apprenait que la France est prête à nous soutenir, il marcherait avec nous », affirmait das Viernas. Il avait connu autrefois Bidault et il pensait à lui proposer une sorte de traité secret : en échange de son appui, le futur gouvernement portugais pourrait offrir à la France des transactions avantageuses touchant les colonies d'Afrique. C'était difficile de lui expliquer sans grossièreté à quel point ce projet était chimérique !

— Je verrai Tournelle, son chef de cabinet, promit Henri la veille de son départ pour l'Algarve. C'est un camarade de Résistance.

— Je vais mettre au point un projet précis que je vous confierai à votre retour, dit das Viernas.

Henri était content de quitter Lisbonne. Les services français lui prêtaient une auto pour qu'il fît commodément sa tournée de conférences, il était invité à en disposer aussi longtemps qu'il souhaitait, et ça serait

148

enfin de vraies vacances. Malheureusement ses nouveaux amis comptaient bien qu'il passerait sa dernière semaine à conspirer avec eux : ils allaient rassembler une documentation exhaustive et arranger
des rencontres avec certains communistes des chantiers de Zamora. Pas question de refuser.

— Ça fait qu'on a tout juste quinze jours pour se
balader, dit Nadine d'un ton boudeur.

Ils dînaient dans une guinguette, de l'autre côté du
Tage ; une serveuse avait posé sur la table des tron-
çons de merluche frite et une bouteille de vin d'un
rose sale ; à travers la vitre ils apercevaient les
lumières de Lisbonne qui s'étageaient entre le ciel et
l'eau.

— En quinze jours, avec une auto, on en voit du
pays ! dit Henri. Tu te rends compte de la chance
qu'on a !

— Justement : c'est dommage de ne pas en profiter.

— Tous ces types qui comptent sur moi, ça serait
moche de les décevoir, non ?

Elle haussa les épaules : « Tu ne peux rien pour eux.

— Je peux parler en leur nom ; c'est mon métier ;
ou alors ça n'est pas la peine d'être journaliste.

— Peut-être ça n'est pas la peine.

— Ne pense pas déjà au retour, dit-il d'un ton
conciliant ; on va faire un fameux voyage. Et regarde
donc ces petites lumières au bord de l'eau, comme
c'est joli.

— Qu'est-ce que ça a de joli ? » dit Nadine. C'était
le genre de questions irritantes qu'elle se plaisait à
poser. Il haussa les épaules : « Non, sérieusement,
reprit-elle, pourquoi trouves-tu ça joli ?

— C'est joli, c'est tout. »

Elle appuya son front contre la vitre : « Ça serait
peut-être joli si on ne savait pas ce qu'il y a derrière ;

149

mais quand on le sait... C'est encore une tromperie, conclut-elle avec hargne ; je déteste cette sale ville. »

C'était une tromperie, sans aucun doute ; et pourtant il ne pouvait pas s'empêcher de trouver ces lumières jolies ; la chaude odeur de la misère, ses joyeux bariolages, il ne s'y laissait plus prendre ; mais ces petites flammes qui scintillaient le long des eaux sombres, elles le touchaient, envers et contre tous : peut-être parce qu'elles lui rappelaient un temps où il ignorait ce qui se cache derrière les décors ; peut-être n'aimait-il ici que le souvenir d'un mirage. Il regagna Nadine ; dix-huit ans, et pas un mirage dans sa mémoire ! Lui au moins il avait eu un passé. « Et un présent, un avenir, protesta-t-il en lui-même. Heureusement il reste encore des choses à aimer ! »

Il en restait, heureusement ! Quel plaisir d'avoir de nouveau un volant entre les mains, et ces routes devant soi, à perte de vue ! Après toutes ces années, Henri était intimidé, le premier jour ; l'auto semblait douée d'une vie personnelle ; d'autant plus qu'elle était lourde, mal suspendue, bruyante et plutôt capricieuse ; et pourtant, voilà qu'elle obéissait aussi spontanément qu'une main.

— Comme ça va vite, c'est formidable ! disait Nadine.

— Tu t'es déjà promenée en bagnole, non ?

— A Paris, dans des jeeps ; mais je n'ai jamais roulé si vite.

Ça aussi, c'était un mensonge, la vieille illusion de liberté et de puissance, mais elle y consentait sans scrupule. Elle baissait toutes les vitres, elle buvait goulûment le vent et la poussière. Si Henri l'avait écoutée, ils ne seraient jamais descendus de voiture ; ce qu'elle aimait, c'était filer le plus vite possible, entre la route et le ciel ; elle s'intéressait à peine aux paysages.

Et pourtant, comme ils étaient beaux ! Le poudroie-
ment doré des mimosas, les sages paradis primitifs que
répétaient à l'infini les orangers aux têtes rondes, les
délires de pierre de Batalha, le duo majestueux des
escaliers qui montaient entrelacés vers une église
blanche et noire, les rues de Beja où traînaient les cris
anciens d'une nonne en mal d'amour. Dans le Sud à
l'odeur d'Afrique, des petits ânes tournaient en rond
pour arracher un peu d'eau au sol aride ; on apercevait
de loin en loin, au milieu des agaves bleus qui poignar-
daient la terre rouge, la fausse fraîcheur d'une maison
lisse et blanche comme le lait. Ils remontèrent vers le
nord par des routes où les pierres semblaient avoir volé
aux fleurs leurs couleurs les plus violentes : des violets,
des rouges, des ocres ; et puis les couleurs redevinrent
des fleurs parmi les douces collines du Minho. Oui, un
beau décor, et qui se déroulait trop vite pour qu'on eût
le temps de penser à ce qui se cachait par derrière. Au
long des côtes de granit, comme sur les routes brû-
lantes de l'Algarve, les paysans marchaient pieds nus,
mais on n'en rencontrait pas souvent. C'est à Porto la
Rouge, où la crasse a la couleur du sang, que la fête
s'acheva. Sur les murs des taudis, plus sombres encore
et plus humides que ceux de Lisbonne, et grouillants
d'enfants nus, on avait apposé des écriteaux : « Insalu-
bre. Défense d'habiter ici. » Des fillettes de quatre à
cinq ans, vêtues de sacs troués, fouillaient dans les
poubelles. Pour déjeuner, Henri et Nadine se cachèrent
au fond d'un boyau obscur, mais ils devinaient des
visages collés aux vitres du restaurant. « Je déteste les
villes ! » dit Nadine avec fureur. Elle resta enfermée
toute la journée dans sa chambre et le lendemain sur
les routes, c'est à peine si elle desserra les dents. Henri
n'essaya pas de la dérider.
    Au jour fixé pour leur retour, ils s'arrêtèrent pour

déjeuner dans un petit port à trois heures de Lisbonne ; ils laissèrent la voiture devant l'auberge pour escalader une des collines qui dominaient la mer ; au sommet se dressait un moulin blanc, coiffé de tuiles vertes ; on avait fixé à ses ailes de petites jarres de terre cuite au col étroit où le vent chantait. Henri et Nadine descendirent en courant la colline entre les oliviers tout en feuilles et les amandiers tout en fleur et la musique puérile les poursuivait. Ils se laissèrent tomber sur le sable de la crique ; des barques aux voiles rouillées hésitaient sur la mer pâle.

— Nous serons bien ici, dit Henri.

— Oui, dit Nadine d'un air maussade ; elle ajouta : « Je meurs de faim.

— Évidemment : tu n'as rien mangé.

— Je demande des œufs à la coque et on m'apporte un bol d'eau tiède et des œufs crus.

— La morue était très bonne ; les fèves aussi.

— Une seule goutte d'huile et mon estomac débordait. » Elle cracha avec colère : « Il y a de l'huile dans ma salive. »

D'un geste décidé elle arracha son chemisier.

— Qu'est-ce que tu fais ?

— Tu ne vois pas ?

Elle ne portait pas de soutien-gorge et couchée sur le dos elle offrait au soleil la nudité de ses seins légers.

— Non, Nadine : si quelqu'un venait.

— Il ne viendra personne.

— Ça te plaît de le croire.

— Je m'en fous ; je veux sentir le soleil. Seins au vent, les cheveux abandonnés au sable, elle regardait le ciel, avec reproche : « Il faut bien en profiter puisque c'est le dernier jour. »

Il ne répondit pas et elle dit d'une voix geignarde :

— Tu tiens vraiment à rentrer à Lisbonne ce soir ?

152

— Tu sais bien qu'on nous attend.

— On n'a pas vu la montagne ; et ils disaient tous que c'est le plus beau : en huit jours, on pourrait encore faire une fameuse virée.

— Puisque je te dis que j'ai des gens à voir.

— Tes vieux messieurs à col dur ? ils feraient très bien dans les vitrines du Musée de l'Homme ; mais comme révolutionnaires, laisse-moi rire.

— Moi je les trouve touchants, dit Henri. Et tu sais, ils prennent de gros risques.

— Ils causent beaucoup. Elle fit ruisseler le sable entre ses doigts : « Des mots, comme il dit le frère ; des mots.

— C'est toujours facile de prendre des supériorités sur les gens qui tentent quelque chose, dit-il avec un peu d'agacement.

— Ce que je leur reproche c'est de ne rien tenter pour de vrai, dit-elle avec irritation. Au lieu de tant bavarder, je descendrais Salazar un bon coup.

— Ça n'avancerait pas à grand-chose.

— Ça avancerait qu'il serait mort. Comme dit Vincent, du moins la mort ça ne pardonne pas. » Elle regardait la mer d'un air méditatif : « Si on était décidé à se faire sauter avec lui, on pourrait sûrement avoir sa peau.

— N'essaie pas ! » dit Henri en souriant ; il posa sa main sur le bras incrusté de sable : « J'aurais bonne mine, tu te rends compte !

— Ça ferait une belle fin, dit Nadine.

— Tu es si pressée d'en finir ? »

Elle bâilla : « Ça t'amuse de vivre ?

— Ça ne m'ennuie pas », dit-il gaiement.

Elle se redressa sur un coude et l'examina avec curiosité : « Explique-moi. Écrivailler comme tu fais du matin au soir, ça te remplit vraiment l'existence ?

— Quand j'écris, oui, ça me remplit l'existence, dit-il. J'ai même salement envie de m'y remettre.

— Comment ça t'est venu, de vouloir écrire ?

— Oh ! ça remonte loin », dit Henri.

Ça remontait loin, mais il ne savait trop quelle importance accorder à ses souvenirs.

— Quand j'étais jeune, ça me semblait magique un livre.

— Moi aussi j'aime les livres, dit Nadine vivement. Seulement il y en a déjà tant ! A quoi ça sert d'en fabriquer un de plus ?

— On n'a pas tout à fait les mêmes choses à dire que les autres : on a sa vie à soi, ses rapports à soi avec les choses, avec les mots.

— Et ça ne te gêne pas de penser que des types ont écrit des trucs tellement supérieurs à ce que tu pondras, toi ? dit Nadine d'un ton vaguement irrité.

— Au début, je ne le pensais pas, dit Henri en souriant ; on est arrogant tant qu'on n'a rien fait. Et puis une fois qu'on est dans le coup, on s'intéresse à ce qu'on écrit et on ne perd plus de temps à se comparer.

— Oh ! bien sûr, on s'arrange ! dit-elle d'une voix boudeuse en se laissant retomber de tout son long sur le sol.

Il n'avait pas su lui répondre : c'est bien difficile d'expliquer pourquoi on aime écrire à quelqu'un qui n'aime pas ça. D'ailleurs pouvait-il se l'expliquer à lui-même ? Il ne s'imaginait pas qu'on le lirait éternellement, et pourtant quand il écrivait, il se sentait installé dans l'éternité ; ce qu'il réussissait à couler dans des mots lui semblait sauvé, absolument ; qu'y avait-il de vrai là-dedans ? dans quelle mesure n'était-ce ça aussi qu'un mirage ? Voilà une des choses qu'il aurait dû tirer au clair pendant ces vacances, mais en fait il n'avait rien tiré au clair du tout. Ce qui était certain, c'est qu'il éprouvait une pitié presque angoissée pour toutes ces vies qui ne tentaient même pas de s'exprimer : celles de Paule, d'Anne, de Nadine. « Tiens ! pensa-t-il. A l'heure qu'il est, mon livre a paru ! » Il y avait longtemps qu'il n'avait pas affronté le public et ça l'intimidait de penser que des gens étaient en train de lire son roman et d'en parler. Il se pencha sur Nadine et lui sourit.

— Ça va ?

— Oui ; on est bien ici ! dit-elle d'un ton un peu geignard.

— On est bien.

Il mêla ses doigts à ceux de Nadine et se colla au sable chaud ; entre la mer nonchalante que le soleil décolorait et le bleu impérieux du ciel, il y avait du bonheur en suspens ; pour qu'il pût s'en saisir, il aurait peut-être suffi d'un sourire de Nadine : elle devenait presque jolie quand elle souriait ; mais le visage piqué de taches de rousseur restait inerte ; il dit : « Pauvre Nadine. »

Elle se redressa brusquement : « Pourquoi pauvre ? »

Elle était sûrement à plaindre mais il ne savait trop pourquoi : « Parce que ce voyage t'a déçue.

— Oh ! tu sais, je n'en attendais pas tant.

— Il y a eu pourtant de bons moments.

— Il pourrait y en avoir encore » ; le bleu froid de ses yeux se réchauffa : « Laisse tomber ces vieux rêveurs ; on n'était pas venus pour ça. Promenons-nous. Amusons-nous tant qu'il nous reste de la chair sur les os. »

Il haussa les épaules : « Tu sais bien que ça n'est pas si facile de s'amuser.

— Essayons. Une grande balade dans les montagnes, ça serait bien, non ? tu aimes te balader. Tandis que ces réunions, ces enquêtes, ça t'assomme.

155

— Bien sûr.

— Alors ? qu'est-ce qui t'oblige à faire des choses qui t'emmerdent ? c'est une vocation ?

— Rends-toi compte : est-ce que je peux leur expliquer à ces pauvres vieux que leurs malheurs n'intéressent personne, que le Portugal est trop petit, que tout le monde s'en fout ? » Henri se pencha sur Nadine en souriant : « Est-ce que je peux ?

— Tu peux leur téléphoner que tu es malade et nous filons vers Evora.

— Ça leur briserait le cœur, dit Henri. Non, je ne peux pas.

— Dis que tu ne veux pas, dit Nadine aigrement.

— Soit, dit-il avec impatience, je ne veux pas.

— Tu es encore pire que ma mère », grommela-t-elle en piquant du nez dans le sable.

Henri se laissa tomber de tout son long à côté d'elle. « Amusons-nous. » Autrefois, il savait s'amuser ; les rêves des vieux conspirateurs il les aurait sacrifiés d'un élan à ces joies qu'il avait connues, autrefois. Il ferma les yeux. Il était couché sur une autre plage à côté d'une femme à la chair dorée, vêtue d'un paréo fleuri, la plus belle des femmes, Paule ; des palmes oscillaient au-dessus de leurs têtes, et à travers les roseaux ils regardaient s'avancer dans la mer, encombrées par leurs robes, leurs voiles, leurs bijoux, de grosses juives rieuses ; la nuit parfois ils épiaient les femmes arabes qui s'aventuraient dans l'eau, enveloppées de leurs suaires ; ou bien dans la taverne aux soubassements romains ils buvaient un épais sirop de café ; ou bien ils s'asseyaient sur la place du marché et Henri fumait le narguilé en devisant avec Amour Harsine ; et puis ils rentraient dans la chambre pleine d'étoiles, et ils tombaient sur le lit. Mais les heures qu'Henri se rappelait à présent avec le plus de nostalgie, c'était ces

156

matinées qu'il passait sur la terrasse de l'hôtel entre le bleu du ciel et l'odeur passionnée des fleurs ; dans la fraîcheur du jour naissant, dans l'ardeur de midi, il écrivait, et sous ses pieds le ciment était brûlant lorsque enfin étourdi de soleil et de mots il descendait dans l'ombre du patio boire un anis glacé. C'était le ciel, les lauriers-roses, les eaux violentes de Djerba qu'il était venu rechercher ici, c'était la gaieté de ses nuits bavardes, et surtout la fraîcheur et l'ardeur de ses matins. Pourquoi ne retrouvait-il pas ce goût brûlant et tendre qu'avait eu autrefois sa vie ? Pourtant, il l'avait désiré ce voyage, pendant des jours il n'avait pensé à rien d'autre ; pendant des jours il avait rêvé qu'il se couchait sur le sable, au soleil ; et maintenant il était là, il y avait du soleil, du sable : c'est au-dedans de lui que quelque chose manquait. Il ne savait plus bien ce que voulaient dire les vieux mots : bonheur, plaisir. Nous n'avons que cinq sens, et ils s'ennuient si vite. Déjà son regard s'ennuyait de glisser sans fin sur ce bleu qui n'en finissait pas d'être bleu. On avait envie de crever ce satin, de déchirer la douce peau de Nadine.

— Il commence à faire frais, dit-il.

— Oui. Brusquement elle se colla à lui ; à travers sa chemise, il sentit contre sa poitrine les jeunes seins nus. « Réchauffe-moi. »

Il la repoussa doucement. « Habille-toi. Revenons au village.

— Tu as peur qu'on nous voie ? » Les yeux de Nadine luisaient, un peu de sang lui était monté aux joues ; mais il savait que sa bouche restait froide. « Qu'est-ce que tu crois qu'on nous ferait ? On nous lapiderait ? demanda-t-elle d'un air alléché.

— Lève-toi ; il est temps de rentrer. »

Elle pesait sur lui de tout son poids et il résistait mal

157

au désir qui l'engourdissait ; il aimait son jeune buste, sa peau limpide ; si seulement elle avait consenti à se laisser bercer par le plaisir au lieu de gambader dans le lit avec une impudeur voulue... Elle l'observait, les yeux mi-clos, sa main descendait vers le pantalon de toile.

— Laisse-moi... laisse-toi faire.

Sa main, sa bouche étaient habiles, mais il détestait le triomphe assuré qu'il avait lu dans ses yeux chaque fois qu'il avait cédé. « Non, dit-il. Non. Pas ici. Pas ainsi. »

Il se dégagea et se redressa ; le chemisier de Nadine gisait sur le sable et il le lui jeta sur les épaules.

— Pourquoi ? dit-elle avec dépit ; elle ajouta d'une voix traînante : « Peut-être qu'en plein air, ça aurait été un peu plus amusant. »

Il époussetait le sable qui poudrait ses vêtements.

— Je me demande si tu seras jamais une femme, murmura-t-il d'un ton faussement indulgent.

— Oh ! tu sais, des femmes qui aiment se faire tringler, je suis sûre qu'il n'y en a pas une sur cent : c'est un genre qu'elles se donnent, par snobisme.

— Allons, ne nous disputons pas, dit-il en lui prenant le bras. Viens. Nous allons t'acheter des gâteaux et du chocolat que tu mangeras dans l'auto.

— Tu me traites comme une enfant, dit-elle.

— Non. Je sais très bien que tu n'es pas une enfant. Je te comprends mieux que tu ne crois.

Elle le regarda avec méfiance et un petit sourire perla sur ses lèvres. « Oh ! je ne te déteste pas toujours », dit-elle.

Il pressa un peu plus fort son bras, et ils marchèrent en silence vers le village. La lumière mollissait ; les barques rentraient au port : des bœufs les halaient vers la grève. Debout ou assis en cercle les villageois

158

regardaient. Les chemises des hommes, les amples jupes des femmes étaient carrelés de couleurs joyeuses : mais cette gaieté était figée dans une morne immobilité ; les fichus noirs encadraient des visages de pierre ; les yeux fixés sur l'horizon n'espéraient rien. Pas un geste, pas une parole. On aurait dit qu'une malédiction avait flétri toutes les langues.

— Ils me donnent envie de crier, dit Nadine.

— Je suppose qu'ils ne t'entendraient même pas.

— Qu'est-ce qu'ils attendent ?

— Rien. Ils savent qu'ils n'attendent rien.

Sur la grand-place, la vie balbutiait faiblement. Des enfants criaillaient ; assises sur le bord du trottoir, les veuves des pêcheurs péris en mer mendiaient. Les premiers temps, Henri et Nadine avaient regardé avec colère les bourgeoises aux fourrures épaisses qui répondaient majestueusement aux mendiants : « Prenez patience ! » A présent, ils s'enfuyaient comme des voleurs quand les mains se tendaient vers eux : il y en avait trop.

— Achète-toi quelque chose, dit Henri en arrêtant Nadine devant la pâtisserie.

Elle entra ; deux enfants aux crânes rasés écrasaient leur nez contre la vitre ; quand elle reparut, les bras chargés de sacs de papier, ils crièrent. Elle s'arrêta.

— Qu'est-ce qu'ils disent ?

Il hésita : « Que tu as de la chance de pouvoir manger quand tu as faim.

— Oh ! »

D'un geste furieux, elle jeta dans leurs bras les sacs gonflés.

— Non. Je vais leur donner de l'argent, dit Henri.

Elle l'entraîna. « Laisse, ils m'ont coupé l'appétit, ces sales morpions.

— Tu avais faim.

159

— Je te dis que je n'ai plus faim. »

Ils montèrent dans l'auto et pendant un moment ils roulèrent en silence; Nadine dit d'une voix étranglée :

— On aurait dû aller dans un autre pays.

— Où ça?

— Je ne sais pas. Mais toi, tu dois savoir.

— Non, je ne sais pas, dit-il.

— Il doit quand même y avoir un pays où on puisse vivre, dit-elle.

Brusquement, elle fondit en larmes et il la regarda avec stupeur : les larmes de Paule étaient naturelles comme la pluie; mais voir pleurer Nadine, c'était presque aussi gênant que s'il eût surpris Dubreuilh en train de sangloter. Il passa un bras autour de ses épaules et l'attira vers lui.

— Ne pleure pas. Ne pleure pas. Il caressait les cheveux rêches; pourquoi n'avait-il pas su la faire sourire? pourquoi avait-il le cœur lourd? Nadine essuya ses larmes et se moucha bruyamment.

— Mais toi, quand tu étais jeune, tu as été heureux? dit-elle.

— Oui; j'ai été heureux.

— Tu vois!

Il dit : « Toi aussi, tu seras heureuse, un jour. »

Il aurait fallu la serrer plus fort et lui dire : « Moi je te rendrai heureuse. » En cet instant, il en avait envie : une envie d'un instant d'engager toute sa vie. Il ne dit rien. Il pensa brusquement : « Le passé ne se recommence pas; le passé ne se recommencera pas. »

— Vincent! Nadine se rua vers la sortie. Vêtu de son uniforme de correspondant de guerre, Vincent agitait la main en souriant. Nadine glissa sur ses semelles crêpe et se rétablit en s'accrochant au bras de Vincent : « Salut, toi !

— Salut les voyageurs ! » dit Vincent gaiement ; il siffla d'admiration : « Comment que tu es fringuée !

— Une vraie dame, hein ? dit Nadine en pivotant sur elle-même ; avec son manteau de fourrure, ses bas, ses escarpins, elle avait l'air élégante et presque féminine.

— Donne-moi ça ! dit Vincent en s'emparant du grand sac de marin qu'Henri halait derrière lui : « C'est un cadavre ?

— Cinquante kilos de bouffe ! dit Henri. Nadine ravitaille sa famille ; comment les ramener jusqu'au quai Voltaire, c'est le problème.

— Il n'y a pas de problème, dit Vincent d'un air triomphant.

— Tu as volé une jeep ? dit Nadine.

— Je n'ai rien volé. »

Il traversa avec décision la cour d'arrivée et s'arrêta devant une petite auto noire : « Elle est bien, non ?

— Elle est à nous ? dit Henri.

— Oui ; Luc s'est enfin démerdé ; qu'est-ce que tu en dis ?

— Elle est petite, dit Nadine.

— Ça va nous rendre salement service », dit Henri en ouvrant la portière. Tant bien que mal ils entassèrent les bagages à l'arrière.

— Tu m'emmèneras promener ? demanda Nadine.

— Tu n'es pas cinglée ? dit Vincent. C'est un instrument de travail. Évidemment, avec toute votre cargaison on est un peu serrés, concéda-t-il ; il s'assit au volant et la voiture démarra avec des hoquets douloureux.

— Tu es sûr que tu sais conduire ? demanda Nadine.

— Si tu m'avais vu l'autre nuit foncer en jeep, sans phare, sur des chemins minés, tu ne m'insulterais pas gratuitement. Vincent regarda Henri : « Je pose Nadine et je t'amène au journal ?

— D'accord. Comme ça va, *L'Espoir* ? Je n'en ai pas vu un seul numéro dans ce sacré pays. On paraît toujours sur format timbre-poste ?

— Toujours ; ils ont autorisé deux nouveaux canards, mais ils ne nous trouvent pas de papier ; Luc te racontera mieux que moi : je rentre tout juste des armées.

— Mais le tirage n'a pas baissé ?

— Je ne crois pas. »

Henri avait hâte de se retrouver au journal ; seulement Paule avait sans aucun doute téléphoné à la gare, elle savait que le train n'avait pas eu de retard ; elle attendait, les yeux rivés sur la pendule, épiant tous les bruits. Quand ils eurent laissé Nadine dans la cage de l'ascenseur au milieu de ses bagages, Henri dit :

— Réflexion faite, je passerai d'abord chez moi.

— Mais les copains t'attendent, dit Vincent.

— Dis-leur que je serai au journal d'ici une heure.

— Alors, je te laisse la Rolls, dit Vincent. Il arrêta l'auto devant le dispensaire pour chiens et demanda : « Je sors les valises ?

— Seulement la plus petite ; merci. »

Avec regret Henri poussa la porte qui heurta bruyamment une poubelle ; le chien de la concierge se mit à aboyer ; avant même qu'Henri ait frappé, Paule ouvrit :

— C'est toi ! c'est bien toi ! Un moment elle resta immobile dans ses bras et puis elle recula : « Tu as bonne mine ; tu es bronzé ! ce n'était pas trop fatigant ce retour ? » Elle souriait mais il y avait un petit muscle qui tressaillait spasmodiquement au coin de sa bouche.

162

— Pas du tout. Il posa la valise sur le divan : « Voilà pour toi.

— Que tu es gentil !

— Ouvre-la. »

Elle l'ouvrit : des bas de soie, des sandales de daim, un sac assorti, des étoffes, des écharpes, des gants, il avait choisi chaque article avec un soin inquiet, il fut un peu déçu parce qu'elle regardait sans rien toucher, sans se pencher, d'un air ému et vaguement indulgent : « Tu es si gentil ! » répéta-t-elle ; elle tourna vivement son regard vers lui : « Ta valise à toi, où est-elle ?

— En bas, dans la voiture. Parce que tu sais peut-être que *L'Espoir* a obtenu une voiture : Vincent est venu me chercher avec, dit-il d'une voix animée.

— Je vais téléphoner à la concierge pour qu'on monte ta valise, dit Paule.

— Ce n'est pas la peine », dit Henri. Il enchaîna très vite : « Comment as-tu passé le mois ? il n'a pas fait trop mauvais ? Tu es un peu sortie ?

— Un peu », dit-elle d'un ton évasif. Son visage s'était figé.

— Qui as-tu vu ? qu'est-ce que tu as fait ? raconte-moi.

— Oh ! c'est sans intérêt, dit-elle. Ne parlons pas de moi. Elle enchaîna avec vivacité, mais d'une voix distraite : « Tu sais que ton livre est un triomphe.

— Je ne sais rien ; ça marche vraiment ?

— Oh ! les critiques n'ont rien compris, bien entendu ; mais ils ont flairé le chef-d'œuvre.

— Je suis bien content », dit-il avec un sourire contraint ; il aurait bien aimé poser quelques questions mais le vocabulaire de Paule lui était insupportable. Il changea de sujet : « Tu as vu les Dubreuilh ? qu'est-ce qu'ils deviennent ?

— J'ai entrevu Anne ; elle a beaucoup de travail. »

Elle répondait du bout des lèvres; et il était si impatient de reprendre contact avec sa vie! Il demanda :

— Tu n'as pas gardé les numéros de *L'Espoir*?

— Je ne les ai pas lus.

— Non?

— Tu n'écrivais pas dedans; et j'avais d'autres choses à penser. Elle chercha son regard et son visage se ranima : « J'ai beaucoup pensé pendant ce mois, et j'ai compris beaucoup de choses. Je regrette la scène que je t'ai faite avant ton départ; je regrette sincèrement.

— Oh! ne parlons pas de ça! dit-il. D'abord tu ne m'as fait aucune scène.

— Si! dit-elle, et je te répète que je le regrette. Vois-tu, je sais depuis longtemps qu'une femme ne peut pas être tout pour un homme tel que toi; pas même toutes les femmes; mais je ne l'acceptais pas vraiment. Maintenant je suis prête à t'aimer dans une totale générosité, pour toi, non pour moi. Tu as ta mission et elle doit passer avant tout.

— Quelle misssion? »

Elle réussit un sourire : « Je me suis rendu compte que souvent j'ai dû être très lourde; je comprends que tu aies eu envie de retrouver un peu de solitude. Mais tu peux être rassuré : la solitude, la liberté, je te les promets. » Elle regarda Henri avec intensité : « Tu es libre, mon amour, sache-le bien; d'ailleurs tu viens de le prouver, non?

— Oui », dit-il; il ajouta faiblement : « Mais je t'ai expliqué...

— Je me rappelle, dit-elle; mais je t'affirme qu'étant donné le changement qui s'est produit en

164

moi, tu n'as plus aucune raison d'aller t'installer à l'hôtel. Écoute : tu as envie d'indépendance, d'aventures ; mais tu as aussi envie de moi ?

— Bien sûr.

— Alors reste ici ; tu n'auras pas à le regretter, je te le jure ; tu verras quel travail s'est fait en moi et comme désormais je te serai légère. » Elle se leva et tendit la main vers le récepteur : « Le neveu de la concierge va te monter ta valise. »

Henri se leva aussi et marcha vers l'escalier intérieur. « Plus tard », se dit-il. Il ne pouvait pas recommencer à la torturer dès les premières minutes : « Je vais me décrasser un peu, dit-il. Ils m'attendent au journal. Je suis juste venu t'embrasser.

— Je comprends très bien », dit-elle tendrement.

« Elle va s'appliquer à me prouver que je suis libre, pensa-t-il sans bienveillance en s'asseyant dans la petite auto noire. Oh ! mais ça ne va pas durer, je ne ferai pas long feu chez elle », se promit-il avec rancune ; et il décida : « Dès demain je vais m'occuper de régler ça. » Pour l'instant il ne voulait plus penser à elle ; il était si content de se retrouver à Paris ! Dans les rues, il faisait gris, les gens avaient eu froid et faim cet hiver, mais enfin ils portaient tous des souliers ; et puis on pouvait leur parler, parler pour eux ; ce qui était si déprimant au Portugal c'était de se sentir le témoin tout à fait inutile d'un malheur étranger. En descendant de voiture, il regarda avec tendresse la façade de l'immeuble. Comment *L'Espoir* avait-il marché ? était-ce vrai que son roman avait du succès ? Il monta vivement l'escalier et tout de suite il y eut une clameur ; une banderole barrait le plafond du couloir : Bienvenue au voyageur. Debout contre les murs, ils faisaient la haie, en guise d'épées ils brandissaient leurs stylos et ils chantaient un couplet inintelligible

165

où Salazar rimait avec sale hasard; Lambert seul manquait; pourquoi?

— Tous au bar! cria Luc; il posa lourdement sa main sur l'épaule d'Henri : « C'était bien?

— Tu es drôlement bronzé!

— Vise-moi ces godasses.

— Tu nous ramènes un reportage?

— Tu as vu la chemise! »

Ils palpaient le complet, la cravate, ils s'exclamaient, ils posaient question sur question pendant que le barman remplissait les verres. Lui aussi il interrogeait; le tirage avait un peu baissé, mais on allait de nouveau paraître sur grand format, et ça rétablirait les choses; il y avait eu une histoire avec la censure, rien de grave; tout le monde disait du bien de son livre, c'était fou le courrier qu'il avait reçu, il trouverait sur son bureau toute la collection de *L'Espoir,* on pourrait peut-être obtenir en douce un supplément de papier par Preston, l'Amerlaud, ça permettrait de faire paraître un magazine le dimanche, il y avait beaucoup d'autres choses à discuter. Il se sentait un peu hébété par trois nuits de mauvais sommeil, par ce bruit, ces voix, ces rires, ces problèmes; hébété et heureux. Quelle idée d'aller chercher au Portugal un passé mort et enterré quand le présent était si joyeusement vivace.

— Je suis drôlement content d'être revenu! dit-il avec élan.

— On n'est pas mécontent de te revoir, dit Luc. Il ajouta : « On commençait même à avoir besoin de toi; tu vas avoir du boulot, je te préviens.

— Je l'espère bien. »

Les machines à écrire cliquetaient; ils se dispersèrent dans les couloirs avec des glissades et des rires : comme ils semblaient jeunes au sortir d'un pays où tout le monde était sans âge! Henri poussa la porte de

166

son bureau et il s'assit dans son fauteuil avec une satisfaction de vieux rond-de-cuir. Il étala devant lui les derniers numéros de *L'Espoir* : les signatures habituelles, une bonne mise en pages, on ne perdait pas un pouce de papier. Il sauta un mois en arrière et se mit à parcourir les numéros l'un après l'autre; on s'était très bien passé de lui, et c'était ça qui prouvait sa réussite : *L'Espoir* n'était pas seulement une aventure de guerre, c'était une entreprise bien solide; excellents les papiers de Vincent sur la Hollande et davantage encore ceux de Lambert sur les camps; décidément, ils avaient su trouver le ton : pas de niaiseries, pas de mensonges, pas de boniments; *L'Espoir* touchait les intellectuels par sa probité et il accrochait le gros public parce qu'il était tellement vivant. Un seul point faible : les papiers de Sézenac étaient minables.

— Je peux entrer?

Lambert souriait timidement dans l'embrasure de la porte.

— Bien sûr! où te caches-tu? tu aurais bien pu venir à la gare, sale lâcheur.

— J'ai pensé qu'il n'y aurait pas place pour quatre, dit Lambert d'un air gêné; et leur petite fête... ajouta-t-il avec une moue; il s'interrompit : « Seulement, maintenant, je te dérange?

— Pas du tout; assieds-toi donc.

— C'était bien ce voyage? » Lambert haussa les épaules :« On a dû te le demander vingt fois.

— C'était bien et mal; un beau décor, et sept millions de meurt-la-faim.

— Ils ont de beaux tissus », dit Lambert en examinant Henri avec approbation; il sourit : « C'est la mode, là-bas, les souliers rouges?

— Orange ou citron; mais c'est du beau cuir. Pour les riches, il y a de tout, c'est ça le plus moche; je te raconterai, mais donne-moi d'abord des nouvelles d'ici. Je viens de lire tes articles : ils sont bien, tu sais.

— On aurait dit une composition de français, dit Lambert d'une voix ironique : décrivez vos impressions pendant la visite d'un camp de déportés ; je crois qu'on a été plus de vingt à traiter le sujet. » Son visage s'éclaira : « Tu sais ce qui est fameusement bien : ton bouquin ; j'étais vanné, j'avais roulé une nuit et un jour sans fermer l'œil quand je l'ai commencé : et je l'ai lu d'un trait, je n'ai pas pu dormir avant de l'avoir fini.

— Tu me fais plaisir ! » dit Henri.

C'est embarrassant les compliments ; pourtant Lambert lui avait fait vraiment plaisir ; c'est tout juste comme ça qu'il avait rêvé d'être lu : tout au long d'une nuit, par un jeune impatient. Rien que pour ça ça valait la peine d'écrire : surtout pour ça.

— J'ai pensé que ça t'amuserait de voir les critiques, dit Lambert. Il jeta sur la table une grosse enveloppe jaune : « J'y ai été de mon petit couplet, moi aussi.

— Bien sûr que ça m'amuse, merci », dit Henri.

Lambert le regarda d'un air un peu anxieux : « Tu as écrit là-bas ?

— Un reportage.

— Mais maintenant tu vas nous donner un autre roman ?

— Je m'y remettrai dès que j'aurai le temps.

— Trouve le temps, dit Lambert. J'ai pensé pendant ton absence... »

Il rougit : « Il faut que tu te défendes.

— Contre qui ? » dit Henri en souriant.

De nouveau Lambert hésita : « Il paraît que Dubreuilh t'attend avec impatience. Ne te laisse pas embarquer dans son machin...

— J'y suis déjà plus ou moins embarqué, dit Henri.

— Eh bien, dépêche-toi de t'en sortir. »

168

Henri sourit : « Non. Ça n'est plus possible aujour-d'hui de rester apolitique. »

Le visage de Lambert se rembrunit : « Ah ! alors tu me blâmes ?

— Pas du tout. Je veux dire que pour moi ce n'est plus possible. Nous n'avons pas le même âge.

— Qu'est-ce que l'âge y fait ? demanda Lambert.

— Tu verras. On comprend des choses, on change. » Il sourit : « Je te promets que je trouverai du temps pour écrire.

— Il faut, dit Lambert.

— Mais dis donc, toi qui prêches si bien, où sont-elles ces nouvelles que tu m'avais annoncées ?

— Elles ne valent rien, dit Lambert.

— Apporte-les-moi et puis on ira dîner ensemble un de ces soirs et je t'en parlerai.

— D'accord », dit Lambert. Il se leva. « Je suppose que tu ne veux pas la recevoir, mais il y a la petite Marie-Ange Bizet qui veut absolument t'interviewer ; elle attend depuis deux heures ; qu'est-ce que je lui dis ?

— Que je ne donne jamais d'interview et que j'ai du travail par-dessus la tête. »

Lambert referma la porte derrière lui et Henri vida sur la table l'enveloppe jaune. Sur une chemise gon-flée, la secrétaire avait inscrit : *Courrier roman*. Il hésita une seconde. Il avait écrit ce roman pendant la guerre sans penser au sort qui l'attendait, il n'était même pas sûr qu'aucun sort l'attendît : et mainte-nant le livre était publié, les gens l'avaient lu ; voilà qu'Henri était jugé, discuté, classé comme si souvent il jugeait et discutait les autres. Il éparpilla les coupures et se mit à les parcourir. Paule disait : « Un triomphe » et il avait pensé qu'elle exagérait ; mais le fait est que les critiques employaient eux aussi de grands mots. Lambert était évidemment partial, Lachaume aussi, et tous ces jeunes critiques qui venaient de naître avaient une bienveillance décidée pour les écrivains résistants ; mais les lettres chaleureuses envoyées par des amis et par des inconnus confirmaient le verdict de la presse. Vraiment, même sans se monter la tête, il y avait de quoi être content : ces pages écrites avec émotion avaient ému. Henri s'étira gaiement. C'était quelque chose d'un peu miraculeux qui venait de se produire. Deux ans plus tôt, des rideaux épais voilaient les vitres badigeonnées de bleu, il était coupé de la ville noire et de toute la terre, son stylo hésitait au-dessus du papier : aujourd'hui, ces rumeurs incertaines dans sa gorge étaient devenues dans le monde une voix vivante ; les secrets mouvements de son cœur s'étaient changés en vérité pour d'autres cœurs. « J'aurais dû expliquer à Nadine, se dit-il. Si les autres ne comptent pas, ça n'a pas de sens d'écrire. Mais s'ils comptent, c'est énorme de susciter par des mots leur amitié, leur confiance ; c'est énorme d'entendre résonner en eux ses pensées à soi. » Il leva les yeux : la porte s'ouvrait.

— J'ai attendu deux heures, dit une voix plaintive ; tu peux bien m'accorder un quart d'heure. Marie-Ange se planta devant son bureau : « C'est pour *Lendemain*, un grand machin en première page, avec photo.

— Écoute, je ne donne jamais d'interview.

— Justement ; comme ça le mien vaudra de l'or. »

Henri secoua la tête et elle reprit avec indignation : « Tu ne vas pas ruiner ma carrière pour une question de principe ? »

Il sourit ; pour elle, ça signifiait tant un quart d'heure d'entretien et lui, ça lui coûtait si peu ! A vrai dire il était même en humeur de parler de lui. Parmi les gens qui aimaient son livre, il y en avait sûrement qui souhaitaient mieux connaître l'auteur ; il avait envie de les renseigner. Pour que leur sympathie s'adressât vraiment à lui.

— Ça va, dit-il. Qu'est-ce que tu veux que je te dise ?

— Eh bien, d'abord, d'où sors-tu ?

— Mon père était pharmacien à Tulle.

— Après ? dit-elle.

Henri hésita ; ce n'était pas commode de se mettre de but en blanc à parler de soi.

— Vas-y, dit Marie-Ange. Raconte-moi un ou deux souvenirs d'enfance.

Des souvenirs, il en avait, comme tout le monde, mais ils ne lui semblaient guère importants : sauf ce dîner, dans la salle à manger Henri II, pendant lequel il s'était délivré de la peur.

— Bon, en voilà un, dit-il. Ce n'est presque rien, mais pour moi ça a été le commencement de beaucoup de choses.

Marie-Ange le regarda d'un air encourageant, le crayon en suspens au-dessus de son bloc-notes, et il reprit :

— Le grand sujet de conversation entre mes parents, c'était les catastrophes qui menaçaient le monde : le péril rouge, le péril jaune, la barbarie, la décadence, la révolution, le bolchevisme ; je voyais ça comme d'horribles monstres qui allaient bouffer toute l'humanité. Ce soir-là, mon père prophétisait comme d'habitude : la révolution était imminente, la civilisation sombrait, et ma mère opinait d'un air terrorisé. Brusquement j'ai pensé : « Mais de toute façon ceux qui gagneront, ça sera des hommes. » Peut-être ce n'est pas exactement ces mots-là que je me suis dit, mais c'était le sens. Henri sourit : « L'effet a été miraculeux. Plus de monstres : on était sur terre, entre créatures humaines, entre soi.

— Et alors ? dit Marie-Ange.

171

— Alors, depuis ce jour j'ai fait la chasse aux monstres », dit-il.

Marie-Ange regarda Henri d'un air perplexe :

— Mais ton histoire, comment finit-elle ?

— Quelle histoire ?

— Celle que tu viens de commencer, dit-elle avec impatience.

— Il n'y a pas d'autre fin. Elle est finie, dit Henri.

— Ah ! dit Marie-Ange ; elle ajouta plaintivement : « J'aurais voulu quelque chose de pittoresque ! »

— Oh ! mon enfance n'a rien eu de pittoresque, dit Henri. La pharmacie m'assommait et ça me vexait de vivre en province. Heureusement j'avais un oncle à Paris qui m'a fait entrer à *Vendredi*. »

Il s'arrêta ; sur ses premières années à Paris, il voyait un tas de choses à dire, mais il ne savait pas lesquelles choisir.

— *Vendredi*, c'était un journal de gauche, dit Marie-Ange. Tu avais déjà des idées de gauche ?

— J'avais surtout horreur de toutes les idées de droite.

— Pourquoi ça ?

Henri réfléchit : « J'étais ambitieux quand j'avais vingt ans ; c'est justement pour ça que j'étais démocrate. Je voulais être le premier : mais le premier parmi des égaux. Si la course était truquée au départ, l'enjeu perdait toute valeur. »

Marie-Ange griffonna sur son carnet ; elle n'avait pas l'air intelligent. Henri chercha des mots faciles. « Entre un chimpanzé et le dernier des hommes, il y a tellement plus de différence qu'entre celui-ci et Einstein ! Une conscience qui témoigne de soi, c'est un absolu. » Il allait ouvrir la bouche mais Marie-Ange le devança :

— Parle-moi de tes débuts.

172

— Quels débuts ?

— Tes débuts dans la littérature.

— J'ai toujours plus ou moins écrivaillé.

— Tu avais quel âge quand *La Mésaventure* a paru ?

— Vingt-cinq ans.

— C'est Dubreuilh qui t'a lancé ?

— Il m'a beaucoup aidé.

— Comment as-tu fait sa connaissance ?

— On m'a envoyé l'interviewer : c'est lui qui m'a fait parler ; il m'a dit de revenir le voir et je suis revenu...

— Donne des détails, dit Marie-Ange d'une voix plaintive. Tu racontes très mal. Elle le regarda dans les yeux :

— De quoi parlez-vous quand vous êtes ensemble ?

Il haussa les épaules : « De tout et de rien, comme tout le monde.

— Il t'a encouragé à écrire ?

— Oui. Et quand j'ai eu fini *La Mésaventure*, il l'a fait lire à Mauvanes qui l'a pris tout de suite...

— Tu as eu un gros succès ?

— Un bon succès d'estime. Tu sais, c'est drôle...

— Oui, raconte-moi quelque chose de drôle ! » dit-elle d'un air alléché.

Henri hésita :

— C'est drôle comme on commence par faire de grands rêves de gloire : et puis au premier petit succès, on est tout content...

Marie-Ange soupira :

— Les titres de tes autres bouquins et les dates, je les ai. Tu as été mobilisé ?

— Dans l'infanterie, comme deuxième classe. Je n'ai jamais voulu être officier. Blessé le 9 mai au Mont Dieu, près de Vouziers, évacué à Montélimar ; revenu à Paris en septembre.

— Qu'est-ce que tu as fait au juste dans la Résistance ?

— Luc et moi nous avons fondé *L'Espoir* en 1941.

— Mais tu as eu d'autres activités ?

— C'est sans intérêt ; laisse tomber.

— Soit. Ton dernier livre, quand l'as-tu écrit exactement ?

— Entre 41 et 43.

— As-tu commencé autre chose ?

— Non ; mais je vais le faire.

— Quoi ? un roman ?

— Un roman ; mais c'est encore très vague.

— J'ai entendu parler d'une revue ?

— Oui ; je m'occuperai avec Dubreuilh d'une revue mensuelle qui paraîtra chez Mauvanes et qui s'appellera *Vigilance*.

— Qu'est-ce que c'est ce parti politique que Dubreuilh est en train de créer ?

— Ça serait trop long à l'expliquer.

— Mais encore ?

— Va le lui demander.

— On ne peut pas l'approcher. Marie-Ange soupira : « Vous êtes drôles. Moi si j'étais célèbre, je me ferais interviewer tout le temps.

— Alors, tu n'aurais le temps de rien faire et tu ne serais pas célèbre du tout. Maintenant tu vas être bien gentille et me laisser travailler.

— Mais j'ai encore des tas de questions : quelles impressions rapportes-tu du Portugal ? »

Henri haussa les épaules : « C'est dégueulasse.

— Pourquoi ?

— Pour tout.

— Explique-toi un peu ; je ne peux pas dire simplement à mes lecteurs : C'est dégueulasse.

— Eh bien, dis-leur que le paternalisme de Salazar

174

est une ignoble dictature et que les Américains devraient se dépêcher de le vider, dit Henri d'une voix rapide. Malheureusement ce n'est pas pour demain : il va leur vendre des bases aériennes aux Açores. »

Marie-Ange fronça les sourcils et Henri ajouta : « Si ça te gêne, n'en parle pas ; je vais casser le morceau dans *L'Espoir.*

— Si, j'en parlerai ! » dit Marie-Ange. Elle regarda Henri d'un air profond : « Quelles raisons intérieures t'ont poussé à faire ce voyage ?

— Écoute, tu n'es pas obligée pour réussir dans le métier de poser des questions idiotes. Et je te répète que ça suffit : va-t'en bien gentiment.

— J'aurais voulu des anecdotes.

— Je n'en ai pas. »

Marie-Ange s'éloigna à petits pas, Henri se sentit un peu déçu : elle n'avait pas posé les questions qu'il aurait fallu, il n'avait rien dit de ce qu'il avait à dire. Après tout, qu'avait-il à dire au juste ? « Je voudrais que mes lecteurs sachent qui je suis, mais je ne suis pas bien fixé moi-même. » Enfin, d'ici quelques jours, il allait se remettre à son livre et il essaierait de se définir avec méthode.

Il recommença de dépouiller son courrier ; que de dépêches et de coupures de presse à examiner, de lettres à écrire, de gens à rencontrer ! Luc l'avait prévenu : il avait du travail. Il passa les jours suivants calfeutré dans son bureau ; il ne rentrait chez Paule que pour dormir, et c'est tout juste s'il trouvait le temps de rédiger son reportage que les protes venaient lui arracher feuillet par feuillet. Après ses trop longues vacances, ça lui plaisait cette débauche d'activité. Il reconnut sans enthousiasme la voix de Scriassine au téléphone.

— Dis donc, espèce de lâcheur, voilà quatre jours

175

que tu es rentré et on ne t'a pas encore vu. Viens tout de suite à l'Isba, rue Balzac.

— Je regrette, j'ai du travail.

— Ne regrette rien, viens : on t'attend pour boire le champagne de l'amitié.

— Qui m'attend ? dit Henri gaiement.

— Moi, entre autres, dit la voix de Dubreuilh ; et Anne, et Julien. J'ai cinquante choses à vous dire. Qu'est-ce que vous foutez donc ? Vous ne pouvez pas sortir de votre trou une heure ou deux ?

— Je comptais passer chez vous demain, dit Henri.

— Passez donc à l'Isba tout de suite.

— Ça va, je m'amène.

Henri raccrocha et sourit ; il avait bien envie de revoir Dubreuilh. Il décrocha le récepteur et appela Paule :

— C'est moi. Les Dubreuilh et Scriassine nous attendent à l'Isba. L'Isba, oui ; je ne sais pas plus que toi ; je passe te prendre avec la bagnole.

Une demi-heure plus tard, il descendait avec Paule un escalier flanqué de cosaques chamarrés ; elle portait une longue robe, toute neuve et, réflexion faite, le vert ne lui allait pas bien.

— Quel drôle d'endroit, murmura-t-elle.

— Avec Scriassine, il faut s'attendre à tout.

Dehors, la nuit était si déserte, si muette que le luxe de l'Isba semblait inquiétant : on aurait dit l'antichambre perverse d'une salle de tortures. Les murs capitonnés étaient badigeonnés de sang, du sang dégoulinait dans les plis des tentures et les chemises des musiciens tziganes étaient satinées de rouge.

— Ah ! vous voilà ! vous leur avez échappé ? dit Anne.

— Ils ont l'air sain et sauf, dit Julien.

176

— Nous venons d'être attaqués par des journalistes, dit Dubreuilh.

— Des journalistes armés d'appareils photographiques, dit Anne.

— Dubreuilh a été formidable, dit Julien d'une voix enthousiaste et bégayante Il a dit... Je ne sais plus ce qu'il a dit, mais c'était salement bien envoyé. Un peu plus, il leur rentrait dedans...

Ils parlaient tous à la fois, sauf Scriassine qui souriait d'un air un peu supérieur.

— J'ai vraiment cru que Robert allait cogner, dit Anne.

— Il a dit : Nous ne sommes pas des singes savants, dit Julien d'un air illuminé.

— J'ai toujours considéré mon visage comme ma propriété personnelle, dit Dubreuilh avec dignité.

— Ce qu'il y a, dit Anne, c'est que pour des gens comme vous, la nudité commence au visage ; montrer votre nez et vos yeux, c'est déjà de l'exhibitionnisme.

— On ne photographie pas les exhibitionnistes, dit Dubreuilh.

— C'est un tort, dit Julien.

— Bois, dit Henri en tendant à Paule un verre de vodka. Bois, nous avons beaucoup de retard. Il vida son verre et demanda : « Mais comment a-t-on su que vous étiez ici ?

— C'est vrai, dirent-ils en se regardant avec surprise. Comment ?

— Je suppose que le maître d'hôtel a téléphoné, dit Scriassine.

— Mais il ne nous connaît pas, dit Anne.

— Il me connaît », dit Scriassine. Il mordilla sa lèvre inférieure avec un air confus de femme prise en faute. « Je voulais qu'il vous traite selon vos mérites : alors je lui ai dit qui vous étiez.

177

— Eh bien, tu m'as l'air d'avoir réussi un joli coup »,
dit Henri. La puérile vanité de Scriassine l'étonnait
toujours.

Dubreuilh éclata de rire : « Il nous a dénoncés, lui-
même ! On n'inventerait pas ça ! » Il se tourna vivement vers Henri : « Alors ce voyage ? En fait de
vacances, on dirait que vous avez passé votre temps en
conférences et en enquêtes.

— Oh ! je me suis tout de même promené, dit Henri.

— Votre reportage donnerait plutôt envie d'aller se
promener ailleurs : triste pays !

— C'était triste, mais c'était beau, dit Henri gaiement. C'est surtout triste pour les Portugais.

— Je ne sais pas si vous l'avez fait exprès, dit
Dubreuilh : mais quand vous dites que la mer était
bleue, le bleu devient une couleur sinistre.

— Ça l'était quelquefois, pas toujours. » Henri sourit : « Vous savez comme c'est quand on écrit.

— Oui, dit Julien. Il faut mentir pour ne pas être
vrai.

— En tout cas, je suis content d'être rentré, dit
Henri.

— Mais vous n'êtes pas pressé de revoir vos amis ?

— Si, j'étais très pressé, dit Henri. Tous les matins je
me disais que j'allais faire un saut chez vous, et puis
brusquement il était plus de minuit.

— Oui, dit Dubreuilh d'un ton grondeur. Eh bien,
débrouillez-vous demain pour mieux surveiller votre
montre ; il faut que je vous mette au courant d'un tas
de choses. » Il sourit : « Je crois que nous sommes en
train de prendre un bon départ.

— Vous commencez à recruter ? Samazelle s'est
décidé ? demanda Henri.

— Il n'est pas d'accord sur tout ; mais on arrivera à
un compromis, dit Dubreuilh.

178

— Pas de conversations sérieuses cette nuit ! » dit Scriassine ; il fit signe à un maître d'hôtel qui portait un monocle arrogant : « Deux Mumm brut.

— Est-ce absolument nécessaire ? dit Henri.

— Lui, ce sont les ordres. » Scriassine suivait des yeux le maître d'hôtel : « Il a drôlement décollé depuis 39 ; c'est un ancien colonel.

— Tu es un habitué de ce bouge ? dit Henri

— Chaque fois que j'ai envie de me briser le cœur, je viens écouter cette musique.

— Il y a tant de moyens moins coûteux ! dit Julien. D'ailleurs, tous les cœurs sont en morceaux depuis longtemps, conclut-il d'un air vague.

— Mon cœur ne se brise qu'au jazz, dit Henri ; tes tziganes, c'est plutôt les pieds qu'ils me cassent

— Oh ! dit Anne.

— Le jazz ! dit Scriassine, j'ai écrit des pages définitives sur le jazz dans *Les Fils d'Abel*.

— Croyez-vous qu'on écrive jamais rien de définitif ? dit Paule d'une voix hautaine.

— Je ne discute pas, vous lirez, dit Scriassine. L'édition française va sortir incessamment. » Il haussa les épaules. « Cinq mille exemplaires, c'est dérisoire ! Pour les livres de valeur, il devrait y avoir des mesures d'exception. A combien as-tu tiré ?

— Eh bien, à cinq mille, dit Henri.

— Absurde. Parce qu'enfin tu as écrit le livre de l'occupation. Un pareil bouquin devrait tirer à cent mille.

— Va t'expliquer avec le ministre de l'Information », dit Henri. L'enthousiasme impérieux de Scriassine l'avait agacé ; entre amis on évite de parler de ses livres ; ça embarrasse tout le monde et ça n'amuse personne.

— Nous allons sortir une revue le mois prochain, dit

179

Dubreuilh. Eh bien, pour obtenir du papier, je vous jure que ç'a été une affaire !

— C'est que le ministre ne sait pas son métier, dit Scriassine. Je lui en trouverais, moi, du papier.

Quand il s'attaquait de sa voix didactique à un problème technique, Scriassine était intarissable. Tandis qu'il inondait complaisamment la France de papier, Anne dit à voix basse : « Vous savez, je crois que depuis vingt ans aucun livre ne m'avait touchée autant que votre roman ; c'est un livre... juste ce qu'on avait envie de lire après ces quatre ans. Il m'a tant émue que plusieurs fois j'ai dû le fermer et partir me promener à travers les rues pour me calmer. » Elle rougit brusquement : « On se sent bête quand on dit ces choses-là, mais c'est bête aussi de ne pas les dire ; ça ne peut pas faire de peine.

— Ça fait même plaisir, dit Henri.

— Vous avez touché beaucoup de gens, dit Anne ; tous ceux qui n'ont pas envie d'oublier », ajouta-t-elle avec une espèce de passion. Il lui sourit avec sympathie ; elle portait ce soir une robe écossaise qui la rajeunissait, elle était bien maquillée ; en un sens, elle avait l'air beaucoup plus jeune que Nadine. Nadine ne rougissait jamais.

Scriassine installa sa voix :

— Cette revue peut être un instrument de culture et d'action tout à fait considérable, mais à condition qu'elle n'exprime pas seulement les tendances d'une petite chapelle. J'estime qu'un homme comme Louis Volange doit faire partie de votre équipe.

— Pas question, dit Dubreuilh.

— Une défaillance d'intellectuel, ça n'est pas si grave, dit Scriassine. Quel est l'intellectuel qui ne s'est jamais trompé ? Il ajouta d'une voix sombre : « Est-ce qu'il faut supporter toute sa vie le poids de ses fautes ?

— Être membre du parti en U.R.S.S. en 1930, ça n'était pas une faute, dit Dubreuilh.

— Si on n'a pas le droit de se tromper, c'était un crime.

— Ça n'est pas une affaire de droit, dit Dubreuilh.

— Comment osez-vous vous ériger en juges ? dit Scriassine, sans l'écouter. Connaissez-vous les raisons de Volange, ses excuses ? êtes-vous sûrs que tous les gens que vous acceptez dans votre équipe valent mieux que lui ?

— Nous ne jugeons pas, dit Henri. Nous prenons parti, c'est très différent. »

Volange avait été assez adroit pour ne pas se compromettre sérieusement ; mais Henri s'était bien juré de ne plus jamais lui serrer la main ; d'ailleurs il n'avait pas été surpris quand il avait lu les articles que Louis écrivait en zone libre : depuis qu'ils avaient quitté le lycée, leur amitié s'était changée en une inimitié presque avouée.

Scriassine haussa les épaules d'un air désabusé et il fit signe au maître d'hôtel : « Une autre bouteille ! » De nouveau il examinait à la dérobée le vieil émigré : « Ça ne vous frappe pas, cette tête ? les poches sous les yeux, le pli de la bouche, tous les symptômes de la déchéance ; avant la guerre il y avait encore de la morgue sur ce visage ; mais ça les ronge la veulerie, la crapulerie de leur caste ; et leur trahison. »

Il fixait sur l'homme un regard fasciné et Henri pensa : « C'est son ilote. » Lui aussi il s'était enfui de son pays et chez lui on l'appelait un traître ; c'était sans doute ce qui expliquait sa vanité : il n'avait d'autre patrie ni d'autre témoin que lui-même ; alors il lui fallait s'assurer que quelque part au monde son nom signifiait quelque chose.

— Anne ! s'exclama Paule ; quelle horreur !

181

Anne vidait son verre de vodka dans sa coupe de champagne :

— Ça anime le champagne, expliqua-t-elle. Essaie donc, c'est très bon.

Paule secoua la tête.

— Pourquoi ne bois-tu rien ? dit Anne. C'est plus gai quand on boit.

— Boire, ça me saoule, dit Paule.

Julien se mit à rire. « Vous me faites penser à cette jeune fille — une jeune fille charmante que j'avais rencontrée devant la porte d'un petit hôtel, rue Montparnasse — qui me disait : « Oh ! moi, vivre, ça me tue... »

— Elle ne l'a pas dit, dit Anne.

— Elle aurait pu le dire.

— D'ailleurs, elle avait raison, dit Anne d'une voix sentencieuse d'ivrogne. Vivre, c'est mourir un peu...

— Taisez-vous, bon Dieu ! dit Scriassine. Si vous n'écoutez pas, au moins laissez-moi écouter ! »

L'orchestre venait d'attaquer avec emportement *Les Yeux noirs*.

— Laissons-le se briser le cœur, dit Anne.

— Sur les brisées d'un cœur brisé... murmura Julien.

— Mais taisez-vous !

Ils se turent. Scriassine les yeux fixés sur les doigts dansants des violonistes écoutait d'un air éperdu quelque ancien souvenir. Il croyait viril d'imposer ses caprices ; mais on lui cédait comme à une femme nerveuse, cette docilité aurait dû lui être suspecte : elle le lui était peut-être... Henri sourit en regardant Dubreuilh qui tambourinait sur la table ; sa courtoisie paraissait infinie si on ne la mettait pas trop longtemps à l'épreuve : on s'apercevait vite qu'elle avait des limites. Henri avait bien envie de causer tranquillement avec lui, mais il était sans impatience ; il n'aimait ni le champagne, ni la musique tzigane, ni ce faux luxe : n'empêche que c'était une fête d'être assis à deux heures du matin dans un endroit public. « Nous sommes de nouveau chez nous », se dit-il. Anne, Paule, Julien, Scriassine, Dubreuilh : « mes amis » ; le mot crépita dans son cœur avec la gaieté d'un épi de Noël.

Pendant que Scriassine applaudissait avec furie, Julien entraîna Paule sur la piste ; Dubreuilh se tourna vers Henri :

— Tous ces types que vous avez vus là-bas, ils espèrent une révolution ?

— Ils espèrent ; malheureusement Salazar ne tombera pas avant que Franco ne soit vidé et les Américains n'ont pas l'air pressé.

Scriassine haussa les épaules :

— Je comprends qu'ils n'aient pas envie de créer des bases communistes sur la Méditerranée.

— Par peur du communisme, tu irais jusqu'à endosser Franco ? dit Henri d'une voix incrédule.

— Je crains que vous ne compreniez pas bien la situation, dit Scriassine.

— Rassurez-vous, dit Dubreuilh gaiement, nous la comprenons très bien.

Scriassine ouvrit la bouche mais Dubreuilh l'arrêta en riant : « Oui, vous voyez loin : mais vous n'êtes tout de même pas Nostradamus ; sur ce qui se passera dans cinquante ans, vous n'avez pas plus de lumières que nous. Ce qui est sûr, c'est que pour l'instant, le danger stalinien est une invention américaine. »

Scriassine regarda Dubreuilh d'un air soupçonneux : « Vous parlez exactement comme un communiste.

— Ah pardon ! un communiste ne dirait pas tout

183

haut ce que je viens de dire, dit Dubreuilh. Quand on attaque l'Amérique, ils vous accusent de faire le jeu de la cinquième colonne.

— La consigne changera bientôt, dit Scriassine. Vous les précédez de quelques semaines, c'est tout. » Il fronça les sourcils : « On me demande souvent sur quels points vous vous séparez des communistes ; et j'avoue que je suis en peine pour répondre. »

Dubreuilh se mit à rire : « Ne répondez pas.

— Dis donc ! dit Henri. Je croyais que c'était défendu les conversations sérieuses. »

D'un haussement d'épaules agacé, Scriassine signifia que la frivolité n'était plus de mise : « C'est une dérobade ? demanda-t-il en fixant sur Dubreuilh un regard accusateur.

— Mais non, je ne suis pas communiste, vous le savez bien, dit Dubreuilh.

— Je le sais mal. » Le visage de Scriassine changea ; il sourit de son air le plus charmeur : « Vraiment, j'aimerais connaître votre point de vue.

— Je trouve qu'en ce moment les communistes se foutent dedans, dit Dubreuilh. Je sais bien pourquoi ils soutiennent Yalta, ils veulent laisser à l'U.R.S.S. le temps de se relever : mais le résultat, c'est que le monde va se retrouver divisé en deux camps qui auront toutes les raisons de se taper dessus.

— C'est tout ce que vous leur reprochez ? Une erreur de calcul ? demanda Scriassine avec sévérité.

— Je leur reproche de ne pas y voir plus loin que le bout de leur nez. » Dubreuilh haussa les épaules : « La reconstruction, c'est très joli : mais pas par n'importe quel moyen. Ils acceptent l'aide américaine ; un de ces jours, ils s'en mordront les doigts : de fil en aiguille la France va tomber sous la coupe de l'Amérique. »

Scriassine vida sa coupe de champagne et la reposa

bruyamment sur la table : « Voilà une prédiction bien optimiste ! » Il enchaîna d'une voix sérieuse : « Je n'aime pas l'Amérique ; je ne crois pas à la civilisation atlantique ; mais je souhaite l'hégémonie américaine parce que la question qui se pose aujourd'hui, c'est celle de l'abondance : et seule l'Amérique peut nous la donner.

— L'abondance ? pour qui ? à quel prix ? » dit Dubreuilh. Il ajouta d'une voix indignée : « Ça sera joli le jour où nous serons colonisés par l'Amérique !

— Vous préférez que l'U.R.S.S nous annexe ? » dit Scriassine. Il arrêta Dubreuilh d'un geste : « Je sais : vous rêvez d'une Europe unie, autonome, socialiste. Mais si elle refuse la protection des U.S.A., elle tombera fatalement dans les mains de Staline. »

Dubreuilh haussa les épaules : « L'U.R.S.S ne veut rien annexer du tout.

— De toute façon, cette Europe ne se fera pas, dit Scriassine.

— C'est vous qui le dites ! » dit Dubreuilh. Il reprit vivement : « En tout cas, ici, en France, nous avons un but bien précis : c'est de réaliser un vrai gouvernement de front populaire ; pour ça il faut une gauche non communiste qui tienne le coup. » Il se tourna vers Henri : « Il ne faut plus perdre de temps. En ce moment les gens ont l'impression que l'avenir est ouvert : n'attendons pas qu'ils soient découragés. »

Scriassine avala un verre de vodka et s'abîma dans la contemplation du maître d'hôtel ; il renonçait à parler raison à des fous.

— Vous disiez que c'était bien parti ? dit Henri.

— C'est parti ; mais maintenant il faut continuer. Je voudrais que vous rencontriez Samazelle le plus tôt possible. Et samedi il y a réunion du comité, je compte sur vous.

— Laissez-moi souffler, dit Henri. Il regarda Dubreuilh avec un peu d'inquiétude. Ça ne serait pas facile de se défendre contre ce bon sourire exigeant.

— J'ai retardé la discussion pour que vous puissiez y assister, dit Dubreuilh avec un peu de reproche.

— Vous n'auriez pas dû, dit Henri. Je vous assure que vous surestimez ma compétence.

— Et vous votre incompétence! dit Dubreuilh. Il regarda Henri avec sévérité : « Vous avez fait un tour complet de la situation pendant ces quatre jours, elle a salement évolué! Vous avez dû vous rendre compte que la neutralité n'est plus possible.

— Mais je n'ai jamais été neutre! dit Henri. J'ai toujours accepté de marcher avec le S.R.L.

— Parlons-en : votre nom et quelques actes de présence, voilà tout ce que vous m'avez promis.

— N'oubliez pas que j'ai un journal sur les bras, dit Henri vivement.

— Justement ; c'est surtout à votre journal que je pensais : il ne peut plus rester neutre.

— Mais il ne l'est pas! dit Henri avec surprise.

— Qu'est-ce qu'il vous faut! » Dubreuilh haussa les épaules. « Être du côté de la Résistance, ça ne constitue plus un programme.

— Je n'ai pas de programme, dit Henri ; mais chaque fois qu'il y a lieu, *L'Espoir* prend parti.

— Mais non, il ne prend pas parti ; pas plus que les autres journaux d'ailleurs ; vous vous disputez sur des vétilles, mais vous vous entendez tous pour noyer le poisson. » Il y avait de la colère dans la voix de Dubreuilh : « Du *Figaro* à *L'Humanité*, vous êtes tous des mystificateurs ; vous dites oui à de Gaulle, oui à Yalta, à tout ; vous faites semblant de croire qu'il y a encore une Résistance et que nous sommes en marche vers le socialisme : un qui a solidement débloqué dans

186

ses derniers éditoriaux c'est votre ami Luc. Pour de vrai, nous piétinons, on a même commencé à faire marche arrière : et pas un de vous n'ose casser le morceau !

— Je croyais que vous étiez d'accord avec *L'Espoir*, dit Henri. Son cœur s'était mis à battre plus vite ; il se sentait abasourdi ; pendant ces quatre jours il avait coïncidé avec ce journal comme on coïncide avec sa propre vie ; et soudain *L'Espoir* était mis en accusation, et par Dubreuilh !

— D'accord sur quoi ? dit Dubreuilh. *L'Espoir* n'a pas de ligne. Vous déplorez tous les jours qu'on n'ait pas fait les nationalisations. Et après ? ce qui serait intéressant c'est de dire qui les freine, et pourquoi.

— Je ne veux pas me placer sur un terrain de classes, dit Henri. Les réformes se feront quand l'opinion les exigera : j'essaie de monter l'opinion ; pour ça il ne faut pas que j'indispose la moitié de nos lecteurs...

— Vous n'imaginez pas que la lutte des classes est dépassée ? demanda Dubreuilh d'un air soupçonneux.

— Non.

— Alors ne venez pas me parler de l'opinion, dit Dubreuilh. Il y a d'un côté le prolétariat qui veut les réformes, et de l'autre la bourgeoisie qui n'en veut pas. La petite bourgeoisie flotte parce qu'elle ne sait plus bien où est son intérêt ; mais n'espérez pas l'influencer : c'est la situation qui décidera.

Henri hésita. La lutte des classes n'était pas dépassée : ça condamnait-il tout appel à la bonne volonté des gens, à leur bon sens ?

— Ses intérêts sont complexes, dit-il. Je ne suis pas du tout sûr qu'on ne puisse pas agir sur elle.

Dubreuilh fit un geste, mais Henri l'arrêta : « Autre chose, dit-il vivement. Les ouvriers qui lisent *L'Espoir*, c'est parce que ça les change de *L'Huma*, ça les aère ; si je me place sur le même terrain que les journaux communistes, ou bien je répéterai les mêmes choses qu'eux, ou bien je prendrai parti contre eux : et les ouvriers me laisseront tomber. » Il ajouta d'une voix conciliante : « Je touche beaucoup plus de gens que vous n'en rassemblez. Je suis obligé d'avoir une plate-forme beaucoup plus large.

— Oui, vous touchez beaucoup de gens, dit Dubreuilh. Mais vous venez de dire vous-même pourquoi ! Si votre journal plaît à tout le monde, c'est qu'il ne gêne personne. Il n'attaque rien, il ne défend rien, il élude tous les vrais problèmes. On le lit avec agrément : mais comme on lit une gazette locale. »

Il y eut un silence. Paule était revenue s'asseoir à côté d'Anne : elle semblait outragée et Anne très gênée ; Julien avait disparu ; Scriassine s'était arraché à sa méditation, il regardait tour à tour Henri et Dubreuilh avec l'air de juger les coups ; mais il n'y avait pas de partie. Henri était désarçonné par la violence de cette attaque.

— Où voulez-vous en venir ? dit-il.

— Mettez donc carrément les pieds dans le plat, dit Dubreuilh, et situez-vous par rapport au P.C.

Henri dévisagea Dubreuilh avec soupçon ; il lui arrivait souvent de se mêler avec feu des affaires des autres, mais souvent aussi on s'apercevait qu'il en avait fait en vérité sa propre affaire : « En somme, c'est le programme du S.R.L. que vous me proposez.

— Oui, dit Dubreuilh.

— Vous ne voulez tout de même pas que *L'Espoir* devienne le journal du mouvement ?

— Ça serait normal, dit Dubreuilh. La faiblesse de *L'Espoir* vient de ce qu'il ne représente rien ; d'autre part, sans journal le mouvement n'a à peu près aucune chance de réussir. Comme nos buts sont les mêmes...

188

— Nos buts, mais pas nos méthodes », dit Henri. Il pensa avec regret : « Voilà donc pourquoi Dubreuilh était si impatient de me voir ! » Toute sa gaieté était tombée. « Est-ce qu'on ne peut pas passer une soirée entre amis sans parler de politique ? » se dit-il. Ça n'avait rien de si urgent, cette conversation ; Dubreuilh aurait pu la différer d'un jour ou deux : il était devenu aussi maniaque que Scriassine.

— Précisément, vous auriez avantage à changer de méthode, dit Dubreuilh.

Henri secoua la tête : « Je vous montrerai des lettres que je reçois ; des lettres d'intellectuels surtout : des instituteurs, des étudiants ; ce qui leur plaît dans *L'Espoir,* c'est sa bonne foi. Si j'affiche un programme, je perds leur confiance.

— Bien sûr. Les intellectuels sont ravis quand on les encourage à n'être ni chair ni poisson, dit Dubreuilh. Leur confiance... Comme disait l'autre : pour quoi faire ?

— Donnez-moi deux ou trois ans, et je vous les amène par la main au S.R.L., dit Henri.

— Vous croyez ça ? eh bien, vous êtes un sacré idéaliste ! dit Dubreuilh.

— Possible, dit Henri avec un peu d'irritation. En 41 aussi je me suis fait traiter d'idéaliste. » Il ajouta d'une voix décidée : « J'ai mes idées sur ce que doit être un journal. »

Dubreuilh eut un geste évasif : « Nous en reparlerons. Mais croyez-moi : d'ici six mois *L'Espoir* s'alignera sur notre politique ; ou ça ne sera plus qu'une feuille de chou.

— Soit, nous en reparlerons dans six mois », dit Henri.

Il se sentait fatigué soudain et désemparé. La proposition de Dubreuilh l'avait pris de court. Il était

189

absolument décidé à ne pas y donner suite. Mais il avait besoin de se retrouver seul pour reprendre ses esprits. « Je dois rentrer », dit-il.

Paule garda le silence pendant tout le trajet, mais dès qu'ils se retrouvèrent chez eux, elle attaqua :

— Tu ne vas pas lui donner ce journal ?

— Bien sûr que non, dit Henri.

— Tu es vraiment sûr ? dit-elle. Dubreuilh le veut et il est têtu.

— Je suis têtu aussi.

— Mais tu finis toujours par lui céder, dit Paule dont la voix explosa brusquement. Pourquoi as-tu accepté d'entrer dans ce S.R.L. ? Comme si tu n'avais pas déjà assez de travail ! Tu es revenu depuis quatre jours, et nous n'avons pas causé cinq minutes, tu n'as pas écrit une ligne de ton roman !

— Je m'y remets demain matin. Ça commence à se tasser au journal.

— Ce n'est pas une raison pour te mettre de nouvelles corvées sur les bras. La voix de Paule se montait : « Dubreuilh t'a rendu un service il y a dix ans ; il ne va pas te le faire payer toute ta vie.

— Mais, Paule, ce n'est pas pour lui rendre service que je vais travailler avec lui : ça m'intéresse. »

Elle haussa les épaules : « Allons donc !

— Puisque je te le dis.

— Tu y crois à ce qu'ils racontent . qu'il va y avoir de nouveau la guerre ? demanda-t-elle avec un peu d'inquiétude.

— Non, dit Henri. Il y a peut-être des agités en Amérique, mais ils n'aiment pas la guerre, là-bas. Ce qui est vrai c'est que le monde va sérieusement changer : en mieux ou en pire. Il faut tâcher que ce soit en mieux.

— Le monde a tout le temps changé. Et avant-

190

guerre tu le laissais changer sans t'en mêler », dit Paule.

Henri monta l'escalier avec décision : « Ce n'est plus l'avant-guerre, dit-il dans un bâillement.

— Mais pourquoi ne vivrait-on pas comme avant la guerre ?

— Les circonstances sont différentes ; et moi aussi. » Il bâilla de nouveau : J'ai sommeil. »

Il avait sommeil ; mais quand il fut couché à côté de Paule, il ne put pas dormir : c'était la faute du champagne, de la vodka, de Dubreuilh. Non, il ne lui céderait pas *L'Espoir* : c'était une de ces évidences qui se passaient de justification ; mais il aurait tout de même aimé se trouver quelques bonnes raisons. Un idéaliste : était-ce vrai ? et d'abord qu'est-ce que ça veut dire ? Évidemment dans une certaine mesure il croyait à la liberté des gens, à leur bonne volonté, au pouvoir des idées. « Vous n'imaginez pas que la lutte des classes est dépassée ? » Non ; il ne l'imaginait pas : mais que devait-il en conclure ? Il s'étendit sur le dos ; il avait envie d'une cigarette, mais il aurait réveillé Paule et elle aurait été trop heureuse de distraire son insomnie ; il ne bougea pas. « Mon Dieu ! se dit-il avec un peu d'angoisse, comme on est ignorant ! » Il lisait beaucoup pourtant, mais des connaissances dignes de ce nom il n'en avait guère qu'en littérature, et encore ! Jusqu'ici ça ne l'avait pas gêné. Pas besoin de compétences spéciales pour faire de la Résistance, ni pour fonder un journal clandestin : il avait cru que ça continuerait comme ça. Il s'était sans doute trompé. Qu'est-ce que l'opinion ? qu'est-ce qu'une idée ? Que peuvent les mots, sur qui, dans quelles circonstances ? Si on dirige un journal, il faudrait pouvoir répondre à ces questions ; et de fil en aiguille, elles mettent tout en jeu. « On est bien forcé de décider dans l'ignorance ! »

se dit Henri ; même Dubreuilh avec toute sa science, il agissait souvent à l'aveuglette ; Henri soupira : il ne pouvait pas se contenter de cette défaite ; il y a des degrés dans l'ignorance : le fait est qu'il était particulièrement mal préparé à la vie politique. « Je n'ai qu'à me mettre à l'ouvrage », se dit-il. Mais s'il voulait approfondir les choses, il en avait pour des années : économie, histoire, philosophie, jamais il n'en aurait fini ! Rien que pour être à peu près au net avec le marxisme, quel travail ! Il ne serait plus question d'écrire. Et il voulait écrire. Alors ? il n'allait tout de même pas laisser tomber *L'Espoir* faute de connaître dans les coins le matérialisme historique. Il ferma les yeux. Il y avait quelque chose d'injuste dans cette affaire ! Il se sentait obligé, comme tout le monde, de s'occuper de politique : mais alors ça n'aurait pas dû exiger un apprentissage spécial ; si c'était un domaine réservé à des techniciens, qu'on ne lui demande pas de s'en mêler.

« Ce qu'il me faut, c'est du temps ! » pensa Henri en se réveillant. « Le seul problème, c'est de trouver du temps. » La porte du studio venait de s'ouvrir et de se refermer. Paule était déjà sortie ; rentrée, elle circulait dans la pièce à pas prudents. Il rejeta ses couvertures. « Si je vivais seul, ça me gagnerait des heures ! » Plus de conversations oiseuses, plus de repas organisés : il regarderait les quotidiens, en buvant un café au petit Biard du coin, il travaillerait jusqu'au moment où il se rendrait au journal : un sandwich lui tiendrait lieu de déjeuner ; le boulot fini, il souperait rapidement et il lirait tard dans la nuit. Comme ça il réussirait à mener de front *L'Espoir*, son roman, des lectures. « Je vais parler à Paule ce matin même », décida-t-il.

— Tu as bien dormi ? dit Paule gaiement.

— Très bien.

Elle disposait des fleurs sur la table en chantonnant ; depuis le retour d'Henri, elle était toujours gaie, avec ostentation : « Je t'ai fait du vrai café ; et il reste du beurre frais. »

Il s'assit et se mit à enduire de beurre un morceau de pain grillé : « Tu as mangé ?

— Je n'ai pas faim.

— Tu n'as jamais faim.

— Oh ! je mange, je t'assure ; je mange très bien. »

Il mordit dans sa tartine ; que faire ? il ne pouvait pas la nourrir à la sonde : « Tu t'es levée bien tôt.

— Oui, je ne pouvais plus dormir. » Elle posa sur la table un gros album doré sur tranche : « J'en ai profité pour classer tes photos du Portugal. » Elle ouvrit l'album et désigna l'escalier de Braga : Nadine assise sur une marche souriait.

— Tu vois que je ne cherche pas à fuir la vérité, dit-elle.

— Mais je le sais bien.

Elle ne fuyait pas la vérité, elle passait au travers, c'était bien plus déconcertant. Elle tourna quelques pages. « Même sur tes photos d'enfant tu avais déjà ce sourire méfiant ; comme tu te ressembles ! » Il l'avait aidée autrefois à rassembler ces souvenirs ; aujourd'hui ça lui semblait vain ; il s'agaçait que Paule s'entêtât encore à l'exhumer, à l'embaumer.

— Te voilà, quand je t'ai connu !

— Je n'ai pas l'air malin, dit-il en repoussant l'album.

— Tu étais jeune ; tu étais exigeant, dit-elle.

Elle se planta devant Henri et dit avec une brusque passion :

— Pourquoi as-tu donné une interview à *Lendemain* ?

— Ah ! le nouveau numéro a paru ?

193

— Oui. Je l'ai rapporté. Elle alla chercher le magazine au fond du studio et le jeta sur la table : « Nous avions décidé que tu n'accepterais jamais d'interview.

— S'il fallait s'en tenir à toutes les décisions qu'on prend...

— Celle-ci était sérieuse. Tu disais que quand on commence à sourire aux journalistes, on est mûr pour l'Académie française.

— J'ai dit beaucoup de choses.

— Ça m'a fait physiquement mal quand j'ai vu ta photo qui s'étalait dans le journal, dit-elle.

— Tu es ravie quand tu y vois mon nom.

— D'abord je ne suis pas ravie. Et c'est très différent. »

Paule n'en était pas à une contradiction près, mais celle-ci agaçait particulièrement Henri : elle le voulait le plus glorieux de tous les hommes, et elle affectait de mépriser la gloire ; c'est qu'elle s'entêtait à se rêver telle qu'il l'avait rêvée, jadis : hautaine, sublime ; et en même temps, bien sûr, elle vivait sur terre, comme tout le monde. « Et ce n'est pas une vie bien drôle, pensa-t-il avec une brusque pitié, c'est naturel qu'elle ait besoin de compensation. »

Il dit d'un ton conciliant :

— J'ai voulu aider cette gosse ; c'est une débutante, elle se débrouille mal.

Paule lui sourit tendrement : « Et puis tu ne sais pas dire non. »

Il n'y avait aucune arrière-pensée dans son sourire ; il sourit aussi :

— Je ne sais pas dire non.

Il étala devant lui l'hebdomadaire. Sur la première page, sa photographie souriait. Entretien avec Henri Perron. Il se moquait bien de ce que Marie-Ange pensait de lui ; pourtant devant ces lignes imprimées il retrouvait un peu de la foi naïve du paysan qui lit la Bible : comme si à travers ces phrases qu'il avait suscitées lui-même il avait pu enfin apprendre qui il était. « Dans l'ombre de la pharmacie de Tulle, la magie des bocaux rouges et bleus... Mais l'enfant sage hait cette vie étriquée, l'odeur des médicaments, les rues mesquines de sa ville natale... Il grandit et l'appel de la grande ville se fait plus pressant... Il s'est juré de s'élever au-dessus des grisailles de la médiocrité ; dans un coin secret de son cœur, il espère même monter un jour plus haut que tous les autres... Une providentielle rencontre avec Robert Dubreuilh... Ébloui, déconcerté, partagé entre l'admiration et le défi, Henri Perron échange ses rêves d'adolescent contre une vraie ambition d'homme ; il travaille avec acharnement... Un tout petit livre et c'est assez pour que soudain la gloire entre dans sa vie : il a vingt-cinq ans. Brun, les yeux exigeants, une bouche sévère, direct, ouvert, et cependant secret... » Il rejeta le journal. Marie-Ange n'était pas idiote, elle le connaissait assez bien, et elle avait fait de lui un sous-Rastignac pour midinettes.

— Tu as raison, dit-il. Il faut refuser de parler aux journalistes. Pour eux une vie, ce n'est qu'une carrière et le travail, rien d'autre qu'un moyen de parvenir. Ce qu'ils appellent réussite c'est le bruit qu'on fait et le fric qu'on gagne. Impossible de les faire sortir de là.

Paule sourit avec indulgence : « Remarque que cette petite a dit des choses gentilles sur ton bouquin ; seulement elle est comme les autres. Ils admirent sans comprendre.

— Ils n'admirent pas tant que ça, tu sais, dit Henri. C'est le premier roman qui paraît depuis la Libération alors ils sont obligés d'en dire du bien. »

A la longue, c'était plutôt gênant, ce concert d'éloges ; il démontrait l'opportunité de son livre mais ne renseignait aucunement sur ses mérites. Henri finissait même par penser qu'il devait son succès à des malentendus. Lambert croyait qu'il avait voulu à travers l'action collective exalter l'individualisme, et Lachaume au contraire qu'il prêchait le sacrifice de l'individu à la collectivité. Tous soulignaient le caractère édifiant du roman. Pourtant c'était presque un hasard si Henri avait situé cette histoire pendant la Résistance ; il avait pensé à un homme, et aussi à une situation ; à un certain rapport entre le passé de son personnage et la crise qu'il traversait ; et à beaucoup d'autres choses dont aucun critique ne parlait. Était-ce sa faute ou celle des lecteurs ? Le public avait aimé un livre tout à fait différent de celui qu'Henri avait cru lui soumettre.

— Qu'est-ce que tu vas faire aujourd'hui ? demanda-t-il d'une voix affectueuse.

— Rien de spécial.

— Mais encore ?

Elle réfléchit : « Eh bien, je vais téléphoner à ma couturière pour regarder avec elle ces belles étoffes que tu m'as rapportées.

— Et après ?

— Oh ! J'ai toujours des choses à faire, dit-elle gaiement.

— C'est-à-dire que tu ne fais rien », dit Henri. Il regarda Paule avec sévérité : « J'ai beaucoup pensé à toi pendant ce mois. Je trouve criminel que tu passes tes journées à végéter entre ces quatre murs.

— Tu appelles ça végéter ! » dit Paule. Elle sourit avec douceur et comme autrefois il y avait toute la sagesse du monde dans son sourire : « Quand on aime, on ne végète pas.

— Mais aimer ce n'est pas une occupation. »

Elle l'interrompit :

— Je te demande pardon, moi, ça m'occupe.

— J'ai repensé à ce que je te disais le soir de Noël, reprit-il ; et je suis sûr que j'avais raison : il faut que tu te remettes à chanter.

— Il y a des années que je vis comme en ce moment, dit Paule. Pourquoi t'inquiètes-tu brusquement ?

— Pendant la guerre, on pouvait se contenter de tuer le temps, mais la guerre est finie. Écoute-moi, dit-il avec autorité, tu vas aller dire au vieux Grépin que tu veux recommencer à travailler ; moi je t'aiderai à choisir des chansons ; je vais même essayer de t'en écrire et j'en demanderai aux copains : tiens, ça serait tout à fait dans les cordes de Julien, je suis sûr qu'il t'écrira des chansons charmantes. Brugère nous les mettra en musique : tu verras ce répertoire que tu auras, d'ici un mois ! Le jour où tu seras prête Sabririo t'entendra et je te garantis qu'il te fera passer en vedette au club 45. A partir de là, tu es lancée. »

Il se rendit compte qu'il avait parlé trop volubilement, et avec trop d'allant ; Paule le dévisageait avec un air de reproche étonné : « Et alors ? dit-elle. Je serai davantage à tes yeux si j'ai mon nom sur des affiches ? »

Il haussa les épaules : « Que tu es sotte ! Bien sûr que non. Mais c'est mieux de faire quelque chose que de ne rien faire. J'essaie d'écrire ; toi tu devrais chanter puisque tu es douée pour ça.

— Je vis, je t'aime : ce n'est pas rien.

— Tu joues sur les mots, dit-il avec impatience. Pourquoi ne veux-tu pas essayer ? Tu es devenue si paresseuse ? ou tu as peur ? ou quoi ?

— Écoute, dit-elle d'une voix qui se durcit soudain, même si toutes ces vanités : le succès, la célébrité avaient encore un sens pour moi, je n'irais pas commencer à trente-sept ans une carrière de second ordre.

197

Quand je t'ai sacrifié cette tournée au Brésil, c'était un renoncement définitif. Je n'ai aucun regret ; mais ne revenons pas là-dessus. »

Henri ouvrit la bouche pour protester ; ce sacrifice qu'elle avait décidé d'enthousiasme, sans le consulter, voilà qu'elle avait l'air de l'en rendre responsable ! Il se contint et il dévisagea Paule avec perplexité. Il n'avait jamais su si elle méprisait vraiment la célébrité ou si elle craignait de ne pas l'atteindre.

— Ta voix est aussi belle qu'autrefois, dit-il. Et toi aussi.

— Mais non, dit-elle avec impatience. Elle haussa les épaules : « Je sais : il y aura une poignée d'intellectuels qui pour te faire plaisir décréteront pendant quelques mois que j'ai du génie ; et puis bonsoir. J'aurais pu être Damia ou Édith Piaf ; j'ai laissé passer ma chance ; tant pis pour moi, restons-en là. »

Elle ne deviendrait sans doute pas une grande vedette ; mais il suffirait qu'elle ait un peu de succès, et elle rabattrait ses prétentions. De toute façon, sa vie serait moins minable si elle s'intéressait activement à quelque chose. « Et moi, ça m'arrangerait drôlement ! » se dit-il. Il savait bien que c'était sa propre vie qui était en question, plus encore que celle de Paule.

— Même si tu ne touches pas le grand public, ça vaut la peine, dit-il. Tu as ta voix, tes dons à toi. Ça serait intéressant d'essayer d'en tirer tout ce que tu peux. Je suis sûr que ça te donnerait de vraies joies.

— J'ai beaucoup de joies dans ma vie, dit-elle. Son visage s'exalta : « Tu ne sembles pas comprendre ce qu'est mon amour pour toi. »

— Mais si ! » dit-il avec vivacité. Il ajouta d'une voix méchante : « Mais tu n'irais pas jusqu'à faire, pour l'amour de moi, ce que je te demande.

198

— Si tu avais de vraies raisons de me le demander, je le ferais, dit-elle gravement.

— Seulement tu préfères tes raisons aux miennes.

— Oui, dit-elle avec tranquillité, parce qu'elles sont meilleures. Tu me parles d'un point de vue tout extérieur, un point de vue mondain qui n'est pas vraiment le tien.

— Je ne vois pas quel est ton point de vue à toi ! » dit-il avec humeur. Il se leva ; inutile de discuter, il essaierait plutôt de la mettre devant le fait accompli : il lui apporterait des chansons, il prendrait des rendez-vous pour elle. « Ça va, n'en parlons plus. Mais tu as tort. »

Elle sourit sans répondre : « Tu vas travailler ?

— Oui.

— A ton roman ?

— Oui.

— C'est bien », dit-elle.

Il monta l'escalier. Ça le démangeait de se remettre à écrire. Et il se félicitait à l'idée que ce roman-ci ne serait pas édifiant pour un sou : il n'avait encore aucune idée précise de ce qu'il allait faire ; sa seule consigne, c'était de s'amuser gratuitement à être sincère. Il étala ses brouillons devant lui : presque cent pages, c'était bien de les avoir laissées reposer pendant un mois, il allait les relire d'un œil neuf. D'abord il s'abandonna au plaisir de retrouver coulés en phrases réfléchies un tas d'impressions et de souvenirs ; et peu à peu une inquiétude lui vint. Qu'est-ce qu'il allait faire de tout ça ? ça n'avait ni queue ni tête, ces griffonnages. Il y avait quelque chose de commun entre eux, un certain climat : l'avant-guerre. Et justement, c'était ça qui gênait Henri, soudain. Il avait pensé vaguement : « Essayer de rendre le goût de ma vie » comme s'il s'était agi d'un parfum étiqueté, marque

199

déposée, le même à travers toutes les années. Mais par exemple ce qu'il disait sur les voyages, ça concernait exclusivement le jeune homme de vingt-cinq ans qu'il était en 1935 ; rien à voir avec ce qu'il avait éprouvé au Portugal. Son histoire avec Paule était également datée : ni Lambert, ni Vincent, ni aucun des garçons qu'il connaissait n'auraient aujourd'hui de telles réactions ; et d'ailleurs, avec cinq années d'occupation derrière elle, une jeune femme de vingt-sept ans serait très différente de Paule. Il y avait une solution ; c'était de situer délibérément son roman aux environs de 1935 ; mais il n'avait aucune envie de composer un roman « d'époque », évoquant un monde dépassé. Ce qu'il souhaitait au contraire en traçant ces lignes, c'était se jeter tout vif sur le papier ; alors il fallait écrire cette histoire au présent en transposant les personnages et les événements. « Transposer : quel mot irritant ! quel mot idiot ! se dit-il ; c'est insensé les libertés qu'on prend avec des personnages de roman ; on les transporte d'un siècle à l'autre, on les balade d'un pays dans un autre, on colle le présent de celui-ci avec le passé de celui-là, en y insérant des phantasmes personnels : si on y regarde de près, ce sont tous des monstres et tout l'art consiste à empêcher le lecteur d'y regarder de trop près. Bon ; ne transposons pas ; on peut fabriquer de toutes pièces des bonshommes qui n'auront plus rien de commun avec Paule, avec Louis, avec moi-même ; je l'ai fait d'autres fois, mais ce coup-ci, c'est la vérité de ma propre expérience que je voulais rendre... » Il repoussa la liasse de brouillons. Rassembler des matériaux au hasard : mauvaise méthode. Il fallait s'y prendre comme d'habitude, partir d'une forme globale, d'une intention précise. Laquelle ? quelle vérité est-ce que je souhaite exprimer ? Ma vérité : qu'est-ce que ça signifie au juste ? Il

200

regardait stupidement la page blanche. Plonger dans le vide, les mains vides, c'est intimidant ! Peut-être n'ai-je plus rien à dire, pensa-t-il ; mais il lui semblait au contraire qu'il n'avait jamais rien dit. Il avait tout à dire, comme tout le monde, en tout temps. Tout, c'est trop. Il se rappelait un vieux rébus déchiffré au fond d'une assiette : « On entre, on crie, et c'est la vie : on crie, on sort, et c'est la mort. » Qu'ajouter ? Nous habitons tous la même planète, nous naissons d'un ventre et nous engraisserons des vers ; on a tous la même histoire : pourquoi décider qu'elle est mienne et que c'est à moi de la raconter ? Il bâilla ; il n'avait pas assez dormi, et cette feuille nue lui donnait le vertige ; il tombait au fond de l'indifférence ; on ne peut rien écrire dans l'indifférence ; il fallait remonter à la surface de la vie, là où les instants et les individus comptent, un à un. Mais non, tout ce qu'il retrouvait, s'il secouait sa torpeur, c'était du souci. *L'Espoir*, une gazette locale : est-ce vrai ? Quand j'essaie d'agir sur l'opinion, suis-je un idéaliste ? Au lieu de rêver devant ce papier, il aurait mieux fait d'étudier sérieusement Marx. Oui, c'était urgent : il fallait qu'il s'établisse un programme et qu'il se mette à bûcher ferme. Il aurait dû le faire depuis longtemps. Son excuse, c'est que les événements l'avaient pris de court, il avait paré au plus pressé. Mais il y avait eu aussi de l'étourderie dans son cas : depuis la Libération il vivait dans une espèce d'euphorie que rien ne justifiait. Il se leva. Ce matin il était incapable de se concentrer sur un travail quelconque, sa conversation avec Dubreuilh l'avait trop secoué. Et puis il avait laissé sa correspondance inachevée la veille, il fallait qu'il parle à Sézenac, il était anxieux de savoir si Preston lui procurerait du papier, et il n'avait pas encore remis au quai d'Orsay la lettre du vieux das Viernas. « Bon ! je vais la porter tout de suite », décida-t-il.

201

— Pourrais-je voir cinq minutes M. Tournelle ? de la part d'Henri Perron. Je suis chargé d'un message pour lui.

— Si vous voulez inscrire votre nom et le motif de la visite, dit la secrétaire en tendant à Henri un formulaire imprimé.

Il sortit un stylo : quel motif ? Le respect d'une chimère ; il savait combien cette démarche était vaine ; il écrivit : confidentiel : « Voilà. »

La secrétaire saisit la fiche d'un air indulgent et se dirigea vers la porte ; son sourire, la dignité de sa démarche signifiaient clairement qu'un chef de cabinet est un monsieur trop important pour qu'on le dérange sans préméditation. Henri regarda avec pitié l'épaisse enveloppe blanche qu'il tenait à la main ; il avait été au bout de la comédie, mais maintenant on ne pouvait plus éluder la réalité : le pauvre das Viernas allait se heurter à une réponse cruelle ou au silence.

La secrétaire réapparut : « M. Tournelle se fera un plaisir de vous fixer un rendez-vous le plus tôt possible ; vous pouvez me laisser votre message, je le lui transmettrai dans un instant.

— Merci beaucoup », dit Henri. Il lui tendit l'enveloppe : jamais elle ne lui avait paru aussi absurde qu'entre les mains de cette compétente jeune femme. Enfin, bon, il avait fait ce qu'on lui avait demandé de faire, la suite ne le regardait plus. Il décida de passer au Bar Rouge ; c'était l'heure de l'apéritif, Lachaume s'y trouvait sûrement et il voulait le remercier de son article. En poussant la porte, il aperçut Nadine qui était assise entre Lachaume et Vincent ; elle dit d'une voix fâchée :

— On ne te voit pas souvent.

— Je travaille.

Il s'attabla à côté d'elle et commanda un turin-gin

202

— On parlait de toi, dit gaiement Lachaume; de ton interview dans *Lendemain*; c'est bien que tu casses le morceau; je veux dire, à propos de la politique alliée en Espagne.

— Pourquoi vous ne le cassez pas vous-mêmes? dit Vincent.

— Nous ne pouvons pas; pas en ce moment, mais c'est bien que quelqu'un le fasse.

— Marrant! dit Vincent.

— Tu ne veux rien comprendre, dit Lachaume.

— Je comprends très bien.

— Non tu ne comprends pas.

Henri but son turin-gin en écoutant distraitement. Lachaume ne perdait pas une occasion d'expliquer le présent, le passé, l'avenir revus et corrigés par le parti; mais on ne pouvait pas lui en vouloir: à vingt ans il avait découvert à la fois dans le maquis l'aventure, la camaraderie, le communisme, ça excusait son fanatisme. « Je l'aime bien parce que je lui ai rendu service », pensa Henri avec ironie. Il l'avait caché pendant trois mois dans le studio de Paule, il lui avait procuré de faux papiers, en le quittant il lui avait fait cadeau de son unique manteau.

— Dis donc, je te remercie de ton article, dit-il abruptement; il est vraiment gentil.

— J'ai dit ce que je pensais, dit Lachaume. D'ailleurs tout le monde est de mon avis: c'est un fameux bouquin.

— Oui, c'est marrant, dit Nadine. Pour une fois tous les critiques sont d'accord: on dirait qu'ils enterrent quelqu'un ou qu'ils décernent un prix de vertu.

— Il y a de ça! dit Henri. « Petite vipère, pensa-t-il avec une rancune amusée. Elle a juste trouvé les mots que je ne voulais pas me dire. » Il sourit à

Lachaume : « Tu t'es gouré sur un point : jamais mon type ne deviendra communiste.

— Qu'est-ce que tu veux qu'il devienne d'autre ? »

Henri se mit à rire : « Eh bien, ce que je suis devenu ! »

Lachaume rit aussi : « Justement ! » Il regarda Henri dans les yeux : « Dans moins de six mois le S.R.L. n'existera plus et tu auras compris que l'individualisme ne paie pas. Tu t'inscriras au P.C. »

Henri secoua la tête : « Je vous rends bien plus de services comme ça. Tu es bien content que j'aie cassé le morceau à votre place. Et à quoi ça avancerait que *L'Espoir* rabâche ce que rabâche *L'Huma* ? Je fais un travail bien plus utile en essayant de faire penser les gens, en posant les questions que vous ne posez pas, en disant certaines vérités que vous ne dites pas.

— Il faudrait faire ce travail en étant communiste, dit Lachaume.

— On ne me laisserait pas !

— Mais si. Bien sûr en ce moment il y a trop de sectarisme dans le parti ; mais c'est la faute des circonstances ; ça ne durera pas indéfiniment. » Lachaume hésita : « Ne le répète pas ; mais les copains et moi on espère avoir bientôt une revue à nous, une revue un peu en marge, dans laquelle on discuterait le coup tout à fait librement.

— Une revue, ce n'est pas un quotidien, dit Henri. Et pour ce qui est d'être libre, je demande à voir. » Il regarda Lachaume avec amitié : « Ça serait quand même drôlement bien si tu avais une revue à toi : tu crois que ça va marcher ?

— Il y a de bonnes chances. »

Vincent se pencha en avant et regarda Lachaume avec défi : « Si tu as vraiment ton franc-parler, explique-leur, aux camarades, que c'est dégueulasse d'accueillir à bras ouverts tous les salopards soi-disant repentis.

— Nous ? on accueille les collabos à bras ouverts ? Va donc dire ça aux lecteurs du *Figaro*, ça les déridera un peu.

— Il y a un tas de crapules que vous dédouanez en douce.

— N'embrouille pas tout, dit Lachaume : quand on décide de passer l'éponge, c'est que le type est récupérable.

— Si tu vas par là, comment savoir si les gars qu'on a descendus n'étaient pas récupérables ?

— A ce moment-là, il n'y avait pas de question ; il fallait les abattre.

— A ce moment-là ! Moi je les ai tués pour toute ma vie ! » Vincent sourit avec malice. « Mais je vais te dire une bonne chose : c'était tous des fumiers, il n'y a pas d'exception ; et ce qui reste à faire, c'est de descendre tous ceux qu'on a oubliés.

— Qu'est-ce que tu veux dire ? demanda Nadine.

— Je veux dire qu'on devrait s'organiser », dit Vincent. Son regard chercha celui d'Henri.

— Organiser quoi ? des expéditions punitives ? dit Henri en riant.

— Tu sais qu'à Marseille ils sont en train de coffrer tous les maquisards comme criminels de droit commun, dit Vincent. Il faut les laisser faire ?

— Le terrorisme n'est pas un remède, dit Lachaume

— Non, dit Henri. Il regarda Vincent : « On m'a parlé de bandes qui s'amusent à jouer aux justiciers. S'il s'agit de règlements de comptes personnels, je comprends. Mais des types qui s'imagineraient sauver la France en abattant un collabo par-ci par-là, ce sont des malades ou bien des cons.

— Je sais : ce qui est sain c'est de s'inscrire au P.C.

ou au S.R.L. ! » dit Vincent. Il secoua la tête : « Vous ne m'aurez pas.

— On se passera de toi ! » dit Henri d'une voix amicale.

Il se leva et Nadine aussi :

— Je t'accompagne.

Elle s'était prise à son déguisement de femme ; elle avait essayé de se maquiller ; mais ses cils ressemblaient à des épines d'oursin et il y avait des traînées noires sous ses yeux. Aussitôt dehors elle demanda : « Tu déjeunes avec moi ?

— Non ; j'ai à faire au journal.

— A cette heure-ci ?

— A toute heure.

— Alors, dînons ensemble.

— Non ; je reste au journal très tard. Et après je vais voir ton père.

— Oh ! ce journal ! tu n'as que ce mot à la bouche ! ça n'est tout de même pas le centre du monde !

— Je ne dis pas ça.

— Non, mais tu le penses. » Elle haussa les épaules : « Alors, quand se voit-on ? »

Il hésita : « Vraiment, Nadine, ces temps-ci, je n'ai pas une minute.

— Ça t'arrive tout de même de te mettre à table et de manger, non ? Je ne vois pas pourquoi je ne m'assiérais pas en face de toi. » Elle regarda Henri bien en face : « A moins que ça ne t'emmerde.

— Bien sûr que non.

— Alors ?

— Soit. Viens me prendre demain entre neuf et dix.

— Entendu. »

Il avait bien de la sympathie pour Nadine, ça ne l'emmerdait pas de la voir, mais ce n'était pas la question ; la question c'est qu'il lui fallait organiser sa

206

vie avec la plus stricte économie : il n'avait pas de place pour Nadine.

— Pourquoi as-tu répondu si durement à Vincent ? enchaîna Nadine, tu n'aurais pas dû.

— J'ai peur qu'il ne fasse des sottises.

— Des sottises ! Dès qu'on veut agir, vous appelez ça des sottises. Tu crois que ça n'est pas la pire connerie d'écrire des livres ? on t'applaudit, tu te rengorges ; mais après ça les gens rangent le bouquin dans un coin et personne n'y pense plus.

— C'est mon métier, dit-il.

— Drôle de métier.

Ils continuèrent à marcher en silence et devant la porte du journal Nadine dit sèchement : « Bon, je vais me rentrer. A demain.

— A demain. »

Elle restait plantée devant lui d'un air indécis : « Entre neuf et dix, c'est bien tard ; on n'aura le temps de rien faire. On ne peut pas commencer la soirée un peu plus tôt ?

— Je ne suis pas libre avant. »

Elle haussa les épaules : « Alors, à neuf heures et demie. Mais à quoi ça sert d'être célèbre et tout si on ne prend pas le temps de vivre ? »

« Vivre, pensa-t-il tandis qu'elle tournait brusquement les talons, dans leur bouche, ça veut toujours dire s'occuper d'elles. Mais il y a plus d'une manière de vivre ! » Il aimait cette odeur de vieille poussière et d'encre fraîche. Les locaux étaient encore vides, le sous-sol silencieux : bientôt, tout un monde allait surgir de ce silence, un monde qui était sa création. « Personne ne mettra la main sur *L'Espoir* », se répétat-il. Il s'assit devant son bureau et s'étira. Allons, pas la peine de s'énerver. Il ne céderait pas le journal ; du temps, on arrive toujours à en trouver ; et quand il aurait dormi une bonne nuit, son travail marcherait mieux.

Il liquida rapidement son courrier et il regarda sa montre ; il avait rendez-vous avec Preston dans une demi-heure, ça lui laissait largement le temps de s'expliquer avec Sézenac. « Voulez-vous m'appelez Sézenac ? » demanda-t-il à sa secrétaire. Il s'assit devant son bureau. C'est très joli de faire confiance aux gens ; seulement il y avait un tas de gars qui auraient bien volontiers pris la place de Sézenac et qui la méritaient plus que lui. La chance qu'on s'entêtait à donner à l'un, on en privait arbitrairement un autre, ça n'était guère acceptable. « Dommage ! » se dit Henri. Il se rappelait comme Sézenac avait grande allure lorsque Chancel le lui avait amené ; pendant un an il avait été le plus zélé des agents de liaison ; peut-être avait-il besoin de circonstances extraordinaires : blême, bouffi, les yeux vitreux, il traînait à la remorque de Vincent et il n'était plus capable d'écrire deux phrases cohérentes.

— Ah ! te voilà ! assieds-toi.

Sézenac s'assit sans un mot ; et Henri s'avisa soudain qu'il avait travaillé un an avec lui mais qu'il ne le connaissait pas du tout ; les autres, il était plus ou moins au courant de leur vie, de leurs goûts, de leurs idées : celui-ci s'était toujours tu : « Je voudrais savoir si tu vas oui ou non te décider à nous passer autre chose que des torchons », dit-il d'une voix plus sèche qu'il ne l'aurait souhaité.

Sézenac haussa les épaules avec un air d'impuissance.

— Qu'est-ce qui ne va pas ? tu es mal foutu ? tu as des emmerdements ?

Sézenac roulait un mouchoir entre ses mains et regardait fixement le plancher ; c'était vraiment difficile de trouver un contact avec lui.

— Qu'est-ce qui ne va pas ? répéta Henri. Moi je veux bien te donner encore une chance.

— Non, dit Sézenac. Le journalisme, ça ne me botte pas.

— Les premiers temps ça ne marchait pas si mal.

Sézenac eut un vague sourire : « Chancel m'aidait un peu.

— Il ne te faisait tout de même pas tes articles ?

— Non » dit Sézenac sans assurance. Il secoua la tête : « Pas la peine d'insister, ce n'est pas un boulot qui me plaise.

— Tu aurais pu le dire plus tôt », dit Henri avec un peu d'agacement. Il y eut un nouveau silence et Henri demanda : « Qu'est-ce que tu voudrais faire ?

— Ne t'inquiète pas, je me débrouillerai.

— Mais encore ?

— Je donne des leçons d'anglais ; et puis on m'a promis des traductions. » Il se leva : « Tu as été chic de me garder si longtemps.

— Si jamais tu as envie de nous envoyer un papier...

— Si ça se trouve.

— Est-ce que je peux faire quelque chose pour toi ?

— Tu pourrais me prêter mille balles, dit Sézenac.

— En voilà deux mille, dit Henri ; mais ça n'est pas une solution. »

Sézenac enfouit son mouchoir dans sa poche et, pour la première fois, il sourit : « C'est une solution provisoire : ce sont les plus sûres. » Il poussa la porte : « Merci.

— Bonne chance », dit Henri. Il se sentait déconcerté ; on aurait dit que Sézenac n'attendait que l'occasion de s'enfuir. « J'aurai de ses nouvelles par Vincent », pensa-t-il pour se rassurer ; mais ça l'ennuyait un peu de n'avoir pas su le faire parler. Il sortit son stylo et étala devant lui son papier à lettres.

Preston serait là dans un quart d'heure. Il ne voulait pas trop penser à ce magazine avant d'être sûr, mais il avait des projets plein la tête ; tous les hebdos qui paraissaient en ce moment étaient minables, ça n'en serait que plus amusant de lancer un truc vraiment bien.

La secrétaire entrebâilla la porte :

— Mr. Preston est là.

— Faites-le entrer.

Dans ses vêtements civils, Preston n'avait pas du tout l'air d'un Américain ; seule la perfection de son français le rendait un peu suspect. Il aborda presque tout de suite la question.

— Votre ami Luc a dû vous dire que nous nous sommes rencontrés plusieurs fois pendant votre absence, dit-il. Nous avons déploré ensemble la condition de la presse française qui est vraiment navrante. Ce serait une grande joie pour moi d'aider votre journal en vous fournissant un supplément de papier.

— Ah ! ça nous arrangerait bien ! dit Henri. Bien entendu, on ne peut pas envisager de modifier notre format, ajouta-t-il, nous sommes solidaires des autres journaux. Mais rien ne nous interdit de sortir le dimanche un magazine, et ça, ça ouvre un tas de possibilités.

Preston sourit d'un air rassurant : « Pratiquement, il n'y a pas de problème, dit-il. Ce papier, vous pouvez l'avoir demain. » Il alluma longuement sa cigarette à un briquet de laque noire : « Il faut que je vous pose très franchement une question : la ligne politique de *L'Espoir* ne va pas changer ?

— Non, dit Henri. Pourquoi ?

— *L'Espoir* représente à mes yeux exactement le guide dont votre pays a besoin, dit Preston, et c'est pourquoi mes amis et moi nous voulons l'aider. Nous

210

admirons votre indépendance d'esprit, votre courage, votre lucidité... »

Il se tut mais sa voix restait en suspens.

— Alors ? dit Henri.

— J'ai suivi avec beaucoup d'intérêt le commencement de votre reportage sur le Portugal ; mais j'ai été un peu surpris ce matin de lire dans une interview que vous aviez l'intention, à propos du régime Salazar, de critiquer la politique américaine en Méditerranée.

— Je trouve en effet cette politique regrettable, dit Henri un peu sèchement. Il y a longtemps que Franco et Salazar auraient dû être liquidés.

— Les choses ne sont pas si simples, vous le savez bien, dit Preston ; il va sans dire que nous comptons bien aider les Espagnols et les Portugais à retrouver les libertés démocratiques : mais en temps voulu.

— Le temps voulu, c'est tout le suite, dit Henri. Il y a des condamnés à mort dans les prisons de Madrid. Chaque jour compte.

— C'est bien mon avis, dit Preston ; et c'est celui auquel le State Departement va certainement se ranger. Il sourit : « C'est pourquoi il me paraît inopportun d'alerter contre nous l'opinion française. »

Henri sourit aussi : « Les politiciens ne sont jamais pressés ; il me paraît utile de les mettre au pied du mur.

— Ne vous faites pas trop d'illusions, dit Preston aimablement. Votre journal est très apprécié dans les milieux politiques américains. Mais n'espérez pas que vous influencerez Washington.

— Oh ! je ne l'espère pas », dit Henri. Il ajouta vivement : « Je dis ce que je pense, c'est tout. Vous me félicitiez de mon indépendance...

— Justement, cette indépendance vous allez la compromettre », dit Preston. Il regarda Henri avec reproche : « En ouvrant cette campagne, vous feriez le jeu de ceux qui veulent nous présenter comme des impérialistes. » Il ajouta : « Vous vous placez à un point de vue humanitaire avec lequel je sympathise pleinement, mais qui n'est pas valable politiquement. Laissez-nous un an : et la république sera rétablie en Espagne, dans les meilleures conditions.

— Je n'ai pas l'intention d'ouvrir une campagne, dit Henri ; je veux tout juste signaler certains faits.

— Mais ces faits seront utilisés contre nous », dit Preston.

Henri haussa les épaules : « Ça ne me regarde pas. Je suis journaliste. Je dis la vérité ; c'est mon métier. »

Preston dévisagea Henri : « Si vous êtes sûr qu'une certaine vérité entraînera des conséquences néfastes, vous la dites ? »

Henri hésita : « Si j'étais certain que la vérité soit nuisible, alors je ne vois qu'une solution : je démission-nerais ; j'abandonnerais le journalisme. »

Preston sourit d'un air engageant :

— Est-ce que ce n'est pas là une morale bien formelle ?

— J'ai des amis communistes qui m'ont posé exacte-ment la même question, dit Henri. Mais ce n'est pas tant la vérité que je respecte, ce sont mes lecteurs. J'admets qu'en certaines circonstances la vérité puisse être un luxe : c'est peut-être bien le cas en U.R.S.S., dit-il en souriant ; mais en France, aujourd'hui, je ne reconnais à personne le droit de l'accaparer. Peut-être que pour un politicien, c'est moins simple ; mais moi je ne suis pas du côté de ceux qui manœuvrent : je suis avec ceux qu'on essaie de manœuvrer ; ils comptent que je les renseigne du mieux que je peux, et si je me tais ou si je mens je les trahis.

Il s'arrêta, un peu honteux de ce long discours ; ce

212

n'est pas seulement à Preston qu'il l'avait adressé ; il se sentait vaguement traqué et il se défendait au hasard, contre tout le monde.

Preston secoua la tête : « Nous en revenons au même malentendu ; ce que vous appelez renseigner, j'y vois une manière d'agir. Je crains que vous ne soyez victime de l'intellectualisme français. Moi, je suis un pragmatiste. Vous ne connaissez pas Dewey ?

— Non.

— Dommage. On nous connaît très mal en France. C'est un grand philosophe. » Preston fit une pause : « Notez bien que nous ne refusons pas du tout qu'on nous critique. Personne n'est plus ouvert que l'Américain aux critiques constructives. Expliquez-nous comment garder l'affection des Français et nous vous écouterons avec le plus grand intérêt. Mais la France est mal placée pour juger notre politique méditerranéenne.

— Je ne parlerai qu'en mon nom, dit Henri avec agacement. Bien ou mal placé, on a toujours le droit de donner son avis. »

Il y eut un silence et Preston dit enfin :

— Vous comprenez évidemment que si *L'Espoir* prend parti contre l'Amérique, je ne peux plus lui conserver ma sympathie.

— Je comprends, dit Henri sèchement. Vous comprendrez de votre côté que je ne puisse envisager de soumettre *L'Espoir* à votre censure.

— Mais qui parle de censure ! dit Preston d'un air choqué. Tout ce que je souhaite, c'est de vous voir rester fidèle à cette neutralité dont vous vous étiez fait une règle.

— Justement, j'y reste fidèle, dit Henri avec une brusque colère. *L'Espoir* n'est pas à vendre pour quelques kilos de papier.

— Oh ! si vous le prenez sur ce ton ! dit Preston ; il se leva : « Croyez que je regrette.

— Moi je ne regrette rien », dit Henri.

Toute la journée il s'était senti vaguement irrité : eh bien, il avait là une belle occasion de se mettre en colère. Il avait été idiot d'imaginer que Preston allait jouer les Père Noël. C'était un agent du State Department et Henri avait fait preuve d'une naïveté impardonnable en discutant avec lui comme avec un ami. Il se leva et marcha vers la salle de rédaction.

— Eh bien, mon pauvre Luc, envolé le magazine, dit-il en s'asseyant au bord de la grande table.

— Non ? dit Luc. Pourquoi ? Sa face était bouffie et vieillotte comme celle d'un nain ; dès qu'il était contrarié, il paraissait au bord des larmes.

— Parce que cet Amerlaud veut nous interdire d'ouvrir la bouche contre l'Amérique : il m'a à peu près mis le marché en main.

— Pas possible ! il avait l'air d'un si bon type !

— En un sens, c'est flatteur, dit Henri, nous sommes très convoités. Tu ne sais pas ce que Dubreuilh a suggéré hier soir ? que *L'Espoir* devienne le journal du S.R.L.

Luc leva vers Henri un visage consterné : « Tu as refusé ?

— Bien sûr.

— Tous ces partis qui ressuscitent, ces factions, ces mouvements, il faut rester en dehors de tout ça », dit Luc d'une voix suppliante.

Les convictions de Luc étaient si entières que même lorsqu'on les partageait on était tenté de l'inquiéter, un tout petit peu : « C'est pourtant vrai que l'unité de la Résistance n'est plus qu'un mot, dit Henri, et qu'il va falloir définir clairement notre position.

— Ce sont eux qui sabotent l'unité ! dit Luc avec une

214

brusque passion. Le S.R.L., ils appellent ça un regroupement ; en fait, ils créent une nouvelle scission.

— Non, la scission c'est la bourgeoisie qui la crée ; et quand on prétend se situer par-delà la lutte des classes, on risque de faire son jeu.

— Écoute, dit Luc, la ligne politique du journal, c'est toi qui en décides, tu as plus de tête que moi ; mais s'inféoder au S.R.L., c'est une autre histoire : là, je suis contre, absolument. » Son visage se raffermit : « Je t'ai épargné le détail de nos difficultés, question finances, mais je t'ai prévenu que ça n'allait pas fort. Si on se met à la remorque d'un mouvement qui ne signifie pas grand-chose, pour personne, ça n'arrangera pas nos affaires.

— Tu penses qu'on perdrait encore des lecteurs ? dit Henri.

— Évidemment ! et alors on est liquidés.

— Oui, ça paraît plus que probable », dit Henri.

Tant qu'à acheter une minuscule feuille de chou, les provinciaux préféraient leurs canards locaux aux journaux parisiens, le tirage avait beaucoup baissé ; en retrouvant son format normal, il n'était même pas sûr que *L'Espoir* retrouve sa clientèle ; en tout cas, il ne pourrait pas s'offrir le luxe d'une crise. « Décidément, je ne suis qu'un idéaliste ! » pensa Henri ; il avait objecté à Dubreuilh des histoires de confiance, d'influence, de rôle à jouer ; et la vraie réponse était inscrite dans les chiffres : Nous ferons faillite. C'était un de ces arguments robustes contre lesquels ni les sophismes ni la morale ne peuvent rien ; il avait hâte de l'utiliser.

Henri arriva à dix heures quai Voltaire, mais l'attaque prévue ne se déclencha pas tout de suite. Comme d'habitude Anne apporta sur un chariot roulant une espèce de souper : du saucisson portugais, du jambon,

215

une salade de riz, et pour fêter le retour d'Henri une bouteille de meursault. Ils échangèrent à bâtons rompus des impressions de voyage et les derniers potins parisiens. A vrai dire Henri ne se sentait guère d'humeur combative. Il était content de se retrouver dans ce bureau ; ces livres usagés, mais pour la plupart dédicacés, les tableaux signés de noms connus et qui n'avaient pas été achetés, les bibelots exotiques qui étaient tous des souvenirs de voyage, toute cette vie discrètement privilégiée il l'appréciait à distance, et en même temps c'était ici son vrai foyer ; il y était au chaud, dans l'intimité de sa vie à lui.

— On est vraiment bien chez vous, dit-il à Anne.

— N'est-ce pas ? dès que je sors, je me sens perdue, dit-elle gaiement.

— Il faut dire que Scriassine avait choisi un endroit à faire peur, dit Dubreuilh.

— Oui, quel bouge ! mais l'un dans l'autre c'était une bonne soirée, dit Henri ; il sourit : « Sauf la fin.

— La fin ? non, moi c'est le moment des *Yeux noirs* que j'ai trouvé dur », dit Dubreuilh d'un air innocent.

Henri hésita ; peut-être que Dubreuilh avait décidé de ne pas revenir à la charge trop vite ; il n'y avait qu'à profiter de sa discrétion, ça serait dommage de gâcher ce moment ; mais Henri était impatient de confirmer sa secrète victoire.

— Vous avez traîné *L'Espoir* plus bas que terre, dit-il d'une voix gaie.

— Mais non... dit Dubreuilh avec un sourire.

— Anne est témoin ! Tout n'était pas faux dans votre procès, ajouta Henri. Mais je voulais vous dire : votre proposition de lier *L'Espoir* au S.R.L., j'y ai repensé, j'en ai même parlé avec Luc : c'est tout à fait hors de question.

Le sourire de Dubreuilh s'effaça : « J'espère que ce

n'est pas votre dernier mot, dit-il. Parce que sans journal, le S.R.L. ne sera jamais rien. Et ne me dites pas qu'il y en a d'autres : aucun n'a exactement notre tendance. Si vous refusez, qui acceptera ?

— Je sais, dit Henri. Seulement rendez-vous compte : en ce moment *L'Espoir* est en crise, comme la plupart des journaux ; je pense qu'on s'en sortira, mais pendant longtemps on aura du mal à boucler notre budget. Or, le jour où nous décidons de devenir l'organe d'un parti politique, le tirage baisse immédiatement : Nous ne sommes pas en mesure de tenir le coup.

— Le S.R.L. n'est pas un parti, dit Dubreuilh. C'est un mouvement assez large pour que vos lecteurs ne s'effarouchent pas.

— Parti ou mouvement, pratiquement, c'est pareil, dit Henri. Tous ces ouvriers communistes ou communisants dont je vous parlais, ils achètent volontiers en même temps que *L'Huma* un journal d'information, mais pas un autre canard politique. Même si le S.R.L. marche la main dans la main du P.C., ça n'y change rien : *L'Espoir* deviendra suspect dès qu'il se sera collé une étiquette. » Henri haussa les épaules : « Le jour où nous ne serons plus lus que par les membres du S.R.L., on pourra mettre la clef sous la porte.

— Les membres du S.R.L. deviendront infiniment plus nombreux quand nous aurons l'appui d'un journal, dit Dubreuilh.

— En attendant il y aura une longue période de battement, dit Henri, et ça suffira à nous couler, ce qui n'est l'intérêt de personne.

— Non, ça n'est l'intérêt de personne », concéda Dubreuilh ; il garda un moment le silence ; du bout de ses doigts il tapotait son buvard : « Évidemment, il y a un risque, dit-il.

— Un risque qu'on ne peut pas se permettre de courir », dit Henri.

Dubreuilh réfléchit encore un instant, et il dit avec un soupir : « Il faudrait de l'argent.

— Justement, nous n'en avons pas.

— Nous n'en avons pas », reconnut Dubreuilh d'une voix rêveuse.

Bien sûr, il ne s'avouait pas si facilement vaincu, il retournait encore des espoirs dans sa tête ; mais l'argument avait porté, il ne revint pas à la charge pendant la semaine qui suivit ; Henri le vit souvent pourtant, il tenait à lui prouver sa bonne volonté : il eut deux entrevues avec Samazelle, il assista aux réunions du comité, il promit de publier le manifeste dans *L'Espoir*. « Fais ce que tu veux, disait Luc, du moment qu'on reste indépendant. »

On restait indépendant, c'était une chose acquise : encore fallait-il savoir qu'en faire, de cette indépendance. En septembre, tout paraissait si simple : un peu de bon sens et de bonne volonté, et ça suffisait, on était paré. Maintenant, les problèmes n'arrêtaient pas de se poser, et chacun remettait tout en question. Lachaume avait signalé avec tant d'effusion les articles d'Henri sur le Portugal que *L'Espoir* allait passer pour un instrument du P.C. : fallait-il démentir ? Henri ne voulait pas perdre ce public d'intellectuels qui aimaient *L'Espoir* pour son impartialité ; il ne voulait pas non plus indisposer ses lecteurs communistes ; cependant, en ménageant tout le monde, il se condamnait à l'insignifiance, et par là il contribuait à endormir les gens. Alors quoi ? Il retournait la question dans sa tête, tout en marchant vers le Scribe où Lambert l'attendait pour dîner. Quoi qu'il décidât, il céderait à une humeur et non à une évidence ; malgré toutes ses résolutions, il en était toujours au même point : il n'en savait pas assez, il ne savait rien. « Ça serait tout de même logique de se renseigner d'abord et de parler ensuite », se dit-il. Mais ce n'est pas comme ça que les choses se passent. D'abord, il faut parler, c'est urgent ; ensuite, les événements vous donnent raison ou tort. « C'est justement ce qu'on appelle bluffer, se dit-il avec déplaisir. Moi aussi, je bluffe mes lecteurs. » Il s'était promis de dire aux gens des choses qui les éclaire-raient, qui les aideraient à penser, des choses vraies, et maintenant il bluffait. Que faire ? Il ne pouvait pas fermer les bureaux, renvoyer tout le personnel, et se confiner pendant un an dans une chambre avec des livres ! Le journal devait vivre, et pour qu'il vive Henri était obligé de s'y consacrer tout entier au jour le jour. Il s'arrêta devant le Scribe ; il était content de dîner avec Lambert ; ça l'ennuyait un peu d'avoir à lui parler de ses nouvelles, mais il espérait que Lambert n'y attachait pas trop d'importance. Il fit tourner la porte tambour ; on se serait cru brusquement transporté sur un autre continent : il faisait chaud ; hommes et femmes portaient des uniformes américains, l'air sen-tait le tabac blond et dans les vitrines s'étalaient des colifichets luxueux. Lambert s'avança en souriant, déguisé lui aussi d'un uniforme de lieutenant ; dans la salle de restaurant qui servait de cantine aux corres-pondants de guerre, il y avait sur les tables du beurre et des prismes de pain très blanc.

— Tu sais, on peut avoir du vin français dans ce drug-store, dit Lambert gaiement. Nous allons manger aussi bien qu'un prisonnier de guerre allemand.

— Ça t'indigne toi que les Amerlauds nourrissent correctement leurs prisonniers ?

— Pas ça spécialement, quoique vraiment ça la fout mal dans les coins où les Français bouffent des briques. C'est l'ensemble qui est moche : comme ils ménagent les Fritz, y compris les nazis, et comment ils traitent les types des camps.

— Je voudrais bien savoir si c'est vrai qu'ils interdisent les camps à la Croix-Rouge française, dit Henri.

— C'est la première chose que je vais vérifier, dit Lambert.

— Décidément, nous ne sommes pas chauds pour l'Amérique ces temps-ci, dit Henri en remplissant son assiette de spam et de nouilles.

— Il n'y a pas lieu de l'être! Lambert fronça les sourcils : « Dommage que ça fasse tellement plaisir à Lachaume.

— Je pensais à ça en venant, dit Henri. Tu dis un mot contre le P.C. : tu fais le jeu de la réaction! Tu critiques Washington : te voilà communiste. A moins qu'on ne te soupçonne d'appartenir à la cinquième colonne.

— Heureusement une vérité en corrige une autre », dit Lambert.

Henri haussa les épaules : « Il ne faut pas trop s'y fier. Tu te souviens, la nuit du réveillon nous disions que *L'Espoir* ne devait pas se laisser enrégimenter. Eh bien, ce n'est pas commode.

— Il n'y a qu'à continuer à parler selon notre conscience! dit Lambert.

— Tu te rends compte! dit Henri. Tous les matins j'explique à cent mille types ce qu'ils doivent penser : et sur quoi est-ce que je me guide? sur la voix de ma conscience! » Il se versa un verre de vin : « C'est de l'escroquerie! »

Lambert sourit : « Cite-m'en des journalistes qui soient plus scrupuleux que toi, dit-il affectueusement. Tu dépouilles toi-même toutes les dépêches, tu contrôles tout.

— Au jour le jour, je tâche d'être honnête, dit Henri.

Mais justement, ça ne me laisse pas une minute pour étudier à fond les choses dont je parle.

— Va ! tes lecteurs sont très contents comme ça, dit Lambert. Je connais un tas d'étudiants qui ne jurent que par *L'Espoir*.

— Je ne m'en sens que plus coupable ! » dit Henri.

Lambert le regarda d'un air inquiet : « Tu ne vas pas te mettre à étudier toute la journée des statistiques ?

— C'est ce que je devrais faire ! » dit Henri. Il y eut un petit silence et brusquement Henri se décida : autant se débarrasser au plus vite de cette corvée.

— Je t'ai rapporté tes nouvelles, dit-il. Il sourit à Lambert : « C'est drôle, tu as un tas d'expériences derrière toi, tu les as vécues très fort, et souvent tu m'en as très bien parlé ; tes reportages sont toujours pleins de choses. Et puis dans tes nouvelles tu ne fais rien passer. Je me demande pourquoi.

— Tu les trouves mauvaises ? dit Lambert. Il haussa les épaules : « Je t'avais prévenu.

— Ce qu'il y a c'est que tu n'y as rien mis de toi », dit Henri.

Lambert hésita : « Les choses qui me touchent vraiment ne sont intéressantes pour personne. »

Henri sourit : « On sent trop que celles dont tu parles ne te touchent pas du tout. On dirait que tu as écrit ces histoires comme on fait un pensum.

— Oh ! je me doutais bien que je n'étais pas doué », dit Lambert.

Il souriait, mais d'un air contraint. Henri eut l'impression qu'en fait il attachait beaucoup d'importance à ces nouvelles.

— Qui est doué, qui ne l'est pas ? On ne sait pas trop ce que ça veut dire, dit Henri. Non. Tu as eu tort de choisir des sujets qui te soient tellement extérieurs, c'est tout. La prochaine fois, mets-toi davantage dans le coup.

— Je ne saurais pas, dit Lambert. Il eut un petit rire : « Je suis le type parfait du pauvre petit intellectuel incapable de devenir jamais un créateur.

— Ne débloque pas ! dit Henri. Ces nouvelles ne prouvent rien ; c'est normal qu'on rate son coup, la première fois. »

Lambert secoua la tête : « Je me connais. Je ne ferai jamais rien de valable. Et c'est minable un intellectuel qui ne fait rien.

— Tu feras quelque chose si tu y tiens. D'autre part, être un intellectuel, ce n'est pas une tare !

— Ce n'est pas une grâce, dit Lambert.

— J'en suis un, et tu veux bien m'accorder ton estime.

— Toi, c'est différent, dit Lambert.

— Mais non. Je suis un intellectuel. Ça m'agace qu'on fasse de ce mot une insulte : les gens ont l'air de croire que le vide de leur cerveau leur meuble les couilles. »

Il cherchait le regard de Lambert, mais Lambert regardait obstinément son assiette ; il dit : « Je me demande bien ce que je vais devenir quand la guerre sera finie.

— Tu ne veux pas rester dans le journalisme ?

— Correspondant de guerre, ça se défend ; mais correspondant de paix, ça ne va plus », dit Lambert. Il ajouta d'une voix animée : « Faire du journalisme comme tu en fais toi, ça vaut le coup : c'est une vraie aventure. Mais être rédacteur, même à *L'Espoir*, il faudrait que j'aie besoin de gagner ma vie pour que ça ait un sens. D'autre part, vivre en rentier ça me donnerait mauvaise conscience. » Il hésita : « Ma mère m'a laissé trop d'argent : j'ai mauvaise conscience de toute façon.

— Tout le monde en est là, dit Henri.

— Oh ! toi, tout ce que tu possèdes c'est ce que tu gagnes, il n'y a pas de question.

— On n'a jamais sa conscience en règle, dit Henri. Par exemple, manger ici et m'interdire les restaurants de marché noir : c'est puéril. Nous avons tous nos ruses. Dubreuilh feint de prendre l'argent pour un élément naturel ; il en a énormément mais il ne fait rien pour en gagner, il n'en refuse jamais à personne, et il laisse à Anne le soin de l'administrer. Elle, elle se débrouille en ne le considérant pas comme sien : c'est pour son mari et sa fille qu'elle le dépense, elle leur fait une existence confortable dont elle profite. Moi ce qui m'aide c'est que j'ai beaucoup de mal à boucler mon budget : alors j'ai l'impression que je ne possède rien de trop ; c'est aussi une manière de tricher.

— C'est tout de même différent. »

Henri secoua la tête : « Quand la situation est injuste, tu ne peux pas la vivre correctement ; c'est bien pour ça qu'on est amené à faire de la politique : pour essayer de changer la situation.

— Je me demande quelquefois si je ne devrais pas refuser cet argent, dit Lambert, mais à quoi ça servirait-il ? Il hésita : « Et puis j'avoue que la pauvreté me ferait peur.

— Essaie plutôt de l'employer utilement.

— Eh bien, justement : comment ? qu'est-ce que je peux en faire ?

— Il y a bien des choses auxquelles tu tiens ?

— Je me demande... dit Lambert.

— Tu aimes des choses, non ? tu n'aimes rien ? dit Henri avec un peu d'impatience.

— J'aimerais bien des camarades, mais depuis la

Libération on n'arrête pas de se disputer ; les femmes, elles sont idiotes ou insupportables ; les bouquins, j'en ai par-dessus la tête, et pour ce qui est de voyager, la terre est aussi triste partout. Et puis, depuis quelque temps je ne sais plus distinguer le bien du mal, conclut-il.

— Comment ça ?

— Il y a un an, c'était simple comme une image d'Épinal ; maintenant on s'aperçoit que les Américains sont des brutes aussi racistes que les nazis et qu'ils se foutent qu'on continue à crever dans les camps ; les camps, il paraît qu'il y en a en U.R.S.S. qui ne sont pas jolis non plus ; on fusille certains collabos et d'autres aussi salauds on les couvre de fleurs.

— Si tu t'indignes, c'est que tu crois encore à certaines choses.

— Non, franchement, quand on commence à se poser des questions, rien ne résiste. Il y a des tas de valeurs qu'on prend pour accordées : au nom de quoi ? Au fond, pourquoi la liberté, pourquoi l'égalité, quelle justice a un sens ? pourquoi préférer les autres à soi-même ? Un type qui n'a cherché qu'à jouir de la vie comme mon père, est-ce qu'il a eu tellement tort ? » Lambert regarda Henri avec inquiétude : « Je te scandalise ?

— Pas du tout ; il faut se poser ces questions.

— Il faudrait surtout que quelqu'un y réponde, dit Lambert dont la voix s'échauffait. On nous casse les pieds avec la politique : mais pourquoi une politique plutôt qu'une autre ? Nous avons besoin d'abord d'une morale, d'un art de vivre. » Lambert regarda Henri avec un peu de défi : « C'est ça que tu devrais nous donner ; ça serait plus intéressant que d'aider Dubreuilh à rédiger des manifestes.

— Une morale, ça enveloppe forcément une attitude

politique, dit Henri. Et inversement : c'est vivant la politique.

— Je ne trouve pas, dit Lambert. En politique on ne se soucie que de trucs qui n'existent pas : l'avenir, les collectivités ; alors que ce qui est concret c'est le moment présent, ce sont les individus un à un.

— Mais les individus sont intéressés par l'histoire collective, dit Henri.

— Le malheur, c'est qu'en politique on ne revient jamais de l'histoire à l'individu, dit Lambert. On se perd dans les généralités et les cas particuliers, tout le monde s'en fout. »

Lambert avait parlé d'une voix si revendicante qu'Henri le regarda avec curiosité : « Par exemple ?

— Eh bien, par exemple, prends la question de la culpabilité. Politiquement, abstraitement, un individu qui a travaillé avec les Allemands est un salaud, on lui crache dessus, il n'y a pas de problème. Maintenant si tu en vois de près un en particulier, ce n'est plus du tout la même chose.

— Tu penses à ton père ? dit Henri.

— Oui ; il y a quelque temps que je voulais te demander conseil : dois-je vraiment m'entêter à lui tourner le dos ?

— L'an dernier, tu parlais de lui sur un tel ton ! dit Henri avec surprise.

— Parce qu'à ce moment-là je croyais qu'il avait dénoncé Rosa ; mais là-dessus, il m'a convaincu : il n'y est pour rien ; tout le monde savait qu'elle était Juive. Non, mon père a fait de la collaboration économique, c'est déjà assez moche ; mais enfin il va être traîné devant les tribunaux et sans doute condamné ; il est vieux...

— Tu l'as revu ?

— Une fois ; et depuis il m'a envoyé plusieurs

225

lettres, des lettres qui m'ont plutôt bouleversé, je t'avoue.

— Si tu as envie de te réconcilier avec lui, tu es bien libre, dit Henri. Mais je croyais que vous aviez de très mauvais rapports ? ajouta-t-il.

— Quand je t'ai connu, oui. » Lambert hésita et il dit avec effort : « C'est lui qui m'a élevé. Je crois qu'à sa manière il m'aimait beaucoup ; seulement, il ne fallait pas lui désobéir.

— Avant de connaître Rosa, tu ne lui avais jamais désobéi ? demanda Henri.

— Non. C'est ce qui l'a rendu fou de colère : c'était la première fois que je lui tenais tête », dit Lambert. Il haussa les épaules : « Ça m'a plutôt arrangé de penser qu'il l'avait dénoncée ; comme ça il n'y avait plus de problème : je l'aurais bien tué de ma main à ce moment-là.

— Mais comment en es-tu venu à le soupçonner ?

— Des copains m'ont mis cette idée en tête : Vincent entre autres. Mais je lui en ai reparlé : il n'a absolument aucune preuve, pas la moindre. Mon père a juré sur la tombe de ma mère que c'était faux ; et maintenant que je suis de sang-froid, je suis sûr qu'il n'aurait jamais fait une chose pareille. Jamais.

— Ça semble plutôt monstrueux », dit Henri. Il hésita. Lambert souhaitait son père innocent, comme deux ans plus tôt il l'avait souhaité coupable, sans preuves ; il n'y avait sans doute aucun moyen de connaître la vérité.

— Vincent donne volontiers dans le roman noir, dit Henri. Écoute, si tu ne soupçonnes plus ton père, si personnellement tu ne lui en veux plus, ce n'est pas à toi de jouer les justiciers. Revois-le, fais ce qui te plaît, et ne t'occupe de personne.

— Tu crois vraiment que je peux ? dit Lambert.

— Qui t'en empêche ?

— Tu ne penses pas que ce serait une preuve d'infantilisme ?

Henri dévisagea Lambert avec surprise : « D'infantilisme ? »

Lambert rougit : « Je veux dire, de lâcheté ?

— Mais non. Ça n'est pas lâche de vivre comme on sent.

— Oui, tu as raison ; je vais lui écrire, dit Lambert. J'ai bien fait de te parler », ajouta-t-il d'une voix reconnaissante.

Il plongea sa cuiller dans la colle rose qui tremblait dans son assiette : « Tu pourrais tellement nous aider, murmura-t-il. Pas seulement moi : il y un tas de jeunes qui sont dans mon cas.

— Vous aider à quoi ? dit Henri.

— Tu as le sens du concret. Tu devrais nous apprendre à vivre au jour le jour. »

Henri sourit : « Une morale, un art de vivre, ça n'entre guère dans mes plans. »

Lambert leva vers lui des yeux brillants : « Oh ! je me suis mal exprimé. Je ne pensais pas à des traités théoriques. Mais tu tiens à des choses, tu crois à des valeurs. Alors tu devrais nous montrer ce qu'il y a d'aimable sur cette terre. Et aussi la rendre un peu plus habitable en écrivant de beaux livres. Il me semble que c'est ça le rôle de la littérature. »

Lambert avait débité ce petit discours d'une haleine. Henri eut l'impression qu'il l'avait préparé d'avance et qu'il attendait depuis des jours le moment de le placer : « La littérature n'est pas forcément gaie, dit-il.

— Si, forcément ! dit Lambert. Même ce qui est triste devient gai quand on en fait de l'art. » Il hésita : « Gai, ce n'est peut-être pas le mot ; mais enfin, ça se justifie. » Il s'arrêta tout à fait et rougit : « Oh ! je ne veux pas te dicter tes livres. Simplement, il ne faut pas que tu oublies que tu es avant tout un écrivain, un artiste.

— Je ne l'oublie pas, dit Henri.

— Je sais, mais... » De nouveau Lambert se troubla : « Par exemple ton reportage sur le Portugal, il est très bien, mais je me rappelle des pages sur la Sicile, autrefois. On regrette un peu de ne rien trouver de pareil.

— Si jamais tu vas au Portugal, tu n'auras pas envie de décrire des grenadiers en fleur, dit Henri.

— Ah ! je voudrais que cette envie te revienne, dit Lambert d'une voix pressante. Pourquoi pas ? On a bien le droit de se prononcer au bord de la mer sans s'inquiéter du prix des sardines.

— Le fait est que je n'ai pas pu, dit Henri.

— Après tout, reprit Lambert avec véhémence, on a fait de la Résistance pour défendre l'individu, son droit à être lui-même et à être heureux ; il est temps de récolter ce qu'on a semé.

— Le malheur, c'est qu'il y a quelques milliards d'individus pour qui ce droit reste lettre morte », dit Henri. Il haussa les épaules : « Je pense que c'est justement parce qu'on a commencé à s'intéresser à eux qu'on ne peut plus s'arrêter.

— Alors chacun doit attendre que tout le monde soit heureux avant d'essayer de l'être ? dit Lambert. L'art et la littérature, c'est renvoyé à l'âge d'or ? Pourtant, c'est justement maintenant qu'on en aurait besoin !

— Je ne dis pas qu'il ne faut plus écrire », dit Henri. Il hésita. Le reproche de Lambert lui avait été au cœur ; oui il y avait bien d'autre choses à dire sur le Portugal, ce n'est pas tout à fait sans regret qu'il les avait écartées. Un artiste, un écrivain : c'était ça qu'il voulait être, il ne fallait pas l'oublier. Il s'était fait de grandes promesses autrefois : il était temps de les

228

tenir. Des succès de jeunesse, un livre trop opportun qu'on vantait à tort et à travers : il voulait autre chose : « En fait, reprit-il, je suis justement en train d'écrire un roman selon ton cœur. Un roman tout à fait gratuit, où je raconte des trucs pour mon seul plaisir.

— C'est vrai ? » dit Lambert. Son visage s'éclaira : « Tu en es loin ? ça marche ?

— Les commencements, c'est toujours un peu ingrat ; mais ça marche ! dit Henri.

— Oh ! je suis drôlement content ! dit Lambert. Ça serait tellement dommage si tu te laissais manger !

— Je ne me laisserai pas manger », dit Henri.

— Il avance ton roman gai ? demanda Paule.

— Oui, il avance, dit Henri.

Elle s'étendit sur le lit, derrière lui, et il devinait sur sa nuque son regard méditatif ; un regard, ça ne fait pas de bruit, il aurait eu mauvaise grâce à la chasser, mais ça lui pesait. Il fit un effort pour ramener son attention sur son roman. Il avait pris des décisions pendant ce mois, il s'était résigné à situer son histoire en 1935 ; c'était peut-être une erreur, voilà des jours que les phrases séchaient au bout de son stylo.

« Oui, c'est une erreur », se dit-il avec décision. Il voulait parler de lui : eh bien, il n'avait plus rien à voir avec ce qu'il était en 1935. Son indifférence politique, sa curiosité, son ambition, tout ce parti pris d'individualisme, que c'était court, que c'était niais ! Ça supposait un avenir sans heurt, avec progrès garanti, une fraternité immédiate entre les hommes, une postérité amicale : ça supposait surtout de l'égoïsme et de l'étourderie. Oh ! il aurait sans doute pu se trouver des excuses. Mais il écrivait ce livre pour essayer de dire la vérité de sa vie, et non pour en expliquer les fautes. « Il faut l'écrire au présent », décida-t-il. Il relut les dernières pages. Dommage de penser que ce passé allait être définitivement enterré : l'arrivée à Paris, les premières rencontres avec Dubreuilh, le voyage à Djerba. « Oh ! je l'ai vécu, ça suffit ! » se dit-il. Mais si on allait par là, le présent aussi se suffisait, la vie se suffisait : le fait est qu'elle ne se suffisait pas puisqu'il avait besoin d'écrire pour se sentir tout à fait vivant. Enfin, tant pis ; de toute façon on ne peut pas tout sauver. La question c'était de savoir ce qu'il avait à dire sur lui, aujourd'hui. « Où en suis-je ? qu'est-ce que je veux ? » Drôle de chose : si on tient tant à s'exprimer, c'est parce qu'on se sent singulier, et on n'est pas même capable de dire en quoi. « Qui suis-je ? » Il ne se le demandait pas autrefois ; autrefois les autres gens étaient tous définis, ils avaient des limites : lui pas ; ses livres et sa vie étaient devant lui, ça lui permettait de récuser tous les jugements qu'on portait sur lui et de considérer tout le monde, même Dubreuilh, avec un peu de condescendance, du haut de son œuvre future. Mais maintenant, il lui fallait s'avouer qu'il était un homme fait : les jeunes gens le traitaient en aîné, les adultes comme un des leurs, et certains lui témoignaient même de la considération. Fait, limité, fini, lui et pas un autre, rien d'autre que lui : qui ? En un sens, c'était ses livres qui en décideraient ; mais inversement pour les écrire il lui fallait connaître sa propre vérité. A première vue, le sens de ces mois qu'il venait de vivre était assez clair, mais si on regardait de plus près, tout se brouillait. Aider les gens à mieux penser, à mieux vivre, est-ce que ça lui tenait vraiment à cœur ou n'était-ce qu'une rêverie humanitaire ? S'intéressait-il vraiment au sort d'autrui, ou seulement à la paix de sa conscience ? Et la littérature : qu'est-ce que c'était devenu pour lui ? Vouloir écrire, c'est bien abstrait quand on n'a rien d'urgent à dire. Sa plume restait en suspens et il pensa avec agacement que Paule voyait qu'il n'écrivait pas. Il se retourna : « Tu vas aller chez Grépin demain matin ? » demanda-t-il.

Paule eut un petit rire : « Toi, quand tu as une idée dans la tête !

— Écoute, cette chanson te va comme un gant, tu dis que tu l'aimes, la musique de Bergère est ravissante, Sabririo t'entendra le jour où tu voudras : tu peux bien y mettre du tien ! Au lieu de somnoler sur ce lit, tu travaillerais ta voix que ça n'en serait pas plus mal, je t'assure.

— Je ne somnole pas.

— En tout cas maintenant que je t'ai pris ce rendez-vous, tu vas y aller ?

— Je veux bien aller chez Grépin et apprendre à bien chanter ta chanson, dit-elle.

— Mais tu ne passeras pas d'audition, c'est ça que tu veux dire ? »

Elle sourit : « Quelque chose comme ça.

— Tu me décourages !

— Reconnais que je ne t'ai jamais encouragé ! » Elle sourit de nouveau : « Ne t'occupe donc pas de moi », dit-elle tendrement.

Il aurait bien mieux aimé s'occuper d'elle une bonne fois et ne plus la sentir comme ça derrière lui en train de l'épier ; mais peut-être s'en rendait-elle compte. Il avait parlé à Sabririo, écrit deux chansons, composé tout un répertoire, et téléphoné à Grépin, il avait fait tout ce qu'il pouvait faire pour elle. Elle voulait bien chanter pour lui, et même plutôt trop souvent pour son goût : mais elle restait butée dans son refus. Il se remit à aligner sans joie des phrases mortes.

Il y avait deux heures qu'il s'ennuyait devant son papier quand on frappa avec entrain à la porte du studio. Il regarda sa montre : minuit dix. « On a frappé. »

Paule somnolait sur le lit, elle se redressa : « Est-ce que j'ouvre ? »

On frappa de nouveau et ils entendirent une voix gaie : « C'est Dubreuilh ; je vous dérange ? »

Ils descendirent ensemble l'escalier et Paule ouvrit la porte : « Il n'est rien arrivé ?

— A qui ? dit Dubreuilh en souriant. J'ai vu de la lumière, j'ai pensé que je pouvais monter ; il est à peine minuit. Vous alliez vous coucher ? » Déjà il s'était assis dans le fauteuil de cuir où il s'asseyait d'habitude.

— J'avais justement envie de boire un verre ! dit Henri, et je n'aurais pas osé le boire seul. C'est mon mauvais ange qui vous amène.

— Du cognac ? demanda Paule en ouvrant le placard.

— Avec plaisir. Dubreuilh tourna vers Henri un visage épanoui : « Je vous apporte toute chaude une nouvelle qui va beaucoup vous intéresser.

— Quoi donc ?

— Nous avions plus ou moins renoncé à l'idée de faire de *L'Espoir* le journal du S.R.L. à cause de la crise financière qui pouvait s'ensuivre...

— Oui », dit Henri. Il prit le verre que Paule lui tendait et but une gorgée avec une vague inquiétude.

— Eh bien, je sors de chez un type pourri de fric qui est prêt à nous soutenir en cas de besoin. Vous n'avez pas entendu parler d'un certain Tracieux ? un gros marchand de souliers qui a fait un peu de Résistance ?

— Ça me dit quelque chose.

— Il a des millions par-dessus la tête, et une admiration sans bornes pour Samazelle : heureuse combinaison qui l'amène à aider très substantiellement le S.R.L. Ce soir, Samazelle m'a traîné chez lui. Il est prêt à financer le meeting de juin, et il fournira tous les capitaux nécessaires si *L'Espoir* devient le journal du mouvement.

— Samazelle a de bien belles relations, dit Henri. Il vida son verre d'un trait ; il était légèrement agacé par la gaieté trop communicative de Dubreuilh.

— Samazelle, c'est le genre de type qui dîne en ville, dit Dubreuilh en riant. Vous et moi c'est la dernière chose qu'on peut obtenir de nous, j'aimerais mieux quêter sur les places ; mais lui ça lui plaît, et il plaît. Tant mieux, parce que comme ça il ramasse du fric : je ne sais pas où nous en serions sans lui question finances. Il a connu Tracieux pendant l'occupation et il l'a cultivé.

— Il est S.R.L. ce cordonnier avec tous ses millions ?

— Ça vous étonne ?

Paule s'était assise en face de Dubreuilh, elle fumait une cigarette en le regardant fixement, d'un air hostile. Elle allait ouvrir la bouche et Henri devinait sa voix indignée ; il la prévint :

— Je ne vous dirai pas que votre proposition m'enthousiasme.

Dubreuilh haussa les épaules : « Vous savez, tous les journaux vont être obligés tôt ou tard d'accepter des subsides privés ; la presse libre : encore un joli bobard !

— *L'Espoir* s'est bien rétabli, dit Henri. Nous pouvons nous suffire longtemps si nous restons ce que nous sommes.

— Vous vous suffisez : et après ? dit Dubreuilh vivement. Je comprends bien : vous avez créé *L'Espoir* tout seul, vous aimeriez tenir le coup tout seul ; je comprends, répéta-t-il. Mais pensez au rôle que vous avez à jouer ! vous vous êtes rendu compte pendant ce mois du besoin que le S.R.L. a d'un journal, non ?

— Si, dit Henri.

— Et vous êtes d'accord sur l'importance de notre tentative. Alors ?

— Si ce monsieur finance *L'Espoir*, il voudra y mettre son nez, dit Henri.

— Ah ! ça, pas question ! dit Dubreuilh. Il n'interviendrait absolument pas dans la direction du journal. Au fond, vous seriez bien plus indépendant avec un pareil commanditaire que vous ne l'êtes maintenant, parce qu'enfin, vous voilà ligoté par la peur de perdre vos lecteurs.

— Ça m'a l'air d'un drôle de philanthrope, votre bonhomme.

— Si vous voyiez le type, vous comprendriez tout de suite, dit Dubreuilh.

— Je ne peux tout de même pas croire qu'il ne m'imposerait aucune condition, dit Henri.

— Aucune, je vous le garantis ; c'est une chose absolument réglée.

— Tout ça, ce ne sont pas des propos en l'air, vous en êtes bien sûr ?

— Écoutez, parlez-lui vous-même ! dit Dubreuilh. Vous n'avez qu'à l'appeler au téléphone : il est prêt à signer demain. »

Dubreuilh avait parlé avec tant de vivacité que Henri sourit : « Attendez un peu ! il faut d'abord que je voie Luc. Et puis même si nous décidions de nous déclarer pour le S.R.L., on essaiera peut-être de s'en tirer tout seuls : je préférerais beaucoup.

— Personnellement, je suis persuadé que *L'Espoir* ne perdra pas ses lecteurs, dit Dubreuilh. Je suis tout à fait d'accord pour tenter le coup sans Trarieux. » Il hésita : « Il vaudrait tout de même mieux que vous ayiez une conversation avec lui.

234

— Il ne me dira rien de plus qu'à vous, dit Henri. Et je ne tiens pas à ce qu'il m'offre son fric tant que je peux l'empêcher.

— Comme vous voudrez. » Dubreuilh regarda Henri d'un air inquiet : « Je vous en prie, tâchez de vous décider vite. On a déjà perdu tant de temps !

— C'est grave, vous savez, ce que vous me demandez là, dit Henri ; il n'y a pas que moi en jeu. Tâchez de votre côté d'être un peu patient.

— J'y suis bien obligé », dit Dubreuilh avec un soupir. Il se leva et fit un grand sourire à Paule : « Vous ne venez pas faire un tour avec moi ?

— Où ça ? dit Paule.

— N'importe où ; c'est une belle nuit ; une vraie nuit d'été.

— Non, j'ai sommeil, dit Paule avec mauvaise grâce.

— Moi aussi, dit Henri.

— Tant pis ; je me promènerai tout seul, dit Dubreuilh en marchant vers la porte. A samedi.

— A samedi. »

Henri verrouilla la porte ; quand il se retourna, Paule était debout en face de lui, le visage en tumulte : « C'est insensé ! il veut te voler ton journal !

— Écoute, il ne s'agit pas d'un vol », dit Henri. Il bâilla avec affectation ; c'était dans ces cas-là qu'il supportait le plus mal de discuter avec Paule : quand elle était de son avis. Lui aussi il était irrité : l'étrange tour de passe-passe ! il avait suffi que Dubreuilh demandât ce journal pour se créer des droits sur lui. « Mes répugnances personnelles, il s'en fout ; son amitié ne pèse pas lourd quand il a décidé de se servir de vous. »

— Tu aurais dû l'envoyer promener, dit Paule. Jamais il ne te prendra au sérieux ; tu seras éternellement le petit jeune homme qu'il a lancé dans la littérature et qui lui doit tout.

— Après tout, il n'exige rien d'extraordinaire, dit Henri ; je suis au S.R.L. et je dirige *L'Espoir* : c'est plutôt naturel que les deux trucs fusionnent.

— Tu ne seras plus ton maître, tu seras obligé de prendre leurs ordres. La voix de Paule tremblait d'indignation : « Et puis tu vas être plongé jusqu'au cou dans la politique ; tu n'auras plus une minute à toi. Déjà tu te plains de manquer de temps pour ton roman...

— Ne t'affole donc pas ; rien n'est encore décidé, dit Henri. Je n'ai absolument pas dit que j'acceptais. »

La rancune d'Henri se dissipait tandis qu'il écoutait les protestations de Paule ; leur véhémence même en faisait paraître les motifs frivoles : et c'était tout juste ceux qu'Henri ruminait en lui-même. « Je m'insurge parce que je crains d'être dévoré par la politique, parce que je redoute de nouvelles responsabilités, parce que je souhaite des loisirs, et surtout rester le maître chez moi. » Des raisons très futiles en somme. Quand il s'amena au journal le lendemain, il espérait du fond du cœur que Luc lui en fournirait de meilleures.

Mais Luc était débordé par les événements. Décidément Lachaume avait rendu un mauvais service à *L'Espoir* ; on chuchotait qu'Henri était aux ordres des communistes ; c'était d'autant plus irritant qu'en ce moment il leur reprochait un tas de choses : la confusion qu'ils établissaient entre la Résistance et le parti, leur chauvinisme, la démagogie de leur propagande électorale, leurs indulgences éhontées et leurs sévérités arbitraires à l'égard des collabos. Mais les journaux de droite exploitaient complaisamment l'équivoque ; beaucoup de lecteurs se plaignaient, Lambert demandait qu'on prît des mesures, la plupart des types du

236

journal se sentaient mal à l'aise ; Luc aussi. « Étiquette pour étiquette, dit-il quand Henri lui eut exposé la situation, il vaut encore mieux représenter le S.R.L. que de passer pour communistes. » C'était à peu près l'avis général. « Moi je ne crois ni au S.R.L. ni au P.C., c'est du pareil au même, dit Vincent. Décide à ton idée. »

« En somme, ils sont tous d'accord, conclut Henri quand il se retrouva seul dans son bureau. Ils ne voient aucune raison de refuser. » Son cœur se serra : il allait donc être obligé d'accepter. Le S.R.L. avait besoin d'un journal et il représentait une chance qu'on n'avait pas le droit de refuser. Le monde hésitait entre la guerre et la paix, l'avenir dépendait peut-être d'un impondé-rable : ça serait un crime de ne pas tout tenter en faveur de la paix. Henri regarda le bureau, le fauteuil, les murs, il écouta le ronron des rotatives et il lui sembla soudain qu'il s'éveillait d'un long rêve de futilité. *L'Espoir*, il l'avait jusqu'ici considéré comme une espèce de jouet : l'attirail complet du petit impri-meur, grandeur nature, un joujou magnifique ; et c'était un instrument, une arme ; on avait le droit de lui demander compte de l'usage qu'il en faisait. Il marcha vers la fenêtre. Oh ! il exagérait un peu : il n'était pas tellement futile ; l'euphorie de septembre s'était dissipée depuis longtemps, il s'agitait beaucoup à propos de ce journal ; mais tout de même il pensait n'avoir de compte à rendre qu'à lui-même. Il se trompait bien. « C'est drôle, se dit-il. Dès qu'on fait un truc convenable, au lieu de vous conférer des droits, ça vous crée des devoirs. » Il avait fondé *L'Espoir* et ça l'amenait à se jeter corps et âme dans la foire politique. Il imaginait déjà les intrusions de Samazelle, ses harangues, les coups de téléphone de Dubreuilh, les colloques, les consultations, les disputes, les transactions. Il s'était promis : « Je ne me laisserai pas manger. » Eh bien, le sort en était jeté : il allait être mangé. Il sortit de son bureau et descendit l'escalier. Sous le brouillard, la ville cette nuit avait l'air d'une immense gare : il avait aimé le brouillard, les gares. Maintenant il n'aimait plus rien : il s'était déjà laissé manger. C'est pour ça que quand il essayait de parler de lui, il ne trouvait rien à dire. « Tu tiens à des choses, dis-moi lesquelles. » Lesquelles ? Il n'aimait ni Paule ni Nadine ; voyager ça ne le tentait guère ; ça ne lui arrivait plus jamais de lire pour son plaisir, ni de se promener ni d'écouter de la musique ; il ne faisait plus jamais rien pour son plaisir. Jamais plus il ne tombait en arrêt au coin d'une rue, jamais il ne s'amusait d'un souvenir. Des gens à voir, des choses à faire : il vivait comme un ingénieur dans un univers d'instruments ; pas étonnant qu'il soit devenu plus sec qu'un caillou. Il hâta le pas ; ça lui faisait horreur, cette sécheresse. Il s'était tant promis la nuit de Noël qu'il allait se retrouver : et il ne retrouvait rien. Par-dessus le marché, il était tout le temps mal dans sa peau, tout le temps sur la défensive, tendu, irritable, irrité. Il savait très bien que toutes ces corvées qu'il s'infligeait, il s'en acquittait mal, ça ne lui rapportait que des remords. « Je n'en sais pas assez long, je n'y vois pas clair, je prends parti à la légère, je n'ai pas le temps, je n'aurai jamais le temps. » C'était excédant, ce refrain. Et il ne cesserait plus de l'entendre, tout allait être pire qu'avant, infiniment pire. Mangé, dévoré, nettoyé jusqu'à l'os. Il ne serait plus question d'écrire. Écrire, c'est un mode de vie, il allait en choisir un autre, et il n'aurait plus rien à communiquer à personne. « Je ne veux pas », se dit-il avec révolte. Non, ses répugnances n'étaient pas futiles ; avec un peu de pathétique il pouvait au contraire se dire qu'il y avait là pour lui une question de vie ou de mort : sa vie ou sa mort d'écrivain étaient en jeu : il fallait qu'il se défende. « Après tout, le S.R.L. ne tient pas entre ses mains le sort de l'humanité, pensa-t-il. Ni moi entre les miennes le sort du S.R.L. » Il se l'était dit souvent : « On se prend beaucoup trop au sérieux. Pour de vrai nos actes ne pèsent pas lourd, ce monde ne pèse pas lourd : il est fibreux, poreux, sans consistance. » Les passants se hâtaient à travers la brume comme s'il avait été important qu'ils arrivent un peu plus tôt ici ou là ; pour finir, ils mourront tous et moi aussi : comme ça allège la vie. On ne peut rien contre la mort, alors on ne peut rien pour personne, on ne doit rien à personne : inutile de s'empoisonner l'existence. Qu'il fasse donc ce qu'il était capable de faire. Laisser tomber *L'Espoir* et le S.R.L., quitter Paris, s'installer dans un coin du Midi et se consacrer à écrire. « Récolter ce qu'on a semé », disait Lambert. Essayer d'être heureux sans attendre que tout le monde le soit. Pourquoi pas ? Henri imaginait le mas solitaire, les pins, l'odeur du maquis. « Mais qu'est-ce que j'écrirai ? » Il continua à marcher, la tête vide. « Le piège est bien fait, se dit-il. Au moment où on croit lui échapper, il se referme sur vous. » Récupérer le passé, sauver le présent avec des mots, c'est bien joli : mais ça ne peut se faire qu'en les racontant aux autres ; ça n'a de sens que si le passé, si le présent, si la vie pèsent lourd. Si ce monde n'a pas d'importance, si les autres hommes ne comptent pas, à quoi bon écrire ? Il ne reste qu'à bâiller d'ennui. La vie, ça ne se détaille pas, il faut la prendre en bloc, c'est tout ou rien : seulement on n'a pas le temps pour tout, voilà le drame. De nouveau la sarabande se déchaîna dans la tête d'Henri. Il tenait à ce journal ; et ses soucis à propos de la guerre, de la paix, de la justice n'étaient pas des fariboles. Pas question de jeter tout ça par-dessus bord; et cependant il était un écrivain, il voulait écrire. Jusqu'ici il s'était débrouillé pour tout concilier tant bien que mal : plutôt mal. S'il cédait à Dubreuilh, il ne s'en tirerait plus. Alors que faire? céder? ne pas céder? Agir? écrire? Il rentra se coucher.

Au bout de quelques jours, Henri se sentait toujours aussi hésitant. « Oui ou non? » Ça finissait par le mettre de mauvaise humeur, cette obsession. Il s'en rendit compte quand il aperçut dans l'embrasure de la porte le visage souriant de Lachaume : « Tu peux m'accorder cinq minutes? »

Lachaume passait souvent au journal voir Vincent; et quand il s'amenait dans le bureau d'Henri il était toujours le bienvenu; mais cette fois Henri dit d'une voix trop sèche : « J'aimerais mieux demain; j'ai un article à finir.

— C'est que je voudrais te parler aujourd'hui », dit Lachaume sans se déconcerter. Il s'assit avec décision.

— Et de quoi donc?

Lachaume regarda Henri avec une espèce de sévérité :

— D'après ce que dit Vincent, il serait question que L'Espoir s'inféode au S.R.L.?

— Vincent est bien bavard, dit Henri. Il en est question tout à fait en l'air.

— Ah! j'aime mieux ça! dit Lachaume.

— Pourquoi donc? Qu'est-ce que ça peut te faire? dit Henri d'un ton un peu agressif.

— Ça serait une grave erreur, dit Lachaume.

— Qu'est-ce que ça aurait de grave? dit Henri.

— Je pensais bien que tu ne te rendais pas compte, dit Lachaume, c'est pour ça que j'ai voulu te prévenir. Sa voix se durcit : « Dans le parti, on consi-

dère que le S.R.L. est en train de devenir un mouvement anticommuniste. »

Henri se mit à rire : « En effet ! je n'aurais jamais
trouvé ça tout seul !

— Il n'y a pas de quoi rire ! dit Lachaume.

— Tu as le rire difficile ! » dit Henri. Il regarda
Lachaume avec ironie : « Tu couvres *L'Espoir* de fleurs,
un peu trop même pour mon goût ; et Dubreuilh qui dit
les mêmes choses que moi, il est contre vous ! Qu'est-ce
qui s'est passé ? ajouta-t-il. Lafaurie était tout ce qu'il y
a d'amical la semaine dernière.

— Un mouvement comme le S.R.L. est très équivoque, dit Lachaume de sa voix posée. D'une part, il
attire des gens à gauche, c'est un fait ; mais du moment
où il s'annexe un journal, où il organise un meeting,
alors c'est qu'il a l'intention de nous noyauter. Au
début, le P.C. souhaitait une alliance : mais quand ils
se déclarent contre nous, on est bien forcés d'être
contre eux.

— Tu veux dire que si le S.R.L. avait été un petit
groupe effacé, silencieux, travaillant docilement dans
votre ombre, vous l'auriez toléré ou même encouragé ?
mais s'il se met à exister pour son compte, l'union
sacrée ne joue plus ?

— Je te répète qu'il cherche à nous noyauter, dit
Lachaume ; alors il n'y a plus d'union sacrée.

— Oui, c'est comme ça que vous raisonnez ! dit
Henri. Eh bien, un conseil en vaut un autre : ne
commencez pas à attaquer le S.R.L. Vous ne ferez
croire à personne que c'est un mouvement anticommuniste ; et vous donnerez raison à tous ceux qui tiennent
le Front National pour une mystification. C'est donc
vrai que vous ne supportez pas l'existence d'une
gauche en dehors de vous !

— Il n'est pas question pour l'instant d'attaquer

241

publiquement le S.R.L., dit Lachaume; on l'a à l'œil, c'est tout. » Il regarda Henri d'un air grave : « Du jour où il disposera d'un journal, il deviendra dangereux; ne leur cède pas *L'Espoir*.

— Dis donc, c'est du chantage, dit Henri. S'il renonce à avoir un journal, le S.R.L. peut vivoter tranquille, c'est bien ça ?

— Du chantage ! dit Lachaume avec reproche. Si le S.R.L. se tient à sa place, on reste amis; sinon, non. C'est logique. »

Henri haussa les épaules : « Quand Scriassine m'affirmait qu'on ne peut pas travailler avec vous, je ne voulais pas le croire. Eh bien, il avait raison. On a le droit de vous obéir au doigt et à l'œil, rien de plus.

— Tu ne veux pas comprendre ! » dit Lachaume. Il ajouta d'une voix pressante : « Pourquoi ne pas rester indépendant ? c'était ta force.

— Si je marche avec le S.R.L., je dirai juste les mêmes choses qu'avant, dit Henri. Des choses que tu approuves.

— Mais tu les diras au nom d'une certaine faction et elles prendront un autre sens.

— Tandis que jusqu'ici on pouvait supposer que j'étais d'accord avec le P.C. sur toute la ligne ? Ça vous arrangeait ?

— C'est vrai que tu es d'accord, dit Lachaume avec ardeur. Si tu en as marre de jouer au franc-tireur, viens avec nous. Le S.R.L., de toute façon, c'est sans avenir : jamais ils n'auront le prolétariat. Au P.C. si tu parles, il y a des gens qui t'écoutent; là tu peux faire un vrai travail.

— Mais c'est un travail qui ne me plaît pas », dit Henri. Et il pensa avec irritation : « Ils m'ont bel et bien annexé. » Lachaume continuait à l'exhorter; il aurait dû se rendre compte que ça ne donnait pas envie

242

de se rapprocher d'eux, ce genre d'histoire. Est-ce qu'il était venu prévenir Henri en ami, ou bien le manœuvrer? Sans doute les deux allaient ensemble, c'était ça le plus moche. Henri dit brusquement :

— Nous perdons notre temps et il faut que je finisse mon article.

Lachaume se leva : « Dis-toi bien que c'est l'intérêt de Dubreuilh d'avoir *L'Espoir*, mais ce n'est pas le tien.

— Compte sur moi pour défendre mes intérêts », dit Henri.

Ils se serrèrent la main plutôt froidement.

Dubreuilh avait été averti du revirement du P.C., Lafaurie lui avait poliment enjoint de renoncer à l'idée d'un meeting. « Ils ont peur que nous ne prenions trop d'importance, dit Dubreuilh ; ils essaient de nous intimider : mais si nous tenons bon, ils n'oseront pas nous attaquer, pas sérieusement. » Il était décidé à tenir bon et Henri était bien d'accord. Mais il fallait tout de même porter la question devant le comité : c'était une consultation de pure forme, le comité finissait toujours par se ranger à l'avis de Dubreuilh. « Que de temps perdu ! » pensait Henri en écoutant le brouhaha des voix passionnées. Il regarda à travers la fenêtre le beau ciel bleu : « Je ferais bien mieux d'aller me promener ! » se dit-il. La première journée de printemps ; le premier printemps de paix : et il n'avait pas trouvé une minute pour en profiter. Le matin, il y avait eu la conférence avec les correspondants de guerre américains, et puis le conciliabule avec les Nord-Africains ; il avait déjeuné d'un sandwich en parcourant les journaux et maintenant il était enfermé dans ce bureau. Il regarda les autres : pas un qui ait seulement envie d'ouvrir la fenêtre. La voix de Lenoir tremblait de passion et de timidité, il bégayait presque : « Si ce meeting doit apparaître comme hostile au parti communiste, je le considère comme néfaste.

— Il est néfaste s'il ne dénonce pas la tyrannie du P.C., dit Savière ; c'est de cette lâcheté que la gauche est en train de mourir.

— Je ne crois pas être un lâche, dit Lenoir. Mais je veux avoir le droit de chanter avec mes camarades la nuit où ils allumeront des feux de joie.

— Voyons, nous sommes au fond tous d'accord, il ne s'agit que d'une question de tactique », dit Samazelle.

Dès qu'il prenait la parole, tout le monde se taisait, il n'y avait pas place pour une autre voix à côté de la sienne ; elle était énorme et béate, quand il la faisait rouler dans sa bouche on aurait dit qu'il lampait du vin rouge. Il expliquait que le meeting constituait en soi une déclaration d'indépendance à l'égard du P.C. et qu'il convenait donc que le contenu des discours fût neutre, voire amical. Il parlait si adroitement que Savière pensa qu'il s'agissait d'une manœuvre destinée à assurer la rupture avec les communistes tout en mettant les torts de leur côté, tandis que Lenoir comprit qu'on maintenait l'alliance à tout prix.

« Mais à quoi sert cette habileté ? se demanda Henri. Masquer nos différends, ce n'est pas les surmonter. » Pour l'instant, Dubreuilh imposait facilement ses décisions. « Mais si la situation se tendait, par exemple si les communistes nous attaquaient, quelles seraient les réactions de chacun ? » Lenoir était fasciné par les communistes ; seuls ses goûts littéraires et son amitié pour Dubreuilh le retenaient de s'inscrire. Savière au contraire avait peine à maîtriser ses rancunes d'ancien militant socialiste. Samazelle, Henri ne savait pas trop ce qu'il pensait, il se méfiait vaguement de lui. C'était le type achevé du politicien. A cause de sa corpulence

244

et de la chaleur rauque de sa voix, il avait l'air solidement enraciné dans la terre, on imaginait qu'il aimait avec vigueur les gens, les choses ; mais en vérité ils ne lui servaient qu'à alimenter son impétueuse vitalité : c'est d'elle seule qu'il se grisait. Comme il aimait parler ! et à n'importe qui ! Ça lui allait bien de dîner en ville ! Quand un homme attache plus d'importance au son de sa voix qu'au sens de ses paroles, où est sa sincérité ? Bruneau et Morin étaient sincères, mais hésitants ; tout juste ces intellectuels dont parlait Lachaume qui veulent se sentir efficaces sans sacrifier leur individualisme : « Comme moi, se dit Henri ; comme Dubreuilh. Tant qu'on peut marcher avec les communistes sans en être, ça va ; mais si jamais ils décidaient de nous excommunier, ça créerait un sacré problème. » Henri leva les yeux vers le ciel bleu. Inutile de vouloir le résoudre aujourd'hui, on ne pouvait pas même le poser concrètement : toutes les perspectives changeraient si l'attitude du P.C. changeait. Ce qui était sûr, c'est qu'il fallait refuser de se laisser intimider ; tout le monde en convenait et ces débats étaient oiseux. « Pendant ce temps, il y a des types qui pêchent à la ligne », se dit Henri. Il n'aimait pas la pêche, mais les pêcheurs l'aimaient, ils avaient bien de la chance.

Quand enfin le comité se fut prononcé à l'unanimité en faveur du meeting, Samazelle s'approcha d'Henri :

— Il faut que ce meeting soit un succès ! dit-il. Il y avait un vague reproche dans sa voix.

— Pour ça, il faudrait que le rythme du recrutement s'accentue considérablement, dit Samazelle.

— C'est souhaitable.

— Vous vous rendez compte que si nous avions un journal, nous serions assurés d'une audience beaucoup plus large.

— Je sais, dit Henri.

Il examinait sans gaieté le solide visage au sourire abondant. « Si je marche, c'est à lui que j'aurai affaire, au moins autant qu'à Dubreuilh », pensa-t-il. Samazelle était d'une infatigable activité.

— Il serait urgent de connaître votre réponse, dit Samazelle.

— J'ai prévenu Dubreuilh qu'il me fallait quelques jours de réflexion.

— Oui, il y a quelques jours de ça, dit Samazelle.

« Décidément, je ne l'aime pas », se répéta Henri. Et il se dit avec blâme : « Voilà bien une réaction d'individualiste ! » Un allié, ce n'est pas nécessairement un ami : « D'ailleurs, qu'est-ce qu'un ami ? » se demanda-t-il, en serrant la main de Dubreuilh. Amis : jusqu'à quel point ? A quel prix ? Si je ne cède pas, que deviendra cette amitié ?

— Vous n'oubliez pas qu'il y a des manuscrits qui vous attendent à *Vigilance*? dit Dubreuilh.

— J'y passe tout de suite, dit Henri.

Il se serait volontiers intéressé davantage à cette revue, ça l'amusait d'aider Dubreuilh à rassembler des textes, à les choisir; mais c'était toujours le même refrain : il aurait fallu du temps pour lire avec soin les manuscrits, pour écrire aux auteurs, pour causer avec eux. Pas question; il devait se borner à feuilleter hâtivement des écrits anonymes. « Je bâcle tout », pensa-t-il en s'installant au volant de la petite auto noire. Cette belle journée aussi, il la bâclait. De jour en jour, on finit par bâcler sa vie.

— Tu es venu chercher ton courrier ? dit Nadine Elle lui tendit d'un air important une grosse enveloppe jaune; elle prenait très au sérieux son rôle de secrétaire : « Et voilà les Argus, si tu veux y jeter un coup d'œil.

— Un autre jour », dit Henri. Il examina avec compassion les liasses de papier empilées sur la table ; des cahiers noirs, rouges, verts, des paquets de feuillets, mal ficelés, des registres : tant de manuscrits, et pour son auteur, chacun est unique...

— Donne-moi la liste de ceux que tu emportes, demanda Nadine en s'affairant parmi ses fiches.

— Je prends ce paquet, dit Henri. Et aussi ce machin-là ; ça semble plutôt bon, dit-il en désignant un roman dont la première page lui avait plu.

— Le livre du petit Peulevey ? Il a l'air gentil, ce rouquin, mais qu'est-ce qu'il peut écrire à cet âge-là ? il n'a pas plus de vingt-deux ans. Elle posa sur le cahier une main impérieuse : « Laisse-le-moi. Je te l'apporterai ce soir.

— Je ne suis pas sûr du tout que ça soit bien...

— Je veux le regarder, dit Nadine. C'était sa seule passion cette curiosité gloutonne. « On se voit ce soir ? ajouta-t-elle d'un ton méfiant.

— C'est entendu. A dix heures, au bistrot du coin.

— Tu ne viens pas chez Marconi avant ? on fête la chute de Berlin, il y aura tous les copains.

— Je n'ai pas le temps.

— Il paraît que Marconi a des disques dernier cri ; moi, je m'en balance, mais tu prétends que tu aimes le jazz.

— J'aime le jazz, mais j'ai à faire.

— Entre cinq heures et dix heures, tu ne peux pas trouver une minute ?

— Non. A sept heures, je vais voir Tournelle qui m'a enfin donné un rendez-vous. »

Nadine haussa les épaules : « Il va te rire au nez !

— Je m'en doute. Mais je veux pouvoir écrire au pauvre das Viernas que je lui ai parlé de vive voix. »

Nadine acheva de dresser sa liste en silence :

— Bon, alors à ce soir, dit-elle en relevant la tête.

Henri lui sourit : « A ce soir. »

Il la retrouverait à dix heures ; vers onze heures, ils monteraient ensemble dans le petit hôtel en face du journal : c'est elle qui avait insisté pour coucher de nouveau avec lui ; c'était une consolation de penser que cette journée aride s'ouvrirait dans quelques heures sur une nuit tiède et rose. Henri s'assit de nouveau dans sa voiture et partit vers le journal. La nuit était loin encore, et l'après-midi allait s'achever sans joie. Entendre du jazz inédit, boire avec des camarades, sourire à des femmes, oui, il aurait bien aimé ça ; mais ses minutes étaient comptées : au journal, il y avait déjà des gens qui comptaient ses minutes. Il aurait aimé arrêter l'auto le long du quai, s'accouder au parapet, regarder l'eau ensoleillée ; ou bien filer vers les campagnes timides qui entourent Paris : il aurait aimé un tas de choses. Mais non. Cette année encore les vieilles pierres de Paris allaient reverdir sans lui. « Jamais de halte : rien n'existe que l'avenir et il recule indéfiniment. Et voilà ce qu'on appelle agir ! » Discussions, conférences : aucune de ces heures n'avait été vécue pour elle-même. Maintenant il allait commencer son éditorial, voir Tournelle, et il aurait juste le temps avant dix heures d'achever son article et de descendre aux marbres. Il arrêta la voiture devant l'immeuble du journal ; c'était encore une chance qu'on ait obtenu cette bagnole, sans elle, il n'aurait jamais pu venir à bout de tout ce qu'il avait à faire. Il ouvrit la portière et son regard effleura le tableau de bord. 2 327. Il relut le chiffre avec surprise. Il était sûr qu'hier soir le compteur marquait 2 102. Ils n'étaient que quatre à avoir la clef du garage : Lambert était en Allemagne, Luc avait passé sa matinée au journal, et pourquoi Vincent aurait-il fait 225 kilomètres entre minuit et midi ? ça n'était pas le genre de type à promener une gueuse, il avait un goût trop exclusif pour les bordels. D'ailleurs où aurait-il trouvé l'essence ? et puis il aurait prévenu, on prévenait toujours. Henri monta l'escalier et sur le seuil de son bureau il s'immobilisa. Cette histoire de kilométrage l'intriguait. Il marcha vers la salle de rédaction et posa sa main sur l'épaule de Vincent :

— Dis donc...

Vincent se retourna et sourit ; Henri hésita. Ça n'était pas même un soupçon ; mais tout à l'heure, en lisant l'entrefilet de *France-Soir*, au bas de la première page, il s'était rappelé un certain sourire de Vincent, au Bar Rouge ; et maintenant Vincent souriait, et il repensait à cet entrefilet. Il laissa sa question en suspens et demanda : « Tu viens boire un verre ?

— Ce n'est jamais de refus », dit Vincent.

Ils montèrent jusqu'au bar, et s'assirent devant un guéridon, près de la porte qui s'ouvrait sur la terrasse. Henri commanda deux vins blancs et il reprit : « Dis donc, c'est toi qui as pris la bagnole ce matin ?

— La bagnole ? non.

— C'est bizarre ; il faut que quelqu'un d'autre que nous ait les clefs. Je l'ai rentrée hier soir à minuit et depuis quelqu'un a fait 225 kilomètres.

— Tu as dû te tromper dans les chiffres, dit Vincent.

— Non, je suis sûr que non ; j'avais noté qu'on venait juste de dépasser 2 100. » Henri prit un temps : « Luc était ici ce matin. Si ce n'est pas toi qui as sorti la voiture, je me demande vraiment qui c'est. Il faut que je tire ça au clair.

— Qu'est-ce que ça peut te faire ? » dit Vincent. Il y avait quelque chose d'insistant dans sa voix et Henri le dévisagea un instant en silence :

— Je n'aime pas les mystères, dit-il.

— C'est un bien petit mystère !
— Crois-tu ?

De nouveau il y eut un silence et Henri demanda :
— C'est toi qui l'as prise ?

Vincent sourit : « Écoute, je vais te demander un service Oublie cette histoire ; oublie-la à fond. La bagnole n'est pas sortie depuis hier soir, c'est tout. »

Henri vida son verre ; 225 kilomètres ; Attichy est à 100 kilomètres de Paris environ. L'entrefilet de *France-Soir* rapportait que le docteur Baumal, suspect d'avoir travaillé avec la Gestapo et qui venait de bénéficier d'un non-lieu, avait été trouvé à l'aube assassiné dans sa maison d'Attichy. Henri examina de nouveau Vincent. Ça sentait le roman-feuilleton, cette histoire ; et Vincent souriait, en chair et en os, il était bien réel. Henri se leva. A Attichy il y avait un cadavre bien réel, et les meurtriers se trouvaient quelque part, en chair et en os.

— On serait mieux sur la terrasse pour causer, dit-il.
— Oui, c'est une belle journée, dit Vincent en s'avançant vers le parapet par-dessus lequel on apercevait le miroitement des toits de Paris.
— Où étais-tu cette nuit ? dit Henri.
— Tu tiens à le savoir ? dit Vincent.

Il souriait à ses pensées. Henri dit brusquement :
— Tu étais à Attichy.

Le visage de Vincent changea ; il regarda ses mains ; elles ne tremblaient pas. Il leva vivement les yeux sur Henri :
— Qu'est-ce qui te fait dire ça ?
— C'est trop clair, dit Henri.

En fait, il avait jeté des mots sans y croire ; et soudain c'était vrai. Vincent faisait partie d'un de ces gangs ; cette nuit, il était à Attichy.

— C'est si clair que ça ? dit Vincent d'une voix

dépitée. Il était désolé de s'être laissé si facilement percer à jour, et tout le reste semblait lui être parfaitement indifférent.

Henri le saisit par l'épaule : « Tu n'as pas l'air de te rendre compte : c'est moche ce genre d'histoires, c'est parfaitement moche.

— Le docteur Baumal, dit Vincent d'une voix tranquille, c'est lui qu'on appelait rue de la Pompe pour s'occuper des gars qui étaient tombés dans les pommes ; il les ranimait, et on recommençait à leur tortiller les doigts de pied. Il a fait ce boulot pendant deux ans. »

Henri serra plus fort l'épaule osseuse : « Oui, c'était un beau salaud. Et alors ? à quoi ça avance, un salaud de moins sur terre ? Descendre des collabos en 43, bien d'accord. Mais maintenant, ça ne sert à rien, c'est quasi sans risque, ça n'est ni de l'action, ni du travail, ni même du sport ; juste un petit jeu malsain. Il y a tout de même mieux à faire.

— Tu reconnais que l'épuration est une comédie dégueulasse, dit Vincent.

— Ça aussi, c'est une comédie, également dégueulasse, dit Henri. Tu veux que je te dise ? ajouta-t-il d'une voix irritée. Ça vous crève le cœur que l'aventure soit finie, vous faites semblant de la prolonger. Mais bon Dieu ! ce n'était pas l'aventure qui comptait : c'était les trucs qu'on défendait.

— On défend toujours les mêmes choses », dit Vincent de sa voix tranquille. On aurait cru qu'il discutait un problème de casuistique tout à fait abstrait : « Tu sais, reprit-il, ces petits faits divers sont bien utiles pour rafraîchir la mémoire des gens. Ils en ont salement besoin. Tiens : la semaine dernière j'ai croisé Lambert qui se promenait avec son père : il y a une indiscrète pointe d'abus, non ?

251

— Je lui ai conseillé de le revoir s'il en avait envie, dit Henri. Ça ne regarde que lui. Rafraîchir la mémoire des gens! reprit-il en haussant les épaules. Il faut être cinglé pour croire que ça changera rien à rien.

— Qui change quelque chose, à quoi? dit Vincent d'un ton ironique.

— Tu sais pourquoi on est en panne? dit Henri avec colère. Parce qu'on n'est pas assez nombreux. C'est ta faute à toi, à tes copains, à tous les gars qui s'amusent à des conneries au lieu de faire du vrai travail.

— Tu veux que je m'inscrive au S.R.L.? dit Vincent d'une voix ironique.

— Ça vaudrait drôlement mieux! dit Henri. Enfin, rends-toi compte: à quoi ça rime, de faire des cartons sur de vagues salauds dont tout le monde se fout? La droite ne s'en porte pas plus mal. »

Vincent lui coupa la parole: « Lachaume dit que le S.R.L. sert la réaction et Dubreuilh que le P.C. trahit le prolétariat: va donc t'y reconnaître! » Il marcha délibérément vers la porte-fenêtre: « Oublie cette histoire. Je te promets que je ne me servirai plus de l'auto, ajouta-t-il avec un sourire.

— Je me fous de l'auto », dit Henri.

Vincent coupa court: « Ne t'occupe pas du reste. » Ils traversèrent le bar et Vincent demanda:

— Tu viens chez Marconi, tout à l'heure?

— Non. J'ai trop de travail.

— Dommage! pour une fois qu'on peut se réjouir tous ensemble d'une même chose! On aurait bien aimé t'avoir!

— J'aurais aimé aussi.

Ils descendirent l'escalier en silence; Henri aurait voulu ajouter quelque chose, un argument convaincant: il ne trouvait rien. Il se sentait très déprimé. Vincent avait douze macchabées derrière lui, il

252

essayait de les oublier en continuant à tuer; et entre-temps, il se saoulait beaucoup : il allait se saouler ferme chez Marconi. On ne pouvait pas le laisser continuer comme ça. Mais comment l'en empêcher ? « Il y a quelque chose de pourri quelque part », se dit Henri. Tant de chose à faire ! Et tant de types qui ne savaient que faire ! Ça aurait dû coller : et puis ça ne collait pas. « Je vais l'envoyer faire un long reportage, très loin », décida-t-il. Mais ce n'était qu'une solution provisoire. Il aurait fallu avoir quelque chose de solide à offrir à Vincent. Si le S.R.L. avait mieux marché, s'il avait vraiment représenté un espoir, Henri aurait pu lui dire : « Nous avons besoin de toi. » Pour l'instant, on était loin de compte.

Quand Henri s'amena au Quai d'Orsay deux heures plus tard, il était morose. Il n'avait que trop prévu l'accueil aimable de Tournelle, son sourire circonspect.

— Dis à ton ami das Viernas que sa lettre sera prise en considération, mais conseille-lui la patience, dit Tournelle. Je me charge de faire parvenir ta réponse par la valise, ajouta-t-il, tu n'auras qu'à la remettre à ma secrétaire; mais sois tout de même très prudent.

— Bien sûr; le pauvre vieux est déjà bien assez suspect ! Henri regarda Tournelle avec un peu de reproche : « Ce sont des rêveurs, ils ne se rendent pas compte des choses; mais ils ont tout de même bien raison de vouloir flanquer Salazar en l'air.

— Évidemment qu'ils ont raison ! dit Tournelle : il y avait une espèce de rancune dans sa voix et Henri le dévisagea avec plus d'attention.

— Alors, tu ne trouves pas qu'on devrait essayer de les aider d'une manière ou d'une autre ? dit-il.

— Quelle manière ?

— Moi je ne sais pas : c'est ton rayon. »

Tournelle haussa les épaules : « Tu connais la situa-

253

tion aussi bien que moi. Comment veux-tu que la France fasse quelque chose pour le Portugal ou pour qui que ce soit, quand elle ne peut rien pour elle-même ! »

Henri regarda avec inquiétude le visage irrité. Tournelle avait été un des premiers à organiser la Résistance, il n'avait jamais douté de la victoire : ça ne lui ressemblait pas, cet aveu de défaite.

— Nous avons tout de même un peu de crédit, dit Henri.

— Tu crois ça ? Tu es de ces gens qui se sentent fiers parce que la France est invitée à San Francisco ? Qu'est-ce que tu t'imagines ? La vérité c'est que nous ne comptons plus.

— Nous ne pesons pas lourd, soit, dit Henri. Mais enfin nous pouvons parler, défendre des points de vue, exercer des pressions...

— Je me rappelle, dit Tournelle d'un ton amer. On voulait sauver l'honneur pour que la France puisse parler aux Alliés la tête haute ; il y a des types qui se sont fait bousiller pour ça : c'est bien du sang perdu !

— Tu ne vas pas me dire qu'il ne fallait pas résister, dit Henri.

— Je ne sais pas. Tout ce que je sais c'est que ça ne nous a pas avancés à grand-chose ! Tournelle mit la main sur l'épaule d'Henri : « Ne va pas répéter ce que je te dis là !

— Bien sûr que non ! » dit Henri.

Tournelle ramena sur ses lèvres un sourire mondain :

— Je suis content d'avoir eu cette occasion de te revoir !

— Moi aussi, dit Henri.

Il enfila d'un pas rapide les corridors et traversa la cour. Il avait le cœur serré. « Pauvre das Viernas.

254

Pauvres vieux bonshommes ! » Il revoyait leurs cols durs, leurs melons, cette colère raisonnable dans leurs yeux ; ils disaient : « La France est notre seul espoir » ; il n'y avait pas d'espoir, nulle part, pas plus en France qu'ailleurs. Il traversa la chaussée et s'accouda au parapet du quai. Du Portugal, la France gardait encore l'éclat têtu des étoiles mortes, et Henri s'y était laissé prendre. Soudain, il découvrait qu'il habitait la capitale moribonde d'un tout petit pays. La Seine coulait dans son lit, la Madeleine, la Chambre des députés étaient à leur place, l'obélisque aussi : on aurait pu croire que la guerre avait miraculeusement épargné Paris. « Nous voulions le croire », pensa Henri en engageant la voiture sur le boulevard Saint-Germain où fleurissaient fidèlement les marronniers ; ils s'étaient tous laissé complaisamment duper par ces maisons, ces arbres, ces bancs qui imitaient si exacte-ment le passé ; mais en vérité, elle avait été anéantie, l'orgueilleuse Cité dressée sur le cœur du monde. Henri n'était plus que le citoyen négligeable d'une puissance de cinquième ordre ; et *L'Espoir*, une gazette locale, dans le genre du *Petit Limousin*. Il monta d'un pas morne l'escalier du journal. « La France ne peut rien. » Renseigner, indigner, passionner des gens qui ne peu-vent rien, à quoi ça mène-t-il ? Ce reportage sur le Portugal, Henri l'avait soigné comme s'il avait dû soulever l'opinion d'un pôle à l'autre. Et Washington s'en foutait bien, et le Quai d'Orsay n'y pouvait rien. Il s'assit à son bureau et relut le début de son article : à quoi bon ? Les gens le liraient, ils hocheraient la tête, ils jetteraient le journal dans la corbeille à papier, et fini ! Quelle importance ça avait-il que *L'Espoir* restât ou non indépendant, qu'il eût plus ou moins de lecteurs, ou même qu'il fît faillite ? « Ça ne vaut pas la peine de m'entêter ! » pensa Henri brusquement.

Dubreuilh et Samazelle croyaient pouvoir l'utiliser, ce journal ; ils croyaient aussi que la France aurait encore un rôle à jouer si elle ne restait pas isolée : tous les espoirs étaient de leur côté ; en face, rien que du vide. « Alors ? Pourquoi ne pas téléphoner que j'accepte ? » se dit Henri ; il regarda un long moment l'appareil, sur son bureau ; mais sa main ne se décidait pas. Il se remit à son article.

— Allô, Henri ? c'est Nadine. Il y avait un frémisse-ment hagard dans sa voix : « Tu ne m'as pas oubliée ? »

Il regarda sa montre avec surprise : « Mais non, j'allais descendre, il n'est pas plus de dix heures un quart, non ?

— Dix heures dix-sept.

— Eh bien, j'avais du travail. »

Il raccrocha avec impatience. Pour ça, elle avait le don : elle s'arrangeait toujours pour gâcher leurs rencontres. Pendant cette journée aride, il avait souvent pensé à ce moment où il serrerait dans ses bras son corps lisse et frais ; alors il aurait enfin sa part de printemps. Et voilà que d'un seul coup la rancune submergeait son désir. « Encore une qui se croit des droits sur moi ? se disait-il en descendant l'escalier. Ça suffit de Paule... » Il poussa la porte du petit café ; Nadine lisait d'un air posé en buvant une eau minérale.

— Alors ? tu ne peux pas attendre vingt minutes ?

Elle leva la tête : « Excuse-moi. Je ne voulais pas te bousculer. Mais c'est plus fort que moi. Dès que je commence à attendre, il me semble que je ne reverrai plus jamais la personne que j'attends.

— On ne disparaît pas comme ça.

— Tu crois ? »

Il détourna la tête avec un peu de honte ; il se rappelait soudain qu'elle avait dix-huit ans et de lourds souvenirs.

— Tu as commandé quelque chose ?

— Oui, ils ont des beefsteaks ce soir. Elle ajouta avec un sourire conciliant : « Tu as aussi bien fait de ne pas venir chez Marconi, ce n'était pas drôle.

— Vincent s'est saoulé ?

— Comment le sais-tu ?

— Il se saoule toujours. Tu devrais bien essayer de le convertir.

— Oh, Vincent ! il a tous les droits, dit Nadine d'une voix rêveuse. Il est si différent des autres : c'est un archange... »

Elle fixa son regard sur Henri : « Alors ? tu as vu Tournelle ?

— Je l'ai vu. Il dit qu'on ne peut rien faire.

— Je savais bien qu'on se cassait le cul pour rien, dit Nadine.

— Mais je le savais aussi, dit-il.

— Alors ce n'était vraiment pas la peine ! » dit Nadine. Son visage était de nouveau boudeur ; elle tendit à Henri le cahier noir : « Je t'ai apporté le manuscrit.

— Qu'est-ce que ça vaut ?

— Il raconte des trucs sur l'Indochine qui sont très amusants, dit Nadine d'une voix impartiale.

— Tu penses qu'on peut en passer des morceaux dans la revue ?

— Oh ! sûrement ; moi, je passerais même tout. » Elle regarda le manuscrit avec une espèce de rancune : « Il ne faut pas avoir de pudeur pour oser parler de soi comme ça ; je ne pourrais jamais. »

Henri lui sourit : « Tu n'as jamais envie d'écrire ?

— Jamais, dit Nadine avec emphase. D'abord je ne comprends pas qu'on écrive quand on n'a pas de génie.

— Quelquefois j'ai l'impression qu'écrire ça t'aide-rait », dit Henri.

Le visage de Nadine se durcit :

— Ça m'aiderait ? A quoi ?

— A te débrouiller dans la vie.

— Je me débrouille très bien, merci, dit-elle en attaquant son beefsteak. Vous êtes marrants, ajouta-t-elle, pire que des drogués.

— Pourquoi des drogués ?

— Les drogués veulent droguer tout le monde ; vous voulez que tout le monde écrive.

Henri ouvrit le manuscrit et de nouveau les phrases dactylographiées résonnèrent en lui avec un bruit clair, sec et gai comme une pluie de petits cailloux.

— Pour un garçon de vingt-deux ans, c'est vraiment bien, dit-il.

— Oui, c'est bien, dit-elle ; elle haussa les épaules. Comment peux-tu t'exciter à propos d'un type que tu ne connais même pas ?

— Je ne m'excite pas ; je constate qu'il a du talent.

— Et alors ? Il n'y a pas assez d'écrivains de talent sur cette terre ? Explique-moi, reprit-elle d'un air buté ; quel besoin avez-vous, papa et toi, de découvrir des chefs-d'œuvre en herbe ?

— Si on écrit, c'est qu'on croit à la littérature, dit Henri. Ça fait plaisir qu'elle s'enrichisse d'un bon livre.

— Tu veux dire que ça rejaillit sur vos propres activités et que ça les justifie ?

— D'une certaine manière, oui.

— C'est ce que je pensais, dit-elle d'une voix satisfaite. L'intérêt que vous portez aux jeunes, au fond c'est de l'égoïsme.

— Oh ! quel cynisme à bon marché !

— Ce n'est pas toujours par égoïsme qu'on agit ?

— Disons qu'en tout cas il y a des formes d'égoïsme plus ou moins agréables pour autrui.

Il ne voulait surtout pas discuter ; elle était en train

258

de se gratter les dents avec un bout d'allumette et il se sentait franchement agacé. Elle laissa tomber l'allumette sur le carreau : « Toi aussi tu penses que j'ai eu tort de prendre ce secrétariat ?

— Pourquoi me demandes-tu ça ? tu t'en tires très bien.

— Ce n'est pas dans l'intérêt du secrétariat que je parle, mais dans le mien. J'ai eu raison ou tort ? »

A vrai dire, il n'en pensait pas grand-chose ; malgré tout son cynisme, Nadine aurait été étonnée si elle avait su à quel point ses problèmes le laissaient indifférent.

— Évidemment, tu aurais pu continuer tes études, dit-il du bout des lèvres.

— Je voulais être indépendante.

Travailler à la revue de son père, c'était une drôle d'indépendance ; en vérité, elle s'appliquait à mépriser ses parents, voire à les haïr, mais elle n'aurait pas supporté que leur vie ne fût pas la sienne : elle avait besoin de les narguer sur place. Il dit mollement : « Tu es le meilleur juge.

— Alors, tu trouves que j'ai eu raison ?

— Tu as raison de faire ce qui te plaît. » Il répondait à contrecœur, parce qu'il savait que Nadine adorait parler d'elle mais que tout jugement, fût-il bienveillant, la blessait. A vrai dire, il n'y avait rien ce soir dont il eût envie de parler ; tout ce qu'il souhaitait, c'était de se mettre au lit avec elle.

— Tu sais ce que tu ferais si tu étais gentille ?

— Quoi ?

— Tu traverserais la rue avec moi.

Le visage de Nadine se rembrunit : « Quand tu me vois, ça n'est que pour ça, dit-elle avec dépit.

— Je ne pensais pas t'insulter. »

Elle dit plaintivement : « Je voulais causer.

« — Eh bien causons ! Tu veux un cognac ?

— Tu sais bien que non.

— Toujours aussi sobre qu'une enfant de Marie. Pas de cigarette non plus ?

— Non. »

Il commanda un cognac, alluma une cigarette :

— De quoi voulais-tu causer ?

Sa voix n'était pas aimable ; Mais Nadine ne se laissa pas déconcerter :

— J'ai envie de m'inscrire au P.C.

— Inscris-toi.

— Mais qu'est-ce que tu en dis ?

— Il n'y a rien à dire, dit-il vivement. A toi de savoir ce que tu veux faire.

— Mais j'hésite, ça n'est pas si simple ; c'est pour ça que je voudrais qu'on en cause.

— Les discussions ne convainquent jamais personne.

— Avec d'autres gens, tu discutes, dit Nadine dont la voix brusquement s'aigrit. Avec moi, tu ne veux jamais ; je suppose que c'est parce que je suis une femme ; les femmes, c'est tout juste bon à se faire baiser.

— Je passe mes journées à palabrer, dit-il. Si tu savais comme on finit par en avoir marre.

Le fait est qu'avec Lambert ou Vincent, il ne se serait pas dérobé ; Nadine avait besoin de secours autant qu'eux ; mais il avait appris à ses dépens que venir en aide à une femme, c'était toujours lui concéder un droit ; du moindre don, elles faisaient une promesse ; il se tenait sur la défensive.

— Ce que je pense, c'est que si tu entres au parti tu n'y resteras pas longtemps, dit-il avec effort.

— Oh ! tu sais, vos scrupules d'intellectuels, c'est pas ça qui me dévore. Ce qui est sûr, dit-elle passionnément, c'est que si j'avais été inscrite, je n'aurais pas eu de tels remords quand on voyait au Portugal ces mômes qui crevaient de faim.

Il garda le silence ; oui, se débarrasser une bonne fois de tous les remords, c'est bien tentant ; mais si on ne s'inscrit que pour ça, on manque sûrement son coup.

— A quoi penses-tu ? dit Nadine.

— Je pensais que si tu as envie de t'inscrire, il faut le faire.

— Mais toi, tu aimes mieux rester au S.R.L. que d'entrer au P.C. ?

— Pourquoi est-ce que j'aurais changé d'avis ? dit Henri.

— Alors, tu penses qu'être communiste, c'est bon pour moi et pas pour toi ?

— Il y a un tas de choses que je n'encaisse pas chez eux : si toi tu les encaisses, vas-y.

— Tu vois, tu ne veux pas discuter ! dit-elle.

— Je discute.

— Du bout des lèvres. Tu as l'air de tellement t'ennuyer avec moi ! ajouta-t-elle avec reproche.

— Mais non, je ne m'ennuie pas. Mais ce soir je suis vraiment abruti.

— Tu es toujours abruti quand tu me vois.

— Parce que je te vois le soir ; tu sais bien que je n'ai pas d'autre moment libre.

Il y eut un court silence et elle dit : « Écoute, je vais te demander quelque chose ; mais naturellement tu refuseras...

— Quoi ?

— Ton prochain week-end, passe-le avec moi.

— Mais je ne peux pas », dit-il. De nouveau la rancune lui monta à la gorge ; elle lui refusait ce corps dont il avait envie, et elle exigeait du temps, de l'attention... « Tu sais bien que je ne peux pas.

261

— A cause de Paule ?

— Exactement.

— Comment un homme peut-il accepter de rester toute sa vie l'esclave d'une femme qu'il n'aime plus ?

— Je ne t'ai jamais dit que je ne tenais pas à Paule.

— Tu as pitié d'elle et tu as des remords ; toutes ces cuisines sentimentales, c'est tellement dégueulasse. Quand on n'a plus de plaisir à voir les gens, on laisse tomber, c'est tout.

— En ce cas il ne faut jamais rien demander à personne, dit-il en la regardant avec insolence. Et surtout ne pas s'indigner si on vous répond : non.

— Je ne me serais pas indignée si tu m'avais dit franchement : Je n'ai pas envie de passer ce week-end avec toi, au lieu de me parler de tes devoirs. »

Henri eut un petit rire. « Non, pensa-t-il, cette fois je ne me laisserai pas prendre au coup de la franchise : elle réclame la vérité, elle l'aura. » Il dit tout haut : « Admettons que je te le dise franchement ?

— Tu n'auras pas à me le dire deux fois. »

Elle prit sur la table son sac et le ferma d'un coup sec. « Je ne suis pas le genre sangsue, dit-elle, je ne m'accroche pas ; et d'ailleurs, sois bien tranquille : je ne t'aime pas. » Elle le dévisagea un instant en silence : « Comment peut-on aimer un intellectuel ? Vous avez une balance à la place du cœur et une petite cervelle au bout de la queue. Et au fond, conclut-elle, vous êtes tous des fascistes.

— Je ne te suis pas.

— Vous ne traitez jamais les gens à égalité, vous disposez d'eux selon la petite jugeote de votre conscience ; votre générosité, c'est de l'impérialisme, et votre impartialité de la suffisance. »

Elle parlait sans colère, rêveusement ; elle se leva et elle eut un petit rire appliqué :

262

— Oh! ne prends pas cet air souffreteux. Ça t'emmerde de me voir, et au fond ça ne m'amuse plus beaucoup : il n'y a pas de drame ; on se causera quand on se rencontrera. Sans rancune.

Elle disparut dans la nuit de la rue, et Henri demanda l'addition. Il n'était pas content de lui. « Pourquoi ai-je été si vache avec elle ? » Elle l'agaçait, mais il l'aimait bien. « Je m'agace trop souvent, se dit-il. Tout m'agace : il y a quelque chose qui ne tourne pas rond. » Il vida son verre de vin. Pas étonnant : il passait ses journées à faire des choses qu'il n'avait pas envie de faire, il vivait du matin au soir à contrecœur. « Comment en suis-je venu là ? » A première vue ça ne semblait pas tellement ambitieux ce qu'il s'était proposé au lendemain de la Libération : retrouver sa vie d'avant-guerre, et l'enrichir de quelques activités neuves ; il croyait qu'il pourrait diriger *L'Espoir* et travailler au S.R.L. sans cesser pour ça d'écrire ni d'être heureux : il ne pouvait pas. Pourquoi ? Ce n'était pas une question de temps ; s'il y avait vraiment tenu, il se serait débrouillé cet après-midi pour flâner dans les rues ou pour aller chez Marconi. Et juste maintenant, il avait du temps pour travailler, il pouvait demander du papier au garçon, mais cette idée lui soulevait le cœur. « Drôle de métier ! » disait Nadine. Elle avait raison. Les Russes étaient en train de saccager Berlin, la guerre s'achevait ou une autre commençait : comment pouvait-on s'amuser à raconter des histoires qui ne sont jamais arrivées ? Il haussa les épaules : ça aussi c'est le genre de prétexte qu'on se donne quand le travail ne marche pas. La guerre menaçait, la guerre avait éclaté, et il s'amusait encore à raconter des histoires : pourquoi pas maintenant ? Il sortit du café. Il se rappelait une autre nuit, une nuit de brouillard, où il s'était prédit que la politique allait le

263

manger : ça y était, il était mangé. Mais pourquoi ne s'était-il pas mieux défendu ? D'où venait cette sécheresse intérieure qui le paralysait ? Pourquoi ce garçon dont il tenait le manuscrit entre les mains trouvait-il des choses à dire, et lui pas ? Il avait eu vingt-deux ans et des choses à dire, il marchait dans ces rues en rêvant à son livre : le livre... Il ralentit le pas. Ce n'était plus les mêmes rues. Autrefois, elles étaient éblouissantes de lumière et elles sillonnaient la capitale du monde ; aujourd'hui, la lueur d'un réverbère perçait de loin en loin la nuit et on remarquait alors combien la chaussée était étroite et les maisons décrépies. La Ville lumière s'était éteinte. Si un jour elle brillait de nouveau, la splendeur de Paris serait celle des capitales déchues : Venise, Prague, Bruges la Morte. Pas les mêmes rues, pas la même ville, pas le même monde. Henri s'était promis la nuit de Noël de dire avec des mots les douceurs de la paix : mais cette paix était sans douceur. Les rues étaient maussades, la chair de Nadine morose ; ce printemps n'avait rien à lui offrir : le ciel bleu, les bourgeons obéissaient à la routine des saisons, ils étaient sans promesse. « Dire le goût de ma vie. » Elle n'avait plus de goût parce que les choses n'avaient plus de sens. Et voilà pourquoi écrire n'avait plus de sens. Là encore Nadine avait raison : les petites lumières le long du Tage, on ne peut pas se plaire à les décrire quand on sait qu'elles éclairent une ville qui crève de faim. Et les gens qui crèvent de faim ne sont pas un prétexte à phrases. Le passé n'avait été que mirage : le mirage dissipé, que restait-il ? Du malheur, des dangers, des tâches incertaines, un chaos. Henri avait perdu un monde : on ne lui rendait rien en échange. Il n'était nulle part, il ne possédait rien, il n'était rien : il ne pouvait parler de rien. « Eh bien, je n'ai qu'à me taire, pensa-t-il. Si j'en prends vraiment mon parti, je cesserai d'être écartelé. Je ferai peut-être de meilleur cœur les corvées que je suis obligé de faire. » Il s'arrêta devant le Bar Rouge ; à travers la vitre, il aperçut Julien assis solitairement sur un tabouret. Il poussa la porte et il entendit qu'on chuchotait son nom. La veille encore il en aurait été touché ; mais tandis qu'il se frayait un chemin à travers la cohue indigène, il s'en voulut de s'être laissé duper par un piètre mirage : être un grand écrivain au Guatemala ou au Honduras, quel dérisoire triomphe ! Jadis il croyait habiter un lieu privilégié du monde d'où chaque mot se propageait à travers la terre entière ; mais à présent, il savait que toutes ses paroles mouraient à ses pieds.

— Trop tard ! dit Julien.

— Pourquoi trop tard ?

— Le cassage de gueule, tu l'as manqué. Oh ! rien de fameux, ajouta-t-il. Ils ne savent même plus se casser la gueule proprement.

— A propos de quoi ?

— Un type a appelé Pétain « le maréchal », dit Julien d'une voix incertaine. Il tira de sa poche un flacon plat : « Tu veux du vrai scotch ?

— Je veux.

— Mademoiselle, un autre verre et un autre soda, je vous prie », dit Julien. Il remplit à mi-hauteur le verre d'Henri.

— Fameux ! dit Henri ; il avala une large rasade : « J'avais besoin d'un petit remontant : j'ai eu une journée si bien remplie, c'est fou ! tu n'as pas remarqué comme on se sent vide après une journée bien remplie ?

— Les journées sont toujours remplies, il n'y manque jamais une heure : les bouteilles, c'est différent malheureusement. »

Julien toucha le cahier qu'Henri avait posé sur le comptoir : « Qu'est-ce que c'est que ça ? des documents secrets ?

— Un roman de jeune homme.

— Dis à ton jeune homme d'en faire des papillotes pour sa petite sœur ; qu'il se mette bibliothécaire, comme moi, c'est un métier ravissant, et puis c'est plus sain. Tu as remarqué : si tu as vendu du beurre ou des canons aux Boches, on te pardonne, on t'embrasse, on te décore ; mais si tu as écrit un mot de trop ici ou là, alors : en joue ! feu ! Tu devrais faire un articulet là-dessus.

— J'y pense.

— Tu penses à tout, hein ? » Julien vida le flacon de scotch dans les verres. « Dire que tu peux remplir des colonnes et des colonnes pour réclamer des nationalisations ! Travail et justice : tu crois que ça sera marrant ? et la nationalisation des bites, c'est pour quand ? » Il leva son verre : « Aux massacres de Berlin !

— Les massacres ?

— Qu'est-ce que tu crois qu'ils font à Berlin cette nuit, les bons Cosaques ? massacres et viols ! Tu parles d'un foutoir. C'est la victoire, quoi ! notre victoire. Tu ne te sens pas fier ?

— Ah ! tu ne vas pas me faire chier toi aussi avec la politique.

— Ah ! non. Merde pour la politique ! dit Julien.

— Si tu veux dire que ce monde n'est pas très drôle, dit Henri, je pense comme toi.

— Moi aussi. Regarde-moi ce bougre : ça s'appelle un bar. Même les ivrognes ne parlent que de relever la France. Et les femmes ! pas une femme gaie dans le quartier, rien que des bouleversantes. »

Julien descendit de son tabouret : « Tiens ! viens donc à Montparnasse avec moi. Là-bas du moins on trouve des jeunes filles charmantes ; peut-être pas de vraies, vraies jeunes filles, mais bien complaisantes et pas bouleversantes pour deux sous. »

Henri secoua la tête : « Je rentre me coucher.

— Tu n'es pas drôle non plus, dit Julien avec dégoût. Non ; pour une après-guerre, ça n'est vraiment pas réussi !

— Ça n'est pas réussi ! » dit Henri. Il suivit des yeux Julien qui marchait avec dignité vers la porte ; lui non plus, il n'était pas drôle, il tournait plutôt à l'aigre. Mais somme toute, pourquoi ça serait-il spécialement drôle, l'après-guerre ? Oui, sous l'occupation, elle était bien belle : vieille histoire. Assez fredonné la chanson des lendemains ; demain, c'était devenu aujourd'hui, ça ne chantait plus. Pour de vrai, Paris avait été détruit et tout le monde était mort à la guerre. « Moi aussi », se dit Henri. Et après ? ce n'est pas gênant d'être mort si on renonce à faire semblant de vivre. Fini d'écrire, fini de vivre. Une seule consigne : agir. Agir en équipe, sans s'occuper de soi, semer, encore semer, ne jamais récolter. Agir, s'unir, servir, obéir à Dubreuilh, sourire à Samazelle. Il téléphonerait : « Le journal est à vous. » Servir, s'unir, agir. Il commanda un double cognac.

CHAPITRE IV

Survivre, habiter de l'autre côté de sa vie : après tout, c'est très confortable ; on n'attend plus rien, on ne craint plus rien, et toutes les heures ressemblent à des souvenirs. C'est ce que j'ai découvert pendant l'absence de Nadine : quel repos ! Les portes de l'appartement ne claquaient plus, je pouvais causer avec Robert sans frustrer personne et veiller tard la nuit sans qu'on frappe à ma porte ; j'en profitais. J'aimais surprendre le passé au fond de chaque instant. Il suffisait d'une minute d'insomnie : la fenêtre ouverte sur trois étoiles ressuscitait tous les hivers, les campagnes gelées, Noël ; dans le bruit des poubelles remuées, tous les matins de Paris s'éveillaient depuis mon enfance. C'était toujours le même vieux silence dans le bureau de Robert tandis qu'il écrivait, les yeux rougis, sourd, insensible ; et comme il m'était familier le murmure de ces voix agitées ! Ils avaient des visages nouveaux, ils s'appelaient aujourd'hui Lenoir, Samazelle ; mais l'odeur du tabac gris, ces voix violentes, ces rires conciliants, je les reconnaissais. Le soir, j'écoutais les récits de Robert, je regardais nos bibelots immuables, nos livres, nos

269

tableaux et je me disais que la mort était peut-être plus clémente que je ne l'avais soupçonné.

Seulement, il avait fallu me barricader dans ma tombe. Voilà que dans les rues mouillées on croisait des hommes en pyjamas rayés : les premiers déportés qui rentraient. Sur les murs, dans les journaux, des photographies nous révélaient que pendant toutes ces années nous n'avions pas même pressenti ce que signifiait le mot « horreur » ; de nouveaux morts venaient grossir la foule des morts que nos vies trahissaient ; et dans mon cabinet je voyais apparaître des survivants qui, eux, ne pouvaient pas se reposer dans le passé. « Je voudrais tant dormir une nuit sans me souvenir », suppliait cette grande fille aux joues encore fraîches, mais dont les cheveux étaient blancs. D'ordinaire, je savais me défendre ; tous les névrosés qui, pendant la guerre, avaient contenu leur folie, prenaient aujourd'hui des revanches frénétiques et je ne leur accordais qu'un intérêt professionnel ; mais devant ces revenants, j'avais honte : honte de n'avoir pas assez souffert et d'être là indemne, prête à les conseiller du haut de ma santé. Ah ! les questions que je m'étais posées me semblaient bien vaines : quel que fût l'avenir du monde, il fallait aider ces hommes et ces femmes à oublier, à se guérir. Le seul problème, c'est que j'avais beau prendre sur mes nuits, mes journées étaient bien trop courtes.

D'autant plus que Nadine est rentrée à Paris. Elle traînait après elle un grand sac de marin plein de saucissons couleur de rouille, de jambons, de sucre, de café, de chocolat ; de sa valise elle a sorti des gâteaux gluants de sucre et d'œufs, des bas, des souliers, des écharpes, des étoffes, de l'eau-de-vie. « Avouez que je ne me suis pas mal débrouillée ! » disait-elle fièrement. Elle portait une jupe écossaise, un chemisier rouge bien coupé, un manteau de fourrure vaporeuse, des souliers à semelle crêpe : « Dépêche-toi de te faire faire une robe, ma pauvre mère, tu es quand même trop cloche », me dit-elle en jetant dans mes bras un tissu duveteux aux riches couleurs d'automne. Pendant deux jours elle nous a décrit impétueusement le Portugal ; elle racontait mal ; elle dessinait à grands gestes des phrases que ses mots ne parvenaient pas à remplir ; et il y avait dans sa voix une intensité inquiète : on aurait dit qu'elle avait besoin de nous éblouir pour prendre plaisir à se souvenir. Elle a inspecté la maison avec importance.

— Tu ne te rends pas compte : ces carreaux ! ces planchers ! Non, maintenant que les clients rappliquent tu ne peux plus t'en tirer toute seule.

Robert insistait lui aussi ; moi, j'avais un peu de répugnance à me faire servir mais Nadine disait que c'était des scrupules petits-bourgeois ; elle m'a trouvé du jour au lendemain une femme de ménage jeune, soignée, zélée qui s'appelait Marie. J'ai bien failli d'ailleurs lui donner son congé dès la première semaine. Robert était sorti, brusquement, comme ça lui arrivait souvent ces jours-ci, et il avait laissé ses papiers en vrac sur la table ; en entendant du bruit dans son bureau, j'ai entrebâillé la porte et j'ai vu Marie penchée sur des feuillets manuscrits.

— Qu'est-ce que vous fabriquez ?

— Je fais de l'ordre, dit Marie placidement ; je profite que Monsieur n'est pas là.

— Je vous ai dit de ne jamais toucher à ces papiers ; et vous n'étiez pas en train de ranger, vous lisiez !

— Je ne peux pas lire l'écriture de Monsieur, dit-elle avec regret ; elle me sourit ; elle avait un terne petit visage que son sourire ne réveillait pas : « C'est si drôle de voir Monsieur écrire toute la journée : est-ce qu'il

271

tire tout ça de sa tête? Je voulais voir a quoi ça ressemblait sur le papier. J'ai rien abîmé. »

J'ai hésité, et finalement le cœur m'a manqué; passer sa journée à nettoyer et à ranger, quel ennui! Malgré son air endormi, elle ne semblait pas idiote, je comprenais qu'elle essayât de se distraire.

— Ça va, dis-je, mais ne recommencez pas. J'ajoutai : Ça vous amuse, la lecture?

— Je n'ai jamais le temps pour, dit Marie.

— Votre journée est finie maintenant?

— A la maison il y a six enfants et je suis l'aînée. »

« C'est dommage qu'elle ne puisse pas apprendre un vrai métier », me dis-je; je pensais vaguement à lui en parler, mais je ne la voyais guère et elle était très réservée.

— Lambert n'a pas téléphoné, m'a fait remarquer Nadine quelques jours après son retour. Il sait pourtant bien qu'Henri est rentré, et moi aussi.

— Tu lui as répété vingt fois avant de partir que c'est toi qui lui ferais signe : il a peur de t'ennuyer.

— Oh! s'il boude, c'est son affaire. Mais tu vois qu'il peut se passer de moi.

Je ne répondis pas et elle ajouta d'un ton agressif :

— Je voulais te dire : tu t'es bien gourée à propos d'Henri. Tomber amoureuse d'un type comme ça, à d'autres! Il est si sûr de lui; et puis il est ennuyeux, conclut-elle avec humeur.

Certainement elle n'avait aucune tendresse pour lui; pourtant les jours où elle devait le rencontrer, elle se maquillait avec un soin tout particulier, et quand elle rentrait elle était plus hargneuse que de coutume; ça n'est pas peu dire; tout prétexte lui était bon pour piquer des colères. Un matin, elle s'est amenée dans le bureau de Robert en agitant un journal d'un air vengeur :

— Regardez ça !

Sur la première page de *Lendemain*, Scriassine souriait à Robert qui regardait devant lui d'un air furieux.

— Ah ! ils m'ont eu ! dit Robert en saisissant l'hebdomadaire ; c'était l'autre soir à l'Isba, dit-il à Nadine ; je leur ai dit de foutre le camp, mais ils m'ont eu !

— Et ils t'ont pris avec ce sale type, dit-elle d'une voix étranglée de colère ; ils l'ont fait exprès.

— Scriassine n'est pas un sale type, dit Robert.

— Tout le monde sait qu'il est vendu à l'Amérique ; c'est dégueulasse ; qu'est-ce que tu vas faire ?

Robert haussa les épaules : « Que veux-tu que je fasse ?

— Un procès ; on n'a pas le droit de photographier les gens malgré eux. »

Les lèvres de Nadine tremblaient ; ça lui a toujours été odieux que son père soit quelqu'un de connu ; quand un nouveau professeur ou un examinateur lui demandait : « Vous êtes la fille de Robert Dubreuilh », elle se figeait dans un mutisme hargneux ; elle est fière de lui, pourtant, mais elle voudrait qu'il soit célèbre sans que ça se sache.

— Un procès, ça ferait trop de bruit, dit Robert ; non, on n'a pas d'armes. Il rejeta le journal : « Tu as dit quelque chose de très juste l'autre jour, que pour nous la nudité commence au visage. »

J'étais toujours étonnée de la fidélité avec laquelle il me rappelait des paroles que j'avais complètement oubliées ; il leur prêtait généralement plus de sens que je ne leur en avais donné ; il prêtait toujours, à tout le monde.

— La nudité commence au visage, et l'obscénité avec la parole, reprit-il. On décrète que nous devons être des statues ou des spectres ; et dès qu'on nous

273

surprend à exister en chair et en os on nous accuse d'imposture. C'est pour ça que le moindre geste prend si facilement une allure de scandale : rire, parler, manger, autant de flagrants délits.

— Eh bien, arrangez-vous pour ne pas vous laisser surprendre, dit Nadine dont la voix s'exaspérait.

— Écoute, dis-je, il n'y a pas de quoi faire un drame.

— Oh ! toi ! bien sûr ! Si on te marche sur le pied, tu penses qu'on a marché sur un pied qui se trouve par hasard être le tien.

En fait, ça ne me plaisait pas non plus tout ce battage qu'on faisait autour de Robert. Bien qu'il n'ait rien publié depuis 39 — sauf des articles dans *L'Espoir* — on parlait de lui de manière bien plus tapageuse qu'avant la guerre. On l'avait vivement supplié de briguer l'Académie et de demander la Légion d'honneur, les journalistes le traquaient, et on imprimait sur lui des tas de mensonges. « La France fait mousser ses spécialités régionales : culture et haute couture », me disait-il. Il s'agaçait lui aussi de ce bruit oiseux autour de lui, mais qu'y faire ? J'avais beau expliquer à Nadine que nous n'y pouvions rien, elle piquait une crise chaque fois qu'elle lisait un écho sur Robert ou qu'elle voyait dans les journaux une photo de lui.

Voilà que de nouveau les portes claquaient dans la maison, les meubles valsaient, des livres s'abattaient avec fracas sur le plancher. Ce branle-bas commençait de bonne heure. Nadine dormait peu, elle estimait que dormir c'était perdre son temps ; quoiqu'elle ne sût trop que faire de son temps. Chaque occupation lui paraissait vaine au prix de toutes celles qu'elle lui sacrifiait : elle ne se décidait pour aucune ; quand je la voyais assise, l'air maussade, devant sa machine à écrire, je lui demandais : « Tu fais des progrès ?

— Je ferais mieux d'étudier ma chimie, je vais me faire coller.

— Étudie ta chimie.

— Mais il faut qu'une secrétaire sache taper. » Elle haussait les épaules : « Et c'est tellement absurde de s'encombrer la tête de formules. Quel rapport ça a avec la vraie vie ?

— Lâche la chimie si ça t'ennuie tant.

— Tu m'as dit vingt fois qu'il ne faut pas se conduire comme une girouette. »

Elle avait l'art de retourner contre moi tous les conseils dont j'avais ennuyé son enfance.

— Il y a des cas où il est stupide de s'entêter.

— Mais ne t'affole donc pas ! je ne suis pas aussi incapable que tu le prétends ; je le réussirai cet examen.

Un après-midi, elle a frappé à la porte de ma chambre : « Lambert est venu nous voir, dit-elle.

— Te voir, dis-je.

— Il repart après-demain pour l'Allemagne, il tient à te dire au revoir. » Elle ajouta avec une vivacité geignarde :

— Viens donc ; ça ne serait pas gentil de ne pas venir.

Je la suivis dans le living-room ; mais je savais qu'en vérité Lambert ne m'aimait guère. Sans doute — et non sans raison — me rendait-il responsable de tout ce qui le blessait chez Nadine : son agressivité, sa mauvaise foi, son entêtement. Je supposais aussi qu'il n'aurait été que trop enclin à se chercher une mère dans une femme plus âgée que lui et qu'il se raidissait contre cette tentation infantile. Son visage au nez retroussé, aux joues un peu molles, trahissait un cœur et une chair hantés par des rêves de soumission.

275

— Tu ne sais pas ce que Lambert me raconte ? dit Nadine avec animation ; les Américains n'ont pas rapatrié un déporté sur dix, ils les laissent pourrir sur place.

— Les premiers jours, il y en a la moitié qui ont claqué parce qu'on les a gorgés de saucisson et de conserves, dit Lambert ; maintenant on leur donne une soupe le matin et le soir un café avec un quignon de pain ; et ils crèvent du typhus comme des mouches.

— Il faudrait que ça se sache, dis-je ; il faudrait qu'on proteste.

— Perron va le faire ; mais il veut des faits précis et c'est difficile parce qu'ils interdisent les camps à la Croix-Rouge française. C'est justement pour ça que je repars.

— Emmène-moi avec toi, dit Nadine.

Lambert sourit : « Je ne demanderais pas mieux.

— Qu'est-ce que j'ai dit de drôle ? dit Nadine d'une voix fâchée.

— Tu sais bien que c'est impossible, dit Lambert ; on ne laisse passer que les correspondants de guerre.

— Il y a des femmes qui sont correspondants de guerre.

— Mais pas toi ; et maintenant c'est trop tard, on n'accepte plus personne. D'ailleurs n'aie pas de regret, ajouta-t-il ; ce n'est pas un métier que je te conseillerais. »

C'était pour lui-même qu'il parlait mais Nadine crut sentir dans sa voix une nuance protectrice : « Pourquoi ? ce que tu as fait, je peux le faire, non ?

— Tu veux voir les photos que j'ai rapportées ?

— Montre », dit-elle avec avidité.

Il jeta les photos sur la table. J'aurais mieux aimé ne pas les regarder, mais je n'avais pas le choix. Les

276

photos des charniers, c'était encore supportable; ils étaient trop nombreux, et puis comment plaindre des os? Mais que faire de nous-mêmes en face des images des vivants? Tous ces yeux...

— J'en ai vu de bien pires, dit Nadine.

Lambert reprit les photographies sans répondre et il dit d'un ton encourageant : « Tu sais que si tu as envie de faire du reportage, ça ne serait pas difficile; tu n'aurais qu'à en parler à Perron; en France même, il y aurait un tas d'enquêtes possibles. »

Nadine l'interrompit : « Ce que je veux c'est voir le monde comme il est; après ça, aligner des mots, ça ne m'intéresse pas.

— Je suis sûr que tu réussirais, dit Lambert avec chaleur. Tu as du culot, tu sais faire parler les gens, tu es débrouillarde, tu passerais partout. Et pour ce qui est de torcher un papier, ça s'apprend vite.

— Non, dit-elle d'un air têtu. Quand on écrit, on ne dit jamais la vérité; le reportage de Perron sur le Portugal : tout passe à travers. Les tiens, je suis sûre que c'est pareil; je n'y crois pas; c'est pour ça que je veux voir les trucs de mes yeux; mais je n'essaierai pas d'en faire des salades et d'aller les vendre.

Le visage de Lambert s'était assombri; je dis vivement : « Moi je trouve les papiers de Lambert drôlement convaincants; l'infirmerie de Dachau, on a l'impression de l'avoir visitée soi-même.

— Qu'est-ce que ça prouve, tes impressions? » dit Nadine d'une voix impatiente. Il y eut un petit silence et elle demanda :

— Est-ce que Marie va apporter le thé; oui ou merde? Elle appela avec autorité : « Marie. »

Marie apparut sur le seuil de la pièce en blouse de travail bleue et Lambert se leva en souriant :

— Marie-Ange! qu'est-ce que tu fais ici?

Elle devint toute rouge et tourna les talons; je l'arrêtai : « Vous pouvez répondre. »

Elle dit en regardant fixement Lambert :

— Je suis la femme de ménage.

Lambert était devenu très rouge lui aussi et Nadine les dévisageait avec soupçon : « Marie-Ange? tu la connais? Marie-Ange qui? »

Il y eut un silence consterné et elle dit brusquement : « Marie-Ange Bizet. »

Je sentis la colère me monter aux joues : « La journaliste? » Elle haussa les épaules :

— Oui, dit-elle. Je m'en vais, je m'en vais tout de suite. Ne prenez pas la peine de me chasser.

— Vous êtes venue nous espionner à domicile? comme saloperie on ne fait pas mieux!

— Je ne savais pas que vous connaissiez des journalistes, dit-elle avec un coup d'œil vers Lambert.

— Qu'est-ce que tu attends pour la gifler! cria Nadine. Elle a entendu toutes nos conversations, elle a fouillé partout, elle a lu nos lettres, elle va tout raconter, à tout le monde...

— Oh! vous, avec votre grande voix, vous ne me faites pas peur, dit Marie-Ange.

J'ai eu juste le temps de retenir Nadine en la saisissant aux poignets; elle aurait facilement étendu Marie-Ange sur le plancher; avec moi, c'était seulement l'audace qui lui manquait pour se dégager d'un sursaut. Marie-Ange marcha vers la porte et je la suivis; dans l'antichambre elle me demanda avec calme :

— Vous ne voulez pas que je finisse quand même les carreaux ?

— Non. Ce que je veux, c'est savoir quel journal vous a envoyée.

— Aucun. Je suis venue de moi-même. J'ai pensé

que je ferais un joli papier qui se vendrait facilement. Vous savez, ce qu'ils appellent un profil, dit-elle d'un ton professionnel.

— Oui ; eh bien, je vais aviser les journaux, et celui qui achètera votre salade, ça lui coûtera cher.

— Oh! je n'essaierai même pas de le vendre, c'est foutu maintenant. Elle ôta sa blouse bleue et enfila son manteau : « Ça fait que j'en suis pour mes huit jours de ménage. Je déteste faire le ménage! » ajouta-t-elle avec désespoir.

Je n'ai rien répondu mais elle a sans doute senti que ma colère fléchissait, car elle a osé un minuscule sourire : « Vous savez, je n'ai jamais pensé à faire un article indiscret, dit-elle d'une voix de petite fille. Je cherchais seulement une atmosphère.

— C'est pour ça que vous avez fouillé dans nos papiers ?

— Oh! je fouillais pour mon plaisir. » Elle ajouta d'un ton boudeur : « Bien sûr, ça vous est facile de m'engueuler, je suis dans mon tort... Mais vous croyez que c'est commode de percer ? Vous, vous êtes la femme d'un type célèbre, c'est du tout cuit. Moi, il faut que je me débrouille toute seule. Écoutez, dit-elle, donnez-moi une chance : je vous l'apporte demain cet article, et vous rayez tout ce qui ne vous plaît pas ?

— Et puis vous le passerez sans coupure!

— Non, je vous jure. Si vous voulez, je peux vous donner des armes contre moi : une confession bien plate, signée, vous me tiendrez. Dites, acceptez! je vous en ai lavé de la vaisselle. Et j'ai quand même eu du culot, non ?

— Vous en avez encore. »

J'hésitai ; si on m'avait raconté cette histoire, j'aurais en rêve traîné par les cheveux et précipité du haut de l'escalier l'impudente qui avait violé notre vie

279

privée. Mais voilà, elle était là, une petite fille noiraude et osseuse, sans beauté et qui avait tant envie de percer. Je dis enfin :

— Mon mari ne donne jamais d'interview. Il n'acceptera pas.

— Demandez-lui : puisque le travail est déjà fait... Je téléphonerai demain matin, ajouta-t-elle rapidement. Vous ne m'en voulez pas, n'est-ce pas ? Je déteste quand on m'en veut. Elle eut un petit rire confus. « Moi je ne peux jamais en vouloir à personne.

— Je ne sais pas très bien non plus !

— Ça, c'est un comble ! » cria Nadine en surgissant du corridor, avec Lambert : « Tu lui laisses publier son papier ! tu lui fais des sourires ! à cette moucharde... »

Marie-Ange avait ouvert la porte d'entrée qu'elle claqua précipitamment derrière elle.

— Elle a promis de me soumettre son article.

— Cette moucharde ! répéta Nadine d'une voix aiguë. Elle a lu mon journal, elle a lu les lettres de Diégo, elle... Sa voix se cassa ; Nadine était secouée par une colère brutale comme ses colères d'enfant : « Et on la récompense ! il fallait la battre !

— Elle m'a fait pitié.

— Pitié ! tu as toujours pitié de tout le monde ! de quel droit ? » Elle me regardait avec une espèce de haine : « Au fond c'est du mépris ; il n'y a jamais de vraie mesure entre les gens et toi.

— Calme-toi, ce n'est pas si grave.

— Oh ! je sais, moi j'ai tort, naturellement ; moi tu ne m'excuses jamais. Tu as bien raison ! je n'en veux pas de ta pitié !

— C'est une bonne fille, tu sais, dit Lambert ; un peu arriviste mais gentille.

— Eh bien, va donc la féliciter toi aussi. Cours-y. »

Brusquement Nadine courut vers sa chambre dont elle claqua la porte avec fracas.

— Je suis désolé, dit Lambert.

— Ça n'est vraiment pas de votre faute.

— Les journalistes, aujourd'hui, ils ont des mœurs d'indicateur de police. Je comprends que Nadine soit en colère; à sa place, moi aussi, je verrais rouge.

Il n'avait pas besoin de la défendre contre moi, mais ça partait d'une bonne intention : « Oh! je comprends aussi, dis-je.

— Eh bien, je m'en vais, dit Lambert.

— Bon voyage », dis-je; j'ajoutai : « Vous devriez venir voir Nadine plus souvent; elle a beaucoup d'amitié pour vous, vous savez. »

Il sourit d'un air gêné : « Ça ne se dirait guère!

— Elle a été déçue que vous ne lui donniez pas signe de vie plus tôt; c'est pour ça qu'elle n'était pas très aimable.

— Mais elle m'avait dit de ne pas téléphoner le premier.

— Ça lui aurait fait plaisir que vous l'appeliez quand même. Elle a besoin d'être très sûre d'une amitié pour s'y donner.

— Elle n'a aucune raison de douter de la mienne », dit Lambert; brusquement, il ajouta : « Je tiens énormément à Nadine.

— Alors arrangez-vous pour qu'elle s'en rende compte.

— Je fais de mon mieux »; il hésita et puis il me tendit la main : « En tout cas, je viendrai dès mon retour », dit-il.

Je rentrai dans ma chambre sans oser frapper à la porte de Nadine. Comme elle était injuste! c'est vrai que les autres je leur cherche volontiers des excuses et que l'indulgence assèche le cœur; si j'ai pour elle des exigences, c'est qu'elle n'est pas un cas sur lequel je me penche ; entre elle et moi il y a une vraie mesure qui est ce bruit de rongeur, ce bruit de souci dans ma poitrine.

Elle a grogné pour le principe quand l'insignifiant article de la petite Bizet a paru ; mais son humeur s'est bien améliorée quand les bureaux de *Vigilance* se sont ouverts ; aux prises avec des tâches précises, elle s'est montrée une excellente secrétaire et ça l'a rendue toute fière. Ç'a été un succès le premier numéro de la revue, Robert et Henri étaient tout contents, ils préparaient le suivant avec ardeur. Robert débordait d'affection pour Henri depuis qu'il l'avait convaincu de lier le sort de *L'Espoir* à celui du S.R.L., et je m'en félicitai parce qu'en somme, c'était son seul véritable ami. Julien, Lenoir, les Pelletier, les Cange, on passait de bons moments avec eux, mais ça n'allait pas bien loin. Parmi les vieux camarades socialistes, certains avaient collaboré, d'autres étaient morts dans les camps, Charlier se soignait en Suisse, ceux qui restaient fidèles au parti blâmaient Robert qui le leur rendait bien. Lafaurie avait été déçu qu'il fondât le S.R.L. au lieu de rallier le communisme, leurs rapports manquaient de chaleur. Robert n'avait pour ainsi dire plus de contact avec les hommes de son âge, mais il préférait ça : toute sa génération, il la tenait pour responsable de cette guerre qu'elle n'avait pas su empêcher ; il estimait n'avoir gardé que trop d'attaches avec son passé ; il voulait travailler avec des hommes jeunes ; la politique, l'action avaient aujourd'hui une figure et des méthodes nouvelles auxquelles il voulait s'adapter. Ses idées mêmes, il estimait qu'il devait les réviser : voilà pourquoi il répétait avec tant d'insistance que son œuvre était encore devant lui. Dans l'essai qu'il était en train d'écrire, il cherchait à réaliser la synthèse de ses vieilles pensées et d'une

282

vision nouvelle du monde. Ses buts étaient les mêmes qu'autrefois : par-delà ses objectifs immédiats, le S.R.L. se proposait de maintenir l'espoir d'une révolution égale à ses intentions humanistes ; mais Robert était convaincu à présent qu'elle ne s'accomplirait pas sans de rudes sacrifices ; l'homme de demain ne serait pas celui que Jaurès définissait avec trop d'optimisme. Alors quel sens, quelles chances gardaient les vieilles valeurs : la vérité, la liberté, la morale individuelle, la littérature, la pensée ? si on voulait les sauver, il fallait les réinventer. C'est ça que Robert essayait, ça le passionnait et je me disais avec satisfaction qu'il avait retrouvé un heureux équilibre entre l'écriture et l'action. Évidemment il était très occupé, mais il aimait ça. Moi aussi, ma vie était pleine. Robert, Nadine, mes clients, mon livre : il n'y avait pas place dans mes journées pour un regret, pour un désir. La jeune fille aux cheveux blancs dormait sans cauchemar, à présent ; elle s'était inscrite au parti communiste, elle avait pris des amants, elle avait pris trop d'amants et elle buvait immodérément ; ça n'était pas une merveille d'équilibre, mais enfin elle dormait. Et j'étais contente cet après-midi-là parce que le petit Fernand avait enfin dessiné une villa qui avait des fenêtres et des portes : pour la première fois, pas de grille. Je venais de téléphoner à sa mère quand la concierge a apporté le courrier. Robert et Nadine étaient à la revue, c'était jour de réception, j'étais seule dans l'appartement. J'ai décacheté la lettre de Romieux : et j'ai eu peur comme si brusquement on m'avait projetée dans la stratosphère. Un congrès de psychanalyse aurait lieu à New York en janvier, on m'invitait ; on pouvait m'organiser des conférences en Nouvelle-Angleterre, à Chicago, au Canada. J'ai étalé la lettre sur la cheminée, et je l'ai relue avec scandale.

Comme j'ai aimé les voyages! à part quelques personnes, je n'ai rien mieux aimé au monde. Mais c'était une de ces choses que je pensais finies à jamais. Si encore on m'avait proposé une promenade en Belgique, ou en Italie, mais à New York! Je ne pouvais pas détacher mon regard de ce mot insensé. New York avait toujours été pour moi une ville de légende et depuis longtemps je ne croyais plus aux miracles; il ne suffisait pas de ce morceau de papier pour bousculer le temps, l'espace et le sens commun. J'ai enfoui la lettre dans mon sac et je suis partie à grands pas dans les rues. On se moquait de moi en haut lieu; quelqu'un était en train de me jouer un tour et j'avais besoin de Robert pour conjurer cette mystification. Je montai avec précipitation l'escalier de la maison Mauvanes:

— Tiens, c'est toi? dit Nadine avec une espèce de blâme.

— Comme tu vois.

— Papa est occupé, dit-elle d'un air important.

Elle trônait devant une table, au milieu du grand bureau qui servait de salle d'attente. Ils étaient nombreux à attendre: des jeunes, des vieux, des hommes, des femmes, une vraie cohue. Avant-guerre, Robert recevait pas mal de visites, mais ça n'avait rien à voir avec cette foule. Ce qui devait lui faire plaisir, c'est qu'il y avait surtout des jeunes gens. Sans doute beaucoup venaient ici par curiosité, par oisiveté, par arrivisme: mais beaucoup aussi aimaient les livres de Robert et s'intéressaient à son action. Allons! il ne parlait pas dans le désert, ses contemporains avaient encore des yeux pour le lire, des oreilles pour l'écouter.

Nadine se leva: « Six heures! on ferme! » cria-t-elle d'une voix bourrue. Elle accompagna vers la porte les visiteurs déçus et tourna la clef dans la serrure.

— Quelle cohue! dit-elle en riant. A croire qu'ils

s'attendaient à un buffet gratuit. Elle ouvrit la porte de communication : « La voie est libre. »

Du seuil Robert me sourit : « Tu t'es donné des vacances ?

— Oui ; j'ai eu envie de faire un tour. »

Nadine se tourna vers son père :

— C'est marrant de te voir officier : on dirait un prêtre dans son confessionnal.

— Je me fais plutôt l'effet d'un diseur de bonne aventure.

Brusquement, comme si elle eût pressé sur un bouton, Nadine se mit à rire avec éclat : ses crises de gaieté étaient rares, mais stridentes : « Regardez ça ! »

Elle nous montrait du doigt une valise aux coins usés ; sur le cuir fané était collée une étiquette : *Ma vie* par Joséphine Mièvre. « Tu parles d'un manuscrit ! dit-elle entre deux hoquets. C'est son vrai nom. Et tu ne sais pas ce qu'elle m'a dit ? » Dans ses yeux humides de plaisir, il y avait une lueur de triomphe : rire, c'était sa revanche. « Elle m'a dit : " Moi, mademoiselle, je suis un document vivant ! " Soixante ans. Elle habite Aurillac. Elle raconte tout depuis le début. »

D'un coup de pied, elle souleva le couvercle. Des liasses et des liasses de papier rose, couvertes d'encre verte, sans une rature. Robert ramassa un feuillet le parcourut, le rejeta : « Ça n'est même pas ridicule.

— Il y a peut-être des passages cochons », dit Nadine avec espoir. Elle s'agenouilla devant la valise. Tant de papier, tant d'heures ! Des heures tièdes sous la lampe au coin du feu dans l'odeur provinciale de la salle à manger, des heures si pleines et si vides, si délicieusement justifiées, si sottement perdues.

— Non, ça n'est pas drôle ! Nadine se releva avec impatience ; il n'y avait plus trace de gaieté sur son visage... « Alors, on les met ?

— Cinq minutes, dit Robert.

— Dépêche-toi : ça pue la littérature ici.

— Quelle odeur ça a, la littérature ?

— Une odeur de vieux monsieur qui se néglige. »

Ça n'était pas une odeur ; mais pendant trois heures l'air avait été saturé d'espoir, de crainte, de dépit, et on respirait à travers le silence cette informe tristesse qui succède aux fièvres stériles. Nadine sortit de son tiroir un tricot grenat dont elle fit cliqueter les aiguilles avec importance. A l'ordinaire, elle était prodigue de son temps mais dès qu'on lui demandait un peu de patience, elle s'empressait de démontrer qu'aucun de ses instants ne devait être gaspillé. Mon regard s'attarda sur son bureau. Il y avait quelque chose de provocant dans cette couverture noire où s'étalaient en grosses lettres rouges les mots *Poèmes élus. René Douce.* J'ouvris le cahier.

— Les prés sont vénéneux mais jolis en automne...

Je tournai une page. « J'ai heurté, savez-vous, d'incroyables Florides... »

— Nadine !

— Quoi !

— Un type qui envoie, signés de son nom, des morceaux choisis d'Apollinaire, Rimbaud, Baudelaire... Il ne peut quand même pas supposer qu'on va s'y tromper.

— Ah ! je sais de quoi il retourne, dit Nadine avec indifférence. Ce pauvre con a filé vingt mille balles à Sézenac pour qu'il lui vende des poèmes de lui : tu parles que Sézenac n'allait pas s'amuser à lui fournir de l'inédit.

— Mais quand il va se ramener, il faudra bien lui dire la vérité, dis-je.

— Ça ne fait rien, Sézenac a palpé ; ça m'étonnerait que le client ose protester; d'abord, il n'a aucun recours et il sera bien trop honteux.

— Il fait des trucs comme ça, Sézenac? dis-je avec étonnement.

— Comment crois-tu qu'il se débrouille? dit Nadine. Elle jeta son tricot dans le tiroir. « Quelquefois ses combines sont marrantes.

— Payer vingt mille francs pour signer des poèmes qu'on n'a pas écrits, ça me laisse rêveur, dit Robert.

— Pourquoi? si on tient à voir son nom imprimé », dit Nadine; elle ajouta entre ses dents, pour moi seule, car devant son père elle expurgeait son langage : « Autant payer que de se casser le cul à faire le boulot. »

En arrivant au bas de l'escalier, elle demanda d'un air méfiant : « On va boire un verre au bistrot d'en face, comme l'autre jeudi ?

— Mais oui », dit Robert.

Le visage de Nadine s'éclaira et en s'asseyant devant le guéridon de marbre, elle dit gaiement : « Avoue que je te défends drôlement bien!

— Oui. »

Elle regarda son père avec inquiétude : « Tu n'es pas content de moi ?

— Oh! moi, je suis enchanté; c'est plutôt pour toi : ça ne te mènera pas à grand-chose.

— Les métiers ne mènent jamais à rien, dit Nadine avec une soudaine raideur.

— Ça dépend. Tu me disais l'autre jour que Lambert t'avait suggéré de faire du reportage; ça me semblerait tout de même plus intéressant.

— Oh! si j'étais un homme, je ne dis pas, dit Nadine. Mais un reporter féminin ça n'a pas une chance sur mille de réussir. » Elle arrêta d'un geste nos protestations. « Pas ce que moi j'appelle réussir, dit-elle avec hauteur. Les femmes, ça végète toujours. »

Je hasardai : « Pas toujours.

— Tu crois ? » Elle ricana : « Regarde-toi par exemple : tu t'en tires, soit, tu as des clients ; mais enfin, tu ne seras jamais Freud. »

Elle avait gardé l'habitude infantile de me prendre à partie avec malveillance lorsque son père était présent. Je dis :

— Entre être Freud et ne rien faire, il y a beaucoup d'intermédiaires.

— Je fais quelque chose : je suis secrétaire.

— Si tu es contente comme ça, après tout c'est le principal, dit Robert hâtivement.

Je regrettais qu'il n'eût pas su tenir sa langue ; il avait gâché le plaisir de Nadine, sans profit ; je lui avais souvent fait la leçon, mais il ne se décidait pas à renoncer aux ambitions qu'il avait nourries pour Nadine. Elle dit d'un ton agressif :

— De toute façon, ça a tellement peu d'importance aujourd'hui le sort d'un individu.

— Ton sort a beaucoup d'importance à mes yeux, dit Robert en souriant.

— Mais il ne dépend ni de toi ni de moi ; c'est pour ça qu'ils me font bien rire tous ces petits mecs qui veulent être quelqu'un. Elle toussota et dit sans nous regarder : « Le jour où j'aurai le courage de faire quelque chose de difficile, je me lancerai dans la politique.

— Qu'est-ce que tu attends pour travailler au S.R.L. ? dit Robert.

Elle avala d'un trait son verre d'eau de Vittel :

— Non, je ne suis pas d'accord. Finalement vous êtes contre les communistes.

Robert haussa les épaules : « Crois-tu que Lafaurie

288

serait aussi amical s'il pensait que je travaille contre eux ? »

Nadine eut un petit sourire : « Il paraît que Lafaurie va te demander de ne pas tenir ton meeting, dit-elle.

— Qui t'a dit ça ? demanda Robert.

— Lachaume, hier ; ils ne sont pas contents du tout ; ils trouvent que le S.R.L. fait fausse route. »

Robert haussa les épaules : « Peut-être bien que Lachaume et sa bande de petits gauchistes ne sont pas contents : mais ils ont tort de se prendre pour le Comité central. J'ai encore vu Lafaurie la semaine dernière.

— Lachaume l'a vu avant-hier, dit Nadine. Je t'assure, reprit-elle, c'est sérieux. Ils ont tenu un grand conseil de guerre et décidé qu'il fallait prendre des mesures. Lafaurie va venir te parler. »

Robert garda un moment le silence : « Si c'est vrai, c'est à désespérer de tout ! dit-il.

— C'est vrai, dit Nadine. Ils disent qu'au lieu de travailler en accord avec eux ton S.R.L. prêche une politique contraire à la leur, que ce meeting est une déclaration d'hostilité, que tu divises la gauche, et qu'ils vont être obligés d'ouvrir une campagne contre toi. » Il y avait de la complaisance dans la voix de Nadine ; elle ne mesurait sans doute pas la portée de ce qu'elle disait ; quand nous avons de sérieux ennuis, elle en est bouleversée, mais nos petites contrariétés la divertissent.

— Obligés ! dit Robert ; ça c'est admirable ! et c'est moi qui divise la gauche ! Ah ! ils n'ont pas changé, ajouta-t-il avec colère, ils ne changeront jamais ! Ce qu'ils auraient voulu, c'est que le S.R.L. leur obéisse au doigt et à l'œil ; au premier signe d'indépendance, ils nous taxent d'hostilité !

— Forcément si tu n'es pas de leur avis ils te

donnent tort, dit Nadine d'une voix raisonnable. Tu fais tout juste pareil.

— On peut avoir des avis différents et maintenir l'unité d'action, dit Robert : c'était ça l'idée du Front National.

— Ils te trouvent dangereux, dit Nadine ; ils disent que tu prêches la politique du pire, que tu veux saboter la reconstruction.

— Écoute, dit Robert, mêle-toi de politique ou ne t'en mêle pas, mais ne joue pas les perroquets. Si tu te servais de ta propre cervelle, tu comprendrais que c'est leur politique à eux qui est catastrophique.

— Ils ne peuvent pas agir autrement qu'ils ne font, dit Nadine. S'ils cherchaient à prendre le pouvoir, l'Amérique interviendrait tout de suite.

— Ils ont besoin de gagner du temps, d'accord. Mais ils pourraient s'y prendre autrement, dit Robert. Il haussa les épaules : « Je veux bien admettre que leur position est difficile ; ils sont plus ou moins coincés. Depuis que la S.F.I.O. est morte ils sont obligés de jouer tous les rôles à la fois, ils font la gauche de la gauche et sa droite, tour à tour. Mais c'est pour ça qu'ils devraient souhaiter l'existence d'un autre parti de gauche.

— Eh bien ! Ils ne le souhaitent pas », dit Nadine. Elle se leva brusquement ; elle était satisfaite d'avoir produit son petit effet et elle ne tenait pas à se laisser entraîner dans une discussion où évidemment elle n'aurait pas eu le dessus : « Je vais me balader. »

Nous nous sommes levés nous aussi et nous sommes revenus à pied le long des quais :

— Je vais téléphoner immédiatement à Lafaurie ! me dit Robert. Dire qu'il serait si nécessaire de se tenir les coudes ! et ils le savent ! Mais jamais ils ne supporteront qu'une gauche existe en dehors d'eux. Le P.S.

n'est plus rien, alors ce Front National-là oui, ils en veulent bien. Mais un mouvement jeune qui a l'air de bien démarrer, c'est autre chose...

Il continuait à parler avec colère, et tout en l'écoutant, je pensai : « Je ne veux pas le quitter. » Naguère ça ne me gênait pas de le quitter : nous nous aimions comme nous vivions, à travers l'éternité. Mais je sais maintenant que nous n'avons qu'une vie, déjà sérieusement entamée et que l'avenir menace. Robert n'est pas invulnérable. Et soudain il me semblait même fragile. Il s'était lourdement trompé en comptant sur la bienveillance des communistes ; et devant leur hostilité, de graves problèmes se posaient. « Ça y est : la voilà, l'impasse », me suis-je dit. Il ne pouvait ni renoncer à son programme, ni le maintenir contre les communistes : et il n'existait pas de solution intermédiaire. Peut-être les choses s'arrangeraient-elles : à condition que les communistes se décident à tolérer le meeting. Le sort de Robert n'était pas dans ses mains à lui, mais entre les leurs : j'avais horreur de penser ça. Ils pouvaient démolir d'un mot le bel équilibre que Robert s'était construit. Non, ce n'était pas le moment de l'abandonner. En entrant dans le bureau, je dis d'une voix ironique :

— Regardez donc ce que je reçois !

Je tendis à Robert la lettre de Romieux et son visage changea : j'y déchiffrai cette joie qui aurait dû être la mienne : « Mais c'est magnifique ! pourquoi ne me disais-tu rien ?

— Je ne vais pas m'en aller trois mois, dis-je.

— Et pourquoi ? » Il me regarda avec surprise : « Ça sera un voyage sensationnel. »

Je murmurai : « J'ai bien trop à faire ici.

— Qu'est-ce qui te prend ? d'ici janvier tu as le

temps de tout régler. Nadine est assez grande pour se passer de toi ; et moi aussi, ajouta-t-il en souriant.

— C'est loin l'Amérique, dis-je.

— Je ne te reconnais pas ! » dit-il. Il m'examina d'un air critique : « Ça te fera beaucoup de bien de te remuer un peu.

— Nous allons nous balader à bicyclette cet été.

— Comme dépaysement, ça ne va pas loin ! » dit Robert ; il sourit : « Je suis tranquille ! Si on venait t'annoncer que ce projet est à l'eau, tu serais bien attrapée.

— C'est possible. »

Il avait raison : j'y tenais déjà à ce voyage ; et justement, c'était une des choses qui m'inquiétaient. Tous ces souvenirs, ces désirs qui se réveillent, quel embarras ! Pourquoi venait-on déranger ma sage petite vie de morte ? Ce soir-là, Robert s'indignait avec Henri contre Lafaurie, ils s'encourageaient à tenir bon : si le S.R.L. devenait une vraie force, les communistes seraient obligés de compter avec lui, on retrouverait l'union. J'écoutais, et je m'intéressais bien à ce qu'ils disaient : pourtant il y avait sous mon crâne un tohu-bohu d'images idiotes. Ça n'allait pas mieux le lendemain ; assise devant ma table de travail, je suis restée une heure à me demander : « J'accepte ? je n'accepte pas ? » J'ai fini par me lever et par décrocher le téléphone : inutile de prétendre travailler. J'avais promis à Paule de passer la voir un de ces jours, autant y aller maintenant. Bien entendu, elle était chez elle, seule, et je suis partie à pied vers sa maison. J'aime bien Paule, et en même temps elle me fait un peu horreur. Souvent le matin, je sens sur moi l'ombre étouffante de tous les malheurs qui sont en train de se réveiller, et c'est à elle d'abord que je pense ; j'ouvre les yeux, elle les ouvre et tout de suite il fait noir dans son cœur. Je me dis : « A sa place, je ne pourrais pas supporter cette vie » ; je sais bien que cette place, c'est elle qui l'occupe, c'est certainement plus tolérable que si c'était moi. Paule est capable de rester enfermée pendant des heures et des semaines sans rien faire, sans voir personne et de ne pas s'ennuyer ; elle réussit encore à ne pas s'avouer qu'Henri ne l'aime plus du tout ; mais un de ces jours la vérité finira par éclater, et alors, qu'arrivera-t-il ? Qu'est-ce qu'on peut bien lui conseiller ? Chanter ? Mais ça ne suffira pas à la consoler.

J'approchai de sa maison et mon cœur se serra. Ça lui allait bien d'habiter dans ce village de malchanceux. Je ne sais où ils s'étaient cachés pendant l'occupation, mais ce printemps avait ressuscité leurs loques, leurs goitres, leurs plaies ; il y en avait trois qui étaient assis contre les grilles du square, à côté d'une plaque de marbre fleurie d'un bouquet fané ; le visage rougi de vin et de colère, un homme et une femme se disputaient un sac de toile cirée noire ; ils bredouillaient avec violence des insultes, mais leurs mains crispées sur le cabas remuaient à peine : le troisième les regardait gaiement. Je m'engageai dans une petite rue ; des portes de bois déteint barricadaient les entrepôts où les chiffonniers venaient au matin déverser papiers et ferrailles ; d'autres portes, vitrées, s'entrouvraient sur des salles d'attente où des femmes étaient assises avec des chiens sur leurs genoux ; j'avais lu sur des prospectus que dans ces dispensaires on soignait et tuait sans douleur « les oiseaux et les petits animaux ». Je m'arrêtai devant une pancarte : CHAMBRES MEUBLÉES et je sonnai. Il y avait toujours une énorme poubelle en bas de l'escalier et dès qu'on montait les premières marches un chien noir se mettait à aboyer sauvagement. Paule, qui avait le goût de la mise en scène, obtenait un facile coup de théâtre quand elle ouvrait à un visiteur neuf la porte de son studio : moi-même j'étais chaque fois étonnée par cette brusque splendeur ; par ses accoutrements aussi : elle préférait ses rêves à la règle et elle semblait toujours un peu déguisée. Quand elle m'ouvrit, elle portait une grande robe d'intérieur en taffetas d'un mauve changeant et des souliers découpés, à talons très hauts, dont les lanières s'enroulaient autour de ses jambes : sa collection de souliers aurait fait pâlir un fétichiste.

— Viens vite te réchauffer, dit-elle en m'entraînant vers le grand feu de bois.

— Il ne fait pas froid.

Elle jeta un regard vers les fenêtres calfeutrées.

— On dit ça. Elle s'assit et se pencha vers moi avec une grave sollicitude : « Comment vas-tu ?

— Ça va ; mais j'ai du travail par-dessus la tête. Les gens n'ont plus leur ration quotidienne d'horreur ; alors ils recommencent à se torturer.

— Et ton livre ?

— Il avance. »

Je répondais comme elle interrogeait, par politesse ; je savais bien qu'elle ne s'était jamais souciée de mes travaux.

— Et ça t'intéresse vraiment ? demanda-t-elle.

— Ça me passionne.

— Tu as de la chance ! dit Paule.

— De faire un travail qui m'intéresse ?

— De tenir ton sort dans tes mains à toi.

Ça n'était guère l'impression que je me faisais, mais il ne s'agissait pas de moi ; je dis avec chaleur :

— Tu ne sais pas ce que je pense depuis que je t'ai entendue à Noël ? c'est que tu devrais faire quelque chose de ta voix. C'est bien beau de te dévouer à Henri, mais enfin, tu comptes toi aussi...

— Tiens ! j'ai justement eu de grandes discussions avec Henri à ce sujet, dit-elle avec indifférence ; elle secoua la tête : « Non, je ne chanterai plus en public.

— Pourquoi ? je suis sûre que tu aurais du succès.

— Qu'est-ce que ça m'apporterait ? » dit-elle ; elle sourit : « Mon nom sur les affiches, ma photographie dans les journaux : vraiment ça ne m'intéresse pas. J'aurais pu avoir tout ça depuis bien longtemps, et je n'en ai pas voulu. Tu m'as mal comprise, ajouta-t-elle ; je ne souhaite aucune gloire personnelle ; un grand amour me semble une chose bien plus importante qu'une carrière ; tout ce que je regrette, c'est que sa réussite ne dépende pas que de moi.

— Mais rien ne t'oblige à choisir, dis-je. Tu peux continuer à aimer Henri, et chanter. »

Elle me regarda gravement : « Un grand amour ne laisse rien de disponible à une femme. Je sais quelle entente il y a entre Robert et toi, ajouta-t-elle ; mais ce n'est pas ce que j'appelle un grand amour. »

Je ne voulais pas discuter son vocabulaire ni ma vie : « Toutes ces journées que tu passes, ici, toute seule, tu aurais le temps de travailler.

— Ce n'est pas une question de temps » ; elle me sourit avec un air de reproche : « Pourquoi penses-tu que j'ai renoncé au chant, il y a dix ans ? parce que j'ai compris qu'Henri m'exigeait tout entière...

— Tu dis qu'il t'a conseillé lui-même de te remettre à travailler.

— Mais si je le prenais au mot, il serait consterné ! dit-elle gaiement. Il ne supporterait pas qu'une seule de mes pensées ne lui appartienne pas.

— Quel égoïsme !

— Ce n'est pas égoïste d'aimer » ; elle flatta tendrement sa jupe soyeuse : « Oh ! il ne me demande rien ; il ne m'a jamais rien demandé. Mais je sais que mon sacrifice est nécessaire non seulement à son bonheur, mais à son œuvre, à son accomplissement. Et à présent plus que jamais.

— Pourquoi est-ce que sa réussite à lui te paraît si importante et pas la tienne ?

— Oh ! je me moque bien qu'il soit célèbre ou non, dit-elle avec véhémence. C'est autre chose qui est en jeu.

— Quoi donc ? »

Elle se leva brusquement : « J'ai préparé du vin chaud : tu en veux ?

— Avec plaisir. »

Je l'écoutais qui remuait dans la cuisine, et je me demandais avec malaise : « Qu'est-ce qu'elle pense, pour de vrai ? » Elle affirmait qu'elle méprisait la gloire ; pourtant c'est au moment où le nom d'Henri avait commencé à enfler, où on avait fêté en lui un héros de la Résistance et l'espoir de la jeune littérature que Paule avait réintégré sa peau d'amoureuse. Je me rappelais comme elle était morne et désabusée, un an plus tôt. Comment sentait-elle au juste cet amour ? pourquoi refusait-elle de s'en évader par le travail ? comment voyait-elle le monde autour d'elle ? J'étais enfermée avec elle entre ces murs rouges, nous regardions le feu, nous échangions des mots : mais je ne savais pas ce qui se passait dans sa tête. Je me suis levée, j'ai marché vers la fenêtre et j'ai soulevé le rideau. Le soir tombait, un homme déguenillé promenait au bout d'une laisse un luxueux danois ; sous l'inscription mystérieuse « Spécialité d'oiseaux rares et saxons », un singe enchaîné à la barre d'une fenêtre semblait lui aussi interroger avec perplexité le crépuscule. Je laissai retomber le rideau. Qu'avais-je espéré ? Voir un instant avec les yeux de Paule ce décor familier ? saisir sur ce décor la couleur de ses jours ?

Non. Jamais le petit sapajou ne verrait avec des yeux d'homme. Jamais je ne me glisserais dans une autre peau.

Paule revint de la cuisine en portant avec solennité un plateau d'argent sur lequel fumaient deux bols : « Tu l'aimes bien sucré, n'est-ce pas ? »

Je humai la lave rouge au parfum brûlant : « Ça m'a l'air délicieux. »

Elle but quelques gorgées avec recueillement comme si elle eût interrogé un philtre de vérité : « Pauvre Henri ! murmura-t-elle.

— Pauvre ? pourquoi ?

— Il traverse une crise difficile ; et j'ai peur qu'avant d'en sortir il n'ait beaucoup à souffrir.

— Quelle crise ? il a l'air en pleine forme et ses derniers articles sont parmi les meilleurs qu'il ait jamais écrits.

— Des articles ! » Elle me regarda avec une espèce de colère : « Autrefois, il méprisait le journalisme, il y voyait tout juste un gagne-pain ; il se tenait à l'écart de la politique, il voulait être un homme seul.

— Mais les circonstances ont changé, Paule.

— Qu'importent les circonstances ! dit-elle avec passion. Il ne faut pas qu'il change, lui. Pendant la guerre, il risquait sa vie, ça c'était grand ; mais aujourd'hui la grandeur ça serait de se refuser au siècle.

— Et pourquoi donc ? » dis-je.

Elle haussa les épaules sans répondre, et j'ajoutai avec un peu d'agacement : « Il t'a sûrement expliqué pourquoi il s'occupe de politique ; moi, je l'approuve, absolument. Tu ne crois pas que tu devrais lui faire confiance ?

— Il est en train de s'engager sur des chemins qui ne sont pas les siens, dit-elle d'un ton catégorique. Je le sais, et je peux même t'en donner la preuve.

297

— Ça m'étonnerait, dis-je.

— La preuve, dit-elle avec emphase, c'est qu'il est devenu incapable d'écrire.

— Peut-être qu'en ce moment il n'écrit pas, dis-je, ça ne signifie pas qu'il n'écrira plus.

— Je ne prétends pas être infaillible, dit Paule ; mais Henri, rends-toi compte, c'est moi qui l'ai fait ; je l'ai créé comme il crée les personnages de ses livres, et je le connais comme il les connaît. Il est en train de trahir sa mission ; c'est à moi de l'y reconduire. Et voilà pourquoi je ne peux pas penser à m'occuper de moi-même.

— Tu sais, on n'a pas d'autre mission que celle qu'on se donne.

— Henri n'est pas un écrivain comme les autres.

— Ils sont tous différents. »

Elle secoua la tête : « S'il n'était qu'un écrivain, ça ne m'intéresserait pas : il y en a tant ! Quand je l'ai pris à vingt-cinq ans, il ne songeait qu'à la littérature ; mais j'ai su tout de suite que je pourrais le faire monter beaucoup plus haut. Ce que je lui ai appris c'est que sa vie et son œuvre devaient être une seule réussite : une réussite si pure, si absolue qu'elle servît d'exemple au monde. »

Je pensais avec inquiétude que si elle tenait ce genre de langage à Henri, il devait être sérieusement excédé.

— Tu veux dire qu'un homme doit soigner sa vie autant que ses livres ? dis-je. Mais ça ne lui interdit pas de changer.

— A condition qu'il change en accord avec lui-même. Moi j'ai beaucoup évolué, mais c'est ma propre voie que j'ai suivie.

— On n'a pas des chemins tracés d'avance, dis-je. Le monde n'est plus le même, personne n'y peut rien ; il faut essayer de s'adapter. Je lui souris : « Moi aussi pendant quelques semaines j'ai eu l'illusion qu'on allait retrouver l'avant-guerre ; mais c'était de la sottise. »

Paule contemplait le feu d'un air têtu : « Ce n'est pas le temps qui est vrai », dit-elle. Elle se retourna brusquement vers moi : « Tiens ! pense à Rimbaud, que vois-tu ?

— Ce que je vois ?

— Oui. Quelle image de lui ?

— Sa photo de jeune homme.

— Tu vois ! il y a un Rimbaud, un Baudelaire, un Stendhal ; ils ont été plus vieux, plus jeunes, mais toute leur vie tient en une seule image. Il y a un seul Henri, et moi je serai toujours moi, le temps n'y peut rien, la trahison ne vient pas de lui mais de nous.

— Ah ! tu embrouilles tout, dis-je. Quand tu auras soixante-dix ans, tu seras toujours toi, mais tu auras d'autres rapports avec les gens, avec les choses » ; j'ajoutai : « Avec ton miroir.

— Je ne me suis jamais beaucoup regardée dans les miroirs. » Elle me considéra avec un peu de méfiance : « Qu'est-ce que tu veux prouver ? »

Un instant je gardai le silence ; nier le temps : tout le monde en est tenté sans doute ; je l'étais souvent. J'enviais vaguement à Paule sa certitude butée :

— Tout ce que je dis, c'est qu'on vit sur terre et qu'il faut s'y résigner. Tu devrais laisser Henri faire ce qui lui plaît, et t'occuper un peu de toi.

— Tu parles comme si Henri et moi nous étions deux êtres distincts, dit-elle rêveusement ; peut-être y a-t-il là un genre d'expérience incommunicable.

J'avais perdu tout espoir de la convaincre ; de quoi, d'ailleurs ? Je ne savais même plus. Je lui dis tout de même :

— Vous êtes distincts, la preuve c'est que tu le critiques.

— Il y a une part superficielle de lui-même contre laquelle je lutte et qui nous sépare, oui, dit-elle. Mais fondamentalement, nous sommes un seul être. Je l'ai senti souvent autrefois; je me rappelle même avec netteté ma première illumination : j'en ai été presque effrayée; c'est étrange, tu sais, de se perdre absolument en un autre. Mais quelle récompense quand on retrouve l'autre en soi ! Elle fixait sur le plafond un regard inspiré : « Sois sûre d'une chose : mon heure reviendra. Henri me sera rendu tel qu'il est dans sa vérité, tel que je l'aurai rendu à lui-même. »

Il y avait dans sa voix une violence presque désespérée, et je renonçai à discuter davantage; je dis avec allant : « N'empêche, ça te ferait du bien de voir du monde, de bouger un peu. Tu ne veux pas m'accompagner chez Claudie, jeudi prochain ? »

Le regard de Paule redescendit sur terre; on aurait dit qu'elle avait atteint quelque orgasme intérieur, et qu'elle se retrouvait délivrée, légère; elle me sourit :

— Oh ! non, je ne veux pas, dit-elle; elle est venue me voir la semaine dernière, je suis gavée de Claudie pour des mois. Tu sais qu'elle a installé Scriassine chez elle ? Je me demande comment il a accepté ça...

— Je suppose qu'il n'avait plus le rond.

— Tu parles d'un harem ! dit Paule.

Elle éclata d'un grand rire qui la rajeunissait de dix ans; c'est comme ça qu'elle était autrefois avec moi. En présence d'Henri, elle se guindait et aujourd'hui on avait l'impression qu'elle sentait sans répit son regard sur elle. Peut-être aurait-elle retrouvé sa gaieté, si elle avait eu le courage de vivre pour son compte. « Je n'ai pas su lui parler, j'ai été maladroite », me dis-je avec reproche en la quittant. Cette existence qu'elle menait n'était pas normale, et par instants elle déraisonnait ferme. Mais je n'aurais guère été capable aujourd'hui de lui faire sérieusement la leçon. Une existence normale : qu'y a-t-il de plus déraisonnable ? C'est fou le nombre de choses auxquelles on est obligé de ne pas penser pour aller sans dérailler d'un bout de la journée à l'autre, c'est fou le nombre de souvenirs qu'il faut refuser, de vérités qu'il faut éluder. « Voilà pourquoi j'ai peur de partir », me dis-je. A Paris, près de Robert, j'évite sans trop de peine les pièges, je les ai repérés, il y a des sonnettes d'alarme qui m'avertissent des dangers. Mais seule sous un ciel inconnu, qu'est-ce qui va m'arriver ? Quelles évidences vont soudain m'aveugler ? Quels abîmes se découvrir ? Les abîmes se cicatriseront, les évidences s'éteindront, c'est sûr et certain ; j'en ai vu d'autres. Nous valons bien ces vers de terre qu'on coupe vainement en deux ou ces homards dont les pattes repoussent. Mais le moment de la fausse agonie, le moment où l'on souhaite mourir plutôt que de se raccommoder encore une fois, quand j'y pense le cœur me manque. J'essaie de me raisonner : pourquoi m'arriverait-il quelque chose ? Mais pourquoi ne m'arriverait-il rien ? On n'a jamais avantage à s'écarter des chemins battus. Ici, j'étouffe un peu, c'est vrai ; mais on s'habitue aussi à étouffer ; et une habitude n'est jamais mauvaise, quoi qu'on dise

— Qu'est-ce que tu as ? me demanda Nadine avec soupçon à quelques jours de là. Elle était dans ma chambre, couchée sur mon divan, enveloppée de mon peignoir ; c'est ainsi que je la trouvais d'ordinaire quand je rentrais à la maison ; seuls les vêtements, les meubles, la vie d'autrui avaient de la valeur à ses yeux.

— Qu'est-ce que tu veux que j'aie ? dis-je.

Je ne lui avais pas parlé de la lettre de Romieux ; mais bien qu'elle me connût très mal, elle remarquait la moindre de mes humeurs.

— Tu as l'air de dormir debout, me dit-elle.

301

C'est vrai que d'habitude je l'interrogeais avec entrain sur ses journées et que ce soir j'avais quitté mon manteau et recoiffé mes cheveux en silence.

— J'ai passé l'après-midi à Sainte-Anne, je suppose que je suis un peu abrutie, dis-je. Et toi ? qu'est-ce que tu as fait ?

— Ça t'intéresse ? me demanda-t-elle avec rancune.

— Bien sûr.

Le visage de Nadine s'illumina ; elle renonçait à bouder plus longtemps son plaisir : « Je viens de rencontrer l'homme de ma vie ! dit-elle d'une voix provocante.

— Le vrai ? dis-je en souriant.

— Oui, le vrai, dit-elle avec sérieux ; c'est un copain de Lachaume, un type formidable ; pas un écrivaillon comme les autres ; un militant, un vrai. Il s'appelle Joly. »

Elle s'était brouillée avec Henri quelque temps plus tôt : ses réactions étaient si prévisibles que je m'étonnais qu'elle en fût elle-même dupe : « Alors ce coup-ci tu te fais inscrire au parti ? dis-je.

— Il était scandalisé que ça ne soit pas déjà fait. Ah ! tu sais, lui, il ne coupe pas les cheveux en quatre. Il va son chemin. Un homme quoi.

— Il y a longtemps que je pense que tu devrais faire une bonne fois ton expérience.

— Parce que bien entendu, pour toi c'est une expérience, dit-elle d'une voix aigre. J'entre au parti, j'en sortirai ; il faut que jeunesse se passe. C'est bien ça ?

— Mais non ; je n'ai rien dit de tel.

— Je sais ce que tu penses. La force de Joly, tu comprends, c'est qu'il croit à des vérités ; il ne s'amuse pas à des expériences : il agit. »

Pendant des jours, j'encaissai sans broncher les éloges agressifs dont elle comblait Joly ; elle avait ouvert *Le Capital* sur son bureau, à côté de son manuel de chimie et son regard errait avec mélancolie d'un volume à l'autre. Elle s'était mise à examiner tous mes gestes à la lumière du matérialisme historique ; il y avait beaucoup de mendiants dans les rues au début de ce froid printemps, et si je leur donnais un peu d'argent, elle ricanait : « Si tu t'imagines qu'en faisant l'aumône à ce pauvre déchet tu changeras la face du monde !

— Je n'en demande pas tant ; ça lui fait plaisir, c'est déjà ça.

— Et tu tranquillises ta conscience, tout le monde y gagne. »

Elle m'attribuait toujours des calculs ténébreux :

— Tu crois qu'en refusant d'aller dans le monde et en étant grossière avec les gens tu échappes à ta classe : tu es une bourgeoise mal léchée, c'est tout.

La vérité c'est que ça ne m'amusait pas d'aller chez Claudie ; pendant la guerre, elle m'avait expédié de son château bourguignon des tas de colis et maintenant elle me convoquait impérieusement à ses jeudis ; il fallait bien que je finisse par m'exécuter ; mais c'est bien à contrecœur que j'ai enfourché ma bicyclette par un soir neigeux de mai. L'hiver avait capricieusement ressuscité au milieu du printemps ; un ciel silencieux et blanc s'éparpillait sur la terre en gros flocons tièdes au regard, froids à la peau. Ce que j'aurais aimé, c'est filer droit devant moi, très loin, sur une de ces routes ouatinées. Les corvées mondaines me semblaient encore plus redoutables que jadis. Robert avait beau se terrer, fuir les journalistes, les décorations, les académies, les salons, les générales, on était en train de faire de lui une espèce de monument public : j'en devenais publique moi-même. Je montai à pas lents l'escalier pompeux. Je déteste cet instant où les visages se

303

tournent vers moi et où d'un seul prompt regard on m'identifie et on me dépèce. Alors, je prends conscience de moi-même, et j'ai toujours mauvaise conscience.

— Quel miracle de vous rencontrer! dit Laure Marva. Vous êtes tellement occupée! on n'ose même plus vous inviter.

Nous avions décliné au moins trois de ses invitations; parmi les gens que je reconnaissais dans cette cohue, il y en avait peu envers qui je ne me sentisse plus ou moins coupable. On nous croyait hautains, misanthropes ou poseurs. L'idée que simplement le monde ne nous amusait pas, je suppose qu'elle n'effleurait aucun de ceux qui venaient avidement s'ennuyer ici. L'ennui était un fléau qui m'avait terrorisée dès l'enfance, c'est avant tout pour lui échapper que j'avais souhaité grandir et j'avais construit toute ma vie autour de ce refus; mais peut-être ceux dont je serrais les mains y étaient-ils si habitués qu'ils ne le décelaient même pas : peut-être ignoraient-ils que l'air pût avoir un autre goût.

— Robert Dubreuilh n'a pas pu vous accompagner? dit Claudie. Dites-lui de ma part que son article de *Vigilance* est admirable! Je le sais par cœur, je me le récite à table, au bain, au lit : je couche avec; c'est mon amant du jour.

— Je lui dirai.

Elle me regardait intensément et je me sentais mal à l'aise; naturellement, je n'aime pas entendre dire du mal de Robert; mais quand on le couvre d'éloges, ça m'embarrasse; je sens sur mes lèvres un sourire idiot, le silence me paraît une pose et chaque parole une incontinence.

— La publication de cette revue est un événement considérable, dit le peintre Perlène qui était en fait l'amant du jour de Claudie.

Guite Ventadour s'était approchée ; elle avait écrit des romans adroits et elle se sentait la personnalité la plus marquante de ce salon ; sa toilette, ses manières indiquaient qu'elle était consciente de ne plus être jeune, mais qu'elle se rappelait un peu trop avoir été belle ; elle parlait d'une voix légèrement inspirée : « Ce qu'il y a d'extraordinaire chez Dubreuilh, dit-elle, c'est qu'avec un souci si profond de l'art pur il sache s'intéresser si passionnément au monde d'aujourd'hui. Aimer à la fois les mots et les hommes, c'est très rare.

— Est-ce que vous tenez un journal de sa vie ? me demanda Claudie. Quel document vous pourriez offrir au monde !

— Je n'ai pas le temps, dis-je ; et puis je ne crois pas qu'il aimerait ça.

— Ce qui m'étonne, dit Huguette Volange, c'est que vivant près d'un homme qui a une personnalité si écrasante vous gardiez un métier à vous. Moi je ne pourrais simplement pas ; mon cher époux dévore tout mon temps ; je trouve ça normal d'ailleurs. »

Je rejetai vivement toutes les réponses qui me venaient aux lèvres et je dis le plus platement possible :

— C'est une question d'organisation.

— Mais je suis très bien organisée, dit-elle d'un air piqué ; non, c'est plutôt une affaire d'ambiance morale...

Ils me transperçaient de leurs regards, ils exigeaient des comptes ; c'est toujours ainsi : ils m'entourent, ils m'interrogent avec des airs rusés comme si déjà j'étais veuve ; mais Robert est bien vivant et je ne les aiderai pas à l'embaumer. Ils collectionnent ses autographes, ils se disputent ses manuscrits, ils rangent ses œuvres complètes décorées de dédicaces entre des planches de bois ; moi c'est à peine si je possède deux ou trois de ses livres ; sans doute ai-je fait exprès de ne pas réclamer tous ceux qu'on m'a empruntés ; c'est exprès que je n'ai pas classé ses lettres, que je les ai plus ou moins égarées : elles n'étaient destinées qu'à moi, elles ne sont pas un dépôt que j'aurai un jour à leur transmettre ; je ne suis pas l'héritière de Robert ni son témoin : je suis sa femme.

Peut-être Guite devina-t-elle mon malaise ; avec une assurance de souveraine qui se sait chez elle partout, elle posa sur mon poignet sa petite main caressante : « Mais on ne vous a rien offert ! Laissez-moi vous conduire au buffet. » Tout en m'entraînant elle me sourit d'un air complice. « J'aimerais bien qu'un jour nous bavardions un peu longuement, toutes les deux : c'est si rare de rencontrer une femme intelligente. » On aurait dit qu'elle venait de découvrir l'unique personne de l'assemblée qui fût capable de la comprendre. Elle enchaîna : « Vous savez ce qui serait gentil ? C'est qu'un jour vous veniez dîner avec Dubreuilh dans mon petit chez-moi. »

C'est là un des moments le plus pénible de l'épreuve quand d'un air négligent ou supérieur ils réclament un rendez-vous. Au moment où je réponds les mots rituels : « Robert est tellement pris en ce moment », je sens leur regard sévère qui me met en accusation ; et je finis par m'avouer coupable ; je suis sa femme, oui ; mais d'abord, de quel droit ? Et puis ça n'est pas une raison pour l'accaparer : un monument public, ça appartient à tous.

— Oh ! je sais ce que c'est que d'être exigé par son œuvre, dit Guite. Moi non plus, je ne sors jamais ; c'est bien par hasard que vous me voyez ici ! Son rire insinuait que j'étais plaisamment abusée, qu'en vérité elle n'était pas là. « Mais ça serait différent ; un tout petit dîner ; et où je n'inviterais que des hommes, ajouta-t-elle en confidence. Je n'aime pas la compagnie des femmes ; je me sens toute perdue. Pas vous ?

— Non. Je m'entends très bien avec les femmes. »

Elle me regarda d'un air de réprobation consterné :

— C'est curieux, c'est très curieux. Ça doit être moi qui suis une anormale...

Elle proclamait volontiers dans ses livres l'infériorité de son sexe ; elle s'en évadait, pensait-elle, par la virilité de son talent ; et elle surpassait aussi les hommes puisque douée des mêmes qualités qu'eux elle avait en outre le mérite singulier et charmant d'être une femme. Cette ruse m'agaçait. Je dis d'un ton professionnel :

— Vous n'êtes pas anormale du tout. Presque toutes les femmes préfèrent les hommes.

Son regard se glaça tout à fait et sans affectation, mais délibérément elle se tourna vers Huguette Volange. Pauvre Guite ! elle était déchirée entre le désir d'éluder tout reproche de narcissisme et celui de rendre justice à ses mérites ; alors elle essayait de dicter aux autres ce qu'elle souhaitait qu'on dise d'elle ; mais s'ils ne le disaient pas ? fallait-il accepter d'être méconnue ? c'était un dilemme douloureux. Claude s'aperçut que j'étais seule et en bonne maîtresse de maison me jeta quelqu'un dans les bras.

— Anne, vous n'avez jamais rencontré Lucie Belhomme ? Elle a très bien connu autrefois votre amie Paule, ajouta-t-elle en se précipitant vers un nouvel arrivant.

— Ah ! vous connaissez Paule ? dis-je à la longue femme brune vêtue d'ottoman noir et de diamants qui me souriait du bout des dents.

— Oui, je l'ai très bien connue, dit-elle d'une voix

amusée ; je l'ai habillée gratis, à titre publicitaire, lorsque j'ai lancé la maison Amaryllis et qu'elle débutait chez Valcourt ; elle était belle, mais elle portait très mal la toilette. Lucie Belhomme me décocha un de ses sourires glacés. Il faut dire que son goût n'était pas très sûr et qu'elle n'acceptait aucun conseil ; ce pauvre Valcourt et moi, nous avons bien souffert.

— Paule a un style à elle, dis-je.

— Elle ne l'avait pas trouvé en ce temps-là ; elle s'admirait bien trop pour se connaître ; ça lui nuisait aussi dans son métier : elle avait une jolie voix, mais elle ne savait rien en faire ; elle ne savait absolument pas tirer parti d'elle-même : elle n'a jamais passé la rampe.

— Je ne l'ai jamais entendue, mais on m'a dit qu'elle réussissait très bien ; elle a eu un engagement pour Rio.

Lucie Belhomme se mit à rire : « Elle a eu un bref succès de surprise parce qu'elle était belle ; mais elle a dégringolé tout de suite ; le chant, c'est comme le reste ça demande du travail, et le travail ce n'était pas son fort. Le Brésil : je me rappelle cette histoire ; je devais lui faire ses robes ; mais ce n'est pas son tour de chant qui intéressait le gars, et elle a très bien compris. Elle était moins folle qu'elle ne voulait le faire croire. Elle faisait semblant de se prendre pour la Malibran ; mais au fond, tout ce qu'elle souhaitait c'était de trouver quelqu'un de sérieux qui s'occupe d'elle, et elle a eu vite fait de laisser tomber tout le reste. Elle a eu raison ; elle n'aurait jamais fait une carrière. Qu'est-ce qu'elle devient ? demanda Lucie d'une voix soudain bienveillante ; on m'a dit que son grand homme était en train de la plaquer, c'est vrai ?

— Absolument pas, ils s'adorent, dis-je avec autorité.

— Ah ! tant mieux, dit-elle d'une voix parfaitement incrédule ; elle l'avait attendu assez longtemps, pauvre gosse. »

Je restais déconcertée ; Lucie Belhomme détestait Paule, je n'allais pas accepter cette image qu'elle m'offrait d'elle : une petite putain arrogante et fainéante qui cherchait un protecteur en chantonnant. Mais je m'avisai que Paule ne m'avait pour ainsi dire jamais parlé de ses premières années à Paris, ni de sa jeunesse ni de son enfance. Pourquoi donc ?

— Je peux vous dire bonjour ? vous ne me détestez plus ?

Marie-Ange me souriait d'un air faussement confus.

— Vous le mériteriez bien ! dis-je en lui souriant aussi. Vous m'avez salement fait marcher !

— J'étais obligée, dit-elle.

— Rassurez-moi : vous n'avez pas six frères et sœurs ?

— C'est vrai que je suis l'aînée, dit-elle d'une voix sincère ; seulement je n'ai qu'un frère et il est au Maroc. Son regard m'interrogea avidement : « Dites donc, qu'est-ce qu'elle vous a raconté la Ventadour ?

— Rien du tout.

— Vous pouvez me dire, dit Marie-Ange. On peut tout me dire. Ça entre par ici — elle désignait ses oreilles — et ça sort par là — elle montrait sa bouche.

— C'est ce que je crains. Dites-moi plutôt ce que vous savez sur cette grande chipie, dis-je en indiquant Lucie.

— Oh ! c'est une femme formidable ! dit Marie-Ange.

— En quoi ?

— A son âge, elle a encore tous les hommes qu'elle veut et elle s'arrange pour mélanger les utiles et les agréables. En ce moment, elle en a trois qui veulent tous les trois l'épouser.

— Et chacun croit qu'il est le seul ?

— Non. Chacun croit qu'il est le seul à savoir qu'il y en a deux autres.

— Ça n'est pourtant pas une Vénus.

— Il paraît qu'elle était encore bien plus moche à vingt ans ; mais elle s'est arrangée pour se rendre méconnaissable. Ça se trouve, des femmes moches qui arrivent par les cuisses, dit Marie-Ange d'un air docte, seulement il faut qu'elles en mettent un sale coup. Lulu devait avoir déjà dans les quarante ans quand elle a lancé la maison Amaryllis avec les capitaux du père Brotteaux. Ça commençait à lui rapporter gros quand il y a eu la guerre. Maintenant, ça repart en flèche, mais elle en a bavé », dit Marie-Ange d'un ton compatissant. Elle ajouta : « C'est pour ça qu'elle est si méchante.

— Je vois. » Je dévisageai Marie-Ange. « Qu'est-ce que vous venez chercher ici ? des potins bien scandaleux ?

— Je suis là pour mon plaisir. J'adore aller aux cocktails. Pas vous ?

— Je ne vois pas ce que ça a d'amusant : expliquez-moi donc...

— Eh bien, on voit des tas de gens qu'on n'a pas envie de voir.

— C'est limpide.

— Et puis il faut bien se montrer.

— Pourquoi faut-il ?

— Si on veut être vue.

— Et vous voulez être vue ?

— Oh ! oui. Ce que j'aime surtout, c'est me faire photographier. » Elle mordilla ses doigts. « Ce n'est pas normal ? Vous croyez que je devrais me faire psychanalyser ?

— Je comprends ! Ça grouille là-dedans.

— Quoi ? Les complexes ?

— Quelque chose comme ça.

— Mais qu'est-ce qui me restera si on me les ôte ? dit-elle plaintivement.

— Venez par ici, dit Claudie. Maintenant que les emmerdeurs sont partis on va pouvoir s'amuser un peu. »

Il y avait toujours un moment chez Claudie où on déclarait que les emmerdeurs étaient partis ; quoique l'ordre des départs variât d'une fois à l'autre. Je dis :

— Je suis désolée, mais il faut que je parte avec eux.

— Comment ? Mais vous allez rester souper, dit Claudie. On va dîner par petites tables, ça sera très gentil. Et des gens vont venir à qui je veux vous présenter. Elle m'entraîna un peu à l'écart : « J'ai décidé de m'occuper de vous, dit-elle gaiement. C'est ridicule de vivre en sauvage ; personne ne vous connaît : je veux dire dans les milieux où il y aurait de l'argent à ramasser. Laissez-moi vous lancer ; je vous emmène chez les couturiers, je vous exhibe et dans un an vous avez la clientèle la plus huppée de Paris.

— Je n'ai déjà que trop de clients.

— Dont la moitié ne paie pas, et dont l'autre paie très mal.

— Ce n'est pas la question.

— C'est la question. Avec un client qui paie comme dix, vous travaillez dix fois moins ; vous avez du temps pour sortir et pour vous habiller.

— Nous en reparlerons. »

J'étais étonnée qu'elle me comprît si mal ; mais en fait je ne la comprenais pas beaucoup mieux. Elle croyait que le travail n'était pour nous qu'un moyen d'arriver au succès et à la fortune ; et j'étais obscurément convaincue que tous ces snobs auraient volontiers échanger leur situation sociale contre des talents et des réussites intellectuelles. Dans mon enfance, une institutrice me semblait un bien plus grand personnage qu'une duchesse ou qu'un milliardaire, et cette hiérarchie ne s'était guère modifiée. Tandis que Claudie imaginait que pour un Einstein la suprême récompense eût été d'être reçu dans son salon. Nous ne pouvions guère nous entendre.

— Asseyez-vous là : on va jouer au jeu de la vérité, dit Claudie.

Je déteste ce jeu ; je ne dis jamais que des mensonges et ça m'est pénible de voir mes partenaires, avides d'exhiber sans se nuire le mystère qui les habite, s'interroger avec scrupule et ruse.

— Quelle est votre fleur préférée ? demanda Huguette à Guite.

— L'iris noir, répondit-elle au milieu d'un silence religieux.

Elles avaient toutes une fleur préférée, leur saison favorite, leur livre de chevet, leur couturier attitré.

Huguette regarda Claudie :

— Combien avez-vous eu d'amants ?

— Je ne sais plus : vingt-cinq ou vingt-six. Attendez ; je vais voir la liste dans la salle de bains. Elle revint en criant d'une voix triomphante : « Vingt-sept.

— Qu'est-ce que vous pensez, juste en ce moment ? » me dit Huguette.

Pour moi aussi, la vérité fut soudain irrésistible :

— Que je voudrais être ailleurs. Je me levai. « Sérieusement, j'ai un travail urgent, dis-je à Claudie. Non, ne vous dérangez surtout pas. »

Je sortis du salon et Marie-Ange qui était restée prostrée sur un divan sortit derrière moi.

— C'est pas vrai, n'est-ce pas, que vous avez un travail pressé ?

— J'ai toujours du travail.

— Je vous invite à dîner, dit-elle en me coulant un regard suppliant et prometteur, qu'elle éteignit tout de suite.

— Non vraiment, je n'ai pas le temps.

— Alors une autre fois. On ne pourrait pas se voir de temps en temps ?

— Je suis tellement occupée !

Elle m'a tendu le bout de ses doigts d'un air mécontent ; j'ai enfourché ma bicyclette et je suis partie droit devant moi. Ça m'aurait plutôt amusée de dîner avec elle, mais je savais trop comment ça tournerait : elle craignait les hommes, elle jouait les petites filles, elle m'aurait vite offert son cœur et son frêle petit corps ; si je me dérobais, ce n'est pas que la situation m'effarouchât, mais je la prévoyais avec trop de fatalité pour m'en amuser. Il y avait beaucoup de vérité dans le reproche que m'avait un jour fait Nadine : « Tu ne te mets jamais dans le coup. » Je regardais les gens avec des yeux de médecin et ça me rendait difficile d'avoir avec eux des rapports humains. La colère, la rancune, j'en suis rarement capable ; et les bons sentiments qu'on me porte ne me touchent guère : c'est mon métier d'en susciter. Je dois subir avec indifférence les conséquences des transferts que j'opère, et les liquider au moment voulu ; même dans ma vie privée, je garde cette attitude. Le sujet atteint, je diagnostique aussitôt ses troubles infantiles, je me vois telle que j'apparais dans ses phantasmes : mère, grand-mère, sœur, enfant, idole. Je n'aime pas beaucoup les sorcelleries auxquelles on se livre sur mon image, mais il faut bien que je m'y résigne Et je suppose que si jamais un individu normal avait le caprice de s'attacher à moi, je me demanderais aussitôt : Qui donc voit-il en moi ? Quels désirs frustrés cherche-t-il à assouvir ? et je serais incapable du moindre élan.

J'avais dû sortir de Paris ; je roulais à présent le long de la Seine, sur une étroite chaussée bordée à gauche d'un parapet et à droite de petites maisons boiteuses qu'éclairait de loin en loin un très vieux réverbère ; les pavés étaient boueux, mais il y avait de la neige blanche sur le trottoir. Je souris au ciel sombre. Cette heure-là, je l'avais gagnée en fuyant le salon de Claudie, je ne la devais à personne : c'est sans doute pourquoi il y avait dans l'air froid tant de gaieté. Je me rappelais : bien souvent autrefois ma respiration me grisait, la joie fondait sur moi, et je me disais alors que si de tels moments n'avaient pas existé, ça n'aurait pas valu la peine de vivre. Ne renaîtraient-ils pas ? On m'offrait de traverser l'Océan, de découvrir un continent ; et tout ce que je savais répondre, c'est : « J'ai peur. » De quoi avais-je peur ? Je n'étais pas pusillanime, autrefois. Dans les bois de Païolive ou dans la forêt de Grésigne j'installais mon sac sous ma tête, je m'enroulais dans une couverture et je m'endormais seule sous les étoiles aussi tranquillement que dans mon lit ; ça me paraissait naturel d'escalader sans guide, à l'aventure, de hautes montagnes aux névés glissants ; je dédaignais tous les conseils de prudence ; je m'asseyais seule dans les bouges du Havre ou de Marseille, je me promenais seule à travers les villages kabyles... Je fis demi-tour brusquement. Inutile de prétendre rouler vers le bout du monde : si je voulais retrouver ma vieille liberté, mieux valait rentrer à la maison et ce soir même répondre à Romieux : oui.

Mais je n'ai pas répondu, et quelques jours plus tard j'étais encore en train de demander conseil, anxieusement, comme s'il avait été question d'une expédition au centre de la terre.

— A ma place, vous accepteriez ?

— Bien sûr, dit Henri avec étonnement.

C'était pendant cette nuit où de grands V lumineux cisaillaient le ciel de Paris ; ils avaient apporté du champagne, des disques ; j'avais préparé un souper et j'avais mis des fleurs partout. Nadine est restée dans sa chambre en prétextant un travail urgent : elle boudait une fête qui n'était à ses yeux qu'un anniversaire de mort. « Drôle de fête, disait Scriassine. Ce n'est pas une fin, c'est un commencement : le commencement de la vraie tragédie. »

Pour lui, la troisième guerre mondiale venait de s'ouvrir. Je lui dis gaiement : « Ne faites donc pas votre Cassandre ; déjà la nuit du réveillon vous nous prédisiez des désastres : je crois bien que vous avez perdu votre pari.

— Nous n'avons pas parié, dit-il ; et un an n'est pas même passé.

— En tout cas les Français ne sont pas en train de se dégoûter de la littérature. » Je pris Henri à témoin : « C'est même fabuleux la quantité de manuscrits qu'on reçoit à *Vigilance*, non ?

— Ça prouve que la France a choisi le destin d'Alexandrie, dit Scriassine. Je préférerais que *Vigilance* réussisse moins bien et qu'un grand journal comme *L'Espoir* ne soit pas menacé de liquidation.

— Qu'est-ce que tu racontes ? dit Henri vivement. *L'Espoir* se porte fort bien.

— On m'a dit que vous alliez être obligés de chercher des subsides privés.

— Qui t'a dit ça ?

— Ah ! je ne sais plus : c'est un bruit qui court.

— C'est un faux bruit », dit Henri sèchement. Il n'avait pas l'air de bonne humeur, c'était bizarre parce que tout le monde était très gai, même Paule, même Scriassine que son désespoir chronique n'assombrissait pas. Robert racontait des histoires d'un autre

315

monde, des histoires des années vingt ; Lenoir et Julien évoquaient avec lui ces temps exotiques ; deux officiers américains que personne ne connaissait chantaient en sourdine une ballade du Far West et une Wac dormait au fond du divan. En dépit des drames passés, des futures tragédies, cette nuit était une nuit de fête, j'en étais sûre, non pas à cause des chants et des feux d'artifice, mais parce que j'avais envie à la fois de rire et de pleurer.

— Allons voir ce qui se passe dehors ! dis-je ; on reviendra souper après.

Ils ont tous accepté avec enthousiasme. Sans trop de peine nous avons gagné la bouche du métro qui nous a menés à la Concorde ; mais pour déboucher sur la place, c'était une autre histoire ; l'escalier était submergé par la foule ; pour ne pas nous perdre, nous nous tenions solidement par le bras, mais au moment où nous avons mis le pied sur la dernière marche, il y a eu un remous si violent que j'ai été arrachée du bras de Robert : je me retrouvai seule avec Henri, tournant le dos aux Champs-Élysées que nous nous étions proposé de remonter. Le flot nous entraînait vers les Tuileries :

— N'essayez pas de résister, dit Henri. Nous nous retrouverons tous chez vous tout à l'heure. Il n'y a qu'à suivre le courant.

Au milieu des chants et des rires nous avons dérivé jusqu'à la place de l'Opéra, tout ensanglantée de lumières et de draperies rouges ; c'était un peu effrayant parce que si on avait trébuché, si on était tombé, on aurait été foulé aux pieds ; mais aussi c'était exaltant ; rien n'était conclu, le passé ne ressusciterait pas, l'avenir était incertain : mais le présent triomphait et il n'y avait qu'à se laisser porter par lui, la tête vide, la bouche sèche, le cœur battant.

— Vous ne boiriez pas un verre ? proposa Henri.

— Si c'est possible.

Lentement, avec un tas de ruses, nous sommes arrivés à sortir de la foule au milieu d'une rue qui montait vers Montmartre ; nous sommes entrés dans un cabaret plein d'Américains en uniformes qui bredouillaient des chansons et Henri a commandé du champagne ; j'avais la gorge sèche de soif, de fatigue, d'émotion et je vidai d'un trait deux coupes.

— C'est une fête, n'est-ce pas ? dis-je.

— Bien sûr.

Nous nous sommes regardés avec amitié ; c'est rare que je me sente tout à fait à l'aise avec Henri, il y a trop de gens entre nous : Robert, Nadine, Paule ; mais cette nuit il me semblait très proche, et le champagne m'enhardissait :

— Vous n'aviez pourtant pas l'air gai, ce soir.

— Si. Il me tendit une cigarette. Le fait est qu'il n'avait pas l'air gai. « Mais je me demande qui répand le bruit que *L'Espoir* est en difficulté. Ça pourrait bien être Samazelle.

— Vous ne l'aimez pas ? dis-je ; moi non plus. C'est assommant ces gens qui ne sortent jamais sans leur personnage.

— Mais Dubreuilh en fait grand cas, dit Henri.

— Robert ? Il le trouve utile, mais il n'a pas de sympathie pour lui.

— Est-ce qu'il y a une différence ? » dit Henri.

Son intonation me parut aussi bizarre que sa question : « Qu'est-ce que vous voulez dire ?

— A l'heure qu'il est, Dubreuilh est si totalement engagé dans ce qu'il fait que sa sympathie pour les gens se mesure à leur utilité, ni plus ni moins.

— Mais ça n'est pas vrai du tout », dis-je avec indignation.

Il me regarda d'un air ironique : « Je me demande

317

bien quelle amitié il aurait encore pour moi si je
n'avais pas ouvert *L'Espoir* au S.R.L.

— Il aurait été déçu, dis-je ; évidemment : il aurait
été déçu tout juste pour les raisons qui ont fait que
vous avez accepté.

— Oh ! d'accord, ce genre d'hypothèse est stupide », dit-il avec trop de vivacité.

Je me demandais si Robert lui avait donné
l'impression de lui mettre le marché en main ; il peut
être brutal quand il veut arriver à tout prix à ses
fins ; ça m'aurait désolée qu'il eût blessé Henri ; et
lui, il était déjà bien assez seul, il ne fallait surtout
pas qu'il perde cette amitié.

— Plus Robert tient aux gens, plus il exige d'eux,
dis-je. Avec Nadine, par exemple, je l'ai bien remarqué : du moment où il a cessé de trop attendre d'elle,
il s'en est un peu détaché.

— Ah ! mais ce n'est pas du tout pareil d'être
exigeant dans l'intérêt d'autrui ou dans le sien à soi ;
au premier cas, oui, c'est une preuve d'affection...

— Mais pour Robert les deux se confondent ! dis-
je.

D'ordinaire, je répugne à parler de Robert ; mais je
voulais absolument dissiper cette espèce de rancune
que je pressentais chez Henri : « La liaison de
L'Espoir et du S.R.L. c'était à ses yeux une nécessité,
vous deviez donc la reconnaître. » J'interrogeai Henri
du regard : « Vous pensez qu'il a disposé trop facilement de vous ? mais c'était par estime.

— Je sais, dit Henri en souriant ; il prête volontiers aux autres ses propres évidences : avouez que
c'est une forme d'estime un peu impérialiste.

— Après tout, il n'avait pas tellement tort puisque
vous avez été d'accord, dis-je. Je ne vois pas bien ce
que vous lui reprochez.

— Est-ce que j'ai dit que je lui reprochais quelque chose ?

— Non, mais ça se sent. »

Henri hésita : « Oh ! c'est une affaire de nuances, dit-il en haussant les épaules. J'aurais su gré à Dubreuilh de se placer une minute à mon point de vue. » Il me sourit tout à fait gentiment : « Vous l'auriez fait.

— Je ne suis pas une femme d'action, dis-je. Oui, ajoutai-je, de temps en temps Robert fait exprès de se mettre des œillères ; ça n'empêche pas qu'en général il n'ait un vrai souci des autres, et des sentiments désintéressés : vous êtes injuste.

— Peut-être, dit Henri gaiement. Vous savez, quand on accepte à contrecœur de faire un truc, on en veut un peu à celui qui vous y a poussé : je conviens que ce n'est pas bien honnête. »

Je dévisageai Henri avec une espèce de remords :

— Ça vous pèse beaucoup, ces nouveaux rapports de *L'Espoir* avec le S.R.L. ?

— Oh ! maintenant, il n'y a plus de question, dit-il, je suis dans le bain.

— Mais vous n'aviez pas envie de vous y mettre ?

Il sourit : « Pas follement. »

Il avait répété bien des fois que ça l'assommait, la politique, et il y était jusqu'au cou ; je soupirai : « Il y a tout de même quelque chose de vrai dans ce que dit Scriassine ; jamais ça n'a été si dévorant qu'aujourd'hui, la politique.

— Ce monstre de Dubreuilh ne se laisse pas dévorer, dit Henri avec une espèce d'envie ; il écrit autant qu'autrefois.

— Autant », dis-je ; j'hésitai, mais je me sentais vraiment en confiance avec Henri : « Il écrit autant, mais moins librement, dis-je. Ces souvenirs dont vous aviez lu des passages, eh bien, il a renoncé à les faire

319

paraître, il dit qu'on y trouverait trop d'armes contre lui ; c'est triste, non, de penser que si on devient un homme public on ne peut plus être complètement sincère en tant qu'écrivain ? »

Henri se tut une seconde : « Il y a une certaine gratuité de l'écriture qui disparaît, évidemment, dit-il ; tout ce que publie Dubreuilh aujourd'hui se lit dans un contexte dont il est obligé de tenir compte ; mais je ne pense pas que ça diminue sa sincérité.

— Le fait que ces mémoires ne paraîtront pas, moi, ça me désole !

— Vous avez tort, dit-il amicalement. L'œuvre d'un homme qui se confesserait intégralement, mais sans responsabilité, ne serait pas plus vraie ni plus complète que celle d'un homme qui prend la responsabilité de tout ce qu'il dit.

— Vous croyez ? » dis-je ; j'ajoutai : « Pour vous aussi, la question s'est posée ?

— Non, pas comme ça du tout, dit-il.

— Mais des questions se sont posées ?

— Ça n'arrête pas de pleuvoir les questions, non ? » dit-il d'un ton évasif.

J'insistai : « Comment va votre roman gai ?

— Justement, je ne l'écris plus.

— Il est devenu triste ? je vous l'avais bien dit.

— Je n'écris plus, dit Henri avec un sourire d'excuse. Plus du tout.

— Allons donc !

— Des articles, soit : ça se consomme sur place ; mais un vrai livre, je ne peux plus. »

Il ne pouvait plus : il y avait donc du vrai dans les divagations de Paule. Lui qui aimait tellement écrire, comment était-ce arrivé ? « Mais pourquoi ? dis-je.

— C'est naturel de ne pas écrire, vous savez ; c'est plutôt le contraire qui est anormal.

— Pas pour vous, dis-je ; vous ne conceviez pas de vivre sans écrire. »

Je le regardais avec malaise ; j'avais dit à Paule : « Les gens changent » ; mais on a beau savoir qu'ils changent, on s'entête à les regarder comme immuables sur un tas de points : encore une étoile fixe qui s'était mise à valser dans mon ciel : « Vous trouvez qu'au jour d'aujourd'hui, c'est vain ?

— Oh ! non, dit Henri. S'il y a des gens pour qui ça garde un sens d'écrire, tant mieux pour eux. Personnellement, je n'en ai plus envie, c'est tout. » Il sourit : « Je vais tout vous avouer : je n'ai plus rien à dire ; ou mettons que ce que j'ai à dire, il me semble que ça n'est rien.

— C'est une humeur qui va passer, dis-je.

— Je ne crois pas. »

J'avais le cœur serré ; ça devait être horriblement triste pour lui, ce renoncement ; je dis avec reproche et remords : « On se voit si souvent, et vous ne nous avez jamais parlé de ça !

— Il n'y avait pas lieu.

— C'est vrai qu'avec Robert, vous ne parlez plus que de politique ! » J'eus une brusque inspiration : « Vous ne savez pas ce qui serait bien ? nous allons faire un voyage à bicyclette cet été, Robert et moi ; venez avec nous pendant une ou deux semaines.

— Ça pourrait être bien, dit-il d'un ton hésitant.

— Ça le serait sûrement ! » J'hésitai à mon tour : « Seulement Paule ne monte pas à bicyclette.

— Oh ! de toute façon je ne passerai pas toutes mes vacances avec elle, dit-il vivement. Elle ira à Tours chez sa sœur. »

Il y a eu un petit silence ; je demandai abruptement :

— Pourquoi est-ce que Paule ne veut pas essayer de se remettre à chanter ?

— Si vous pouviez me le dire! je ne sais pas ce qu'elle a dans la tête, ces temps-ci, dit-il d'une voix découragée; il haussa les épaules : « Elle a peut-être peur, si elle se faisait une vie à elle, que j'en profite pour modifier nos rapports.

— Et c'est bien ce que vous souhaiteriez? dis-je.

— Oui, dit-il avec élan. Que voulez-vous, ajouta-t-il, ça fait déjà bien longtemps que je ne l'aime plus; elle s'en rend très bien compte d'ailleurs bien qu'elle s'acharne à affirmer que rien n'a changé.

— J'ai l'impression qu'elle vit sur deux plans à la fois, dis-je. Elle est parfaitement lucide, et en même temps elle se raconte que vous l'aimez d'amour fou et qu'elle aurait pu être la plus grande chanteuse du siècle. Je pense que la lucidité finira par l'emporter : mais alors qu'est-ce qu'elle va devenir?

— Ah! je ne sais pas! dit Henri. Je ne voudrais pas me conduire en salaud, mais je n'ai pas la vocation du martyre. Quelquefois la situation me paraît simple : quand on n'aime plus, on n'aime plus. A d'autres moments, ça me semble injuste d'avoir cessé de l'aimer : c'est la même Paule.

— Je suppose qu'aimer aussi est injuste.

— Et alors? qu'est-ce que je peux bien faire? » dit-il.

Il avait l'air vraiment tourmenté; une fois de plus je me dis que j'étais bien contente d'être une femme : parce que c'est à des hommes que j'ai affaire, ça pose beaucoup moins de problèmes.

— Il faudrait que Paule y mette du sien, dis-je, sans ça vous êtes salement coincé. On ne peut pas vivre dans la mauvaise conscience : mais on ne peut pas non plus vivre à contrecœur.

— Peut-être faut-il apprendre à vivre à contrecœur, dit-il avec une fausse désinvolture.

— Non ! je suis sûre que non ! dis-je. Si on n'est pas content de sa vie, je ne vois pas de quel point de vue on peut la justifier.

— Vous êtes contente de la vôtre ?

La question me prit au dépourvu ; j'avais parlé au nom d'une vieille conviction ; mais dans quelle mesure est-ce que je m'y conformais encore, je ne savais plus trop ; je dis avec gêne : « Je n'en suis pas mécontente. »

A son tour, il m'examina : « Et ça vous suffit, de ne pas être mécontente ?

— Ce n'est déjà pas si mal.

— Vous avez changé, dit-il gentiment. Autrefois vous étiez satisfaite de votre sort d'une manière presque insolente.

— Pourquoi est-ce que je serais la seule à ne pas avoir changé ? » dis-je.

Mais lui non plus il ne lâchait pas prise : « Il m'a semblé quelquefois que votre métier vous intéressait moins qu'avant.

— Il m'intéresse, dis-je. Mais ne trouvez-vous pas qu'à l'heure qu'il est, c'est légèrement futile de soigner des états d'âme ?

— Pour ceux que vous guérissez, c'est important, dit-il. Aussi important aujourd'hui qu'autrefois : où est la différence ? »

J'hésitai : « Ce qu'il y a c'est qu'autrefois je croyais au bonheur, dis-je ; je veux dire : je pensais que les gens heureux étaient dans le vrai. Guérir un malade, c'était en faire une vraie personne, capable de donner un sens à sa vie. » Je haussai les épaules : « Il faut bien de la confiance dans l'avenir pour croire que toute vie peut avoir un sens. »

Henri sourit ; ses yeux m'interrogeaient : « L'avenir n'est pas si noir, dit-il.

— Je ne sais pas, dis-je. Peut-être qu'autrefois je le

323

voyais trop rose ; alors le gris me fait peur. » Je souris :
« C'est en ça que j'ai le plus changé, j'ai peur de tout.

— Là, vous m'étonnez ! dit-il.

— Je vous assure. Tenez, voilà déjà plusieurs
semaines qu'on m'a proposé d'aller en Amérique, en
janvier, pour un congrès de psychiatrie ; je n'arrive pas
à me décider.

— Mais pourquoi ? dit-il d'une voix scandalisée.

— Je ne sais pas ; ça me tente, mais en même temps,
j'ai peur. Vous n'auriez pas peur ? à ma place, vous
accepteriez ?

— Bien sûr ! dit-il. Que voulez-vous qui vous arrive ?

— Rien de spécial. » J'hésitai : « Ça doit être drôle
de se voir et de voir les gens à qui on tient du fond d'un
autre monde...

— Ça doit être très intéressant. » Il me sourit d'un
air encourageant : « Sûrement vous ferez quelques
petites découvertes ; mais ça m'étonnerait bien
qu'elles bouleversent votre existence. Les choses qui
nous arrivent ou celles que nous faisons, finalement, ça
n'a jamais tant d'importance... »

Je baissai la tête : « C'est vrai, pensai-je. Les choses
ont toujours moins d'importance que je ne crois. Je
partirai, je reviendrai, tout passe, rien ne se passe. »
Déjà ce tête-à-tête était passé. Il fallait rentrer à la
maison pour le souper. L'intimité, la confiance de cette
heure, nous aurions pu la prolonger jusqu'à l'aube :
par-delà l'aube peut-être. Mais pour mille raisons il ne
fallait pas essayer. Ne fallait-il pas ? En tout cas, nous
n'avons pas essayé.

— Il faut aller retrouver les autres, dis-je.

— Oui, a dit Henri ; il est temps.

Nous avons marché en silence jusqu'au métro et
nous avons été retrouver les autres.

324

L'entrevue de Robert avec Lafaurie a été courtoisement orageuse ; aucun des deux n'élevait la voix ; mais ils se sont traités mutuellement de criminels de guerre. Lafaurie a conclu d'un ton attristé : « Nous serons obligés de passer à l'attaque. » Ça n'a pas empêché Robert de préparer avec passion le meeting prévu pour juin. Un soir pourtant après une longue séance avec Samazelle et Henri, il m'a demandé à brûle-pourpoint :

— J'ai raison ou non d'organiser ce meeting ?

Je l'ai dévisagé avec stupeur : « Pourquoi me demandez-vous ça ? » Il sourit : « Pour que tu me répondes ! »

— Vous savez mieux que moi.

— On ne sait jamais. »

Je continuai à l'examiner d'un œil perplexe : « Renoncer au meeting, ça veut dire renoncer au S.R.L. ?

— Naturellement.

— Vous m'avez expliqué en long et en large après votre dispute avec Lafaurie pourquoi il était hors de question que vous cédiez. Qu'est-ce qui s'est passé de neuf ?

— Il ne s'est rien passé, dit Robert.

— Alors ? pourquoi avez-vous changé d'avis ? Vous ne croyez plus possible de forcer la main aux communistes ?

— Si ; en cas de succès, il est probable qu'ils ne couperont pas les ponts. » La voix de Robert resta en suspens ; il hésita : « C'est sur tout l'ensemble que je m'interroge.

— Sur l'ensemble du mouvement ?

— Oui. Cette Europe socialiste, il y a des moments où je me demande si ce n'est pas une utopie. Mais toute idée qui n'est pas encore réalisée ressemble drôlement à une utopie ; on ne ferait jamais rien si on considérait que rien n'est possible, sauf ce qui existe déjà. »

Il avait l'air de se défendre contre un interlocuteur invisible, et je me demandais d'où lui venaient soudain ces doutes. Il soupira : « Ce n'est pas facile de faire le départ entre une véritable possibilité et un rêve.

— Est-ce que Lénine ne disait pas : " Il faut rêver " ?

— Oui ; mais à condition de croire sérieusement à son rêve ; c'est la question : est-ce que j'y crois assez sérieusement ? »

Je le regardai avec étonnement : « Que voulez-vous dire ?

— Est-ce que ce n'est pas par défi, par orgueil, par complaisance à moi-même que je m'entête ?

— C'est drôle que vous ayez ce genre de scrupules, dis-je. D'habitude vous ne vous méfiez pas de vous.

— Je me méfie aussi de mes habitudes ! dit Robert.

— Alors, méfiez-vous aussi de cette méfiance. C'est peut-être par peur d'un échec, ou par crainte d'un tas de complications que vous êtes tenté de céder.

— Peut-être, dit Robert.

— Je suppose que ça ne vous est pas agréable, l'idée que les communistes vont ouvrir une campagne contre vous ?

— Non, ça ne m'est pas agréable, dit Robert. On se donne tant de mal pour se faire comprendre ! Et ils vont créer systématiquement les pires malentendus. Oui, ajouta-t-il, c'est peut-être l'écrivain en moi qui conseille lâchement à l'homme politique de filer doux.

— Vous voyez, dis-je. Si vous commencez à éplucher vos motifs, vous n'en sortirez pas. Restez donc sur un terrain objectif, comme dirait Scriassine.

— Hélas ! c'est un terrain bien mouvant ! dit Robert. Surtout quand on ne dispose que d'informations incomplètes. Oui, je crois aux chances d'une gauche européenne : mais n'est-ce pas parce que je suis convaincu de sa nécessité ? »

Ça me déconcertait que Robert posât la question comme ça. Il s'était vivement reproché d'avoir trop naïvement cru à la bonne volonté des communistes : mais ça n'aurait pas dû suffire à le faire douter de lui à ce point-là. C'était la première fois de notre vie que je le voyais tenté par une solution paresseuse.

— Depuis quand pensez-vous à laisser tomber le S.R.L. ? dis-je.

— Oh ! je n'y pense pas positivement, dit Robert. Je m'interroge.

— Depuis quand vous interrogez-vous comme ça ?

— Ça fait deux ou trois jours, dit Robert.

— Et sans raison particulière ?

Il sourit : « Sans raison particulière. »

Je le dévisageai : « Est-ce que ça ne serait pas tout bonnement que vous êtes fatigué ? dis-je. Vous avez l'air fatigué.

— Je suis un peu fatigué, c'est vrai », dit-il.

Ça m'a sauté aux yeux soudain : il avait l'air très fatigué. Ses yeux étaient roses, sa peau terne et son visage bouffi. « C'est qu'il n'est plus si jeune ! » ai-je pensé avec inquiétude. Oh ! il n'était pas encore vieux mais tout de même il ne pouvait plus se permettre les excès d'autrefois ; en fait il se les permettait, et même il les multipliait : peut-être pour se prouver qu'il était encore jeune. Outre le S.R.L. et *Vigilance*, et son livre, il y avait les visites, les lettres, les coups de téléphone ; ils avaient tous des choses urgentes à lui communiquer : des encouragements, des critiques, des suggestions, des problèmes ; si on ne les recevait pas, si on ne les imprimait pas, on les affamait, on les condamnait à la misère, à la folie, à la mort, au suicide. Robert les recevait, il prenait sur ses nuits, il ne dormait presque jamais.

— Vous en faites beaucoup trop ! dis-je. Si vous

327

continuez comme ça, vous allez vous crever. Un de ces jours vous aurez un arrêt du cœur et moi, je serai fraîche !

— Encore un mois à tirer, pas plus, dit-il.

— Et vous croyez qu'il suffira d'un mois de vacances pour vous remettre ? Je réfléchis : « On devrait tâcher de trouver une maison en banlieue, dis-je. Vous iriez à Paris une ou deux fois par semaine et le reste du temps ni visites ni coups de téléphone : la tranquillité.

— C'est toi qui la trouveras la maison ? » dit Robert d'une voix moqueuse.

Courir les agences, visiter des villas, je n'en avais guère le goût et pas du tout le temps. Mais c'était un crève-cœur de voir comme Robert se surmenait. Il avait décidé que le meeting aurait lieu, mais il restait inquiet : les communistes ne se laisseraient intimider que si le succès était éclatant ; au cas où ils couperaient les ponts, que deviendrait le S.R.L. ? Moi aussi, sa réussite me tenait à cœur. J'attache encore plus d'importance que Robert aux individus, un à un, et à toutes les richesses de la vie privée : les sentiments, la culture, le bonheur ; j'ai besoin de penser que dans la société sans classes l'humanité s'accomplira sans rien renier d'elle-même.

Grâce au ciel, Nadine avait cessé de transmettre à son père les blâmes de ses camarades communistes ; elle ne nous assenait plus de diatribes contre l'impérialisme américain, elle avait définitivement fermé *Le Capital*. Je ne fus pas étonnée quand elle m'a dit abruptement :

— Au fond, les communistes, c'est du pareil au même que des bourgeois.

— Comment ça ?

J'étais en train de faire ma toilette de nuit et elle était assise au bord de mon divan ; c'est souvent à ce moment-là qu'elle me parlait des choses qui lui tenaient à cœur.

— C'est pas des révolutionnaires. Ils sont pour l'ordre, le travail, la famille, la raison. Leur justice, c'est dans l'avenir ; en attendant ils s'arrangent de l'injustice comme les autres. Et puis leur société, eh bien, ça sera encore une société.

— Évidemment.

— S'il faut attendre cinq cents ans pour que le monde ne soit même pas changé, ça ne m'intéresse pas.

— Tu n'imagines pas qu'on va refaire le monde en une saison.

— C'est marrant, tu causes comme Joly. Tu parles si je les connais leurs salades. Mais alors je ne vois pas pourquoi moi j'entrerais au P.C. C'est un parti comme un autre.

« Voilà encore une histoire qui a mal tourné, pensais-je avec regret en achevant de me démaquiller. Elle aurait eu tellement besoin d'une histoire réussie ! »

— Le mieux, c'est de rester seul comme Vincent, dit-elle ; c'est un pur, lui ; c'est un ange.

Un ange ; le mot qu'elle employait à propos de Diégo ; sans doute retrouvait-elle en Vincent cette générosité et cette extravagance qui avaient naguère touché son cœur ; seulement Diégo mettait sa folie dans ses écrits, et on pouvait craindre que Vincent ne fît passer la sienne dans sa vie. Couchait-il avec Nadine ? Je ne le supposais pas, mais ils se voyaient très souvent ces temps-ci ; je m'en félicitais plutôt, parce que Nadine me semblait agitée, mais gaie. C'est sans aucune appréhension que j'ai entendu ce coup de sonnette, à cinq heures du matin. Nadine n'était pas rentrée et j'ai supposé qu'elle avait oublié sa clef. Mais quand j'ai ouvert la porte, j'ai vu Vincent. Il m'a dit :

— Ne vous inquiétez pas !

Ce qui m'a tout de suite inquiétée. J'ai dit : « Il est arrivé quelque chose à Nadine !

— Non, non, dit-il ; elle va très bien. Tout va s'arranger. » Il a marché avec décision vers le living-room. « Même Nadine est une femme ! » a-t-il dit d'un air dégoûté. De la poche de son blouson, il a tiré une carte qu'il a étalée sur la table : « En deux mots, elle vous attend à ce carrefour, dit-il en désignant le croisement de deux petites routes, au nord-ouest de Chantilly. Il faut que vous vous procuriez une auto et que vous alliez immédiatement la chercher. Perron vous prêtera sûrement la bagnole du journal. Mais ne lui donnez pas d'explication ; demandez-lui la voiture, sans plus. Et surtout pas question de moi. »

Il avait parlé d'une haleine, d'une voix calme et dure qui ne me rassurait pas du tout ; j'étais certaine qu'il avait peur : « Qu'est-ce qu'elle fait là-bas ? Elle a eu un accident ?

— Je vous dis que non ; elle s'est abîmé les pieds, c'est tout, elle ne sait pas marcher. Mais vous arriverez à temps pour la cueillir ; vous voyez bien l'endroit ? je marque une croix. Vous n'avez qu'à klaxonner ou à appeler, elle est dans le petit bois à droite de la route.

— Qu'est-ce que c'est que cette histoire ? qu'est-ce qui est arrivé ? Je veux savoir, dis-je.

— Secret professionnel, dit Vincent. Vous feriez mieux de téléphoner tout de suite à Perron », ajouta-t-il.

Je détestai son visage blême, ses yeux sanglants, son joli profil mais c'était une fureur impuissante ; je composai le numéro d'Henri et j'entendis sa voix étonnée :

— Allô ! qui est à l'appareil ?

— Anne Dubreuilh. Oui, c'est moi. J'ai un service urgent à vous demander. Et s'il vous plaît ne me posez pas de question. J'ai besoin d'une auto tout de suite ; avec de l'essence pour deux cents kilomètres.

Il y eut un très court silence : « C'est une chance qu'on ait fait le plein hier, dit-il d'une voix très naturelle. La bagnole sera à votre porte dans une demi-heure, le temps d'aller et de revenir.

— Amenez-la place Saint-André-des-Arts, dis-je. Merci.

— Ah ! c'est parfait ! dit Vincent avec un grand sourire. J'étais sûr de Perron. Soyez vraiment tranquille, ajouta-t-il. Nadine ne court aucun danger : surtout si vous vous dépêchez un peu. Pas un mot à personne, hein ! elle m'a juré qu'on pouvait compter sur vous.

— On peut, dis-je en le suivant vers la porte ; mais dites-moi de quoi il s'agit ?

— Rien de sérieux, je vous le jure », dit-il.

J'avais envie de claquer violemment la porte derrière lui, mais je la fermai doucement pour ne pas réveiller Robert ; heureusement il devait dormir à poings fermés, il y avait à peine deux heures que je l'avais entendu se coucher. Je m'habillai en hâte. Je me rappelais ces deux nuits où j'avais attendu Nadine tandis que Robert la cherchait à travers Paris : l'horrible attente. Aujourd'hui, c'était pire encore. J'étais sûre qu'ils avaient fait quelque chose de grave : Vincent avait peur ; il s'agissait d'un cambriolage, ou d'un hold-up, Dieu sait quoi ; et après ça Nadine n'avait pas pu aller à pied jusqu'à la gare, et il fallait que j'arrive avant que la chose ait été découverte, avant que Nadine ait été découverte, Nadine qui m'attendait depuis des heures seule dans la nuit, le froid, la peur. C'était un beau matin d'été à l'odeur de goudron et de feuillage, d'ici quelques heures il ferait très chaud ; pour l'instant dans la fraîcheur et le silence des quais déserts, des oiseaux chantaient ; un gai matin chargé d'angoisse comme le matin de l'exode.

Henri arriva sur la place quelques minutes après moi :

— Voilà le carrosse, dit-il gaiement. Il restait assis au volant : « Vous ne voulez pas que je vous accompagne ?

— Merci, non.

— Vous êtes sûre ?

— Je suis sûre.

— Il y a longtemps que vous n'avez pas conduit.

— Je sais que je saurai. »

Il descendit et je m'installai à sa place ; il dit :

— Il s'agit de Nadine ?

— Oui.

— Ah ! ils se servent d'elle pour nous forcer la main ! dit-il d'une voix indignée.

— Vous savez de quoi il s'agit ?

— Plus ou moins.

— Dites-le-moi...

Il hésita : « Ce ne sont que des suppositions. Écoutez, je resterai chez moi toute la matinée, si je peux vous aider en quoi que ce soit, téléphonez. »

« Il ne faut surtout pas que j'aie un accident », me dis-je en filant vers la porte de la Chapelle. Je m'obligeai à la prudence et j'essayai de me rassurer. « Henri semble supposer que Vincent a menti : peut-être sont-ils plusieurs à m'attendre ; peut-être même Nadine n'est-elle pas avec eux. » Comme je le souhaitais ! J'aimais mille fois mieux me supposer leur dupe que d'imaginer Nadine transie de froid, de peur et de dépit tout au long d'une longue nuit.

La grand-route était déserte ; je pris à droite une petite route, et puis une autre. Le carrefour aussi était désert ; je klaxonnai et j'examinai la carte : je ne m'étais pas trompée ; mais si Vincent s'était trompé ? non, il avait été très précis, aucune erreur possible. Je klaxonnai encore ; et puis j'arrêtai le moteur, je descendis, j'entrai à droite dans le petit bois et j'appelai : « Nadine », d'abord doucement, puis de plus en plus fort. Silence. Un silence de mort : j'ai compris le sens de ces mots. Nadine : pas de réponse ; exactement comme si j'avais appelé : Diégo ; elle aussi, elle s'était volatilisée ; c'est ici qu'elle devait être, tout juste ici, et elle n'y était pas. J'ai tourné en rond, j'écrasais des branches mortes, de la mousse fraîche, je n'appelais même plus. « Ils l'ont arrêtée ! » pensais-je avec terreur. Je suis revenue vers la voiture. Peut-être s'était-elle fatiguée d'attendre, elle n'était pas patiente, elle avait trouvé le courage de marcher vers une gare voisine ; il fallait la rattraper, il le fallait, on allait la remarquer à cette heure-ci sur un quai désert. A Chantilly, elle serait passée inaperçue, mais c'était très loin, et je l'aurais rencontrée sur la route, elle avait dû choisir Clermont ; je regardais fixement la carte comme si j'avais pu lui arracher une réponse ; pour Clermont, il y avait deux chemins possibles ; elle avait pris le plus court, probablement. Je rétablis le contact, j'actionnai le démarreur et mon cœur se mit à battre désespérément : le moteur ne se réveillait pas ; enfin il s'est décidé, et l'auto est partie sur la route, à petits bonds. Mes mains moites glissaient sur le volant mouillé. Autour de moi, le silence s'entêtait ; mais la lumière était déjà impérieuse, bientôt dans les villages les portes allaient s'ouvrir. « Ils vont l'arrêter. » Le silence, l'absence ; cette paix me semblait affreuse. Nadine n'était pas sur la route, ni dans les rues de Clermont ni dans la gare. Sans doute n'avait-elle pas de carte, elle ne connaissait pas la région, elle errait au hasard dans la campagne, ils la trouveraient avant

moi Je fis demi-tour ; j'allais revenir jusqu'au carrefour par l'autre chemin ; et puis je tournerais en rond
sur toutes ces routes jusqu'à ce que le réservoir soit
vide. Et alors ? Ne pas m'interroger : suivre toutes les
routes ; celle-ci montait vers un plateau, entre des
moissons verdoyantes. Et soudain j'ai vu Nadine qui
venait à ma rencontre, avec un sourire aux lèvres,
comme si nous étions convenues depuis longtemps de
ce rendez-vous. J'arrêtai brutalement la voiture et elle
s'approcha sans hâte ; d'une voix tout à fait naturelle
elle demanda :

— Tu es venue me chercher ?

— Non ; je me promène pour mon plaisir.

J'ouvris la portière : « Monte. »

Elle s'est assise à côté de moi, elle était coiffée,
poudrée, elle semblait reposée ; mon pied écrasait
l'accélérateur et mes mains serraient trop fort le
volant ; Nadine a demandé avec un sourire mi-rail-
leur, mi-indulgent : « Tu es furieuse ? »

Ces deux larmes acides qui me sont montées aux
yeux, c'était en effet des larmes de colères ; la voiture
a fait une embardée, je suppose que mes mains
tremblaient ; j'ai ralenti, j'ai essayé de détendre mes
doigts et de contrôler ma voix :

— Pourquoi n'es-tu pas restée dans le bois ?

— Je m'ennuyais. Elle enleva ses souliers et les
poussa sous la banquette : « Je ne pensais pas que tu
viendrais, ajouta-t-elle.

— Tu es donc idiote ? évidemment que je suis
venue.

— Je ne savais pas. Je voulais prendre le train à
Clermont ; j'aurais bien fini par y arriver. » Penchée
en avant, elle massait ses pieds : « Mes pauvres pieds !

— Qu'est-ce que vous avez fait ? »

Elle ne répondit pas.

334

— Bon, garde tes secrets, dis-je ; ça sera dans le journal ce soir.

— Ça sera dans le journal ! Nadine se redressa, son visage était décomposé : « Crois-tu que la concierge a remarqué que je ne suis pas rentrée cette nuit ?

— Elle ne pourra pas le prouver ; et à l'occasion je jurerai le contraire. Mais je veux savoir ce que vous avez fait.

— Puisque tu le sauras de toute façon ! Il y a une bonne femme à Azicourt, dit-elle d'une voix morne, elle a dénoncé deux gosses juifs qu'on avait planqués dans une ferme : les gosses sont morts. Tout le monde sait que c'est sa faute, mais elle s'est démerdée pour ne pas être inquiétée : une saloperie de plus. Vincent et ses copains ont décidé de la punir ; il y a longtemps que je suis au courant et ils savaient que je voulais les aider. Ce coup-ci ils avaient besoin d'une femme, je les ai accompagnés. La bonne femme, c'était la tenancière du bistrot ; on a guetté le départ des derniers clients, et juste quand elle fermait, je l'ai suppliée de me laisser entrer une minute pour boire un verre et me reposer ; pendant qu'elle me servait, les autres sont entrés et lui ont sauté dessus, ils l'ont emmenée à la cave. »

Nadine se tut ; je demandai : « Ils ne l'ont pas...

— Non », dit-elle vivement. Elle ajouta : « Ils l'ont tondue... Je n'ai pas si mal tenu le coup, dit-elle d'une voix soudain revendicante ; j'ai fermé la porte, j'ai éteint, seulement ça m'a paru long, j'ai bu un verre de fine en attendant ; évidemment, je ne suis pas entraînée, ça m'a nettoyée. Et puis on avait déjà fait des kilomètres pour venir de Clermont, ils voulaient repartir par Chantilly : moi je ne pouvais plus avancer. Ils m'ont traînée jusqu'au petit bois, ils m'ont dit de t'attendre. J'ai eu le temps de récupérer... »

Je l'interrompis : « Tu vas me donner ta parole de

rompre avec toute cette bande, ou tu quittes Paris ce soir même.

— De toute façon, ils ne voudront plus de moi, dit-elle avec une espèce de rancune.

— Ça ne me suffit pas : je veux ta parole ou je te jure que demain, tu seras loin. »

Il y avait des années que je ne lui avais pas parlé sur ce ton ; elle m'a regardée d'un air soumis et implorant.

— Promets-moi aussi quelque chose : ne dis rien à papa.

Ça ne m'était arrivé que bien rarement de taire à Robert les sottises de Nadine ; mais cette fois, je pensais qu'il n'avait vraiment pas besoin de nouveaux soucis : « Promesse contre promesse, dis-je.

— Je promets tout ce que tu veux, dit-elle d'un air triste.

— Alors, je ne dirai rien. » J'ajoutai avec anxiété : « Tu es sûre de ne pas avoir laissé de trace ?

— Vincent affirme qu'il a veillé à tout. » Elle demanda avec angoisse : « Qu'est-ce qui arriverait si on me prenait ?

— On ne te prendra pas ; et tu n'es que complice ; et tu es très jeune. Mais Vincent risque gros ; et s'il finit sa vie en tôle, c'est bien fait pour lui, ajoutai-je avec rage. C'est moche, cette histoire ; c'est imbécile et moche. »

Nadine ne répondit pas ; elle dit après un silence :

— Henri a prêté la voiture sans rien demander ?

— Je crois qu'il en sait long.

— Vincent cause trop, dit Nadine. Henri ou toi, ça n'a pas d'importance. Mais un type comme Sézenac pourrait être dangereux.

— Sézenac n'est pas dans le coup ? c'est de la folie !

— Il n'est pas dans le coup, Vincent sait tout de même qu'un drogué, il faut s'en méfier. Seulement ils s'aiment bien, ils sont tout le temps ensemble.

336

— Il faut parler à Vincent, il faut le convaincre de laisser tomber...

— Tu ne le convaincras pas, dit Nadine ; ni toi ni moi ni personne.

Nadine a été se coucher et j'ai dit à Robert que j'étais sortie faire un tour pour mon plaisir. Il était si préoccupé ces temps-ci qu'il n'a vu là rien de suspect. J'ai téléphoné à Henri, je l'ai rassuré en quelques phrases vagues. M'intéresser à mes malades, ç'a été un rude exercice. Je guettais les journaux du soir : ils ne parlaient de rien. Je n'ai tout de même guère dormi, cette nuit-là. « Plus question de partir en Amérique », me suis-je dit : Nadine était en danger ; elle m'avait promis de ne pas recommencer ; mais Dieu sait ce qu'elle inventerait d'autre ! Et j'ai pensé avec tristesse que j'aurais beau rester auprès d'elle, je ne réussirais pas à la protéger. Il aurait sans doute suffi qu'elle fût heureuse, qu'elle se sentît aimée, pour qu'elle cessât de se détruire : mais je ne pouvais lui donner ni l'amour ni le bonheur. Que je lui étais inutile ! Les autres, les étrangers, je les fais parler, je dévide les fils de leurs souvenirs, je débrouille leurs complexes, et je leur remets à la sortie de petits écheveaux bien nets qu'ils rangent dans leurs tiroirs : ça leur fait du bien, quelquefois. Nadine, je lis sans effort en elle, et je ne sais rien faire pour elle. Je me disais jadis : « Comment peut-on respirer tranquille quand on pense que les gens qu'on aime sont en train de jouer leur vie éternelle ? » Mais le croyant peut prier, il peut offrir à Dieu des marchés. Pour moi, il n'existe pas de communion de saints et je me dis : « Cette vie est sa seule chance ; il n'y aura pas d'autre vérité que celle qu'elle aura connue, pas d'autre monde que celui auquel elle aura cru. » Nadine avait de grands yeux battus le lendemain matin, et j'ai continué à me ronger. Elle a

337

passé la journée assise devant un traité de chimie et le soir, pendant que je me démaquillais, elle m'a dit d'un air abattu :

— C'est un cauchemar cette chimie ; sûr et certain que je vais me faire coller.

— Tu as toujours passé tes examens...

— Pas ce coup-ci ; d'ailleurs collée ou reçue, c'est du pareil au même. Jamais je ne ferai une carrière dans la chimie. Elle a réfléchi un moment : « Je ne peux faire de carrière dans rien. Je ne suis pas une intellectuelle, et dans l'action, je me dégonfle. Je ne suis pas utilisable.

— A *Vigilance* tu t'en es parfaitement tirée, et tout de suite.

— Il n'y a pas de quoi être fière, papa a bien raison.

— Quand tu auras trouvé un truc qui t'intéresse, je suis sûre que tu le feras très bien ; et tu trouveras. »

Elle secoua la tête : « Je suppose qu'au fond, je suis faite pour avoir un mari et des enfants comme toutes les femmes. Je récurerai mes casseroles et je pondrai un chiard tous les ans.

— Si tu te maries pour te marier, tu ne seras pas contente non plus.

— Oh ! sois tranquille ! aucun homme ne sera assez con pour m'épouser. Ils aiment bien coucher avec moi mais après ça bonsoir. Je ne suis pas attachante. »

Je connaissais bien cette manière qu'elle avait de dire sur elle-même d'un ton très naturel les choses les plus désagréables, comme si par sa désinvolture elle en avait désarmé et dépassé l'aigre vérité. Malheureusement la vérité restait vraie.

— Tu ne veux pas l'être, dis-je. Et si quelqu'un s'entête quand même à tenir à toi, tu refuses d'y croire.

— Tu vas encore me dire que Lambert tient à moi...

— Depuis un an tu es la seule fille avec qui il soit jamais sorti, tu me l'as dit toi-même.

338

— Évidemment, il est pédéraste.

— Tu es folle.

— Puisqu'il ne sort jamais qu'avec des garçons. Et il est amoureux d'Henri, c'est trop clair.

— Tu oublies Rosa.

— Oh ! Rosa était si belle, dit Nadine avec nostalgie. Même un pédé pouvait être amoureux de Rosa. Tu ne comprends pas, ajouta-t-elle avec impatience. Lambert a de l'amitié pour moi, soit, mais comme il en aurait pour un homme. D'ailleurs c'est parfait comme ça. Je n'ai pas envie d'être un produit de remplacement. Elle soupira : « Les garçons ont trop de chance ; il va faire un grand reportage à travers toute la France : le relèvement des régions dévastées et tout. Il s'est acheté une motocyclette. Il faut le voir : il se prend pour le colonel Lawrence quand il se trimbale sur sa ferraille », ajouta-t-elle avec hargne.

Il y avait tant d'envie dans sa voix que ça m'a donné une idée. J'ai passé à *L'Espoir* le lendemain après-midi et j'ai demandé à voir Lambert.

— Vous avez à me parler ? a-t-il dit d'un ton courtois.

— Si vous avez une minute, oui.

— Voulez-vous que nous montions au bar ?

— Montons.

Dès que le barman eut posé devant moi un jus de pamplemousse, j'attaquai : « Il paraît que vous allez faire un grand reportage à travers la France ?

— Oui ; je pars la semaine prochaine, en moto.

— Est-ce que ça ne serait pas possible que vous emmeniez Nadine ? »

Il me regarda avec une espèce de reproche :

— Nadine a envie de m'accompagner ?

— Elle en meurt d'envie ; mais jamais elle ne vous le demandera la première.

— Je ne le lui ai pas proposé parce que je serais très étonné qu'elle accepte, dit-il d'une voix guindée. Elle accepte très rarement ce que je lui propose ; d'ailleurs je l'ai peu vue ces temps-ci...

— Je sais, dis-je ; elle traîne avec Vincent et Sézenac ; ce ne sont pas de bonnes fréquentations pour elle. J'hésitai et je dis très vite : « Ce sont même des fréquentations dangereuses ; c'est pour ça que je suis venue vous trouver : puisque vous avez de l'amitié pour elle, emmenez-la loin de toute cette bande. »

Brusquement le visage de Lambert changea ; il eut l'air très jeune soudain et très désarmé : « Vous ne voulez pas dire que Nadine se drogue ? »

Ça m'arrangeait tout à fait, ce soupçon ; je dis d'un ton réticent : « Je ne sais pas ; je ne crois pas ; mais avec Nadine, n'importe quoi peut arriver. Elle est en crise en ce moment. Je vous le dis franchement : j'ai peur. »

Lambert garda un instant le silence ; il semblait ému : « Je serais très heureux si Nadine venait avec moi, dit-il.

— Alors essayez. Et ne vous découragez pas : je suppose qu'elle dira non d'abord, c'est comme ça qu'elle est. Mais insistez, vous lui sauvez peut-être la vie. »

Trois jours plus tard, Nadine m'a dit d'un ton négligent :

— Imagine-toi, ce pauvre Lambert qui veut m'emmener en voyage avec lui !

— Ce reportage à travers la France ? ça serait bien fatigant, dis-je.

— Oh ! ça je m'en fous. Mais d'abord je ne peux pas laisser tomber la revue pendant quinze jours.

— Tu as droit à des vacances, ce n'est pas la question. Mais si tu n'en as pas envie.

— Remarque que ça serait très intéressant, dit Nadine. Mais trois semaines avec Lambert, c'est cher payé.

Il ne fallait surtout pas que j'aie l'air de la pousser à faire ce voyage : « Il est vraiment si ennuyeux ? demandai-je d'un ton naïf.

— Il n'est pas ennuyeux du tout, dit-elle avec agacement. Seulement il est si timoré, si guindé, il se scandalise de tout. Si j'entre dans un bistrot avec un trou à mon bas, il me fait la gueule ! Un vrai fils de famille, quoi. » Elle reprit : « Tu sais qu'il s'est réconcilié avec son père ? Quelle veulerie !

— Mon Dieu ! comme tu as vite fait de condamner ! dis-je. Qu'est-ce que tu sais au juste de cette histoire ? et du père de Lambert, et de leurs rapports ? »

J'avais parlé avec tant de chaleur que Nadine resta un moment interloquée. Quand j'étais vraiment convaincue je savais la convaincre ; c'est ainsi que j'avais marqué son enfance et d'ordinaire après m'avoir cédé, elle m'en gardait tant de rancune que j'évitais d'user de mon influence. Mais aujourd'hui j'étais exaspérée de la voir si entêtée à se contrarier.

Elle dit d'un ton incertain : « Lambert ne peut pas se passer de son cher petit papa : c'est de l'infantilisme. Si tu veux savoir, c'est ça qui m'agace chez lui : il ne sera jamais un homme.

— Il a vingt-cinq ans et derrière lui une drôle d'adolescence. Tu sais bien par toi-même que ça n'est pas facile de se mettre à voler de ses propres ailes.

— Ah ! mais moi, ça n'est pas pareil, je suis une femme.

— Et alors ? Être un homme, ce n'est pas plus commode. On demande tellement à un homme aujourd'hui : toi la première. Ils ont encore du lait plein la bouche, et ils doivent jouer au héros. C'est décourageant. Non. Tu n'as pas le droit de te montrer si sévère pour Lambert. Dis que tu ne t'entends pas avec lui, que ce voyage ne t'amuse pas, ça c'est autre chose.

— Oh! en un sens, les voyages m'amusent toujours. »

Deux jours plus tard Nadine m'a dit d'un air mi-furieux, mi-flatté : « Il est inouï, ce mec-là! Il me la fait au chantage. Il dit qu'être correspondant de paix, c'est un métier qui l'emmerde et que si je ne vais pas avec lui, il laissera tomber.

— Alors?

— Alors, qu'est-ce que tu penses? » dit-elle d'un air innocent.

Je haussai les épaules : « Est-ce qu'il sait seulement conduire une moto? c'est dangereux ces engins.

— Ce n'est pas dangereux du tout, et c'est très formidable, dit Nadine. Elle ajouta : Si j'accepte, ça sera à cause de la moto. »

Contre toute attente, Nadine a été reçue à son certificat de chimie; pour l'écrit, c'était plutôt juste, mais à l'oral elle bluffait facilement ses examinateurs par son bagout et sa désinvolture. Nous avons fêté tous les trois ce triomphe par un grand dîner au champagne dans un restaurant en plein air, et puis elle est partie avec Lambert. C'était une chance. Le meeting du S.R.L. avait lieu la semaine suivante, il y avait tout le temps du monde à la maison, et j'étais bien heureuse de pouvoir profiter sans partage des rares instants de liberté qui restaient à Robert. Henri le secondait avec un zèle qui me touchait d'autant plus que je connaissais son peu d'enthousiasme pour ce genre de travail. Ils disaient tous les deux que le meeting s'annonçait très bien. « S'ils le disent, ça doit être vrai », pensais-je en descendant l'avenue Wagram; j'étais tout de même inquiète. Ça faisait des années que Robert n'avait pas parlé en public : saurait-il toucher les gens, comme autrefois ? Je dépassai les cars de police rangés le long du trottoir et je continuai à marcher jusqu'à la place des Ternes ; j'étais en avance. Dix ans plus tôt, le soir du meeting de Pleyel, j'étais seule aussi, j'étais en avance, j'avais tourné longtemps autour de cette place et j'étais entrée boire un verre de vin à la Lorraine. Je n'entrai pas. Le passé était passé : je ne sais pas pourquoi je l'ai regretté soudain avec un tel déchirement. Oh ! sans doute simplement parce que c'était le passé. Je suis revenue sur mes pas, j'ai suivi le long couloir triste. Je me rappelai mon malaise quand Robert était monté à la tribune : il m'avait semblé qu'on me le volait. Ce soir aussi ça m'intimidait, l'idée de le voir sur une estrade, à distance. Il n'y avait pas encore beaucoup de monde dans la salle. « Le public se ramène toujours à la dernière minute », m'ont dit les Cange. J'essayai de leur parler avec calme, mais je surveillais anxieusement l'entrée. On allait enfin savoir si oui ou non les gens suivaient Robert. Bien sûr, s'ils le suivaient, rien n'était encore gagné ; mais en revanche si la salle restait vide, l'échec serait définitif. Elle se remplissait. Toutes les places étaient occupées quand les orateurs se sont amenés sur l'estrade au milieu des applaudissements. C'était déconcertant de voir tous ces visages familiers changés en figures officielles. Lenoir, par une sorte de mimétisme se confondait avec les chaises et les tables, un morceau de bois sec ; Samazelle au contraire occupait toute la tribune, c'était ici son lieu naturel. Quand Henri a commencé à parler, sa voix a transformé l'immense hall en une chambre privée : il ne voyait pas en face de lui cinq mille personnes, mais cinq mille fois une personne et c'est presque sur le ton de la conversation qu'il leur parlait. Peu à peu je me réchauffai. Par-delà

343

les mots qu'il disait, cette amitié qu'il nous offrait était déjà une certitude : les hommes ne sont pas condamnés à la haine, à la guerre, nous en étions sûrs en l'écoutant. On l'a applaudi longtemps. Méricaud a fait un petit discours languissant, et puis ç'a été le tour de Robert. Quelle ovation ! Dès qu'il s'est levé, ils se sont mis à taper des mains et des pieds en criant. Il attendait d'un air patient et je me demandai s'il était ému : moi je l'étais. Jour après jour je le voyais penché sur son bureau, les yeux roses, le dos voûté, solitaire et doutant de soi : c'était ce même homme que cinq mille personnes acclamaient. Qu'était-il au juste pour eux ? A la fois un grand écrivain et l'homme des comités de *Vigilance* et des meetings antifascistes ; un intellectuel qui s'est voué à la révolution sans se renier comme intellectuel. Pour les vieux, il représentait l'avant-guerre, pour les jeunes, le présent et ses promesses ; il réalisait l'unité du passé et de l'avenir... Et sans doute était-il mille autres choses encore, chacun l'aimait à sa façon. Ils continuaient à applaudir et le bruit s'amplifiait en moi, il devenait immense. La célébrité, la gloire, d'ordinaire ça me laisse froide ; ce soir ça me paraissait enviable. « Heureux, me disais-je, celui qui peut regarder en face la vérité de sa vie et s'en réjouir ; heureux celui qui la déchiffre sur des visages amis. » Enfin ils se sont tus. Dès que Robert a ouvert la bouche, mes mains sont devenues moites et mon front s'est couvert de sueur ; j'ai beau savoir qu'il parle facilement, j'avais le trac. Heureusement, j'ai bien vite été prise. Robert parlait sans emphase, avec une logique si pressante qu'elle ressemblait à de la violence ; il ne proposait pas un programme : il nous dictait des tâches. Et elles étaient si urgentes, qu'on ne pouvait pas manquer de les accomplir ; la victoire était assurée par sa nécessité même. Autour de moi les gens souriaient, leurs yeux brillaient, chacun reconnaissait sur le visage de ses voisins sa propre certitude. Non, cette guerre n'aura pas été vaine ; les hommes ont compris ce que ça coûte, la résignation et l'égoïsme, ils vont prendre leur destin en main, ils feront triompher la paix, et ils conquerront à travers toute la terre la liberté et le bonheur. C'était clair, c'était sûr, c'était du simple bon sens : l'humanité ne peut pas vouloir autre chose que la paix, la liberté, le bonheur, et qu'est-ce qui l'empêche de faire ce qu'elle veut ? elle est seule à régner sur terre. A travers tout ce que Robert disait, c'était cette évidence qui nous éblouissait. Quand il s'est tu, nous avons applaudi longtemps, et c'est la vérité que nous applaudissions. J'ai essuyé mes mains à mon mouchoir. La paix était assurée, l'avenir garanti, le proche et le lointain, ça ne faisait qu'un. Je n'ai pas écouté Salève. Il était aussi ennuyeux que Méricaud mais ça n'avait pas d'importance. La partie était gagnée, pas seulement le meeting, mais tout ce qu'il signifiait.

Samazelle a parlé le dernier. Tout de suite, il s'est mis à gronder, à tonner : un aboyeur de foire. Je me suis retrouvée assise dans mon fauteuil, au milieu d'une foule aussi impuissante que moi, et qui se grisait bêtement de mots. Ça n'était ni des promesses, ni des présages : tout juste des mots. Salle Pleyel, j'avais vu la même lumière sur les visages attentifs : et ça n'avait pas empêché Varsovie, Buchenwald, Stalingrad, Oradour. Oui, on sait ce que ça coûte la résignation, l'égoïsme : mais il y a longtemps qu'on le sait, sans profit. On n'a jamais réussi à arrêter le malheur, on n'y réussira pas de sitôt, en tout cas pas de notre vivant. Quant à ce qui se passera plus tard, au bout de cette longue préhistoire, il faut bien s'avouer qu'on ne peut même pas l'imaginer. L'avenir n'est pas sûr, ni le proche, ni le lointain. Je regardai Robert. Est-ce bien sa vérité qui se reflète dans tous ces yeux ? On le regarde aussi d'ailleurs : d'Amérique, d'U.R.S.S., du fond des siècles. Qui voient-ils ? Peut-être rien d'autre qu'un vieux rêveur dont le rêve manque de sérieux. Peut-être est-ce ainsi qu'il se verra lui-même, demain ; il pensera que son action n'a servi à rien, ou pire, qu'elle a servi à mystifier les gens. Si seulement je pouvais décider : il n'y a pas de vérité ! Mais il y en aura une. Notre vie est là, lourde comme une pierre, et elle a un revers que nous ne connaissons pas : c'est effrayant. J'étais sûre cette fois de ne pas délirer, je n'avais rien bu, il ne faisait pas nuit, et la peur m'étouffait.

— Vous êtes contents ? leur ai-je demandé d'un air détaché. Henri était content. « C'est un succès », m'a-t-il dit gaiement. Samazelle disait : « C'est un triomphe. » Mais Robert a grommelé : « Ça ne prouve pas grand-chose, un meeting. » Dix ans plus tôt, en sortant de la salle Pleyel, il n'avait rien dit de pareil, il rayonnait. Pourtant nous pensions que la guerre finirait peut-être par éclater : d'où venait cette sérénité ? Ah ! nous avions du temps devant nous : par-delà la guerre menaçante, Robert devinait l'écrasement du fascisme ; les sacrifices que ça coûterait, il les avait déjà dépassés. Maintenant, il sent son âge : il a besoin de certitudes à bref délai. Il est resté sombre, les jours suivants. Il aurait dû se réjouir quand Charlier lui a annoncé son adhésion au S.R.L., et jamais je ne l'ai vu aussi désarçonné qu'après cette entrevue ; je le comprenais d'ailleurs. Ce n'était pas tant à cause de l'aspect physique de Charlier : ses cheveux n'avaient pas repoussé, sa peau était rouge et grumeleuse, mais enfin depuis mars il avait repris dix kilos et on lui avait remis des dents ; ça n'était pas non plus les histoires

346

qu'il racontait, nous n'avions plus grand-chose à apprendre sur les horreurs des camps ; c'est plutôt le ton de ses récits qui était insupportable. Lui qui avait été le plus doux et le plus têtu des idéalistes il évoquait les coups, les gifles, les tortures, la faim, les coliques, l'abêtissement, l'avilissement avec un rire qui n'était même pas cynique : infantile ou sénile, archangélique ou imbécile, on ne savait pas. Et il riait aussi à l'idée que les socialistes attendaient qu'il rentrât dans leurs rangs ; il conservait pourtant à l'égard des communistes sa vieille répugnance ; le S.R.L. l'a séduit ; il a promis de lui amener l'importante fraction qui se regroupait derrière lui. Quand il nous a quittés, Robert m'a dit :

— Tu t'étonnais l'autre jour de mes hésitations. Mais tu comprends, ce qu'il y a de terrible aujourd'hui quand on se mêle d'agir, c'est qu'on sait trop de quel prix se paient les fautes.

Je savais qu'il tenait tous les hommes de son âge et lui-même pour responsables de la guerre ; il était pourtant l'un de ceux qui avaient lutté contre elle le plus lucidement et avec le plus d'acharnement ; mais puisqu'il avait échoué, il se jugeait coupable. Ce qui me surprenait, c'est que la rencontre de Charlier eût éveillé ses remords : il réagit d'ordinaire à des ensembles, non à des cas particuliers.

— De toute façon, même si le S.R.L. était une erreur, il ne s'ensuivrait pas de grands désordres, dis-je.

— Les petits désastres aussi comptent, dit Robert. Il hésita : « Il faut être plus jeune que je ne suis pour croire que l'avenir sauvera tout. Je sens mes responsabilités comme plus limitées qu'auparavant, mais aussi comme plus définitives, et plus lourdes.

— Comment ça ?

— Eh bien, je pense un peu comme toi : que la mort,

347

ou le malheur d'un individu, ça ne se dépasse pas. Oh !
je marche à contre-courant, ajouta-t-il ; les jeunes sont
bien plus durs que nous ne l'étions, ils sont même
carrément cyniques : et moi je deviens sentimental.

— Est-ce qu'on ne pourrait pas dire plutôt que vous
devenez plus concret que vous ne l'étiez ?

— Je n'en suis pas sûr : où est le concret ? » dit
Robert.

Oui, sûrement, il était plus vulnérable qu'autrefois.
Heureusement le meeting portait ses fruits, on enregis-
trait chaque jour des adhésions. Et finalement les
communistes n'avaient pas déclaré la guerre au S.R.L.,
ils en parlaient avec une malveillance contenue, sans
plus. On pouvait espérer que le mouvement allait
sérieusement se développer. Le seul point noir, c'est
que *L'Espoir* avait tout de même perdu beaucoup de
lecteurs et qu'on serait bientôt obligé de recourir aux
capitaux de Trarieux.

— Vous êtes sûr qu'il casquera ? demandai-je en
m'examinant avec désapprobation dans la glace.

— Tout à fait sûr, dit Robert.

— Alors pourquoi allez-vous à ce dîner ? pourquoi
m'y traînez-vous ?

— Il vaut tout de même mieux l'entretenir dans ses
bonnes dispositions, dit Robert qui nouait avec regret
une cravate. Un type qu'on se prépare à délester de
huit millions, il faut bien flatter ses manies.

— Huit millions !

— Eh oui ! dit Robert, ils en sont là ! C'est la faute de
Luc. Quel entêté ! Et ils seront tout de même forcés de
prendre l'argent de Trarieux. Samazelle qui a fait sa
petite enquête dit qu'ils ne peuvent plus tenir le coup.

— Alors, je me résigne, dis-je. *L'Espoir* vaut bien un
dîner en ville !

Nous étions tout sourires quand nous sommes entrés

dans le vaste salon-bibliothèque où se trouvaient déjà Samazelle et son épouse ; il arborait un complet de flanelle gris clair qui soulignait sa corpulence. Trarieux était tout sourires lui aussi, il n'avait pas d'épouse visible, mais une longue fille aux cheveux mornes qui me rappela mes pieuses compagnes de collège. Dans une salle à manger au sol carrelé de noir et de blanc on nous servit un dîner plein de tact ; au café, Trarieux offrit des liqueurs mais pas de cigares ; Samazelle aurait certainement apprécié un cigare, il jubilait sans arrière-pensée en savourant une vieille fine. Il y avait longtemps que je n'avais pas mis les pieds chez de vrais bourgeois et cette épreuve me parut réconfortante ; quelquefois, je me dis que tous les intellectuels que je connais ont quelque chose de suspect ; mais quand je rencontre des bourgeois, je constate qu'ils n'ont rien à nous envier. Nadine et la vie que je lui laisse mener sont évidemment insolites ; mais cette vierge défraîchie qui servait le café d'un air opprimé me semblait beaucoup plus monstrueuse ; j'étais sûre qu'elle m'en aurait raconté de belles, si je l'avais couchée sur mon divan ; et Trarieux, donc ! malgré sa banalité étudiée, je le trouvais louche au possible. Sa vanité mal rentrée jurait avec l'admiration trop enthousiaste qu'il affichait pour Samazelle. Pendant un long moment ils échangèrent des souvenirs de Résistance, et puis ils se félicitèrent du meeting et Samazelle déclara : « Ce qui est d'excellent augure, c'est que nous sommes en train de gagner la province. D'ici un an nous aurons deux cent mille adhérents, ou alors c'est que nous aurons perdu la partie.

— Nous ne la perdrons pas ! » dit Trarieux. Il se tourna vers Robert qui était resté jusqu'ici beaucoup plus silencieux qu'il n'aurait dû : « La grande chance de notre mouvement, c'est qu'il s'est créé juste au moment voulu. Le prolétariat commence à comprendre que le P.C. trahit ses véritables intérêts. Et beaucoup de bourgeois lucides réalisent comme moi qu'ils doivent aujourd'hui accepter la liquidation de leur classe.

— N'empêche que dans un an nous n'aurons pas deux cent mille adhérents, et que la partie ne sera pas perdue pour ça, dit Robert avec mauvaise grâce ; nous n'avons aucun intérêt à nous mentir.

— Mon expérience m'a enseigné qu'à se contenter de peu, on n'obtient pas grand-chose, dit Trarieux ; nous n'avons pas non plus intérêt à limiter nos ambitions !

— Ce qui compte, c'est que nous ne limitions pas nos efforts, dit Robert.

— Ah ! permettez-moi de vous dire que nous sommes loin d'exploiter à fond toutes nos possibilités, dit Trarieux avec autorité. Il est désolant que l'organe du S.R.L. soit à ce point inférieur à sa tâche ; le tirage de *L'Espoir* est dérisoirement bas.

— C'est à cause de son affiliation au S.R.L. qu'il a baissé », dis-je.

Trarieux me regarda d'un air mécontent et je pensai que s'il avait une femme, elle ne devait pas souvent parler sans qu'on l'interroge. « Non, dit-il presque grossièrement ; c'est faute de dynamisme.

— Le fait est qu'auparavant *L'Espoir* avait un gros public », dit Robert avec raideur.

Samazelle fit doucement : « Il a profité du mouvement d'enthousiasme qui a suivi la Libération.

— Il faut regarder les choses en face, dit Trarieux ; nous admirons tous assez Perron pour avoir le droit de nous exprimer sur son compte en toute franchise ; c'est un merveilleux écrivain, mais ce n'est ni une tête politique, ni un homme d'affaires ;

350

et la présence de Luc à ses côtés n'arrange pas les choses. »

Je savais bien que Robert n'était pas loin de partager cet avis, mais il secoua la tête : « En marchant avec le S.R.L., Perron s'est aliéné la droite et les communistes ; et ses moyens financiers sont trop limités pour qu'il ait pu remonter le courant.

— Je suis absolument convaincu, dit Trarieux en détachant chaque syllabe, que si un homme comme Samazelle était à la tête de *L'Espoir*, le tirage doublerait en quelques semaines. »

Le regard de Robert erra autour du visage de Samazelle, et il dit brièvement : « Il n'y est pas ! »

Trarieux prit un temps et il lança :

— Et si je proposais à Perron de racheter *L'Espoir* pour le compte de Samazelle ? en y mettant le prix ?

Robert haussa les épaules : « Essayez donc.

— Vous pensez qu'il n'acceptera pas ?

— Mettez-vous à sa place.

— Bon. Et si je demandais à acheter seulement les parts de Luc ? ou à la rigueur, le tiers de leurs parts à tous deux ?

— C'est leur journal, comprenez-vous, dit Robert ; ils l'ont créé, ils tiennent à être les maîtres chez eux.

— C'est regrettable, dit Trarieux.

— Peut-être ; mais personne n'y peut rien. »

Trarieux fit quelques pas à travers le salon : « Je ne suis pas une nature résignée, dit-il d'une voix amusée ; quand on m'affirme qu'une chose est impossible, j'ai tout de suite envie de me prouver le contraire. J'ajoute que les intérêts du S.R.L. me semblent plus importants que les sentiments individuels même les plus respectables », ajouta-t-il gravement.

Samazelle dit d'un air inquiet : « Si vous pensez à votre projet d'avant-hier, je vous ai déjà dit que personnellement je ne peux pas vous suivre.

— Et je vous ai répondu que j'appréciais vos scrupules », dit Trarieux avec un bref sourire ; il regarda Robert avec un peu de défi : « Je rachète toutes les dettes de *L'Espoir* et je mets à Perron le marché en main : il s'adjoint Samazelle, ou je l'accule à la faillite.

— Perron choisira la faillite plutôt que de céder à un chantage, dit Robert d'un ton méprisant.

— Soit ; il fait faillite et je lance un autre journal, dont Samazelle prend la direction.

— Non ! gémit Samazelle.

— Vous comprenez bien que le S.R.L. n'aurait rien à faire avec ce journal ; un tel procédé entraînerait votre exclusion immédiate. »

Trarieux dévisagea Robert comme pour mesurer la solidité de sa résistance et il dut être très vite édifié parce qu'il se hâta de battre en retraite :

— Je n'ai jamais pensé à mettre ce projet à exécution, dit-il gaiement ; je pensais m'en servir pour intimider Perron. Le succès de ce journal devrait pourtant vous tenir à cœur, ajouta-t-il avec reproche : doublez le tirage, et vous doublez vos effectifs !

— Je sais, dit Robert ; mais je vous répète qu'à mon avis le seul tort de Perron et de Luc c'est de s'être entêtés à travailler avec des moyens financiers trop limités. Le jour où ils auront derrière eux les capitaux que vous avez mis si généreusement à leur disposition, vous verrez la différence.

— Certainement, dit Trarieux avec un sourire ; parce qu'en même temps que les capitaux ils seront bien obligés d'accepter Samazelle.

Le visage de Robert se durcit : « Pardon ! vous

m'avez dit en avril que vous étiez prêt à soutenir *L'Espoir* sans condition. »

J'observai Samazelle du coin de l'œil : il ne semblait pas gêné du tout ; sa femme avait l'air torturé, mais elle avait toujours cet air-là.

— Je n'ai pas dit ça, dit Trarieux ; j'ai dit que politiquement la direction du journal revenait évidemment aux responsables du S.R.L. et que je ne m'en mêlerais pas. Il n'a été question de rien d'autre.

— Parce que rien d'autre ne semblait en question, dit Robert d'une voix indignée. J'ai promis à Perron sa totale indépendance et c'est sur la foi de cette promesse qu'il a pris l'énorme risque d'inféoder *L'Espoir* au S.R.L.

— Admettez que je n'ai pas à me considérer comme engagé par vos promesses, dit Trarieux aimablement. D'ailleurs je ne vois pas pourquoi Perron refuserait cette combinaison ; Samazelle est son ami.

— Ce n'est pas la question ; s'il s'imagine que nous avons comploté derrière son dos pour lui forcer la main, il se butera ; et je le comprends, dit Robert avec véhémence.

Il avait l'air très contrarié et je l'étais aussi ; surtout que je connaissais les vrais sentiments d'Henri à l'égard de Samazelle.

— Moi aussi, je suis buté, dit Trarieux.

— La position de Samazelle sera bien délicate s'il entre à *L'Espoir* contre le gré de Perron, dit Robert.

— Je suis bien d'accord ! dit Samazelle. Certainement, je crois qu'en d'autres circonstances ce serait tout à fait dans mes cordes d'essayer de donner un nouvel essor à un journal en train de péricliter. Mais jamais je ne consentirai à être imposé à Perron contre son gré.

— Vous m'excusez si je regarde cette affaire comme

353

étant quelque peu mon affaire personnelle, dit Trarieux d'une voix ironique. Je ne me propose pas de réaliser un bénéfice financier; mais je refuse absolument d'engloutir des millions pour rien : je veux des résultats, que Perron refuse votre collaboration ou que vous la lui refusiez, dit-il à Samazelle, je laisse tomber. Jamais je ne m'engage dans une entreprise si je la pense vouée à l'échec. C'est un point de vue qui me semble sain; et en tout cas rien ne m'en fera changer, conclut-il sèchement.

— Il me semble inutile de discuter tant que vous n'avez pas parlé à Perron, dit Samazelle; je suis convaincu qu'il y mettra du sien. Après tout, nous avons tous le même intérêt : la réussite du mouvement.

— Oui, Perron comprendra certainement l'opportunité de quelques concessions, surtout si vous insistez pour la lui faire comprendre, dit Trarieux à Robert.

Robert haussa les épaules : « Ne comptez pas sur moi », dit-il.

La conversation a traîné encore un moment; quand nous nous sommes retrouvés en bas de l'escalier, une demi-heure plus tard, j'ai dit :

— Ça sent bien mauvais, cette histoire! qu'est-ce qu'il vous avait dit au juste, Trarieux, en avril?

— On n'avait parlé que de l'aspect politique de l'affaire, dit Robert.

— Et vous avez promis davantage à Henri? vous vous êtes trop avancé?

— Peut-être, dit Robert. Si j'avais hésité le moins du monde, je ne l'aurais pas décidé; on est bien obligé de trop s'avancer de temps en temps, sans ça on ne ferait jamais rien!

— Pourquoi est-ce que tout à l'heure vous n'avez pas mis le marché en main à Trarieux? demandai-je.

354

Il tient ses promesses sans condition, ou c'est la brouille, vous le videz du S.R.L.

— Et alors? dit Robert. Suppose qu'il choisisse la brouille? le jour où Henri a besoin de fric, qu'est-ce qu'il devient? Nous avons continué à marcher en silence et Robert a dit brusquement : « Si Henri perd ce journal à cause de moi, je ne me le pardonnerai pas. »

Je revoyais le sourire d'Henri, la nuit de la victoire; je lui demandais : « Vous n'aviez pas envie de vous mettre dans le bain. — Pas follement. » Ça lui avait coûté de subordonner *L'Espoir* au S.R.L.; il l'aimait ce journal, il aimait sa liberté et il n'aimait pas Samazelle. C'était moche, ce qui lui arrivait. Mais Robert avait l'air si sombre que j'ai gardé ces réflexions pour moi; je dis seulement : « Je ne comprends pas que vous ayez fait confiance à Trarieux, il ne me revient pas du tout.

— J'ai eu tort! » dit Robert brièvement. Il réfléchissait : « Je vais demander l'argent à Mauvanes.

— Mauvanes ne vous le donnera pas, dis-je.

— Je demanderai à d'autres. Des types qui ont de l'argent, il y en a. Il s'en trouvera bien un qui marchera.

— Il me semble que pour marcher il faut être à la fois milliardaire et membre du S.R.L., dis-je. C'est une combinaison plutôt unique.

— Je vais chercher, dit Robert. Et en même temps j'agirai sur Trarieux à travers Samazelle. Samazelle ne peut pas accepter de se laisser imposer.

— Ça ne semblait pas tant le gêner », dis-je. Je haussai les épaules : « Essayez toujours. »

Robert a vu Mauvanes le lendemain : Mauvanes a été intéressé mais évidemment il n'a rien promis. Robert a vu d'autres gens qui n'ont pas été intéressés du tout. J'étais bien inquiète, cette histoire me restait sur le cœur ; je n'en parlais pas à Robert parce que autant que possible j'évite d'être de ces femmes qui redoublent les soucis d'un homme en les partageant, mais j'y pensais tout le temps. « Robert n'aurait pas dû faire ça », me disais-je. Et je me suis dit : « Autrefois, il ne l'aurait pas fait. » Drôle de pensée : qu'est-ce qu'elle signifiait au juste ? Il disait que ses responsabilités lui semblaient plus limitées et plus lourdes qu'autrefois parce qu'il ne pouvait plus utiliser l'avenir comme alibi : alors il était plus pressé d'aboutir, et ça le rendait moins scrupuleux. Je n'aimais pas cette idée. Quand on vit aussi près de quelqu'un que moi de Robert, le juger, c'est déjà le trahir.

Nadine et Lambert se sont ramenés à quelques jours de là ; pour moi ce retour a fait une heureuse diversion ; ils étaient hâlés, rieurs et gênés comme de jeunes mariés.

— Nadine serait un reporter de première, disait Lambert. Pour ce qui est de passer partout et de faire parler n'importe qui, elle est terrible.

— C'est quelquefois marrant ce métier, concédait Nadine en se rengorgeant.

Mais sa plus grande fierté, c'est qu'au cours du voyage, elle avait découvert à trente kilomètres de Paris la maison de campagne dont je rêvais inutilement depuis quelques semaines. J'ai tout de suite aimé la façade jaune aux volets bleus, les pelouses folles, le petit pavillon, les roses sauvages. Robert aussi a été séduit et nous avons signé le bail. L'intérieur était délabré, les allées envahies d'orties ; mais Nadine a déclaré qu'elle se chargeait de tout remettre en état ; soudain, elle se désintéressait de son poste de secrétaire, elle l'abandonnait pour quelque temps encore à sa remplaçante et elle s'en allait camper avec Lambert dans le pavillon : ils partageraient leur temps entre la rédaction de leur livre, le jardinage et la peinture murale. Avec son teint bronzé, ses mains fatiguées par le guidon de sa machine, ses cheveux que Nadine ébouriffait systématiquement, Lambert avait un peu moins qu'autrefois l'air d'un dandy : il ne ressemblait tout de même guère à un travailleur manuel ; mais j'ai été bien obligée de leur faire confiance.

Nadine revenait de temps en temps à Paris, mais c'est seulement à la veille de notre départ pour l'Auvergne qu'elle nous a permis de venir à Saint-Martin. Par téléphone, elle nous a invités pompeusement à dîner :

— Dis à papa qu'il y aura une mayonnaise, c'est la spécialité de Lambert.

Mais Robert a décliné l'invitation. « Quand Lambert me voit, il se croit toujours obligé de m'attaquer ; je suis forcé de lui répondre, ça ennuie tout le monde et moi le premier », dit-il avec regret.

Le fait est qu'en sa présence Lambert était toujours agressif ; c'était bien rare les gens qui ne se croyaient pas obligés de s'inventer une attitude en face de Robert. « Au fond, comme il est seul ! » ai-je pensé. Ce n'était jamais à lui qu'on parlait mais à un personnage empesé, lointain, sans vérité qui n'avait de commun avec lui que le nom. Lui qui avait tant aimé jadis le coude à coude anonyme avec la foule, il ne pouvait pas empêcher que ce nom ne créât une barrière entre les autres et lui : tous le lui rappelaient, impitoyablement ; et l'homme de chair et d'os que Robert était pour de bon, avec ses rires, ses tendresses, ses colères, ses insomnies, personne ne s'en souciait. Au moment d'aller prendre le car, j'insistai tout de même pour qu'il vînt avec moi.

— Je t'assure que la soirée serait désagréable, dit-il.

Remarque que moi je n'ai pas d'antipathie pour Lambert.

— Avec Nadine il a bien du mérite, dis-je. C'est la première fois qu'elle consent à travailler en collaboration avec quelqu'un.

Robert sourit : « Elle qui méprise tant la littérature, qu'est-ce qu'elle était fière de voir son nom imprimé !

— Tant mieux ! dis-je. Ça l'encourage à continuer. C'est tout à fait le genre de travail qui lui convient. »

La main de Robert se posa sur mon épaule : « Te voilà un peu rassurée sur le sort de ta fille ?

— Oui.

— Alors qu'est-ce que tu attends pour écrire à Romieux ? dit Robert avec véhémence ; tu n'as plus la moindre raison d'hésiter.

— D'ici janvier, il peut se passer bien des choses », dis-je précipitamment.

Romieux la réclamait à cor et à cri cette réponse mais ça m'affolait de dire définitivement oui ou non.

— Écoute, tu vois bien que Nadine se débrouille parfaitement sans toi, dit Robert. D'ailleurs, tu me l'as dit souvent, rien ne peut lui faire plus de bien que d'apprendre à se passer de nous.

— C'est vrai, dis-je sans élan.

Robert me dévisagea avec perplexité : « Enfin, tu as envie de faire ce voyage, non ?

— Bien sûr ! » dis-je. Et aussitôt je fus prise de panique : « Mais je n'ai pas envie de quitter Paris. Je n'ai pas envie de vous quitter.

— Que tu es bête, ma petite bête, dit-il tendrement. Quand tu me quittes, tu me retrouves tout pareil. Et tu m'as même avoué que je ne te manquais pas, ajouta-t-il en riant.

— Autrefois, dis-je. Mais maintenant, avec tous ces

soucis que vous vous êtes mis sur les bras, ça m'angoisse. »

Robert me regarda d'un air sérieux : « Tu t'angoisses trop ; hier à propos de Nadine, aujourd'hui à cause de moi. Ça devient une manie, non ?

— Peut-être, dis-je.

— Sûrement ! Toi aussi tu fais ta petite névrose de paix. Tu n'étais pas du tout comme ça autrefois ! »

Le sourire de Robert était tendre ; mais l'idée que mon absence pût le gêner lui paraissait l'invention d'un cerveau malade ; il se passerait parfaitement de moi pendant trois mois, au moins pendant trois mois. Cette solitude à laquelle le condamnaient son nom, son âge, et l'attitude des gens, je ne pouvais que la partager, non la supprimer : elle ne lui pèserait ni plus ni moins si je ne la partageais pas.

— Balance-moi tous ces scrupules ! dit Robert. Dépêche-toi d'écrire cette lettre, ou ce voyage va te filer sous le nez.

— Je l'écrirai en revenant de Saint-Martin, si tout va vraiment bien, dis-je.

— Même si ça ne va pas bien, dit Robert d'une voix impérieuse.

— Nous verrons. J'hésitai : « Où en êtes-vous avec Mauvanes ?

— Je t'ai dit : il part en vacances, il me donnera sa réponse définitive en octobre. Mais il m'a pratiquement promis le fric. » Robert sourit : « Lui aussi, il aimerait bien se garder à gauche.

— Il a vraiment promis ?

— Oui. Et quand Mauvanes promet, il tient.

— Ça m'ôte un poids du cœur ! » dis-je.

Mauvanes n'était pas un sauteur ; je me sentais vraiment rassurée. Je demandai : « Vous ne comptez toujours pas en parler à Henri ?

— A quoi bon ? qu'est-ce qu'il pourrait faire ? C'est moi qui l'ai mis dans ce mauvais pas, c'est à moi de l'en tirer. » Robert haussa les épaules : « Et puis on risque qu'il se foute en colère et qu'il envoie tout promener. Non, je lui parlerai quand j'aurais l'argent.

— D'accord », dis-je. Je me levai.

Robert se leva aussi et me sourit : « Ne t'angoisse plus et passe une bonne soirée.

— Je ferai de mon mieux. »

Robert avait sûrement raison ; ça datait de la Libération cette anxiété qui ne savait trop où se poser ; comme tant d'autres, j'avais du mal à me réadapter. La soirée de Saint-Martin ne m'apprendrait rien de neuf. Ce n'était pas à cause de Nadine, ni à cause de Robert que j'hésitais à répondre à Romieux ; mon angoisse ne concernait que moi. Tout au long du trajet en autocar je me demandais si je finirais ou non pas passer outre. Je poussai la grille du jardin. La table était dressée sous le tilleul et des éclats de voix venaient de la maison ; j'entrai directement dans la cuisine. Nadine était debout à côté de Lambert qui, une serviette nouée autour de son cou, battait furieusement une sauce liquide.

— Tu arrives en plein drame ! me dit-elle gaiement. La mayonnaise est ratée !

— Bonjour, dit Lambert d'un air sombre. Oui, elle est ratée, moi qui ne les rate jamais !

— Je te dis que ça peut se reprendre, continue, dit Nadine.

— Mais non, elle est foutue !

— Tu la bats trop fort.

— Je te dis qu'elle est foutue, répéta Lambert avec colère.

— Ah ! je vais vous montrer comment on reprend une mayonnaise, dis-je.

360

Je jetai aux ordures la sauce défaite et je tendis à Lambert deux œufs neufs. « Débrouillez-vous. »

Nadine sourit : « Tu as quelquefois de bonnes idées », dit-elle d'un ton impartial ; elle prit mon bras : « Comment va papa ?

— Oh ! il a bien besoin de vacances !

— Quand vous reviendrez de votre tour de France, la maison sera fin prête, dit Nadine. Viens voir comme on a bien travaillé ! »

Encombré d'escabeaux et de seaux de peinture, le futur living-room avait encore la tristesse des chantiers ; mais les murs de ma chambre étaient badigeonnés d'un crépi rose cendré, ceux de Robert d'ocre pâle ; c'était très convenable.

— C'est merveilleux. Qui a fait ça : lui ou toi ?

— Les deux ; moi je donne les ordres, il exécute. Il souque dur ; et il est très obéissant, dit-elle d'un air épanoui.

Je ris. « Ça t'arrange bien. »

Nadine avait besoin de commander pour prendre de l'assurance : occupée à se faire obéir, elle cessait de s'interroger. Il y avait bien longtemps que je ne l'avais vue si rayonnante. Ça l'amusait de jouer à la maîtresse de maison. Entre les saladiers et les assiettes de viande froide, Lambert a déposé un grand bol de mayonnaise onctueuse et dure et nous avons vidé, sous les yeux de Nadine, une bouteille de vin blanc. Ils me racontaient avec enthousiasme leurs projets : d'abord la Belgique, la Hollande, le Danemark, tous les pays occupés ; et puis, le reste de l'Europe.

— Dire que j'étais décidé à lâcher le reportage, dit Lambert. Sans Nadine, j'aurais sûrement lâché. D'ailleurs, elle est bien plus douée que moi, bientôt elle ne voudra plus que je l'accompagne.

— C'est pour ça que tu ne veux pas me laisser

361

conduire ta sale moto, gémit-elle. Ça n'est pourtant pas difficile !

— Pas difficile de te casser le cou, espèce de folle.

Il lui souriait du fond de l'âme ; à ses yeux elle était douée d'un prestige qui m'échappait, absolument. Moi je ne la connaîtrais jamais que sous un seul aspect : ma fille. Pour moi, elle avait deux dimensions seulement, elle était plate. Lambert déboucha une seconde bouteille de vin blanc ; il ne savait pas du tout boire ; déjà ses yeux brillaient, ses pommettes étaient rouges, un peu de sueur perlait sur son front.

— Ne bois pas trop, dit Nadine.

— Ah ! ne joue pas les mères de famille. Tu sais ce qui arrive quand tu joues les mères de famille ?

Le visage de Nadine se durcit : « Ne dis pas de sottises. »

Lambert arracha sa veste : « J'ai trop chaud.

— Tu vas prendre mal.

— Je ne prends jamais mal. » Il se tourna vers moi : « Nadine ne veut pas le croire : je ne suis pas un costaud, mais je suis très résistant. Je suis sûr qu'il y a des cas où je tiendrais le coup bien mieux qu'un moniteur de Joinville.

— On verra ça quand on traversera le Sahara à motocyclette ! dit Nadine gaiement.

— On le traversera ! dit Lambert. Une moto ça passe partout ! » Il me regarda : « Vous croyez que ça ne peut pas se faire ?

— Je n'ai pas d'idée, dis-je.

— En tout cas on essaiera, dit-il avec décision. Il faut essayer de faire des choses ! C'est pas une raison parce qu'on est un intellectuel pour vivre en pantoufles.

— C'est promis, dit Nadine en riant ; on traversera le Sahara, et les plateaux du Tibet et on ira explorer les jungles de l'Amazonie. » Elle arrêta la main que Lambert tendait vers la bouteille : « Non, tu as déjà trop bu.

— Pas du tout. » Il se leva et fit deux pas : « Est-ce que je titube ? Une merveille d'équilibre.

— Essaie voir de jongler, dit Nadine.

— Jongler, c'est une de mes spécialités », dit Lambert. Il saisit trois oranges, les jeta en l'air, en manqua une, et s'aplatit de tout son long sur la pelouse. Nadine se mit à rire de son gros rire brutal :

— Quel imbécile ! dit-elle tendrement. Avec un pan de son tablier, elle essuya le front ruisselant de Lambert qui se laissa faire d'un air heureux : « C'est vrai qu'il a des talents de société, dit-elle ; il chante des chansons tellement drôles ! tu veux qu'il t'en chante une ?

— Je vais vous chanter *Cœur de Cochon* », dit Lambert avec décision.

Nadine riait aux larmes pendant qu'il chantait ; moi je trouvais qu'il y avait dans la gaieté de Lambert une disgrâce presque pathétique ; on aurait dit qu'il essayait par soubresauts maladroits de s'arracher à sa peau, mais elle collait à son corps. Ses grimaces, sa voix bouffonne, la sueur qui ruisselait sur ses joues, la fièvre inquiète de ses yeux me mettaient mal à l'aise. Je fus contente quand il s'abattit aux pieds de Nadine qui lui caressa la tête d'un air possessif et heureux.

— Tu es un bon petit garçon, disait-elle. Calme-toi maintenant ; repose-toi !

Elle aimait jouer à l'infirmière, et lui se plaisait à se faire cajoler. Et ils avaient beaucoup de choses en commun : leur passé, leur jeunesse, leur rancune à l'égard des idées et des mots, leurs rêves d'aventure, leurs ambitions incertaines. Peut-être sauraient-ils se donner mutuellement confiance, s'inventer des entreprises, des succès, un bonheur. Dix-neuf ans, vingt-cinq ans : comme l'avenir était jeune ! Eux n'étaient pas des survivants. « Et moi ? pensai-je. Suis-je vraiment enterrée vive dans le passé ? Non, ai-je répondu avec passion, non ! » Nadine, Robert pouvaient se passer de moi ; ils n'avaient été que des prétextes, j'étais victime de ma seule lâcheté, et soudain elle me faisait honte. Un avion qui m'emporte, une ville géante, et pendant trois mois nulle autre consigne que de m'instruire et m'amuser : tant de liberté, tant de nouveauté, comme je les souhaitais ! C'était sans doute une folle imprudence d'aller m'égarer au monde des vivants, moi qui m'étais fait un nid sous les myrtes : tant pis ! Je cessai de me défendre contre cette joie qui montait. Oui : ce soir même je répondrais oui. Survivre, après tout, c'est sans cesse recommencer à vivre. J'espérais que je saurais encore.

CHAPITRE V

Henri se retourna sur sa planche ; le vent soufflait à travers les murs de pierraille ; malgré sa couverture et ses pull-overs, il avait trop froid pour s'endormir ; seule sa tête était chaude et bourdonnante comme s'il avait eu la fièvre : il l'avait peut-être ; une agréable fièvre à base de soleil, de fatigue et de vin rouge ; où était-il au juste ? en tout cas dans un endroit où personne n'avait aucune raison d'être : c'était bien reposant. Pas de regrets, pas de questions : cette insomnie était aussi sereine qu'un sommeil sans rêve. Il avait renoncé à beaucoup de choses, il n'écrivait plus, il ne s'amusait pas tous les jours, mais ce qu'il avait gagné en échange, c'est qu'il avait sa conscience pour lui, et ça c'était énorme. Loin de la terre et de ses problèmes, loin du froid, du vent, de son corps fatigué, il flottait dans un bain d'innocence : ça peut être aussi capiteux que la volupté, l'innocence. Un instant il souleva ses paupières ; en apercevant la table sombre, la bougie, et cet homme qui écrivait, il pensa avec satisfaction : « C'est que je suis au Moyen Âge ! » et la nuit se referma sur cette joyeuse illumination.

— Je n'ai pas rêvé ? je vous ai bien vu cette nuit en train d'écrire ?

— J'ai un peu travaillé, dit Dubreuilh.

— Je vous ai pris pour le docteur Faust.

Enveloppés de leurs couvertures que le vent bousculait, ils étaient assis sur le seuil du refuge; le soleil
s'était levé pendant leur sommeil et le ciel était
parfaitement bleu, mais sous leurs pieds s'étalait une
chaussée de nuages; par instants, le vent la déchirait et
on apercevait un morceau de plaine.

— Tous les jours il travaille, dit Anne. Pour le décor,
il n'est pas regardant : ça peut être dans une étable,
sous la pluie, sur une place publique, mais il lui faut
ses quatre heures d'écriture; après ça, il fait tout ce
qu'on veut.

— Et que veut-on pour l'instant ? dit Dubreuilh.

— Je crois qu'on ferait aussi bien de descendre;
comme panorama, on peut trouver mieux.

Ils dévalèrent à travers les bruyères jusqu'au village
noir où des vieilles, assises sur le pas de leurs portes,
un coussin hérissé d'épingles sur les genoux, agitaient
déjà leurs fuseaux; ils burent un breuvage sombre
dans le bistrot-épicerie où ils avaient laissé leurs
bicyclettes et ils enfourchèrent leurs vélos; c'était de
vieilles machines fatiguées par la guerre et qui ne
payaient pas de mine; la peinture était écaillée, les
garde-boue meurtris et les pneus gonflés d'étranges
hernies; celle d'Henri avait tant de peine à rouler qu'il
se demanda anxieusement s'il tiendrait le coup jusqu'au soir; il vit avec soulagement les Dubreuilh
s'arrêter au bord d'un ruisseau qui se trouvait être la
Loire; l'eau était trop glacée pour se baigner, mais il
s'en aspergea de la tête au pieds et quand il se remit en
selle, il s'avisa qu'après tout, ses roues tournaient : en
vérité, c'était son corps qui était le plus rouillé; le
remettre en état, ça demandait un vrai travail; mais
passé les premières courbatures, Henri se sentit tout

366

heureux d'avoir récupéré un si bon instrument ; il avait oublié combien ça peut être efficace, un corps ; la chaîne et les roues multipliaient son effort, mais enfin dans toute cette mécanique le seul moteur c'était ses muscles, son souffle, son cœur : et la machine mangeait une honnête ration de kilomètres, elle escaladait vaillamment les cols.

— On dirait que ça mord, dit Anne. Les cheveux au vent, hâlée, les bras nus, elle paraissait beaucoup plus jeune qu'à Paris ; Dubreuilh aussi avait bruni, maigri ; avec son short, ses jambes musclées, les rides gravées dans son visage boucané, il avait l'air d'un disciple de Gandhi.

— Ça va mieux qu'hier ! dit Henri.

Dubreuilh ralentit et se mit à rouler à côté d'Henri.

— Il faut dire qu'hier ça n'allait pas fort, dit-il gaiement. Vous ne nous avez rien raconté. Qu'est-ce qui s'est passé à Paris depuis notre départ ?

— Rien de spécial ; il faisait chaud, dit Henri. Bon Dieu ! qu'il faisait chaud !

— Et au journal ? vous n'avez toujours pas vu Trarieux ?

Il y avait dans la voix de Dubreuilh une curiosité si avide qu'elle ressemblait à de l'inquiétude.

— Non. Luc s'est foutu en tête que si l'on tient deux ou trois mois on se sort d'affaire tout seuls.

— Ça vaut le coup d'essayer ; seulement il ne faudrait pas vous endetter davantage.

— Je sais, nous n'empruntons plus. Luc compte forcer sur la publicité.

— J'avoue que je ne croyais pas que le tirage de L'Espoir baisserait tellement, dit Dubreuilh.

— Oh ! vous savez, dit Henri en souriant, s'il faut finir par accepter les capitaux de Trarieux, je n'en

367

ferai pas une maladie. Ce n'est pas trop cher payer la réussite du S.R.L.

— Le fait est que dans la mesure où il a réussi, c'est grâce à vous, dit Dubreuilh.

Sa voix était plus réticente encore que ses paroles; il n'était pas satisfait du S.R.L. : c'est qu'il était trop ambitieux; on ne pouvait pas faire sortir de terre, du jour au lendemain, un mouvement aussi important que l'ancien P.S. Henri au contraire avait été heureusement surpris par le succès du meeting; ça ne prouve pas grand-chose un meeting : n'empêche qu'il n'oublierait pas vite ces cinq mille visages levés vers lui. Il sourit à Anne :

— Ça a son charme la bicyclette. En un sens, c'est même mieux que l'auto.

On allait moins vite; mais les odeurs d'herbe, de bruyère, de sapin, la douceur ou la fraîcheur du vent vous pénétraient jusqu'aux os; et le paysage était beaucoup plus qu'un décor : on le conquérait morceau par morceau, de vive force; dans la fatigue des montées, dans la gaieté des descentes, on en épousait tous les accidents, on le vivait au lieu de le regarder comme un spectacle. Et ce qu'Henri découvrit avec satisfaction ce premier jour, c'est que cette vie suffisait à vous remplir : quel silence sous son crâne! Les montagnes, les prairies, les forêts se chargeaient d'exister à sa place. « Comme c'est rare, se disait-il, une paix qui ne se confonde pas avec le sommeil! »

— Vous avez bien choisi votre coin, dit-il le soir à Anne, c'est du beau pays.

— Demain aussi, ça sera bien; vous voulez voir sur la carte l'étape de demain ?

Dans l'auberge où ils venaient de dîner, ils buvaient un alcool blanc au goût meurtrier;

Dubreuilh avait déjà installé son attirail au coin d'une table couverte de toile cirée.

— Montrez, dit Henri. Il suivit docilement des yeux la pointe du crayon au long des lignes rouges, jaunes et blanches :

— Comment pouvez-vous choisir entre toutes ces petites routes ?

— C'est ça qui est amusant.

Ce qui était amusant, pensa Henri le lendemain, c'était de voir combien l'avenir se calquait exactement sur vos projets : chaque tournant, chaque montée, chaque descente, chaque hameau était à la place prévue ; quelle sécurité ! on avait l'impression de sécréter soi-même son histoire ; et pourtant, la métamorphose des signes imprimés en vraies routes, en vraies maisons vous donnait ce qu'aucune création ne donne : la réalité. Cette cascade, elle était annoncée sur la carte par une petite marque bleue : ça n'en semblait pas moins stupéfiant de rencontrer au fond d'une gorge tourmentée cette énorme cataracte écumeuse.

— Comme c'est satisfaisant de regarder, dit Henri.

— Oui, seulement on n'en a jamais fini, dit Dubreuilh avec regret ; ça donne à la fois tout et rien, un coup d'œil.

Il ne regardait pas tout ; mais quand il se fascinait sur un objet, le fait est qu'on n'en avait pas fini ; Henri et Anne durent descendre derrière lui, de rocher en rocher au pied de la falaise liquide ; il s'avança pieds nus dans le bassin bouillonnant jusqu'à ce que l'eau atteignît le bas de son short ; quand il revint s'asseoir au bord de la plate-forme, il dit avec autorité ;

— C'est la plus belle cascade que nous ayons jamais vue.

— Vous préférez toujours ce que vous avez sous les yeux, dit Anne en riant.

— Elle est tout en noir et blanc, dit Dubreuilh, c'est ce qui est beau ; j'ai cherché des couleurs : pas une trace de couleur ; et pour la première fois j'ai vu de mes yeux que le noir et le blanc, c'est exactement la même chose. Vous devriez entrer dans l'eau et aller jusqu'à cette grosse pierre, dit-il à Henri ; on se rend bien compte : la noirceur du blanc, la blancheur du noir, on les *voit*.

— Je vous crois sur parole, dit Henri.

Une promenade sur les quais devenait dans la bouche de Dubreuilh aussi aventureuse qu'une expédition au pôle Nord, Henri et Anne en avaient ri ensemble, bien souvent : c'est qu'il ne faisait pas de différence entre percevoir et découvrir ; aucun œil avant lui n'avait contemplé de cascade, personne ne savait ce que c'est que l'eau, le noir, le blanc ; laissé à lui-même Henri n'aurait certainement pas observé tous les détails de ces jeux de vapeur et d'écume, ces métamorphoses, ces évanescences, ces menus maelströms que Dubreuilh scrutait comme s'il avait voulu connaître le destin de chaque goutte d'eau. « On peut bien s'irriter contre lui, pensait Henri en le regardant avec affection, mais on ne peut pas se passer de lui. » Près de lui, tout devenait important, ça semblait un grand privilège de vivre, et on vivait double. Cette promenade à travers la campagne française, il la transformait en un voyage d'exploration.

— Vous étonneriez bien vos lecteurs, dit Henri en souriant à Dubreuilh qui contemplait d'un air absorbé les derniers falbalas d'un coucher de soleil.

— Et pourquoi ? dit Dubreuilh de cette voix scandalisée qu'il prenait quand on lui parlait de lui.

— On croirait d'après vos livres qu'il n'y a que les gens qui vous intéressent et que la nature, ça ne compte guère.

— Les gens vivent dans la nature, non ?

Pour Dubreuilh un paysage, une pierre, une couleur, c'était une certaine vérité humaine ; jamais les choses ne le touchaient à travers des souvenirs, des rêves, des complaisances, ni par des émotions qu'elles avaient éveillées en lui, mais par ce sens qu'il déchiffrait en elles. Bien entendu, il s'arrêtait plus volontiers devant des paysans en train de faucher le regain que devant une prairie nue ; et quand il traversait un village sa curiosité devenait insatiable ; il aurait voulu tout savoir : ce que mangeaient ces villageois, comment ils votaient, le détail de leurs travaux, la couleur de leurs pensées ; pour entrer dans les fermes tous les prétextes lui étaient bons : acheter des œufs, quémander un verre d'eau ; et dès qu'il le pouvait il engageait de longues conversations.

Le soir du cinquième jour, Anne creva au milieu d'une descente ; après une heure de marche, ils rencontrèrent une maison isolée qu'habitaient trois femmes jeunes et édentées ; chacune tenait dans ses bras un bébé plus ou moins gros, très sale ; Dubreuilh s'installa au milieu de la cour tapissée de fumier pour réparer la chambre à air, et tout en collant des rustines il regardait autour de lui, avidement :

— Trois femmes et pas un homme, c'est drôle, non ?

— Les hommes sont aux champs, dit Anne.

— A cette heure-ci ? Il plongea dans la bassine le gros boudin couleur de rouille et des bulles d'air montèrent à la surface de l'eau : « Encore un trou ! Dis donc, tu ne crois pas qu'elles nous laisseraient dormir dans leur grange ?

— Je vais leur demander. »

Anne disparut à l'intérieur de la maison et revint presque tout de suite : « Ça les scandalise qu'on veuille coucher dans le foin, mais elles n'ont rien contre ;

371

seulement elles tiennent absolument à ce qu'on boive
d'abord quelque chose de chaud.

— Ça me plaît de dormir ici ! dit Henri. Parce que
pour être loin de tout, on est loin de tout. »

A la lueur d'une lampe fumeuse, ils burent du café
d'orge tout en essayant de causer. Les femmes étaient
mariées à trois frères qui possédaient en commun cette
maigre métairie ; depuis dix jours leurs hommes
étaient descendus en Basse-Ardèche où ils s'étaient
loués pour cueillir la lavande et elles passaient de
longues journées silencieuses à nourrir les bêtes et les
enfants ; elles savaient à peu près sourire, mais elles
avaient presque désappris de parler. Ici poussaient des
châtaigniers, et les nuits étaient fraîches ; là-bas poussaient des touffes de lavande et pour récolter quelques
francs ça coûtait beaucoup de sueur : c'est à peu près
tout ce qu'elles savaient de ce monde. Oui, on était très
loin de tout, tellement loin qu'en s'enfonçant dans le
foin, étourdi par toutes ces odeurs et par tout ce soleil
emmagasinés dans l'herbe sèche, Henri rêvait qu'il
n'existait plus ni routes, ni villes : plus de retour.

Il y avait une route qui serpentait à travers les
châtaigneraies et qui descendait vers la plaine en
lacets rapides ; ils entrèrent gaiement dans la petite
ville dont les platanes annonçaient déjà la chaleur et
les parties de boules du Midi ; Anne et Henri s'assirent
à la terrasse déserte du plus grand café et ils commandèrent des tartines pendant que Dubreuilh allait acheter les journaux ; ils le virent échanger quelques mots
avec le marchand et il traversa l'esplanade à pas lents,
tout en lisant. Il posa les feuilles sur le guéridon et
Henri vit l'énorme manchette : « Les Américains
lâchent une bombe atomique sur Hiroshima. » Ils
lurent l'article en silence et Anne dit d'une voix
bouleversée :

— Cent mille morts ! pourquoi ?

Le Japon allait évidemment capituler, c'était la fin de la guerre, *Le Petit Cévenol* et *L'Écho de l'Ardèche* exultaient ; mais tous les trois, ils n'éprouvaient ensemble qu'un seul sentiment : l'horreur.

— Est-ce qu'ils n'auraient pas pu d'abord menacer, intimider, disait Anne : faire une démonstration dans un coin désert, je ne sais pas... Ils étaient vraiment obligés de la jeter, cette bombe ?

— Bien sûr qu'ils auraient d'abord pu essayer de faire pression sur le gouvernement, dit Dubreuilh. Il haussa les épaules : « Sur une ville allemande, sur des blancs, je me demande s'ils auraient osé ! mais des jaunes ! ils détestent les jaunes.

— Toute une ville volatilisée, ça devrait tout de même les gêner ! dit Henri.

— Je pense qu'il y a une autre raison, dit Dubreuilh. Ils sont tout contents de montrer au monde entier de quoi ils sont capables : comme ça ils peuvent mener leur politique sans que personne ose broncher.

— Et ils ont tué cent mille personnes pour ça ! » dit Anne.

Ils restaient hébétés devant leur café crème, le regard figé sur les mots affreux, redisant l'un après l'autre et tous ensemble les mêmes phrases inutiles.

— Mon Dieu ! si les Allemands avaient réussi à la fabriquer cette bombe ! On l'a échappé belle ! dit Anne.

— Ça ne me plaît pas beaucoup non plus de la savoir aux mains des Américains, dit Dubreuilh.

— Ils disent là-dedans qu'on pourrait faire sauter toute la terre, dit Anne.

— Ce que Larguet m'avait expliqué, dit Henri, c'est que l'énergie atomique, si un regrettable accident la libérait, ne ferait pas sauter la terre, mais qu'elle lui boufferait son atmosphère : la terre deviendrait une espèce de lune.

— Ça n'est pas beaucoup plus gai, dit Anne.

Non, ce n'était pas gai. Seulement quand ils recommencèrent à pédaler sur une route ensoleillée l'horrible rengaine se vida de tout sens ; une ville de quatre cent mille âmes volatilisée, la nature désintégrée : ça n'éveillait plus d'écho. Cette journée était bien en ordre — du bleu au ciel, du vert sur les feuilles, du jaune sur le sol assoiffé — et les heures glissaient une à une de l'aube fraîche au grésillement de midi ; la terre tournait autour du soleil qui lui était assigné, indifférente à sa cargaison de voyageurs sans destination : comment croire, sous ce ciel calme comme l'éternité, que ceux-ci avaient aujourd'hui le pouvoir de la changer en une vieille lune ? Sans doute à se promener pendant des jours dans la nature, on s'apercevait qu'elle était un peu folle ; il y avait de l'extravagance dans les pompes capricieuses des nuages, dans les révoltes et les combats figés des montagnes, dans le charivari des insectes et le pullulement frénétique des végétaux, mais c'était une folie douce et stéréotypée. Étrange de penser qu'en traversant le cerveau humain, elle s'organisait en délire homicide.

— Et vous avez encore le courage d'écrire ! dit Henri quand ils se furent assis au bord d'une rivière et qu'il vit Dubreuilh sortir ses papiers de sa sacoche.

— C'est un monstre, dit Anne. Il travaillerait au milieu des ruines d'Hiroshima.

— Il travaille au milieu des ruines d'Hiroshima.

— Pourquoi pas ? dit Dubreuilh ; il y a toujours eu des ruines quelque part.

Il saisit son stylo et resta un long moment le regard perdu dans le vide ; sans doute n'était-il pas si facile

374

d'écrire parmi ces ruines toutes fraîches ; au lieu de se pencher sur son papier, il dit abruptement : « Ah ! si seulement ils ne nous rendaient pas impossible d'être communistes !

— Qui ça ? dit Anne.

— Les communistes. Vous vous rendez compte : cette bombe, quel formidable moyen de pression ! Je ne pense pas que les Amerlauds iront demain en jeter une sur Moscou, mais enfin, ils ont la possibilité de le faire et ils ne le laisseront pas oublier. Ils ne vont plus se connaître ! C'est le moment où il faudrait se serrer les coudes, et au lieu de ça nous sommes en train de répéter toutes les erreurs d'avant-guerre !

— Vous dites : nous, dit Henri. Mais ce n'est pas nous qui avons commencé.

— Oui, nous avons notre conscience pour nous. Et après ? dit Dubreuilh. Ça nous fait une belle jambe ! Si la division se produit nous en serons responsables autant que les communistes : davantage même parce qu'ils sont les plus forts.

— Je ne vous suis pas, dit Henri.

— Ils sont odieux, d'accord ; mais en ce qui nous concerne, ça ne fait aucune différence ; du moment où ils feront de nous des ennemis, nous serons des ennemis ; inutile de dire : c'est leur faute ; faute ou non, nous serons des ennemis du seul grand parti prolétarien de France ; ce n'est certainement pas ce que nous voulons.

— Alors, il faut céder à leur chantage ?

— Je n'ai jamais trouvé malins les gens qui se coulent pour ne pas céder, dit Dubreuilh. Chantage ou pas, il faut maintenir l'union.

— La seule union qu'ils envisagent sincèrement, c'est la dissolution du S.R.L. et l'adhésion de tous ses membres au P.C.

375

— Il se pourrait qu'on en arrive là.

— Vous pourriez vous inscrire au P.C.? demanda Henri avec surprise. Mais il y a tant de choses qui vous séparent des communistes!

— Oh! on s'arrange, dit Dubreuilh. Au besoin je saurais me taire. »

Il saisit ses papiers et se mit à tracer des mots. Henri éparpilla sur l'herbe les livres qu'il avait sortis de sa sacoche; depuis qu'il n'écrivait plus, il avait lu un tas de livres qui l'avaient promené tout autour du monde; ces jours-ci il découvrait les Indes et la Chine : ça n'avait rien de gai. Beaucoup de choses devenaient futiles quand on pensait à ces centaines de milliers d'affamés. Peut-être ses réticences à l'égard du P.C. étaient-elles aussi futiles. Ce qu'il lui reprochait le plus, c'était de traiter les gens en choses; si on ne fait pas confiance à leur liberté, à leur jugement, à leur bonne volonté, ce n'est pas la peine de s'occuper d'eux; et on s'en occupe mal. Mais c'était un grief qui n'avait de sens qu'en France, en Europe, où les gens ont atteint un certain niveau de vie, un minimum d'autonomie et de lucidité; quand il s'agit de foules abruties de misère et de superstition, qu'est-ce que ça veut dire, les traiter en hommes? il faut leur donner à manger, c'est tout. L'hégémonie américaine : c'est la sous-alimentation, l'oppression à perpétuité pour tous les pays d'Orient; leur seule chance, c'est l'U.R.S.S. : la seule chance d'une humanité délivrée du besoin, de l'esclavage et de la bêtise, c'est l'U.R.S.S.; alors il faut tout faire pour l'aider. Lorsque des millions d'hommes ne sont que des bêtes égarées de besoins, l'humanisme est dérisoire, et l'individualisme, une saloperie; comment oserait-on réclamer pour soi ces droits supérieurs : juger, décider, discuter librement? Henri cueillit une herbe et la mâchonna lentement. Puisque de toute façon on ne peut pas vivre à sa guise, pourquoi ne pas renoncer tout à fait ? Se perdre au sein d'un grand parti, confondre sa volonté avec une énorme volonté collective : quelle paix, quelle force ! Dès qu'on ouvre la bouche on parle au nom de toute la terre, l'avenir devient votre œuvre personnelle : ça vaut la peine d'encaisser bien des choses. Henri arracha un autre brin d'herbe. « N'empêche qu'au jour le jour, j'encaisserais très mal, se dit-il. C'est impossible de penser ce qu'on ne pense pas, de vouloir ce qu'on ne veut pas ; pour faire un bon militant, il faut la foi du charbonnier, je ne l'ai pas. Et puis la question ne se pose pas comme ça », se dit-il avec agacement. Décidément, il était un idéaliste. « A quoi servirait mon adhésion : voilà le seul problème concret. Évidemment elle ne rapporterait pas un seul grain de riz à un seul Hindou. »

Dubreuilh ne s'interrogeait plus : il écrivait. Il continua à écrire chaque jour. Dans ce domaine-là, rien ne pouvait l'entamer. Un après-midi, tandis qu'ils déjeunaient dans un village au pied de l'Aigoual, un orage éclata si brutalement que les bicyclettes furent renversées, deux sacoches emportées et le manuscrit de Dubreuilh partit à la dérive sur un torrent de boue ; quand il le repêcha, les mots s'égouttaient en longues traînées noires sur les feuillets imbibés d'une eau jaune. Il fit calmement sécher ses papiers, il recopia les passages les plus endommagés et on avait l'impression qu'au besoin il aurait recommencé son livre d'un bout à l'autre avec la même indifférence. Il avait raison de s'entêter sans aucun doute, puisqu'il se trouvait des raisons, et quelquefois en regardant sa main glisser sur le papier, Henri sentait une espèce de nostalgie dans son propre poignet.

— On ne peut pas en lire quelques pages de votre

manuscrit ? Où en êtes-vous au juste ? demanda Henri
cet après-midi où assis dans l'ombre d'un café de
Valence ils attendaient que la chaleur se fatiguât.

— J'écris un chapitre sur l'idée de culture, dit
Dubreuilh ; qu'est-ce que ça veut dire, ce fait que
l'homme n'arrête pas de parler de soi ? et pourquoi est-
ce que certains hommes décident de parler au nom des
autres : autrement dit qu'est-ce qu'un intellectuel ?
est-ce que cette décision n'en fait pas une espèce à
part ? et dans quelle mesure l'humanité peut-elle se
reconnaître dans l'image qu'elle se donne d'elle-
même ?

— Et que concluez-vous ? dit Henri ; que la littérature garde un sens ?

— Bien sûr.

— Écrire pour démontrer qu'on a raison ! dit Henri
en riant, c'est merveilleux.

Dubreuilh le regarda avec curiosité : « Voyons, vous
allez bien vous y remettre un de ces jours ?

— Oh ! en tout cas pas aujourd'hui, dit Henri.

— Aujourd'hui ou demain, quelle différence ?

— Eh bien, ça ne sera sans doute pas demain non
plus.

— Mais pourquoi ? dit Dubreuilh.

— Vous écrivez un essai, soit ; mais fabriquer un
roman en ce moment, avouez que c'est décourageant.

— Je n'avoue pas ! et je n'ai jamais compris pourquoi vous avez abandonné le vôtre.

— C'est votre faute, dit Henri en souriant.

— Comment ma faute ! » Dubreuilh se tourna avec
indignation vers Anne : « Tu l'entends ?

— Vous m'avez prêché l'action : et l'action m'a
dégoûté de la littérature. » Henri fit signe au garçon
qui somnolait debout contre la caisse : « Je voudrais
un autre demi ; pas vous ?

378

— Non, j'ai trop chaud, dit Anne.

Dubreuilh fit oui de la tête : « Expliquez-vous, reprit-il.

— Qu'est-ce que les gens ont à foutre de ce que je pense, moi, ou de ce que je sens ? dit Henri. Mes petites histoires n'intéressent personne ; et la grande histoire n'est pas un sujet de roman.

— Mais nous avons tous nos petites histoires qui n'intéressent personne, dit Dubreuilh ; c'est pour ça qu'on se retrouve dans celles du voisin et s'il sait les raconter, finalement il intéresse tout le monde.

— C'est ce que je pensais en commençant mon livre », dit Henri. Il but une gorgée de bière. Il n'avait guère envie de s'expliquer. Il regarda les deux vieillards qui jouaient au jacquet au bout de la banquette rouge. Quelle paix dans cette salle de café : encore un mensonge ! Il fit un effort pour parler : « L'ennui, c'est que ce qu'il y a de personnel dans une expérience, ce sont des erreurs, des mirages. Quand on a compris ça, on n'a plus envie de la raconter.

— Je ne vois pas ce que vous voulez dire », fit Dubreuilh.

Henri hésita : « Supposons que vous voyez des lumières, la nuit, au bord de l'eau. C'est joli. Mais quand vous savez qu'elles éclairent des faubourgs où les gens crèvent de faim, elles perdent toute leur poésie, ce n'est plus qu'un trompe-l'œil. Vous me direz qu'on peut parler d'autre chose : par exemple de ces gens qui crèvent de faim. Mais alors j'aime mieux en parler dans des articles ou dans un meeting.

— Je ne vous dirai pas ça du tout, dit Dubreuilh vivement. Ces lumières, elles brillent pour tout le monde. Évidemment, il faut d'abord que les gens mangent ; mais ça ne sert à rien de manger si on vous supprime toutes les petites choses qui font l'agrément de la vie. Pourquoi voyageons-nous ? parce que nous pensons que les paysages ne sont pas des trompe-l'œil.

— Mettons qu'un jour tout ça retrouvera un sens, dit Henri. Pour l'instant, il y a tant de choses plus importantes !

— Mais ça a un sens aujourd'hui, dit Dubreuilh. Ça compte dans nos vies, alors ça doit compter dans nos livres. » Il ajouta avec une brusque irritation : « On croirait que la gauche est condamnée à une littérature de propagande dont chaque mot doit édifier le lecteur !

— Oh ! je ne m'en ressens pas pour ce genre de littérature, dit Henri.

— Je sais, mais vous n'essayez pas autre chose. Il y a pourtant de quoi s'occuper ! » Dubreuilh regarda Henri d'un air pressant : « Bien sûr, si on fait du merveilleux à propos de ces petites lumières en oubliant ce qu'elles signifient, on est un salaud ; mais justement : trouvez une manière d'en parler qui ne soit pas celle des esthètes de droite ; faites sentir à la fois ce qu'elles ont de joli, et la lumière des faubourgs. C'est ça que devrait se proposer une littérature de gauche, reprit-il d'une voix animée : nous faire voir les choses dans une perspective neuve en les replaçant à leur vraie place ; nous n'appauvrissons pas le monde. Les expériences personnelles, ce que vous appelez des mirages, ça existe.

— Ça existe », dit Henri sans conviction.

Dubreuilh avait peut-être raison ; peut-être y avait-il un moyen de tout récupérer, peut-être la littérature gardait-elle un sens. Mais pour l'instant, ça paraissait plus urgent à Henri de comprendre ce monde que de le recréer avec des mots ; il aimait mieux tirer de sa sacoche un livre tout fait que du papier blanc.

— Vous savez ce qui va arriver ? poursuivit Dubreuilh avec véhémence. Les livres des types de droite finiront par être plus valables que les nôtres, et c'est auprès des Volange que la jeunesse ira se fournir.

— Oh! Volange n'aura jamais la jeunesse pour lui! dit Henri. La jeunesse n'aime pas les vaincus.

— C'est nous qui risquons de faire bientôt figure de vaincus, dit Dubreuilh. Il regarda Henri avec insistance : « Ça me désole que vous n'écriviez plus.

— Je m'y remettrai peut-être », dit Henri.

Il faisait trop chaud pour discuter. Mais il savait qu'il ne s'y remettrait pas de sitôt ; l'avantage, c'est qu'il avait enfin du temps pour s'instruire ; en quatre mois il avait comblé pas mal de lacunes. Dès son retour à Paris, dans trois jours, il allait se dresser un plan d'études soigneux et il arriverait peut-être d'ici un an ou deux à avoir au moins un embryon de culture politique.

« Pourvu que Paule ne soit pas encore rentrée ! » se disait-il le lendemain matin, tout en pédalant mollement à travers une forêt dont l'ombre mince atténuait à peine les fureurs du ciel. Il avait laissé Dubreuilh et Anne filer devant lui, il était seul quand il entra dans la clairière ; des ronds de soleil tremblaient sur l'herbe verte, et il ne comprit pas pourquoi il sentit son cœur se serrer. Ce n'était pas à cause de la baraque brûlée, elle ressemblait à beaucoup d'autres ruines doucement rongées par l'indifférence et le temps ; c'était peut-être à cause du silence : pas un oiseau, pas un insecte, on n'entendait que le bruit du gravier crissant sous les pneus, un bruit de luxe. Anne et Dubreuilh étaient descendus de leurs bicyclettes et ils regardaient quelque chose. Henri les rejoignit et il vit que c'était des croix : des croix blanches, sans nom, sans fleurs. Le Vercors. Ce mot couleur d'or brûlé, couleur de chaume et de cendre, rude et sec comme une garrigue mais traînant après soi un relent de fraîcheur montagnarde,

381

ce n'était plus le nom d'une légende. Le Vercors. C'était ce pays de montagnes au poil humide et roux, aux forêts transparentes, où le dur soleil faisait lever des croix.

Ils s'éloignèrent en silence; le chemin devenait si abrupt qu'il fallait marcher en poussant les vélos. La chaleur s'infiltrait à travers l'ombre pâle; Henri sentait couler sur son visage la sueur qui ruisselait sur le front d'Anne et sur les joues cuivrées de Dubreuilh; et sans doute était-ce dans tous les cœurs le même radotage. Une prairie si verte pour y planter sa tente. C'était un de ces endroits innocents et secrets dont on pensait jadis : ici du moins la guerre, la haine ne réussiront jamais à se glisser; on savait maintenant que nulle part il n'existait de refuge. Sept croix.

— Voilà le col! cria Anne.

Henri aimait ces moments où après une montée aveugle le regard survole un grand morceau de terre domestiquée avec ses champs, ses haies, ses routes, ses hameaux; la lumière mouille l'ardoise ou patine la tuile rose. Il aperçut d'abord la barrière de montagnes qui s'adossait au ciel, et puis il découvrit le grand plateau qui rôtissait nu sous le soleil; comme sur tous les autres plateaux de France, il y avait des fermes, des hameaux, des villages : mais ni tuile, ni ardoise, pas un toit. Des murs; des murs de hauteur inégale, capricieusement déchiquetés et qui n'abritaient rien.

— On a beau savoir, dit Anne. On a beau croire qu'on sait.

Ils restèrent un moment immobiles; et ils se mirent à descendre avec prudence le chemin caillouteux que flagellait durement le soleil; depuis huit jours ils parlaient d'Hiroshima, ils énonçaient des chiffres, ils échangeaient des phrases dont le sens était affreux, et rien ne bougeait en eux; et soudain, il suffisait d'un coup d'œil, l'horreur était là et leur cœur se crispait.

Dubreuilh freina brusquement : « Qu'est-ce qui se passe ? »

A travers les brumes qui tremblaient au-dessus du village, un clairon sonnait; Henri s'arrêta, et il aperçut à ses pieds, au long de la grand-route, des camions militaires, des chenillettes, des autos, des carrioles.

— C'est la fête! dit-il. Je n'y avais pas fait attention, mais j'ai entendu les gens de l'hôtel parler d'une fête quelque part.

— Une fête militaire! qu'est-ce que nous allons faire? dit Dubreuilh.

— On ne peut pas remonter, n'est-ce pas? dit Anne, ni s'arrêter sous ce soleil.

— On ne peut pas, dit Dubreuilh d'un ton consterné.

Ils continuèrent à descendre; sur la gauche du village brûlé il y avait un parterre de croix blanches fleuries de bouquets rouges; des soldats sénégalais marchaient au pas de parade, leurs chéchias brillaient. A nouveau la fanfare couvrit le silence des fosses.

— On dirait que c'est la fin, nous avons encore de la chance, dit Henri.

— Filons à droite, dit Dubreuilh.

Les soldats prirent d'assaut les camions et la foule se dispersa; hommes, femmes, enfants, vieillards, ils étaient tous vêtus de noir et ils cuisaient à l'étouffée dans leurs beaux habits de deuil; en auto, en carriole, en vélo, à motocyclette, à pied, il en était venu de tous les villages, de tous les hameaux; ils étaient cinq mille, dix mille peut-être à se disputer l'ombre des arbres morts et des murs calcinés; accroupis dans les fossés, à demi couchés contre les voitures, ils déballaient des miches de pain et des bouteilles de vin rouge. Mainte-

383

nant que les morts avaient été convenablement gavés de discours, de fleurs et de musique militaire, les vivants mangeaient.

— Je me demande où on va pouvoir s'installer, dit Anne.

Après la dure étape du matin, on avait envie de s'étendre au frais, de boire de l'eau glacée ; ils poussèrent mélancoliquement leurs bicyclettes au long de la route fourmillante de veuves et d'orphelins ; pas un souffle de vent ; les camions qui redescendaient vers la vallée soulevaient une énorme poussière blanche : « Où trouver de l'ombre ? Où ? dit Anne.

— Ces tables là-bas sont à l'ombre », dit Dubreuilh. Il désignait de longues tables dressées contre une baraque de bois, mais où toutes les places semblaient occupées ; des femmes transportaient à la ronde des bassines de purée qu'elles distribuaient à coups de louche.

— C'est un banquet ou un restaurant ? demanda Anne.

— Allons voir ; je mangerais volontiers autre chose que des œufs durs, dit Dubreuilh.

C'était un restaurant, et les gens se poussèrent un peu sur leurs bancs pour dégager des places ; Henri s'assit en face de Dubreuilh à côté d'une femme aux lourds voiles de crêpe dont les yeux étaient bordés d'orgelets rouges. Une bouse blanche s'affala dans son assiette et du bout d'une fourchette un homme jeta dessus un morceau de viande sanglante ; les corbeilles à pain, les bouteilles de vin circulaient de main en main ; les gens mangeaient en silence et leur gloutonnerie guindée rappelait à Henri les enterrements paysans auxquels il avait assisté dans son enfance ; seulement ici ils étaient des centaines de veuves, d'orphelins, de parents endeuillés qui mélangeaient au soleil

384

leurs chagrins et l'odeur de leur sueur. Le vieillard assis à côté d'Henri lui passa une bouteille de vin rouge : « Versez-lui à boire, dit-il en désignant la femme aux orgelets, c'est la veuve au pendu de Saint-Denis. »

A travers la table une femme demanda : « C'est son mari qu'ils avaient pendu par les pieds ?

— Non, pas le sien ; le sien c'est celui qu'il lui manquait les deux yeux. »

Henri versa un verre de vin à la veuve, il n'osait pas la regarder et soudain il se sentit en sueur lui aussi sous sa chemise légère ; il se tourna vers le vieillard : « Ce sont des parachutistes qui ont brûlé Vassieux ?

— Oui, ils se sont amenés à quatre cents, vous pensez, ils n'ont pas eu de peine. C'est Vassieux qui a eu le plus de morts, c'est pour ça qu'ils ont droit au grand cimetière.

— Le grand cimetière pour tout le Vercors, dit la femme en face de lui avec fierté. Vous êtes bien l'oncle du grand René ? ajouta-t-elle ; celui qu'on a trouvé dans la grotte avec le fils Février ?

— Oui ; c'est moi l'oncle », dit le vieillard.

Tout autour de la table, les langues s'étaient déliées, et tout en lampant le vin rouge ils remuaient des souvenirs d'horreur : à Saint-Roch, les Allemands avaient enfermé hommes et femmes dans l'église, et puis après avoir mis le feu, ils avaient permis aux femmes de sortir ; il y en avait deux qui n'étaient pas sorties.

— Je reviens, dit Anne, en se levant brusquement.. Je...

Elle fit quelques pas et s'effondra de tout son long contre le mur de la baraque. Dubreuilh se précipita et Henri le suivit. Elle avait fermé les yeux, elle était blanche et son front s'était couvert de sueur. « Mal au cœur », balbutia-t-elle en étouffant un hoquet dans son mouchoir. Au bout d'un instant, elle rouvrit les yeux. « Ça passe, c'est ce vin rouge.

— Le vin, le soleil, la fatigue », dit Dubreuilh ; il l'aidait à s'inventer des prétextes, mais il savait sûrement qu'elle était robuste comme un percheron.

— Il faudrait vous étendre à l'ombre et vous reposer, dit Henri. On va chercher un coin tranquille. Vous pouvez rouler cinq minutes ?

— Oui, oui, ça va maintenant, je m'excuse.

S'évanouir, pleurer, vomir, les femmes ont cette ressource : mais ça ne sert à rien non plus. On est sans recours en face des morts. Ils enfourchèrent leurs bicyclettes ; l'air brûlait comme si le village avait flambé pour la seconde fois ; sous chaque meule, chaque arbuste, des gens étaient vautrés ; les hommes avaient rejeté leurs vestes cérémonieuses, les femmes retroussaient leurs manches, elles dégrafaient leurs corsages ; on entendait des chansons, des rires, de petits cris chatouillés. Qu'est-ce qu'ils pouvaient faire d'autre, sinon boire, rire, se chatouiller ? du moment qu'ils étaient vivants, il fallait bien qu'ils vivent.

Ils roulèrent pendant cinq kilomètres avant de découvrir contre un tronc d'arbre à demi mort une ombre décharnée ; sur le sol hérissé de chaumes et de cailloux, Anne étendit son imperméable et se coucha en chien de fusil. Dubreuilh sortit de sa sacoche des papiers à l'odeur de vase qui paraissaient trempés de larmes. Henri s'assit à côté d'eux et appuya la tête contre l'écorce de l'arbre ; il ne pouvait ni dormir ni travailler. Soudain ça lui semblait idiot de vouloir s'instruire. Les partis politiques en France, l'économie du Don, les pétroles de l'Iran, les problèmes actuels de l'U.R.S.S., tout ça c'était déjà du passé ; cette ère nouvelle qui s'ouvrait n'était pas prévue dans les livres ; et qu'est-ce que ça pesait, une solide culture politique contre l'énergie atomique ? Le S.R.L., *L'Espoir*, agir, quelle funèbre plaisanterie ! Les hommes dits de bonne volonté pouvaient tranquillement se mettre en grève ; les savants et les techniciens étaient en train de fabriquer des bombes, des anti-bombes, des superbombes, c'était eux qui tenaient l'avenir dans leurs mains. Un joyeux avenir ! Henri ferma les yeux. Vassieux ; Hiroshima. En un an on avait fait du chemin. Ça se donnerait la prochaine guerre. Et l'après-guerre donc : elle serait encore plus soignée que celle-ci. A moins qu'il n'y ait pas d'après-guerre. A moins que le vaincu ne s'amuse à faire sauter le globe. Ça se pourrait très bien. Il ne se casserait pas en morceaux, admettons, il continuerait à tourner sur lui-même, glacé, désert : ce n'était pas plus réjouissant à imaginer. L'idée de la mort n'avait jamais gêné Henri : mais soudain ce silence lunaire l'épouvantait : il n'y aurait plus d'hommes ! En face de cette éternité sourde-muette, à quoi ça rimait-il d'aligner des mots, de tenir des meetings ? On n'avait qu'à attendre en silence le cataclysme universel, ou sa petite mort personnelle. Rien n'était rien.

Il ouvrit les yeux. La terre était toute chaude, le ciel brillait, Anne dormait et Dubreuilh écrivait qu'on a raison d'écrire. Deux paysannes endeuillées aux souliers blancs de poussière se hâtaient vers le village, les bras chargés de roses rouges. Henri les suivit des yeux. Est-ce que les femmes de Saint-Roch fleurissaient les cendres de leurs maris ? C'était probable. Elles avaient dû devenir des veuves honorables. Ou est-ce qu'on les montrait du doigt ? Et au-dedans, comment s'arrangeaient-elles ? Avaient-elles oublié un peu, beaucoup, pas du tout ? Un an : c'est court, c'est long. Les camarades morts étaient bien oubliés, oublié cet avenir que promettaient les journées d'août : heureusement ; c'est malsain de s'entêter dans le passé ; pourtant, on n'est pas très fier de soi quand on constate qu'on l'a plus ou moins renié. C'est pour ça qu'ils ont inventé ce compromis : commémorer ; hier du sang aujourd'hui du vin rouge discrètement salé de larmes ; il y a beaucoup de gens que ça tranquillise. A d'autres ça doit paraître odieux. Supposons qu'une de ces femmes ait aimé son mari d'amour : qu'est-ce que ça lui dirait, les fanfares et les discours ? Henri regarda fixement les montagnes rousses. Il la voyait, debout devant l'armoire, ajustant ses voiles de crêpe, les fanfares sonnaient, et elle criait : « Je ne peux pas, je ne veux pas. » Ils lui répondaient : « Il le faut. » Ils lui mettaient des roses rouges dans les bras, ils la suppliaient au nom du village, au nom de la France, au nom des morts. Dehors, la fête commençait. Elle arrachait ses voiles. Et alors ? La vision se brouilla. « Allons, se dit Henri, j'ai décidé de ne plus écrire. » Mais il ne bougea pas, son regard resta figé. Il avait absolument besoin de décider ce qui allait advenir de cette femme.

Henri rentra à Paris avant Paule. Il loua une chambre en face du journal et comme *L'Espoir* vivait au ralenti pendant cet été torride, il passait des heures devant sa table de travail. « C'est amusant d'écrire une pièce ! » se disait-il. Ce lourd après-midi rouge de vin, de fleurs, de chaleur et de sang était devenu une pièce, sa première pièce. Oui, il y a toujours eu des ruines, il y a toujours eu des raisons de ne pas écrire, mais elles ne pèsent pas lourd dès que le désir d'écrire vous reprend.

Paule accepta sans protester l'idée qu'Henri partagerait désormais ses nuits entre le studio rouge et l'hôtel, mais quand il eut découché pour la première fois, il vit le lendemain sous ses yeux des cernes si profonds qu'il dut se promettre de ne pas recommencer ; n'importe, de temps en temps, il se réfugiait dans sa chambre et ça lui donnait l'impression de s'être un peu libéré. « Il ne faut pas trop demander », se disait-il ; il suffisait d'être modeste et on avait un tas de petites satisfactions.

La situation de *L'Espoir*, cependant, restait précaire ; Henri eut de sérieuses inquiétudes quand il découvrit un jeudi que la caisse était vide : Luc se moqua de lui ; il accusait Henri d'avoir sur les questions d'argent une mentalité de petit boutiquier ; c'était peut-être vrai ; en tout cas il était entendu que les finances c'était le rayon de Luc et Henri lui laissait volontiers carte blanche. En fait Luc trouva le moyen de payer le personnel, le samedi. « Une avance sur un contrat publicitaire », expliqua-t-il. Il n'y eut pas de nouvelle alerte. Le tirage de *L'Espoir* ne se relevait pas, mais enfin miraculeusement on tenait le coup. D'autre part, le S.R.L. n'était pas devenu un grand mouvement de masses, mais il gagnait du terrain en province ; et ce qu'il y avait de réconfortant, c'est que les communistes ne l'attaquaient plus : l'espoir d'une union durable se réveillait. C'est à l'unanimité que le comité décida en novembre de soutenir Thorez contre de Gaulle. « Ça facilite bien la vie de se sentir en accord avec ses amis, ses alliés, avec soi-même », pensait Henri tout en causant à bâtons rompus avec Samazelle qui était venu lui apporter un article sur la crise ; les rotatives ronronnaient, dehors c'était un beau soir d'automne et quelque part Vincent chantait d'une voix fausse et gaie ; même Samazelle avait ses bons côtés, somme toute ; on prédisait un gros succès à son livre sur le maquis dont *Vigilance* publiait des extraits et il était si naïvement joyeux de ce futur triomphe que sa cordialité paraissait presque sincère :

— Je vais vous poser une question indiscrète, dit Samazelle. Il sourit largement : « Quelqu'un a dit que les questions ne sont jamais indiscrètes, mais seulement les réponses ; vous n'êtes pas forcé de me répondre. Quelque chose m'intrigue, reprit-il, avec un tirage aussi limité, comment *L'Espoir* réussit-il à vivre ?

— Nous n'avons pas de fonds secrets, dit Henri gaiement ; l'explication, c'es que nous faisons beaucoup plus de publicité qu'autrefois ; les petites annonces entre autres, c'est une grosse ressource.

— Je crois avoir une idée assez exacte de votre budget publicitaire, dit Samazelle ; eh bien, d'après mes calculs, vous devriez être très nettement en déficit.

— Nous avons fait d'assez grosses dettes.

— Je sais, mais je sais aussi que depuis juillet elles n'ont pas augmenté ; c'est ça qui me paraît miraculeux.

— Il doit y avoir une erreur dans vos calculs, dit Henri d'un ton léger.

— Il faut bien le supposer », dit Samazelle.

Il n'avait pas l'air très convaincu et Henri, quand il se retrouva seul en fut irrité contre lui-même ; il aurait dû pouvoir fournir des chiffres précis. « Miraculeux », c'était juste le mot qui lui était venu aux lèvres quand Luc avait tiré d'une caisse vide l'argent de la paie. « Une avance sur un contrat publicitaire. » Henri avait été léger de se contenter de cette explication. Quel contrat ? De combien était l'avance ? Et Luc avait-il dit la vérité ? Henri se sentit de nouveau inquiet. Samazelle n'avait pas en main toutes les données, mais il savait calculer. Comment Luc se débrouillait-il au juste ? Qui sait s'il ne faisait pas à titre personnel des emprunts clandestins ? Jamais il ne se serait livré à des combinaisons malhonnêtes, mais il fallait tout de même savoir d'où le fric sortait. Lorsque les bureaux se furent vidés, vers deux heures du matin, Henri entra dans la salle de rédaction ; Luc était en train de faire des comptes ; si tard qu'Henri quittât le journal, Luc restait toujours après lui et il faisait des comptes.

— Dis donc, si tu as une minute, on va regarder ensemble les registres, dit Henri ; je voudrais tout de même comprendre quelque chose à nos finances.

— Je suis en plein travail, dit Luc.

— Je peux attendre. Je vais attendre, dit Henri en s'asseyant sur le bord de la table.

Luc était en bras de chemise, il portait des bretelles qu'Henri regarda fixement pendant un long moment : des bretelles jaunes. Il leva la tête : « Pourquoi veux-tu t'emmerder avec ces histoires d'argent ? dit-il, fais-moi donc confiance.

— Pourquoi me demandes-tu ma confiance quand il est si facile de me montrer les livres ? dit Henri.

— Tu n'y comprendras rien. La comptabilité, c'est un monde.

— D'autres fois tu m'as expliqué et j'ai compris ; ce n'est tout de même pas sorcier.

— On va perdre un temps fou.

— Ça ne sera pas du temps perdu. Ça me gêne de ne pas savoir comment tu te débrouilles. Allons, montre-les-moi ces livres. Pourquoi ne veux-tu pas ? »

Luc bougea ses jambes sous la table ; un gros coussin de cuir soutenait ses pieds douloureux ; il dit avec agacement :

— Tout n'est pas marqué dans les livres.

— C'est justement ce qui m'intéresse, dit Henri vivement : ce qui n'est pas marqué. Il sourit : « Qu'est-ce que tu me caches ? tu as emprunté ?

— Tu me l'as défendu, dit Luc d'un ton bougon.

— Alors quoi ? tu fais chanter quelqu'un ? dit Henri d'une voix qui ne plaisantait qu'à demi.

— Je ferais de *L'Espoir* un journal de chantage, moi ! » Luc hocha la tête : « Tu ne dors pas assez.

— Écoute, dit Henri, les devinettes ça ne m'amuse pas. Je ne veux pas que *L'Espoir* vive d'expédients. Garde tes secrets, mais je téléphone demain matin à Trarieux.

— Ça c'est du chantage, dit Luc.

— Non, c'est de la prudence. Trarieux, je connais la couleur de son argent ; tandis que ce fric qui est tombé dans la caisse, samedi dernier, je ne sais pas d'où il vient. »

Luc hésita : « C'était... une contribution volontaire. »

Henri dévisagea Luc avec appréhension ; une femme laide, trois enfants, du ventre, des bretelles, la goutte, une grosse face endormie, ça paraissait de tout repos ; mais on s'était aperçu en 41 qu'un petit vent de folie pouvait traverser à l'occasion cette masse de chair : c'est même grâce à ça que *L'Espoir* était né ; est-ce que cette brise extravagante avait de nouveau soufflé ?

— Tu as extorqué de l'argent à quelqu'un ?

— J'en serais bien incapable, dit Luc avec un soupir. Non, il s'agit d'un don, tout simplement un don.

— On ne donne pas comme ça des sommes pareilles. Un don ce qui ?

— J'ai promis le secret, dit Luc.

— A qui ? dit Henri avec un sourire. Allons, tu me mènes en bateau ; le généreux donateur, ça ne prend pas.

— Je te jure qu'il existe, dit Luc.

— Ça n'est pas Lambert par hasard ?

— Lambert ! il s'en fout bien du journal ; sauf pour te voir, il n'y met jamais les pieds ; Lambert !

— Alors qui ? Allons accouche, dit Henri avec impatience ; ou alors je téléphone.

— Tu ne diras pas que je te l'ai dit ? dit Luc d'une voix enrouée ; tu me le promets ?

— Je te le jure sur ta propre tête.

— Eh bien, c'est Vincent.

Henri regarda avec stupéfaction Luc qui regardait ses pieds :

— Tu n'es pas cinglé, non ? tu ne te doutes pas comment Vincent ramasse son fric ? Quel âge as-tu ?

— Quarante ans, dit Luc avec mauvaise humeur. Et je sais que Vincent a piqué de l'or chez des dentistes collabos : je n'y vois pas de mal. Si tu as peur d'être accusé de complicité, rassure-toi, j'ai pris mes précautions.

— Et Vincent ? Je suppose qu'il est joliment précautionneux, lui aussi ! il va y laisser sa peau dans ces jeux de con, tu ne comprends pas ça ? tu as de l'eau dans le cerveau ou quoi ? le jour où ce cinglé se sera fait piquer tu te sentiras fier ?

— Je ne lui ai rien demandé, dit Luc. Si je lui avais refusé son fric il le donnait à un dispensaire pour chiens.

— Mais tu ne comprends pas qu'en acceptant tu l'encourageais à recommencer ? Combien de fois est-ce qu'il nous a renfloués ?

— Trois fois.

— Et tu comptais que ça allait continuer ? tu es aussi tordu que lui !

Henri se leva et marcha vers la fenêtre. Au mois de mai, quand il avait appris que Vincent avait fait entrer Nadine dans son gang, il lui avait sérieusement sonné les cloches. Et il l'avait expédié pour un mois en Afrique. Vincent avait affirmé au retour qu'il s'était acheté une conduite : et voilà !

393

— Il faut que je trouve un moyen de lui faire peur, dit Henri.

— Tu m'as promis le secret, dit Luc ; il m'avait fait jurer que tu ne serais pas au courant, surtout pas toi.

— Bien entendu ! Henri revint vers la table : « De toute façon, ce que je peux lui dire ou rien c'est pareil.

— Il y a une traite à payer d'ici dix jours, dit Luc ; on ne pourra pas la payer.

— Je vais aller parler à Trarieux dès demain, dit Henri.

— Si seulement on pouvait gagner encore un mois ou deux ; on est presque à flot.

— Presque, ça ne suffit pas, dit Henri. A quoi bon s'entêter ? Le tirage ne remonte pas, et on risque qu'à la longue Trarieux ne change d'avis. » Henri posa la main sur l'épaule de Luc : « Du moment qu'on sera aussi libres qu'avant, qu'est-ce que ça peut faire ?

— Ça ne sera plus pareil, dit Luc.

— Ça sera exactement pareil sauf qu'on n'aura plus d'emmerdements d'argent.

— Mais c'était le plus amusant », dit Luc en soupirant.

Henri était plutôt soulagé au contraire à l'idée que la question d'argent allait être définitivement réglée ; c'est d'un cœur serein que deux jours plus tard il entra dans le bureau de Trarieux : un bureau plein de livres qui annonçait un intellectuel plutôt qu'un homme d'affaires ; mais Trarieux lui-même, mince, élégant, à demi chauve, avait très exactement l'air d'un riche industriel.

— Dire que pendant toute l'occupation nous avons travaillé si près l'un de l'autre et que nous ne nous sommes jamais rencontrés ! dit-il en serrant avec vigueur la main d'Henri. Vous connaissiez très bien Verdelin, n'est-ce pas ?

— Bien sûr ; vous étiez dans son réseau ?

— Oui ; c'était un homme remarquable, dit Trarieux d'un ton discrètement funèbre ; un sourire de fierté arrondit puérilement son visage : « C'est grâce à lui que j'ai rencontré Samazelle. » Il fit signe à Henri de s'asseoir et s'assit : « En ce temps-là, c'était les valeurs humaines qui comptaient, et non l'argent.

— C'est déjà loin, dit Henri, pour dire quelque chose.

— Enfin, c'est une consolation de pouvoir utiliser l'argent à défendre certaines valeurs, dit Trarieux d'un air engageant.

— Dubreuilh vous a mis au courant de la situation ? dit Henri.

— En gros, oui. »

Il y avait dans le regard de Trarieux une interrogation impérieuse : il connaissait exactement les faits, mais il voulait avoir le loisir d'étudier Henri, et il fallait bien jouer son jeu. Henri se mit à parler sans conviction. De son côté, il observait Trarieux ; celui-ci l'écoutait avec une affabilité un peu condescendante ; sûr de ses privilèges, satisfait d'y avoir verbalement renoncé, il se sentait supérieur à la fois à ceux qui ne possédaient rien et à ceux qui n'avaient pas intérieurement consenti à se laisser déposséder. Ce n'était pas tout à fait comme ça qu'Henri l'avait imaginé d'après les descriptions de Dubreuilh ; il n'y avait aucune trace de faiblesse ni d'inquiétude dans son visage ; aucune générosité non plus ; s'il était de gauche, ça ne pouvait guère être que par opportunisme.

— Là je vous arrête ! dit-il brusquement. Vous dites que cette baisse de tirage était fatale. Il regarda Henri dans les yeux comme s'il allait énoncer une vérité dangereuse : « Je ne crois pas à la fatalité, c'est même là une des raisons qui m'empêchent d'adhérer à la

395

dialectique marxiste. Mon expérience n'est pas la même que la vôtre ; c'est celle d'un homme d'affaires, un homme d'action ; elle m'a enseigné que le cours des événements peut toujours être dévié par l'intervention au moment opportun d'un facteur opportun.

— Vous voulez dire qu'on aurait pu éviter cette baisse ? » dit Henri d'une voix un peu raide.

Trarieux prit un temps : « En tout cas, je suis sûr qu'il est possible aujourd'hui de relever le tirage, dit-il. Je n'en fais absolument pas une question d'argent, ajouta-t-il avec un geste vif ; mais étant donné ce que représente *L'Espoir* il me paraît important qu'il reconquière une large audience. »

Avec amusement Henri reconnut au passage le vocabulaire de Samazelle ; il dit : « Je le souhaite autant que vous ; c'est le manque d'argent qui nous a gênés ; avec des capitaux, je me charge de faire réaliser des reportages et des enquêtes qui nous gagneront un gros public.

— Des reportages, des enquêtes, oui, bien entendu, dit Trarieux d'une voix lointaine ; mais ce n'est pas là l'essentiel.

— Quel est l'essentiel ? dit Henri.

— Je vais vous parler franchement, dit Trarieux Vous êtes quelqu'un de très connu, de très populaire même. Mais permettez-moi de vous dire que votre ami Luc, ça n'est personne, il n'a aucun nom. Par-dessus le marché j'ai lu des articles de lui qui étaient nettement maladroits. »

Henri le coupa sèchement : « Luc est un excellent journaliste, et le journal lui appartient autant qu'à moi ; si vous avez pensé à l'éliminer, n'y pensez plus.

— On ne pourrait pas le décider à se retirer ? en lui rachetant sa part à un prix intéressant et en lui procurant une bonne situation ?

396

— Pas question ! dit Henri. Il n'acceptera jamais, et d'ailleurs, je ne le lui demanderais pas. *L'Espoir*, c'est Luc et moi ; ou vous nous financez, ou vous ne nous financez pas, il n'y a pas de milieu.

— Évidemment, pour celui qui est engagé dans une entreprise, certaines dissociations sont plus difficiles que pour un observateur extérieur, dit Trarieux d'une voix amusée.

— Je ne vous suis pas.

— Aucune loi ne limite à deux membres le comité directeur d'un journal », dit Trarieux ; il sourit : « Étant donné l'amitié qui vous unit, je suis sûr que vous ne ferez aucune difficulté pour vous adjoindre Samazelle. »

Henri garda le silence ; voilà donc pourquoi Samazelle s'intéressait tant au sort de *L'Espoir* ! Il dit enfin avec froideur : « Je n'en vois pas la nécessité ; Samazelle peut écrire chez nous quand il lui plaît : ça devrait lui suffire...

— Ce n'est pas lui, c'est moi qui souhaite cette collaboration », dit Trarieux avec hauteur ; sa voix se durcit : « J'estime qu'à côté de votre nom, il faut un autre nom également populaire ; Samazelle est en train de monter en flèche, demain tout le monde parlera de lui : Henri Perron et Jean-Pierre Samazelle, ça c'est une raison sociale ; et puis il faut insuffler à votre journal un dynamisme nouveau ; Samazelle, c'est une force de la nature. Voilà ce que je vous propose. Je liquide vos dettes, je rachète la moitié des parts de *L'Espoir* à des conditions que nous débattrons, et vous vous partagez Luc, Samazelle et vous l'autre moitié ; les décisions sont prises à la majorité des voix.

— J'ai beaucoup d'estime pour Samazelle, dit Henri ; mais moi aussi je vous parlerai franchement : Samazelle a une trop forte personnalité pour que je me

sente encore chez moi là où il est chez lui ; et je tiens à
me sentir chez moi au journal.

— C'est là une objection très personnelle, dit Trarieux.

— Possible ; mais après tout il s'agit d'un journal
qui m'appartient personnellement.

— C'est le journal du S.R.L.

— L'un n'exclut pas l'autre.

— Voilà justement ce qui est en question, dit Trarieux. Je finance le journal du S.R.L. et j'entends lui
assurer le maximum de chances. » Il eut un geste
coupant : « *L'Espoir* est une réalisation extraordinaire,
croyez que je l'apprécie à sa juste valeur ; mais nous
nous trouvons devant des difficultés neuves et il s'agit
de réussir à une échelle encore plus vaste : les forces
d'un seul homme ne sauraient plus y suffire.

— Je vous répète que je ne suis pas seul, dit Henri ,
je me sens parfaitement de taille à faire face avec Luc à
cette nouvelle situation. »

Trarieux secoua la tête : « Je me flatte d'avoir
toujours su assez exactement apprécier les possibilités
d'un homme ; il y a un dur courant à remonter et vous
avez besoin de quelqu'un comme Samazelle pour vous
y aider.

— Ce n'est pas mon avis.

— Mais c'est le mien, dit Trarieux d'une voix soudain discourtoise ; et personne ne m'en fera changer.

— Vous voulez dire que si je refuse votre combinaison, vous ne financez pas *L'Espoir* ? dit Henri.

— Vous n'avez aucune raison de la refuser, dit
Trarieux dont le visage s'était radouci.

— Vous vous étiez engagé à m'aider sans conditions,
dit Henri ; c'est sur la foi de cet engagement que j'ai
fait de *L'Espoir* l'organe du S.R.L.

— Voyons, je ne vous impose aucune condition, il

est bien entendu que la ligne politique du journal demeure exactement la même ; je vous demande seulement de prendre les mesures nécessaires à un redressement que vous devez souhaiter autant que moi. »

Henri se leva : « Je vais m'expliquer avec Samazelle !

— Samazelle n'acceptera certainement pas d'entrer à *L'Espoir* contre votre gré, dit Trarieux ; c'est pourquoi il est préférable que cette conversation demeure entre nous ; que le refus vienne de lui ou de vous, peu importe : je ne finance le journal que s'il participe à sa gestion.

— Je le mettrai quand même au courant », dit Henri ; il s'appliquait à contrôler sa voix : « Parce que j'ai cru à votre parole, j'ai compromis la sécurité de *L'Espoir*, je l'ai amené au bord de la faillite ; et vous en profitez pour vous livrer à ce chantage. Un homme capable d'un procédé aussi déloyal, je préfère de toute façon me passer de ses services !

— Vous n'avez pas le droit de m'accuser de chantage ! dit Trarieux en se levant à son tour. Toutes les affaires que je traite, je les traite loyalement, celle-ci comme les autres. Jamais je n'ai caché que certains remaniements me semblaient indispensables à la bonne gestion de *L'Espoir*.

— Ce n'est pas ce que Dubreuilh m'a dit, dit Henri.

— Je ne suis pas responsable de ce qu'il vous a dit, dit Trarieux dont le ton se montait ; je sais ce que je lui ai dit moi ; s'il y a eu malentendu, c'est bien dommage, mais je m'étais exprimé clairement.

— Vous l'avez mis au courant de votre combinaison ?

— Parfaitement ; nous en avons même discuté assez longtemps ! »

Il y avait dans sa voix une sincérité si convaincante

qu'Henri resta un moment silencieux : « Il n'a en tout cas pas compris que c'était là une condition *sine qua non*, dit-il enfin.

— Je suppose qu'il a compris ce qu'il voulait comprendre, dit Trarieux avec une pointe d'animosité. Écoutez, dit-il d'un ton conciliant, pourquoi ma proposition vous semble-t-elle tellement inacceptable ? vous vous êtes irrité parce que vous vous êtes cru victime d'une manœuvre malhonnête ; il vous suffira d'un entretien avec Dubreuilh pour vous convaincre de ma bonne foi ; alors vous comprendrez sûrement quelle chance mon offre représente pour vous. Parce que, soyez-en bien certain, personne ne se risquera à reprendre *L'Espoir*, avec ses six millions de dettes : il faut être dévoué au S.R.L. comme je le suis pour marcher. Ou alors on vous imposera des conditions bien différentes des miennes : des conditions politiques.

— Je ne désespère pas de trouver un appui désintéressé, dit Henri.

— Mais vous l'avez trouvé ! » dit Trarieux. Il sourit : « Je considère cet entretien simplement comme une première prise de contact. En ce qui me concerne, les négociations restent ouvertes. Réfléchissez.

— Merci du conseil ! » dit Henri.

Il avait répondu avec humeur, mais ce n'est pas à Trarieux qu'il en voulait. L'optimisme de Dubreuilh ! son incurable optimisme ! Non, pas question d'optimisme ici, Dubreuilh n'était pas si niais : brusquement la vérité sauta au visage d'Henri. « Il m'a joué ! » Il s'affala sur un banc de l'avenue Marceau : dans sa tête, dans son corps, c'était un charivari si violent qu'il crut qu'il allait s'évanouir. « Il m'a menti sciemment parce qu'il voulait *L'Espoir*, et je suis tombé dans le piège. » Minuit, il frappait, il souriait, des capitaux sans condition, venez donc faire un tour, la nuit est si belle, et entre ses sourires il tendait ses filets. Henri se remit debout, il partit à grands pas, s'il avait marché moins vite il aurait chancelé.

« Qu'est-ce qu'il pourra bien répondre ? Il ne pourra rien répondre. » Il avait traversé Paris presque sans s'en apercevoir et il était arrivé devant la maison de Dubreuilh ; il s'arrêta un instant sur le palier pour calmer les battements de son cœur ; il n'était pas tout à fait sûr qu'un son articulé pût sortir de sa bouche.

— Je peux parler à M. Dubreuilh ? demanda Henri ; il fut étonné d'entendre sa voix, une voix normale.

— Il n'est pas là, dit Yvette ; il n'y a personne.

— Quand rentrera-t-il ?

— Je ne sais pas du tout.

— Je vais l'attendre, dit Henri.

Yvette le laissa entrer dans le bureau ; peut-être Dubreuilh ne reviendrait-il pas avant la nuit et Henri avait du travail ; mais rien n'existait plus pour lui, ni *L'Espoir*, ni le S.R.L., ni Trarieux, ni Luc, rien sauf Dubreuilh ; depuis cet antique printemps où il était tombé amoureux de Paule, il n'avait jamais exigé une présence avec cette passion. Il s'assit dans le fauteuil où il s'asseyait d'habitude ; mais aujourd'hui les meubles, les livres le narguaient : tous complices ! Sur le petit chariot roulant, Anne apportait du jambon, des salades et on dînait gaiement, entre amis : la bonne farce ! Dubreuilh avait des alliés, des disciples, des instruments ; pas un ami. Comme il écoutait bien ! avec quel abandon il parlait ! et il était prêt à vous marcher sur le ventre, à la première occasion. Sa chaude cordialité, ce sourire, ce regard auxquels on se laissait prendre, ils reflétaient simplement l'impérieux intérêt qu'il accordait au monde entier. (« Il savait combien j'y tiens à ce journal ! et il me l'a volé ! »)

401

C'était lui peut-être qui avait suggéré la substitution de Samazelle à Luc; il conseillait: allez voir Trarieux; comme ça il était à couvert, mais il avait donné des consignes à Trarieux. « Un complot, un traquenard. Et une fois pris au piège, comment m'en sortir? Entre Samazelle et la faillite, je dois préférer Samazelle: c'est là qu'il va être bien étonné. » Henri cherchait des mots violents pour lui jeter sa décision au visage; mais il n'y avait rien de tonique dans sa colère; au contraire, il se sentait épuisé, et même vaguement effrayé et vaguement humilié, comme si on venait de l'arracher, après des heures de lutte, à des sables mouvants. La porte d'entrée claqua et il enfonça ses ongles dans les accoudoirs du fauteuil: il souhaitait désespérément faire partager à Dubreuilh l'horreur que celui-ci lui inspirait.

— Il y a longtemps que vous m'attendiez? dit Dubreuilh en lui tendant la main. Henri la serra machinalement: la même main, le même visage qu'hier; on ne pouvait pas voir à travers le masque, même quand on savait. Il murmura:

— Pas très longtemps; il fallait que je vous parle, d'urgence.

— Qu'est-ce qui ne va pas? dit Dubreuilh d'une voix qui imitait à merveille la sollicitude.

— Je sors de chez Trarieux.

Le visage de Dubreuilh changea. « Ah! ça y est? vous ne tenez plus le coup? et Trarieux fait des difficultés? dit-il d'une voix anxieuse.

— Je comprends! Vous m'aviez affirmé qu'il était prêt à soutenir *L'Espoir* sans condition; et il exige que je m'adjoigne Samazelle. » Henri regarda fixement Dubreuilh: « Il paraît que vous étiez au courant.

— Je suis au courant depuis juillet, dit Dubreuilh. Je me suis mis immédiatement à chercher du fric ailleurs.

402

J'ai cru que Mauvanes allait m'en donner, il me l'avait presque promis ; et puis je viens de le voir, il rentrait de voyage et il n'avait plus l'air décidé du tout. » Dubreuilh regarda Henri avec inquiétude : « Pouvez-vous tenir encore un mois ? »

Henri secoua la tête : « C'est exclu. Pourquoi ne m'avez-vous pas prévenu ? demanda-t-il avec colère.

— Je comptais sur Mauvanes », dit Dubreuilh.

Il haussa les épaules :« J'aurais peut-être dû vous prévenir. Mais vous savez que je n'aime pas m'avouer vaincu. C'est de ma faute si vous êtes dans ce mauvais pas et je m'étais juré de vous en tirer.

— Vous parlez de juillet ; mais Trarieux soutient qu'à aucun moment il ne s'est engagé à nous donner son appui inconditionné », dit Henri.

Dubreuilh dit vivement : « En avril, il n'avait été question que de la ligne politique du journal et il l'acceptait intégralement.

— Vous m'aviez garanti bien davantage, dit Henri Trarieux ne devait intervenir en rien, dans aucun domaine.

— Ah ! écoutez ! pour avril, je n'ai rien à me reprocher ! dit Dubreuilh. Je vous ai aussitôt conseillé d'aller vous expliquer personnellement avec Trarieux.

— Vous m'avez parlé avec une assurance qui rendait cette explication inutile.

— J'ai dit ce que je pensais, comme je le pensais, dit Dubreuilh. J'ai pu me tromper : personne n'est infaillible. Mais je ne vous avais pas obligé à me croire sur parole.

— Vous n'avez pas l'habitude de vous tromper aussi grossièrement », dit Henri.

Brusquement Dubreuilh sourit : « Qu'est-ce que vous voulez dire ? que je vous ai menti, sciemment ? »

Il avait prononcé le mot lui-même ; il suffisait de

répondre : « Oui » ; c'était facile ; mais non, c'étai
impossible : pas devant ce sourire, pas dans ce bureau
pas ainsi. « Je pense que vous avez pris vos désirs pour
des réalités sans vous inquiéter de mes intérêts à moi
dit Henri d'une voix contenue. Trarieux payait : à
quelles conditions, au fond ça vous était égal.

— J'ai peut-être pris mes désirs pour des réalités, di
Dubreuilh. Mais je vous jure que si j'avais soupçonné
une seconde ce que Trarieux mijotait, je l'aurais
plaqué là avec tous ses millions. »

Il y avait dans sa voix une chaleur convaincante
mais Henri ne se sentit pas convaincu.

— Je vais parler ce soir à Trarieux, dit Dubreuilh ; e
aussi à Samazelle.

— Ça ne servira à rien, dit Henri.

Ah ! la conversation était mal embarquée ; des mots
qu'on se dit à soi-même à ceux qu'on prononce tout
haut le passage n'est pas facile. « Un complot ! » Ça
paraissait soudain énorme, ça paraissait presque fou.
Bien entendu Dubreuilh ne s'était jamais dit en se
frottant les mains : « Je trame un complot. » Si Henri
avait osé lui jeter ce mot à la figure, Dubreuilh aurait
souri de plus belle.

— Trarieux est coriace ; mais Samazelle, on peut
l'avoir, dit Dubreuilh.

Henri secoua la tête : « Vous ne l'aurez pas. Non. Il
n'y a qu'une solution : je laisse tomber. »

Dubreuilh haussa les épaules : « Vous savez bien que
vous ne pouvez pas.

— C'est là que vous allez être surpris, dit Henri. Je le
ferai.

— Et vous coulerez le S.R.L. ? Vous vous rendez
compte : qu'est-ce qu'ils jubileraient les gens d'en face !
L'Espoir en faillite, le S.R.L. liquidé ! Ça serait joli.

— Je peux refiler L'Espoir à Samazelle et je m'achèterai une ferme dans l'Ardèche ; le S.R.L. ne s'en portera pas plus mal », dit Henri avec amertume.

Dubreuilh le regarda d'un air navré : « Je comprends que vous soyez en colère. Je plaide coupable. J'ai eu tort de faire si facilement confiance à Trarieux et j'aurais dû vous parler dès le mois de juillet. Mais je vais tout faire pour réparer ça. » Sa voix devint pressante : « Je vous en prie, ne vous butez pas. On va chercher ensemble un moyen d'en sortir. »

Henri le dévisagea en silence : reconnaître ses fautes, c'était habile, c'était la meilleure manière de les minimiser ; mais la plus grave de toutes, Dubreuilh avait soin de la taire ; en vérité, il s'était rendu coupable d'un énorme abus de confiance ; en échange des sacrifices qu'il exigeait de votre amitié il feignait de vous donner la sienne, et il ne donnait rien du tout. Il fallait lui dire : « Vous vous foutez de moi et de tout le monde ; pour l'amour du vrai et du bien vous sacrifieriez n'importe qui ; mais le vrai c'est ce que vous pensez, et le bien ce que vous voulez. Vous considérez tout l'univers comme votre œuvre et il n'y a aucune mesure entre les créatures humaines et vous. Quand vous jouez la générosité, c'est encore pour votre propre gloire. » On pouvait lui dire mille autres choses encore : mais alors il faudrait claquer cette porte derrière soi pour ne plus jamais la rouvrir. « C'est ce que je dois faire », pensait Henri ; quoi qu'il décidât touchant le journal, il devait briser avec Dubreuilh, sur-le-champ. Il se leva. Il regarda le chariot roulant, les livres, la photographie d'Anne, et il se sentit lâche. Pendant quinze ans ce bureau avait été pour lui le centre du monde et son foyer ; ici la vérité semblait sûre, le bonheur important, et ça paraissait un grand privilège d'être soi-même. Il ne pouvait pas s'imaginer en train de marcher dans les rues avec dans son dos cette porte à jamais fermée.

405

— C'est inutile ; on est coincés, dit-il d'une voix neutre. Je ne me bute pas ; mais dans ces conditions ça ne m'intéresse plus de m'occuper de *L'Espoir*. On peut sûrement s'arranger pour que mon départ ne nuise ni au journal ni au S.R.L.

— Écoutez, laissez-moi deux jours, dit Dubreuilh. Si dans deux jours je n'ai rien obtenu, vous verrez ce que vous déciderez.

— Soit. Mais c'est tout vu, dit Henri.

Quand Henri se retrouva dehors, la tête lui tournait ; il fit quelques pas dans la direction du journal, mais c'était le dernier endroit où il souhaitât se rendre : affronter Luc, Luc qui se lamenterait ou qui suggérerait un nouveau raid chez un dentiste, c'était au-delà de ses forces ; Paule, ses vaticinations, ses litanies, pas question non plus. Pourtant, il avait besoin de parler. Il se sentait mystifié comme au sortir d'une de ces séances où un rusé prestidigitateur vous a faussement dévoilé ses tours. Dubreuilh trichait, on allait le prendre sur le fait : et puis non, passez muscade, la carte truquée n'était ni dans ses mains, ni dans ses poches. Dans quelle mesure avait-il menti, s'était-il menti ? entre le cynisme et la mauvaise foi, où se situait sa trahison ? elle existait, c'était hors de doute, mais impossible de mettre le doigt dessus. « Je me suis encore laissé manœuvrer. » A nouveau l'évidence l'éblouit : il s'agissait d'un complot délibéré, Dubreuilh avait tiré toutes les ficelles en ricanant. Henri s'arrêta au milieu du pont et appuya ses mains au parapet. Était-il en train de construire un délire ? ou était-ce au contraire lorsqu'il doutait du machiavélisme de Dubreuilh qu'il sombrait dans l'imbécillité ? En tout cas, s'il continuait à tanguer solitairement d'une évidence à une autre, sa tête allait éclater. Il fallait absolument qu'il discute le coup avec quelqu'un. Il pensa à Lambert. « Si j'avais suivi ses conseils, je n'en serais pas là », se dit-il. Lambert n'aimait pas Dubreuilh, mais il se piquait d'impartialité ; et c'était le seul avec qui Henri pût envisager une conversation posée. Il acheva de traverser le pont et entra dans la cabine téléphonique d'un café Biard :

— Allô ! c'est Perron. Je peux monter te dire bonjour ?

— Bien sûr. C'est même une drôlement bonne idée ! »

Il y avait un peu d'étonnement dans la voix chaleureuse de Lambert : « Comment ça va ?

— Ça va ; à tout de suite », dit Henri.

La chaleur inquiète de cette voix l'avait rasséréné. L'affection de Lambert était un peu gauche, mais pour lui du moins Henri n'était pas un pion sur un échiquier. Il monta à pas rapides l'escalier : drôle de journée qui se passait à monter des escaliers comme s'il avait été candidat à l'Académie.

— Salut ; entre par ici, dit Lambert joyeusement. Tu excuseras ce bordel ; je n'ai pas eu le temps de faire de l'ordre.

— Dis donc, tu crèches drôlement bien ! dit Henri.

Une grande pièce claire, un désordre soigné, un pick-up, une discothèque, des livres reliés et rangés par noms d'auteur ; Lambert portait un sweat-shirt noir, avec un foulard de soie jaune : Henri se sentait un peu dépaysé par tout cet ensemble.

— Fine, whisky, eau minérale, jus de fruits ? demanda Lambert en ouvrant un casier en bas de la bibliothèque.

— Un whisky bien tassé.

Lambert alla chercher de l'eau dans une salle de bains vert pâle ; Henri entrevit un gros peignoir éponge, tout un assortiment de brosses et de savons.

— Comment ça se fait que tu n'es pas au journal, à cette heure-ci ? demanda Lambert.

— Il y a des ennuis avec le journal.

— Quels ennuis ?

Il n'était pas vrai que Lambert ne s'intéressât pas au journal ; plutôt, il y avait entre Luc et lui une solide antipathie qu'on comprenait facilement quand on les voyait côte à côte ; mais il écouta le récit d'Henri avec une attention indignée.

— Bien sûr que c'est une manœuvre ! dit-il. Il réfléchit : « Tu ne crois pas que Dubreuilh va se débrouiller pour entrer au journal avec Samazelle ? ou à la place de Samazelle ?

— Non, je ne crois pas, dit Henri. Ça ne l'amuse pas le journalisme ; et de toute façon, il contrôle *L'Espoir* au nom du S.R.L. Mais ça ne change rien, il m'a tout de même tendu un sale piège. » Il dévisagea Lambert : « Qu'est-ce que tu ferais à ma place ?

— Fous tout en l'air si tu veux, pour bien les emmerder, dit Lambert ; mais ce qu'il ne faut pas faire à aucun prix, c'est leur refiler gentiment le journal. Ils ne demandent que ça.

— Je ne veux pas de scandale, dit Henri : moi je laisserais bien tout tomber en douceur.

— Ça serait t'avouer vaincu, ils seraient trop contents, dit Lambert.

— Toi qui me déconseilles toujours la politique, voilà une bonne occasion d'en sortir.

— *L'Espoir*, c'est autre chose qu'une affaire politique, dit Lambert. Tu l'as créé, c'est ton aventure... Non, défends-toi, dit-il avec feu. Si seulement j'avais vraiment du fric ! mais j'en ai juste assez pour ne pas savoir qu'en faire.

— Et je n'en trouverai nulle part, ils le savent bien.

— Accepte Samazelle ; et arrange-toi avec Luc pour le neutraliser.

— S'il fait bloc avec Trarieux ils seront aussi forts que nous.

— Comment Samazelle a-t-il de quoi racheter des parts ? dit Lambert.

— Une avance sur son bouquin ; ou Trarieux l'aidera.

— Pourquoi tient-il tellement à Samazelle ?

— Est-ce que je sais ? je ne sais même pas pourquoi ce type est du S.R.L.

— Il faut trouver une riposte », dit Lambert ; il arpentait sa chambre d'un air méditatif, quand on entendit deux coups de sonnette impérieux. Lambert rougit jusqu'à la racine des cheveux : « Mon père ! Je ne l'attendais pas si tôt !

— Je me barre », dit Henri.

Lambert le regarda d'un air gêné et suppliant :

— Tu ne veux pas lui dire bonjour ?

— Mais si, bien sûr, dit Henri vivement.

Ça n'engage à rien de dire bonjour ; pourtant Henri ne réussit qu'un sourire crispé lorsqu'il vit s'avancer vers lui cet homme qui avait peut-être envoyé Rosa à la mort, et certainement servi de son mieux les Allemands. Sous les cheveux grisâtres, le visage jaune et bouffi était éclairé par des yeux d'un bleu de porcelaine, un tendre bleu inusable qui étonnait dans cette face usée. M. Lambert attendit qu'Henri lui offrît sa main, mais ce fut lui qui parla le premier :

— J'étais bien curieux de vous rencontrer, dit-il ; Gérard m'a tant parlé de vous ! Il esquissa un sourire qu'il réprima tout de suite : « Comme vous êtes jeune ! »

Pour lui, Lambert s'appelait Gérard, et il n'était guère qu'un enfant ; c'était à la fois naturel, et étrange ; ils ne se ressemblaient pas, mais pour une raison ou une autre on ne s'étonnait pas qu'ils fussent père et fils.

— C'est Lambert qui est jeune, dit Henri avec allant pas moi.

— Vous êtes jeune pour un homme qui a tant fait parler de lui. M. Lambert s'assit : « Vous étiez en train de causer... Je ne voudrais pas te déranger, dit-il en se tournant vers son fils ; mais j'ai fini mes affaires plus tôt que je ne pensais, je ne savais trop où aller ; alors je suis monté...

— Vous avez très bien fait ! Voulez-vous boire quelque chose ? un jus de fruits ? de l'eau minérale ? » Il y avait dans l'empressement de Lambert un désarroi qui aggravait le malaise d'Henri.

— Merci, non ; ces quatre étages sont un peu durs pour mes vieux os ; mais c'est si reposant ici, dit-il en regardant autour de lui d'un air approbateur.

— Oui, Lambert est bien logé, dit Henri.

— C'est une tradition dans la famille. J'avoue que j'apprécie moins ses fantaisies vestimentaires, ajouta M. Lambert ; sa voix était timide, mais il posait sur le sweat-shirt noir un regard dur.

— Chacun son goût, marmonna Lambert sans assurance.

Il y eut un petit silence dont Henri profita pour se lever : « Je regrette : quand vous avez sonné je m'en allais ; j'ai du travail urgent.

— C'est moi qui regrette, dit M. Lambert. J'ai lu tout ce que vous avez écrit, avec beaucoup de soin, et il y a certaines choses que j'aurais aimé discuter avec vous. Mais je suppose que cette discussion n'aurait eu d'intérêt que pour moi », ajouta-t-il en réprimant de nouveau un sourire. Dans sa voix unie, dans ses sourires retenus, dans ses gestes, il y avait un charme fatigué, mais on aurait dit qu'il refusait de s'en servir,

410

et cette réserve lui donnait un air à la fois hautain et fuyant.

— Nous aurons sûrement l'occasion de nous revoir plus longuement, dit Henri.

— Ce n'est pas très sûr, dit le vieil homme.

Dans quelques mois sans doute, il serait en prison, et il n'en sortirait peut-être pas vivant. En son temps, ça avait dû être un beau salaud, ce grand patron collabo, mais déjà il avait franchi de ligne, il était du côté des condamnés et non plus des coupables ; cette fois, Henri lui sourit sans effort en lui serrant la main.

— Je peux te voir demain ? dit Lambert en accompagnant Henri dans l'antichambre. Il m'est venu une idée

— Une bonne idée ?

— Tu jugeras. Mais attends que je t'en aie parlé pour te décider. Si je passe vers dix heures du soir, ça ira ?

— Ça va ; mais pas plus tard parce que je sors avec Scriassine.

— D'accord, dit Lambert ; j'ai promis l'après-midi à Nadine, mais compte sur moi un peu avant dix heures.

De toute façon, Henri ne comptait pas se décider aujourd'hui ; il ne voulait même plus s'interroger sur ce qu'il allait faire, encore moins en discuter. Il fallait bien qu'il se rendît au journal, pour finir, mais il déclara froidement à Luc que son entrevue avec Trarieux avait été ajournée, et il s'absorba dans la rédaction de son courrier. Paule non plus, il ne la mettrait pas au courant ; ce qu'il souhaitait, en tournant la clef dans la serrure du studio, c'est qu'elle fût déjà endormie : mais à quelque heure qu'il rentrât, elle ne dormait jamais. Assise sur le divan, maquillée de frais dans sa robe de soie changeante, elle lui tendit sa bouche qu'il effleura rapidement.

411

— Bonne journée ? demanda-t-elle.

— Très bonne, et toi ?

Elle sourit sans répondre : « Qu'a dit Trarieux ?

— Il est d'accord.

— Ça ne t'ennuie vraiment pas ? dit-elle en le regardant d'un air profond.

— Quoi ?

— D'accepter ses capitaux ?

— Mais non ; c'est une question réglée depuis longtemps », dit-il sèchement.

Elle hésita et ne dit rien. Ça faisait deux jours qu'elle hésitait. Henri savait ce qu'elle pensait, mais il ne voulait pas l'aider à se déclarer ; cette prudence l'agaçait. « Elle me ménage, elle a décidé de ne pas me heurter, elle attend son heure », pensait-il avec malveillance. « Il y a six mois, se dit-il dans un effort d'impartialité, quand elle était gaie et agressive, je lui en faisais grief. » Et il pensa : « Au fond ce qui m'irrite, c'est qu'elle ait des conduites. » Elle se savait en danger, elle essayait de se défendre, c'était naturel : n'empêche que ses tristes ruses faisaient d'elle une ennemie. Il ne lui parlait plus de chanter ; elle avait vu clair dans son jeu, et elle avait refusé systématiquement tous les rendez-vous qu'il avait pris pour elle ; mais elle avait fait là un mauvais calcul ; il lui en voulait de son entêtement et à présent il était décidé à se passer de son concours pour la liquider.

— Il y a une lettre de Poncelet, dit-elle en lui tendant une enveloppe.

— Je suppose qu'il refuse, dit Henri. Il parcourut la lettre et la passa à Paule : « Oui, bien entendu, il refuse. »

Deux fois déjà on lui avait retourné son manuscrit avec des compliments effarouchés : une très grande œuvre, mais scandaleuse, inopportune, impossible de

412

prendre un pareil risque ; plus tard, quand les passions seront apaisées. Évidemment la pièce déplaisait à tous ceux qui voulaient oublier le passé, à ceux aussi qui prétendaient le rectifier à leur guise. Pourtant, il aurait bien aimé qu'elle soit jouée ; il avait plus d'affection pour elle que pour aucun de ses livres. Un roman, on ne peut pas le relire, les mots gluent aux yeux ; mais ce dialogue, qui s'incarnerait un jour dans des voix vivantes, il l'entendait à distance, avec le détachement satisfait du peintre qui jette sur sa toile un coup d'œil complice.

— Il faut que tu sois joué, dit Paule d'une voix inspirée.

— Je ne demande que ça.

— Le succès, je n'y attache pas plus d'importance que toi, reprit-elle ; mais je sens que tu ne te remettras pas à ton roman avant d'être délivré de cette pièce.

— Quelle idée ! dit Henri avec surprise.

— Tu ne t'es pas remis à ton roman ?

— Non ; mais la pièce n'a rien à y voir.

— Alors, pourquoi ? demanda-t-elle en scrutant Henri avec un air d'en savoir long.

Il sourit : « Disons que c'est par paresse.

— Tu n'as jamais su ce que c'est que la paresse », dit-elle gravement ; elle secoua la tête « Il s'agit évidemment d'une résistance intérieure.

— Ce roman était mal parti, dit Henri . j'ai envie de le reprendre ; mais je sais que ça sera un énorme boulot ; alors, je ne suis pas pressé, c'est tout. »

Elle secoua la tête : « On ne t'a jamais vu renâcler devant un obstacle.

— Eh bien, ce coup-ci, je renâcle.

— Pourquoi ne m'as-tu jamais montré ton manuscrit ? dit Paule. J'aurais peut-être pu te donner un conseil.

413

— Je t'ai dit cent fois que mes brouillons étaient informes.

— C'est ce que tu m'as dit, dit-elle d'un air méditatif.

— Je t'ai montré ma pièce.

— En effet, les premiers brouillons étaient informes et tu me les as montrés. »

Il ne répondit pas; dans cette ébauche, il s'était exprimé trop librement sur lui, sur elle; le roman qu'il essaierait d'en tirer, un de ces jours, serait moins indiscret; Paule n'avait qu'à patienter un peu. Il bâilla :

— Je tombe de sommeil. Demain, je ne rentrerai pas ici, j'irai dormir à l'hôtel; parce que je prévois que Scriassine ne me lâchera pas avant l'aube.

— Je ne comprends pas l'avantage de l'hôtel, que ce soit l'aube ou le crépuscule; mais tu feras ce que tu voudras.

Il se leva et elle se leva aussi; c'était un moment périlleux; il déposait un baiser hâtif sur sa tempe et il se retournait contre le mur en feignant de sombrer instantanément dans le sommeil; mais quelquefois elle s'agrippait à lui, elle se mettait à trembler ou à balbutier et le seul moyen de la calmer, c'était de coucher avec elle; il n'y réussissait pas toujours, et jamais sans peine; elle ne pouvait pas l'ignorer; c'est pour compenser cette froideur qu'elle se dépensait avec un emportement qui faisait douter de la réalité de son plaisir; plus encore que son impudeur égarée, Henri haïssait sa mauvaise foi et surtout son humilité. Heureusement, cette nuit-là, elle se tint tranquille : elle avait dû sentir que quelque chose n'allait pas. La joue appuyée à la fraîcheur de l'oreiller, Henri gardait les yeux ouverts, et tandis qu'il ruminait cette journée, il n'éprouvait plus de colère : de la détresse; ce n'était pas lui qui était dans son tort, c'était Dubreuilh : cette faute qu'il ne pouvait désarmer ni par des remords ni par des promesses lui pesait plus lourd sur le cœur que si elle avait été sienne.

Tout laisser tomber : ce fut la première pensée d'Henri au réveil : il ne téléphona pas à Dubreuilh ; et tout au long de la journée, il se répéta ces mots comme une rengaine apaisante. Discuter, transiger, pactiser, alors que ce journal avait été son fief incontesté, non, cette perspective lui soulevait le cœur. Il préférait de beaucoup se retirer à la campagne, reprendre son roman, son métier d'écrivain : il lirait *L'Espoir* au coin de son feu, d'un œil amusé. C'était là un projet si attrayant que lorsqu'il vit s'ouvrir la porte de son bureau, à dix heures du soir, il souhaita que l'idée que Lambert venait lui proposer ne fût pas bonne.

— Tu as été chic hier de rester un moment ! dit Lambert, d'une voix qui s'excusait plutôt qu'elle ne remerciait. Mon père a été tellement content !

— Ça m'intéressait de le connaître, dit Henri. Il a l'air fatigué ; mais on sent qu'il a eu beaucoup de charme autrefois, il lui en reste quelque chose.

— Du charme ? dit Lambert avec étonnement. Il était surtout autoritaire ; autoritaire et méprisant ; d'ailleurs au fond, il l'est encore.

— Oh ! j'imagine facilement qu'il ne devait pas être commode !

— Non, pas commode du tout, dit Lambert ; il eut un geste comme pour chasser ses souvenirs : « Est-ce qu'il y a quelque chose de nouveau du côté du journal ?

— Rien.

— Alors écoute ce que j'ai à te proposer », dit Lambert ; il se décontenança soudain : « Tu ne vas peut-être pas vouloir.

— Dis toujours.

415

— Toi et Luc, en face de Samazelle et Trarieux vous risquez d'être bouffés : mais suppose que je sois dans le coup ?

— Toi ?

— J'ai assez de fric pour racheter autant de parts que Samazelle ; alors, s'il est entendu que les décisions sont prises à la majorité des voix, nous sommes trois contre deux, nous avons gagné.

— Tu hésitais à rester dans le journalisme ?

— C'est un métier qui en vaut bien un autre ; et puis *L'Espoir*, ç'a été ma petite épopée à moi aussi », dit Lambert d'une voix faussement ironique.

Henri sourit : « Nous ne sommes pas toujours d'accord politiquement.

— Je me fous de la politique, dit Lambert ; je veux que tu gardes ton journal ; en tout cas, tu auras ma voix. D'ailleurs, je ne désespère pas de te voir évoluer, ajouta-t-il gaiement. Non, la seule question, c'est de savoir si Trarieux marchera.

— Il devrait être content de s'attacher un si bon reporter, dit Henri. Heureusement que tu ne t'es pas dégoûté du reportage, ajouta-t-il ; tes papiers sur la Hollande sont drôlement bien.

— C'est grâce à Nadine, dit Lambert, ça l'amuse tellement que ça m'amuse aussi. » Il regarda Henri d'un air anxieux : « Tu crois que Trarieux marcherait ?

— Je suppose que ça les embêterait que je m'en aille ; si j'accepte Samazelle, ils me feront bien une concession.

— Tu n'as pas l'air enthousiaste ? dit Lambert d'un air un peu déçu.

— Ah ! toute cette histoire m'emmerde ! dit Henri. Je ne sais pas ce que je veux faire... Tu as ta moto ? demanda-t-il en rompant délibérément les chiens.

— Oui ; tu veux que je te pose quelque part ?

— Pose-moi rue de Lille ; Scriassine habite chez la mère Belzunce.

— Il couche avec elle ?

— Je ne sais pas. Claudie héberge toujours un tas d'écrivains et d'artistes, je ne sais pas avec lesquels elle baise.

— Tu le vois souvent, Scriassine ? demanda Lambert comme ils descendaient l'escalier.

— Non, dit Henri, de temps en temps il me convoque impérieusement ; quand je me suis défilé dix fois je finis par me ramener. »

Ils enfourchèrent la motocyclette qui suivit bruyamment les quais de la Seine. Henri regardait avec un peu de remords la nuque de Lambert. C'était gentil, sa proposition ; il ne tenait pas à entrer au journal, ce qu'il en faisait c'était uniquement pour rendre service à Henri. « Et je ne l'ai pas bien remercié », se dit Henri ; mais en vérité, il ne lui était pas du tout reconnaissant. « Le mieux, c'est de laisser tomber. Je préfère de loin laisser tomber », se répétait-il. Garder le journal, rester au S.R.L., ça voulait dire continuer à travailler la main dans la main avec Dubreuilh ; on ne travaille pas la main dans la main quand on a tant de rancune au cœur ; il n'avait pas trouvé la force de rompre avec éclat ; mais il ne jouerait pas le jeu de l'amitié. « Non, c'est fini », se dit-il comme la moto s'arrêtait devant l'hôtel Belzunce.

— Eh bien, je te laisse, dit Lambert d'une voix déçue.

Henri hésita ; ça l'ennuyait de quitter Lambert si vite, après avoir si froidement accueilli une offre où il avait mis tout son cœur.

— Ça t'amuserait de venir avec moi ? demanda-t-il. Le visage de Lambert s'éclaira ; il adorait voir des gens connus : « Ça m'amuserait beaucoup ; mais ça serait indiscret, non ?

— Oh ! pas du tout. On va aller boire de la vodka dans quelque boîte tzigane, et si ça lui chante, Scriassine invitera tous les musiciens. Il n'y a pas à se gêner avec lui.

— J'ai l'impression qu'il ne m'aime pas beaucoup.

— Mais il aime bien la compagnie des gens qu'il n'aime pas. Viens donc », dit Henri affectueusement.

Ils contournèrent la grande bâtisse dont toutes les fenêtres étaient illuminées ; on entendait une musique de jazz. Henri sonna à une petite porte latérale et Scriassine ouvrit. Il sourit avec chaleur sans que la présence de Lambert parût l'étonner le moins du monde.

— Claudie donne un cocktail, c'est horrible, la maison est pleine de gigolos, on n'est plus chez soi. Venez par ici et puis on foutra le camp en douce. Le col de sa chemise était largement ouvert et son regard avait une fixité brumeuse. Ils montèrent quelques marches ; au fond du corridor, une porte s'ouvrait sur une pièce éclairée et on entendait un chuchotement.

— Tu as du monde ? dit Henri.

— C'est une surprise, dit Scriassine d'un air satisfait.

Henri le suivit avec un peu d'appréhension. Quand il les vit, il eut un mouvement de recul : Volange et Huguette. D'un air ouvert, Louis tendit sa main. Il n'avait presque pas changé ; les rides au front étaient un peu plus profondes qu'autrefois, le menton plus affirmé : une belle figure soigneusement taillée pour la postérité. En un éclair, Henri se rappela qu'il s'était bien souvent promis quand il lisait les articles complaisants que Louis écrivait en zone libre de lui

418

écraser un jour son poing sur la mâchoire; et il tendit lui aussi sa main.

— Je suis drôlement content de te voir, vieux, dit Louis. Je n'ose jamais te déranger; je sais que tu es tellement occupé; mais j'ai eu bien souvent envie de bavarder avec toi.

— Vous n'avez pas du tout changé, dit Huguette.

Elle n'avait pas changé non plus; elle était blonde, diaphane et élégante comme autrefois, et elle souriait du même sourire parfumé; elle ne changerait jamais: mais un jour on l'effleurerait du bout du doigt et elle tomberait en poussière.

— Le fait est que je ne vois personne, dit Henri. Je travaille comme une brute.

— Oui, tu dois avoir une sale vie, dit Louis avec sympathie. Mais aussi tu t'es fait une situation littéraire de premier ordre. Ça ne m'étonne pas d'ailleurs, j'ai toujours été convaincu que tu finirais par t'imposer. Sais-tu qu'au marché noir ton bouquin fait dans les trois mille?

— A l'heure qu'il est, tous les livres se vendent comme des saucisses, dit Henri.

— C'est juste. Mais tu as eu une critique étonnante, dit Louis d'un ton encourageant; il sourit. « Il faut dire que tu es tombé sur un sujet en or; pour ça tu es verni; quand on tient un pareil sujet, le livre s'écrit tout seul. »

Louis avait gardé son sourire nonchalant; mais il y avait dans sa voix un empressement qui contrastait avec ses manières tranchantes d'autrefois.

— Et toi, qu'est-ce que tu deviens? dit Henri.

Il avait vaguement honte, sans trop savoir si c'était pour le compte de Louis ou pour lui-même.

419

— J'espère avoir la critique littéraire dans un heb
domadaire qui va bientôt sortir. dit Louis en regardan
ses ongles.

— Foutons le camp d'ici, dit Scriassine avec impa
tience. Cette musique est intolérable. Allons boire ur
peu de champagne à l'Isba.

— Je croyais que tu ne mettais plus les pieds dans ce
bouge depuis qu'ils t'ont refait ton portefeuille, di
Henri.

Scriassine sourit d'un air rusé. « C'est leur métier de
voler ; au client de se défendre. »

Henri hésita ; il allait être grossier, mais pourquo
essayait-on de lui forcer la main ? il ne voulait absolu
ment pas passer la soirée avec Louis : « En tout cas, je
ne pourrai pas t'accompagner, dit-il. Je suis venu er
courant parce que je t'avais dit que je viendrais, mais i
va falloir que je retourne au journal.

— J'ai horreur des boîtes de nuit, dit Louis. Restons
donc tranquillement ici.

— Comme vous voudrez ! » dit Scriassine. Il regarda
Henri d'un air malheureux : « Tu as tout de même le
temps de boire un verre ?

— Oui, bien sûr », dit Henri.

Scriassine ouvrit un placard et en sortit une bou
teille de whisky : « Il n'en reste pas beaucoup.

— Je ne bois pas, et Huguette non plus », dit Louis.

Claudie apparut sur le seuil de la porte : « Ça c'est
charmant ! dit-elle en désignant Scriassine. Il s'amène
à moitié saoul à mon cocktail, il insulte mes invités, e
les gens intéressants, il me les soulève en douce
Jamais plus je ne recevrai de Russe chez moi...

— Ne gueulez pas comme ça, dit Scriassine. Cri-cri
va s'amener ; Cri-cri, c'est la trompette », ajouta-t-il
avec un soupir.

Claudie referma la porte : « Je reste avec vous, dit

420

elle avec décision. Ma fille fera la maîtresse de maison. »

Il y eut un silence gêné. Louis offrit à la ronde des cigarettes américaines.

— Et qu'est-ce que tu fais en ce moment ? demanda-t-il à Henri avec bienveillance.

— Je pense à un autre roman, dit Henri.

— Anne m'a dit que vous aviez écrit une très belle pièce, dit Claudie.

— J'ai écrit une pièce ; et il y a déjà trois directeurs qui me l'ont refusée, dit Henri gaiement.

— Il faut que je vous fasse rencontrer Lucie Belhomme, dit Claudie.

— Lucie Belhomme ? qu'est-ce que c'est que ça ?

— Vous êtes extraordinaire ; tout le monde vous connaît et vous ne connaissez personne. C'est elle qui dirige la maison Amaryllis, la grande maison de couture dont tout le monde parle.

— Je ne vois pas.

— Lulu est la maîtresse de Richeterre dont la femme a divorcé pour épouser Vernon ; et Vernon, c'est le directeur du Studio 46.

— Je ne vois toujours pas. »

Claudie se mit à rire . « Vernon obéit au doigt et à l'œil à sa femme afin de se faire pardonner ses amitiés masculines ; parce qu'il est de la pédale comme personne ; et Juliette est restée très copine avec son ex-mari qui obéit à Lulu au doigt et à l'œil. Vous saisissez ?

— C'est limpide, dit Henri. Mais quel est l'intérêt de votre Lulu dans cette histoire ?

— Elle a une fille ravissante dont elle essaie de faire une actrice. Vous avez bien un rôle de femme dans votre pièce ?

— Oui. Mais...

421

— Avec des mais on n'arrive à rien. Je vous dis que la petite est ravissante. Le jour où vous viendrez chez moi, je vous la présenterai. Vous séchez toujours mes jeudis, mais je vais vous demander un service que vous ne pourrez pas me refuser, dit Claudie avec pétulance ; je m'occupe d'un home pour enfants de déportés, et ça coûte chaud, trop chaud pour moi toute seule. Alors j'organise une série de conférences avec des conférenciers bénévoles. Des snobs, prêts à casquer deux mille balles pour vous voir en chair et en os, il s'en ramènera à la pelle, je suis tranquille. Je vous inscris pour une des premières séances.

— Je déteste ce genre de raout, dit Henri.

— Pour les enfants de déportés, vous ne pouvez pas refuser ; même Dubreuilh acceptera.

— Ils ne peuvent pas cracher deux mille francs sans emmerder personne, vos philanthropes ?

— Ils cracheront une fois, mais pas dix. La charité c'est très joli, mais il faut que ça rapporte. C'est le principe des fêtes de bienfaisance. » Claudie se mit à rire : « Regardez Scriassine comme il a l'air furieux : il trouve que je vous accapare !

— Je m'excuse, dit Scriassine. Mais en effet, j'aurais aimé dire un mot à Perron.

— Dites ! » dit Claudie. Elle alla s'asseoir sur le canapé, à côté d'Huguette et elles se mirent à bavarder à voix basse.

Scriassine se planta devant Henri : « Tu soutenais l'autre jour qu'en s'affiliant au S.R.L. *L'Espoir* n'a pas renoncé à dire la vérité.

— Oui, dit Henri. Alors ?

— Alors, voilà pourquoi je voulais te voir d'urgence. Si je t'apportais des faits accablants pour le régime soviétique et que tu ne puisses pas mettre en doute, les révélerais-tu ?

— Oh! sûrement *Le Figaro* les aurait révélés avant moi, dit Henri en riant.

— J'ai un ami qui revient de Berlin, dit Scriassine; il m'a communiqué des informations précises sur la manière dont les Russes ont étouffé dans l'œuf la révolution allemande. Il faut que ce soit un journal de gauche qui les divulgue. Es-tu prêt à le faire?

— Qu'est-ce qu'il raconte, ton copain? » dit Henri. Scriassine promena son regard à la ronde : « Tout à fait en gros, voilà. Il y a certains faubourgs de Berlin qui sont restés farouchement communistes, même sous Hitler, dit-il. Pendant la bataille de Berlin, les ouvriers de Köpenick, ceux de Wedding la Rouge ont occupé les usines, hissé le drapeau rouge et organisé des comités. Ça aurait pu être le début d'une grande révolution populaire; l'émancipation des travailleurs par eux-mêmes, elle était en marche; les comités étaient tout prêts à fournir les cadres du nouveau régime. » Scriassine fit une pause : « Au lieu de ça, qu'est-il arrivé? Les bureaucrates se sont amenés de Moscou, ils ont balayé les comités, liquidé la base, et installé un appareil d'État : à savoir un appareil d'occupation. » Le regard de Scriassine s'arrêta sur Henri : « Ça ne te dit rien? mépris des hommes, tyrannie bureaucratique : le cas est pur!

— Tu ne m'apprends rien, dit Henri. Seulement tu oublies de dire que ces bureaucrates, c'était des communistes allemands réfugiés en U.R.S.S. qui avaient créé depuis longtemps à Moscou le comité de l'Allemagne libre : ils avaient tout de même plus de titres que les gens qui se sont révoltés pendant la chute de Berlin. Oui, il y avait sûrement parmi les ouvriers des communistes sincères : mais va donc t'y reconnaître quand soixante millions de nazis plaident en chœur qu'ils ont toujours été contre le régime! Je comprends

423

que les Russes se soient méfiés. Ça ne prouve pas qu'ils méprisent la base en général.

— J'en étais sûr! dit Scriassine avec éclat. Attaquer l'Amérique, pour ça vous êtes toujours prêts; mais ouvrir la bouche contre l'U.R.S.S., là il n'y a plus personne.

— Ça saute aux yeux qu'ils ont eu raison d'agir comme ils l'ont fait! dit Henri.

— Je ne comprends pas! dit Scriassine. Es-tu vraiment aveugle? ou est-ce que tu as peur? Dubreuilh est vendu, tout le monde le sait. Mais toi!

— Dubreuilh vendu! tu n'y crois pas toi-même! dit Henri.

— Oh! ce n'est pas avec de l'argent que le P.C. vous achète, dit Scriassine. Dubreuilh est vieux, il est célèbre, il a déjà le public bourgeois : il veut les masses.

— Va donc dire aux militants du S.R.L. que Dubreuilh est communiste! dit Henri.

— Le S.R.L.! une jolie fumisterie! » dit Scriassine. Il appuya la tête contre le dossier de son fauteuil d'un air excédé.

— Tu ne trouves pas attristant qu'on ne puisse plus passer une soirée entre amis sans se disputer à propos de politique? dit Louis en souriant à Henri. Faire de la politique, soit, mais pourquoi en parler à tout bout de champ?

Par-dessus la tête de Scriassine, il essayait de retrouver avec Henri la complicité de leur jeunesse; Henri s'en agaça d'autant plus qu'il était de son avis.

— Je suis bien d'accord, dit-il avec mauvaise grâce.

— On finit par oublier qu'il existe d'autres choses sur terre, dit Louis; il regarda ses ongles d'un air pudique : « Des choses qui s'appellent la beauté, la poésie, la vérité. Personne ne s'en soucie plus.

— Il y a encore des gens que ça intéresse », dit Henri. Il pensa : « Je devrais parler, je devrais lui dire que nous n'avons plus rien à faire ensemble. » Mais ce n'est pas facile d'insulter sans provocation son plus vieil ami. Il posa son verre, il allait se lever pour partir, mais Lambert prit la parole :

— Qui donc ? dit-il avec feu. En tout cas, pas *Vigilance*. Pour que vous acceptiez un texte, il faut qu'il soit farci de politique : s'il est simplement beau ou poétique, vous ne le publierez jamais.

— C'est en effet le reproche que j'adresserais à *Vigilance*, dit Louis. Bien entendu, on peut faire de très beaux livres sur des thèmes politiques, ton roman en est un exemple, ajouta-t-il d'une voix urbaine. Mais je trouverais bien souhaitable qu'on rende ses droits à la littérature pure.

— Pour moi, c'est un mot qui n'a pas de sens, dit Henri. Il ajouta d'une voix mordante : « Et c'est un mot dangereux. On sait où ça mène quand on prétend isoler la littérature de tout le reste.

— Ça dépend des époques, dit Louis. J'ai certainement eu tort en 40 de penser qu'on pouvait se garder de la politique ; crois bien que j'ai compris toute l'étendue de mon erreur, ajouta-t-il d'un ton pénétré. Mais aujourd'hui, il me semble qu'on a de nouveau le droit d'écrire gratuitement, pour son seul plaisir.

Il regardait Henri d'un air interrogateur et courtois, comme s'il avait vraiment sollicité une autorisation ; cette feinte déférence exaspéra Henri · mais ça n'aurait servi à rien de faire un éclat.

— Chacun est libre, dit-il sèchement.

— Pas si libre que ça ! dit Lambert. Tu ne te rends pas compte : c'est dur d'aller à contre-courant.

Louis hocha la tête avec sympathie : « C'est d'autant plus dur qu'aujourd'hui tout conspire à convaincre l'individu qu'il n'est rien ; s'il se retrouvait, il retrouverait un tas de choses ; mais justement, c'est un cercle vicieux : on ne lui en donne pas les moyens.

— Non, on ne les lui donne pas », dit Lambert avec force. Il regarda Henri d'un air animé : « Tu te rappelles, une fois, au Scribe, nous avons discuté là-dessus ; je te disais que chacun doit s'intéresser à soi : je le crois toujours. Si on pense qu'on n'est rien, qu'on ne peut rien, qu'on n'a droit à rien, qu'est-ce que tu veux qu'on devienne ? Regarde : Chanel s'est fait tuer exprès, Sézenac se drogue, Vincent se saoule, Lachaume a vendu son âme au P.C...

— Tu embrouilles tout ! dit Henri. Je ne vois pas ce que la littérature pure apporterait à Vincent ou à Sézenac. Quant à tes histoires d'individu perdu et retrouvé, dit-il en se tournant vers Louis, c'est des salades. Il y a des individus qui sont quelque chose et d'autres qui ne sont rien : ça dépend de ce qu'ils font de leur vie. Quand on est jeune on ne sait pas encore ce qu'on en fera, c'est pour ça qu'on est emmerdé : mais dès qu'on s'intéresse à quelque chose — à autre chose qu'à soi — il n'y a plus de problème. »

Il avait parlé avec colère. Ça l'agaçait que Lambert attachât de l'importance au verbiage de Louis. Il se leva : « Il faut que je m'en aille. »

Scriassine se redressa : « Tu es vraiment décidé à ne pas tenir compte de mes informations ?

— Tu ne m'as donné aucune information », dit Henri.

Scriassine se versa un verre de whisky et l'avala d'un trait ; il saisit de nouveau la bouteille. Claudie s'approcha vivement et posa la main sur son bras :

— Je crois que le petit père Victor a assez bu !

— Est-ce que vous croyez que je bois pour mon plaisir ? cria Scriassine d'une voix violente.

Henri sourit : « Ça serait une bonne raison.

— Il n'y a qu'ainsi que je peux oublier ! dit Scriassine en remplissant son verre.

— Oublier quoi ? demanda Huguette d'un air effaré.

— Dans deux ans les Russes occuperont la France, et vous les accueillerez à genoux, dit Scriassine.

— Deux ans ! dit Huguette.

— Mais non, dit Henri.

— Vous êtes en train de leur livrer l'Europe, vous êtes tous complices ! dit Scriassine. Vous avez peur, voilà la vérité : vous trahissez parce que vous avez peur.

— La vérité c'est que ta haine de l'U.R.S.S. te porte à la tête, dit Henri. Tu travestis les faits, tu colportes n'importe quels bobards. C'est une sale besogne. A travers l'U.R.S.S. c'est le socialisme en général que tu attaques.

— Tu sais très bien que l'U.R.S.S. n'a plus rien à voir avec le socialisme, dit Scriassine d'une voix qui s'empâtait.

— Ne me dis pas que l'Amérique en est plus près ! » dit Henri.

Scriassine regarda Henri avec des yeux rougis par la colère : « Tu te dis mon ami ! et tu défends un régime qui m'a condamné à mort ! Le jour où ils m'auront fusillé, tu expliqueras dans *L'Espoir* qu'ils avaient de bonnes raisons !

— Mon Dieu ! dit Henri. Les anciens combattants étaient déjà assez emmerdants ! Voilà que maintenant on va nous faire le coup des futurs fusillés ! »

Scriassine regarda Henri avec haine. Il prit son verre à demi plein et le lança à toute volée ; Henri esquiva et le verre s'écrasa contre le mur.

— Tu devrais aller te coucher », dit Henri en mar-

chant vers la porte. Il fit un petit signe de la main :
« Salut.

— Il ne faut pas lui en vouloir, dit Claudie. Il est
saoul.

— Ça se voit. »

Scriassine s'était laissé retomber sur son fauteuil, la
tête dans ses mains.

— Quelle séance ! dit Henri quand il se retrouva
avec Lambert dans la cour de l'hôtel.

— Oui. Je suis de l'avis de Volange : les discussions
politiques, ça devrait être interdit.

— Scriassine ne discute pas : il vaticine.

— Oh ! de toute façon, c'est toujours comme ça que
ça se passe, dit Lambert ; on se jette des verres à la tête,
et on ne sait même pas de quoi on parle. Vous ignorez
tous les deux ce qui se passe dans l'Allemagne de l'Est.
Il est partial contre l'U.R.S.S., mais toi tu es partial
pour.

— Je ne suis pas partial. Je me doute bien que tout
n'est pas parfait en U.R.S.S., c'est le contraire qui
serait étonnant. Mais enfin ce sont eux qui sont sur la
bonne voie.

Lambert fit une moue et ne répondit rien.

— Je me demande ce que Scriassine attendait de
cette entrevue, dit Henri. Ça doit être Louis qui l'a
suggérée : il espère que je l'aiderai à se dédouaner.

— Peut-être qu'il a envie de redevenir ami avec toi
dit Lambert.

— Louis ? tu parles.

Lambert dévisagea Henri avec perplexité : « C'était
ton meilleur ami autrefois ?

— Une drôle d'amitié, dit Henri. Quand il s'est
amené au lycée de Tulle, il venait de Paris, il m'en a
jeté plein la vue ; et moi il m'a trouvé moins paysan
que les autres. Mais on ne s'est jamais aimé.

— Moi je le trouve sympathique, dit Lambert.

— Tu le trouves sympathique parce que la politique t'ennuie et qu'il défend la littérature pure. Mais tu comprends pourquoi il le fait, non ? »

Lambert hésita : « Que ce soit pour une raison ou une autre, ce qu'il a dit est vrai. Il y a des problèmes individuels, et ce n'est pas facile de les résoudre quand tout le monde vous répète que vous avez tort de vous les poser.

— Je n'ai jamais prétendu ça, dit Henri ; il faut se les poser, d'accord. Ce que je dis c'est qu'on ne peut pas les isoler des autres problèmes. Pour savoir qui tu es et ce que tu veux faire, il faut que tu décides comment tu te situes dans le monde. »

Lambert enfourcha sa motocyclette et Henri monta derrière lui. « Un an a suffi, pensa-t-il, les voilà qui reviennent avec l'arrogance du pécheur assuré de valoir quatre-vingt-dix-neuf justes. Comme ils disent autre chose que nous, Lambert et les types de son âge vont croire qu'ils leur apportent du neuf. Ils vont être tentés. Il ne faut pas, se dit Henri. Il faut les contrer, par tous les moyens. » Dès que la moto se fut arrêtée, il dit d'une voix chaude :

— Tu sais, j'accepte ton offre avec reconnaissance, c'est une fameuse idée que tu as eue là : on restera les maîtres chez nous !

— Tu acceptes ! dit Lambert d'un air heureux.

— Bien sûr. Toute cette histoire m'a mis de mauvaise humeur, c'est pour ça que je n'ai pas sauté de joie. Mais tu penses si je suis content de pouvoir garder le journal !

— Tu crois que Trarieux marchera ? dit Lambert.

— Il sera bien obligé, dit Henri. Il serra la main de Lambert avec chaleur : « Merci ; à demain. »

« Non, ça n'est pas le moment de se défiler », pensa-

t-il en entrant dans sa chambre. Sa rancune à l'égard
de Dubreuilh ne mourrait pas de sitôt; mais ça
n'interdisait pas un travail commun, ces questions de
sentiment étaient bien secondaires. L'important c'était
d'empêcher le retour des Volange, c'était de gagner la
partie. Il alluma une cigarette. Ça serait une bonne
chose pour Lambert, d'être du comité de *L'Espoir*;
Henri s'arrangerait pour l'associer de plus en plus
étroitement à la vie du journal; Lambert se formerait
politiquement, il se sentirait beaucoup moins perdu
dans le monde, et une fois tout à fait dans le coup, il ne
se demanderait plus que faire de sa peau.

« C'est vrai que ce n'est pas commode d'être jeune en
ce moment », se dit Henri. Il décida d'avoir une
sérieuse conversation avec Lambert, un de ces jours.
« Et qu'est-ce que je lui dirai au juste ? » Il commença
à se déshabiller. « Si j'étais communiste ou chrétien, je
serais moins embarrassé, se dit-il. Une morale de
l'universel, on peut tâcher de l'imposer. Mais le sens
qu'on donne à sa vie, c'est une autre affaire. Impossible
de s'en expliquer en quatre phrases : il faudrait amener Lambert à voir le monde avec mes yeux. » Henri
soupira. C'est à ça que ça sert la littérature : montrer
aux autres le monde comme on le voit; seulement
voilà : il avait essayé, et il avait échoué. « Ai-je vraiment essayé ? » se demanda-t-il. Il alluma une autre
cigarette et s'assit au bord de son lit. Il avait voulu
écrire un livre gratuit : gratuit, sans nécessité, sans
raison, pas étonnant qu'il s'en soit dégoûté si vite. Et il
s'était promis d'être sincère, mais il n'avait été que
complaisant; il avait prétendu parler de lui sans se
situer au passé ni au présent : alors que la vérité de sa
vie était hors de lui, dans les événements, dans les
gens, dans les choses; pour parler de soi, il faut parler
de tout le reste. Il se leva et avala un verre d'eau. Sur le

430

moment, ça l'avait arrangé de se dire que la littérature n'avait plus de sens, mais ça ne l'avait pas empêché d'écrire une pièce dont il était content. Une pièce datée, située, et qui signifiait quelque chose : c'est pour ça qu'il en était content. Pourquoi ne pas entreprendre un roman daté, situé, qui signifierait quelque chose ? Raconter une histoire d'aujourd'hui où les lecteurs retrouveraient leurs soucis, leurs problèmes. Non pas démontrer ni exhorter, mais témoigner. Il mit longtemps à s'endormir.

Dubreuilh n'avait pas réussi à convaincre Trarieux ni Samazelle. Mais ils ne comprirent sans doute pas quelle garantie représentait pour Henri la présence de Lambert au comité du journal, ou bien ils redoutèrent un éclat qui eût été néfaste au S.R.L. ou peut-être après tout ne nourrissaient-ils aucun dessein machiavélique : ils acceptèrent sans difficulté la combinaison qu'Henri leur proposa. Au journal, personne ne s'émut beaucoup d'un changement qui paraissait d'ordre purement administratif. Sauf Vincent. Il s'amena dans la salle de rédaction à un moment où Henri était seul avec Luc et il attaqua d'une voix hargneuse : « Je ne comprends rien à ce qui se passe.

— C'est pourtant simple ! dit Henri.

— Je ne connais pas ce Trarieux, mais un homme qui a tant de fric est sûrement dangereux. On aurait aussi bien fait de se passer de lui.

— On ne pouvait pas, dit Henri.

— Et pourquoi fais-tu entrer Lambert dans le comité ? dit Vincent. Tu auras de mauvaises surprises. Quand je pense qu'il s'est réconcilié avec son père, sachant ce qu'il sait !

— Il n'y a aucune preuve que le vieux ait donné Rosa, dit Henri. Cesse donc de juger les gens à tort et

431

à travers. Je connais Lambert et j'ai toute confiance en lui. »

Vincent haussa les épaules : « Toute cette affaire me désole !

— Il faut avouer qu'on a bien manqué notre coup, dit Luc avec un soupir.

— Quel coup ? dit Henri.

— Tout l'ensemble, dit Luc. On pouvait espérer que les choses allaient un peu changer : et de nouveau il n'y a plus que l'argent qui compte.

— Ça ne pouvait pas changer si vite, dit Henri.

— Rien ne change jamais ! » dit Vincent. Il tourna brusquement les talons et marcha vers la porte.

— Il ne sait pas que je t'ai mis au courant ? demanda Luc avec inquiétude.

— Non, dit Henri. Je ne lui ai rien dit et je ne lui dirai rien. Pour quoi faire ?

Le jour fixé pour la signature du contrat, Paule avait allumé dans la cheminée un grand feu de bois, malgré la douceur du ciel de novembre, et tout en tisonnant distraitement, elle demanda :

— Tu es absolument décidé à signer ?

— Absolument.

— Pourquoi ?

— Je n'ai pas le choix.

— On a toujours le choix, dit-elle.

— Pas dans ce cas.

— Si. Elle se redressa et fit face à Henri : « Tu pourrais t'en aller ! »

Voilà, elle se les était enfin arrachés ces mots que depuis des jours elle retenait avec maladresse ; immobile, les mains crispées sur les pointes de son châle, elle semblait une martyre offrant son corps aux fauves. Elle affermit sa voix : « Je trouve que ça serait plus élégant de t'en aller.

— Si tu savais à quel point je me fous de l'élégance.

— Il y a cinq ans, tu n'aurais pas hésité, dit-elle ; tu serais parti. »

Il haussa les épaules : « J'ai appris des choses en cinq ans, pas toi ?

— Qu'est-ce que tu as appris ? dit-elle d'une voix théâtrale ; à pactiser, à transiger.

— Je t'ai expliqué pour quelles raisons j'acceptais.

— Oh ! il y a toujours des raisons, on ne se compromet pas sans raison. Mais justement, il faut savoir refuser les raisons. » Le visage de Paule s'altéra ; il y avait dans ses yeux une supplication hagarde : « Tu savais ; tu avais choisi les chemins les plus difficiles, la solitude, la pureté : le petit saint Georges de Pisanello, vêtu de blanc et d'or, nous disions que c'était toi...

— Tu le disais...

— Ah ! ne renie pas notre passé », cria-t-elle.

Il dit avec humeur : « Je ne renie rien.

— Tu te renies ; tu es en train de trahir ta figure. Et je sais qui en est responsable, ajouta-t-elle avec colère. Il faudra qu'un jour je m'explique avec lui.

— Dubreuilh ? mais enfin, c'est absurde ; tu me connais assez pour savoir qu'on ne me fait pas faire ce que je ne veux pas.

— Quelquefois, j'ai l'impression de ne plus te connaître du tout », dit-elle en regardant Henri avec désespoir ; elle ajouta avec égarement : « Est-ce que c'est vraiment toi ?

— Il me semble, dit-il en haussant les épaules.

— Mais tu n'en es pas sûr toi-même. Je te revois... »

Il l'interrompit brutalement : « Ne me cherche donc pas toujours dans le passé. Je suis aussi réel aujourd'hui qu'hier.

— Non. Je sais où est notre vérité, dit-elle d'une voix inspirée. Et je la maintiendrai, contre tout.

— Alors nous n'avons pas fini de nous disputer ! J'ai changé, mets-toi ça dans la tête. On change, Paule. Et les idées changent et aussi les sentiments. Il faudra bien que tu finisses par l'admettre.

— Jamais », dit-elle. Des larmes montaient aux yeux de Paule : « Crois bien que je souffre plus que toi de ces disputes ; je ne lutterais pas contre toi si je n'y étais pas forcée.

— Personne ne te force.

— J'ai ma mission, moi aussi, dit-elle d'un ton farouche, et je la remplirai. Je ne permettrai pas qu'on te détourne de toi. »

Il ne pouvait rien contre ces grands mots ; il marmonna d'une voix maussade : « Tu sais ce qui va arriver ? c'est que nous allons finir par nous haïr.

— Tu pourrais me haïr ? » Elle cacha son visage dans ses mains, puis elle releva la tête : « S'il le faut, je supporterai même ta haine, dit-elle ; pour l'amour de toi. »

Il haussa les épaules sans répondre et marcha vers sa chambre. « Il faut en finir. Je veux en finir », se dit-il avec passion.

Le S.R.L. avait soutenu en novembre les revendications de Thorez ; en échange, les communistes lui manifestèrent à nouveau quelque bienveillance et on recommença à lire *L'Espoir* dans les usines ; mais l'idylle ne dura pas. Les communistes relevèrent avec hargne l'article où Henri leur reprochait d'avoir voté les cent quarante milliards de crédits militaires, celui où Samazelle soulignait les différends qui les opposaient aux socialistes touchant la politique des Trois Grands. Ils réagirent en noyautant le S.R.L. et en le contrant de toutes les manières possibles. Samazelle

434

aurait voulu qu'on se séparât franchement d'eux : selon lui, le S.R.L. aurait dû se constituer en parti et présenter des candidats aux élections de juin. Sa proposition fut rejetée, mais le comité décida de profiter des élections pour adopter à l'égard du P.C. une politique moins passive : on allait ouvrir une campagne.

— Nous ne voulons pas affaiblir le P.C. mais nous souhaitons qu'il modifie sa ligne, conclut Dubreuilh. Eh bien, voilà une occasion de prendre barre sur lui. Ce que nous disons en notre seul nom ne le touche guère ; mais la base, il est obligé d'en tenir compte. Nous engagerons les gens à voter pour les partis de gauche : mais en posant leurs conditions. En ce moment le prolétariat a des tas de griefs contre les communistes : si nous canalisons ce mécontentement, si nous parvenons à le traduire en revendications précises, nous avons une chance de provoquer chez les dirigeants un changement d'attitude.

Lorsque Dubreuilh venait de prendre une décision, il donnait l'impression que sa vie antérieure s'était de tout temps réglée sur elle : Henri le constata une fois de plus quand à la fin de la séance ils allèrent dîner comme chaque samedi dans un petit restaurant des quais. Dubreuilh exposa à Henri l'article qu'il allait écrire cette nuit même et on aurait dit qu'il avait toujours prémédité de le faire paraître à la date exacte où il paraîtrait. Il reprocherait en premier lieu aux communistes d'avoir soutenu l'emprunt anglo-saxon : oui, ça hâterait le retour de la prospérité, mais les ouvriers n'en tireraient aucun bénéfice.

— Et vous pensez que cette campagne peut vraiment avoir de l'influence ? demanda Henri.

Dubreuilh haussa les épaules : « On verra bien. Vous souteniez pendant la Résistance qu'il faut agir comme si l'efficacité de l'action qu'on décide était garantie c'était un bon principe, et je m'y tiens. »

Henri dévisagea Dubreuilh ; il pensa : « Ce n'est pa[s] le genre de réponse qu'il aurait fait l'année dernière. [»] Dubreuilh était nettement soucieux ces temps-ci.

— Autrement dit, vous n'espérez pas grand-chose dit-il.

— Oh ! écoutez : espérer, ne pas espérer, c'est telle[ment] subjectif, dit Dubreuilh. Si on se règle sur se[s] humeurs, on n'en a pas fini, on devient un Scriassine[.] Quand on a une décision à prendre, ce n'est pas en so[i] qu'il faut regarder.

Il y avait dans sa voix, dans son sourire, une espèc[e] d'abandon qui aurait touché Henri, autrefois ; mai[s] depuis la crise de novembre, il avait perdu à l'égard d[e] Dubreuilh toute chaleur de cœur. « S'il me parle ave[c] tant de confiance, c'est qu'Anne n'est pas là ; il a besoi[n] d'essayer sa pensée sur quelqu'un », se dit-il. En mêm[e] temps, il se reprochait un peu sa malveillance.

Dubreuilh publia dans *L'Espoir* une série d'article[s] d'une extrême sévérité auxquels la presse communist[e] répliqua avec humeur. On comparait l'attitude d[u] S.R.L. à celle des trotskistes qui avaient refusé de fair[e] de la Résistance sous prétexte que celle-ci servai[t] l'impérialisme anglais. Malgré tout, cette polémiqu[e] où le P.C. et le S.R.L. s'accusaient mutuellement d[e] méconnaître les vrais intérêts de la classe ouvrièr[e] gardait un ton relativement courtois. C'est avec stu[-] peur qu'Henri lut un jeudi dans *L'Enclume* un articl[e] où Dubreuilh était attaqué avec une extrême violence[.] On critiquait l'essai qu'il était en train de faire paraîtr[e] dans *Vigilance* : le chapitre de son livre dont il avai[t] parlé à Henri quelques mois plus tôt et qui ne touchai[t] que de manière très indirecte aux questions politi[-] ques ; à partir de là, sans raison apparente, on dressai[t]

436

contre lui un véritable réquisitoire : il était un chien
de garde du capitalisme, un ennemi de la classe
ouvrière.

— Qu'est-ce qui leur prend ? et comment
Lachaume a-t-il laissé passer cet article ? Il est
dégueulasse, dit Henri.

— Ça t'étonne de lui ? dit Lambert.

— Oui. Et le ton de l'article m'étonne aussi. En ce
moment il y a plutôt de la tolérance dans l'air.

— Je ne suis pas si surpris, dit Samazelle. A trois
mois des élections, ils ne vont pas traîner dans la boue
un journal comme *L'Espoir* que des milliers d'ouvriers
lisent et des communistes même. Pour le S.R.L. proprement dit, c'est pareil, ils ont intérêt à le ménager.
Mais Dubreuilh, le couler aux yeux des jeunes intellectuels de gauche, c'est tout bénéfice.

La satisfaction manifeste de Samazelle et de Lambert agaça Henri. Il sentit qu'il se crispait un peu
lorsque deux jours plus tard Lambert lui dit d'un air
gai, presque taquin : « Je me suis amusé à faire un
papier sur l'article de *L'Enclume*. Seulement je me
demande si tu accepteras de le passer ?

— Pourquoi ?

— Parce que je les renvoie dos à dos, Lachaume et
Dubreuilh ; il n'a pas volé ce qui lui arrive ; ça lui
apprendra à miser sur les deux tableaux. Si c'est un
intellectuel, alors qu'il ne sacrifie pas à la politique
les vertus de l'intellectuel ; s'il les considère comme
un luxe inutile, qu'il prévienne et pour ce qui est de la
pensée libre, on ira s'adresser ailleurs.

— Je doute en effet que je puisse passer ça dans
L'Espoir, dit Henri ; tu es injuste d'ailleurs. Montre
toujours. »

L'article était adroit, incisif, et parfois pertinent
malgré sa malveillance ; il attaquait les communistes

avec intempérance et il était extrêmement désobligeant pour Dubreuilh.

— Tu as des dons de pamphlétaire, dit Henri ; c'est brillant ton machin. Il sourit : « Évidemment, c'est impubliable.

— Ce n'est pas vrai ce que je dis ? demanda Lambert.

— C'est vrai que Dubreuilh est divisé ; mais je m'étonne que tu le lui reproches. Je suis comme lui, tu sais.

— Toi ? mais c'est par loyauté à son égard », dit Lambert. Il remit ses papiers dans sa poche : « Remarque, ce n'est pas que j'y tienne à mon papelard, mais c'est tout de même marrant : si je voulais le faire publier, il n'y aurait pas moyen. Je suis trop anticommuniste pour *L'Espoir* ou pour *Vigilance*, et trop de gauche pour les types de droite.

— C'est le premier papier que je te refuse, dit Henri.

— Oh ! des reportages, des notes critiques, ça passe partout. Mais si jamais je voulais dire ce que je pense sur un truc un peu important, tu ne pourrais m'offrir que tes regrets.

— Tu n'as qu'à tenter le coup », dit Henri amicalement.

Lambert sourit : « Heureusement, je n'ai rien d'important à dire.

— Tu n'as pas essayé d'écrire d'autres nouvelles ? demanda Henri.

— Non.

— Tu t'es découragé bien vite.

— Tu ne sais pas ce qui me décourage ? dit Lambert avec une brusque agressivité : C'est de voir ce récit du petit Peulevey, dans *Vigilance*. Si tu aimes ce genre de littérature, je ne comprends plus.

— Tu ne trouves pas ça intéressant ? dit Henri avec

438

surprise. On sent l'Indochine, on sent ce que c'est qu'un colon, et en même temps, on sent une enfance.

— Dites carrément que *Vigilance* n'imprime ni romans ni nouvelles mais seulement des reportages, dit Lambert. Il suffit qu'un type ait passé son enfance aux colonies et qu'il soit contre : vous décrétez qu'il a du talent.

— Peulevey en a, dit Henri. Le fait est que c'est plus intéressant de raconter quelque chose que rien, ajouta-t-il. Le défaut de tes nouvelles, c'est que tu avais choisi de ne rien raconter. Si tu parlais de tes expériences comme ce gars parle des siennes, tu ferais peut-être un truc excellent. »

Lambert haussa les épaules : « J'avais pensé moi aussi à un récit sur mon enfance ; et puis j'ai laissé tomber. Mes expériences à moi ne mettent pas le monde en question ; elles sont purement subjectives, et donc, de votre point de vue, parfaitement insignifiantes.

— Rien n'est insignifiant, dit Henri. Ton enfance aussi a un sens : à toi de le trouver et de nous le faire sentir.

— Je sais, dit Lambert d'une voix ironique. Avec n'importe quoi, on peut fabriquer un document humain. » Il secoua la tête · « Ce n'est pas ça qui m'intéresse. Si j'écrivais, ça serait pour dire les choses dans leur insignifiance : je n'essaierais de les sauver que par ma manière de les dire. » Il haussa les épaules : « Rassure-toi, je ne le ferai pas : j'aurais mauvaise conscience. Seulement, je n'aime pas la littérature que vous aimez ; alors je n'écrirai rien du tout : c'est plus simple.

— Écoute, la prochaine fois qu'on sort ensemble, on va reparler de tout ça sérieusement, dit Henri. Si c'est moi qui te dégoûte d'écrire, je suis désolé.

— Ne te désole pas, ça n'en vaut pas la peine », dit Lambert. Il sortit du bureau sans sourire ; pour un peu il aurait claqué la porte derrière lui ; il était vraiment blessé.

« Ça lui passera ! » se dit Henri. Il avait décidé de ne plus se frapper : les choses tournaient toujours moins mal qu'on ne pensait. Samazelle n'était pas du tout aussi encombrant qu'Henri ne l'avait craint ; à l'exception de Luc il avait gagné toute l'équipe par sa cordialité ; Trarieux ne mettait jamais les pieds au journal ; le tirage avait beaucoup remonté et finalement Henri était aussi libre qu'avant. Mais c'était surtout son nouveau roman qui le rendait optimiste ; il avait redouté d'énormes difficultés : et le livre s'organisait presque de lui-même. Cette fois, Henri était à peu près sûr d'avoir pris un bon départ, il écrivait dans la gaieté. Le seul ennui, c'est que Paule exigeait qu'il travaillât près d'elle. Et elle voulait voir ses brouillons. Il refusait, elle s'irritait. De nouveau ce matin-là, tandis qu'ils achevaient leur petit déjeuner, elle attaqua :

— Ça marche ton travail ?

— Comme ci comme ça.

— Quand me montreras-tu quelque chose ?

— Je t'ai dit vingt fois qu'il n'y a encore rien de lisible, c'est informe.

— Justement, depuis le temps que tu me le dis, ça aurait pu prendre forme.

— J'ai tout recommencé.

Paule appuya ses coudes contre la table et posa son menton au creux de ses mains : « Tu n'as plus grande confiance en moi, n'est-ce pas ?

— Bien sûr que si !

— Non, tu n'as plus confiance. C'est depuis ce voyage à bicyclette », dit-elle d'un ton méditatif.

Henri la dévisagea avec surprise · « Qu'est-ce que ce voyage aurait pu changer entre nous ?

— Le fait est là, dit-elle.

— Quel fait ?

— Eh bien, tu ne crois plus ce que je te dis. » Il haussa les épaules et elle ajouta vivement · « Je peux te citer vingt cas où tu ne m'as pas crue.

— Par exemple ?

— Par exemple je t'ai dit en septembre que tu peux coucher dans ton hôtel quand tu veux ; et chaque fois tu me demandes la permission d'un air coupable. Tu ne veux pas croire que je préfère ta liberté à mon bonheur.

— Écoute, Paule, la première fois que j'ai couché à l'hôtel, tu avais les yeux tuméfiés le lendemain matin.

— J'ai le droit de pleurer, non ? dit-elle d'une voix agressive.

— Mais je n'ai pas envie de te faire pleurer.

— Et tu crois que je ne pleure pas quand tu me refuses ta confiance, quand je vois que tu enfermes ton manuscrit à clef : parce que tu l'enfermes à clef...

— Il n'y a vraiment pas de quoi pleurer, dit-il avec irritation.

— C'est insultant », dit-elle ; elle regarda Henri d'un air effarouché, presque puéril : « Je me demande quelquefois si tu n'es pas sadique. »

Il se versa une seconde tasse de café sans répondre et elle dit avec colère : « Tu as peur que je fouille dans tes papiers ?

— C'est ce que je ferais à ta place », dit Henri d'une voix qui s'efforçait à la gaieté.

Elle se leva et repoussa sa chaise : « Tu avoues ! tu verrouilles tes tiroirs, à cause de moi. Nous en sommes là !

— C'est pour t'éviter des tentations, dit-il ; cette fois la gaieté de sa voix sonnait tout à fait faux.

441

— Nous en sommes là ! » répéta-t-elle ; elle regarda Henri dans les yeux : « Si je te jurais de ne pas toucher à ces papiers, me croirais-tu ? laisserais-tu le tiroir ouvert ?

— Tu es tellement braquée sur ce malheureux manuscrit que tu ne peux pas répondre toi-même de ce que tu ferais ; je crois à ta sincérité bien sûr, mais je fermerai le tiroir. »

Il y eut un silence et Paule dit lentement : « Jamais tu ne m'avais blessée comme tu viens de le faire.

— Si tu ne peux pas supporter la vérité, ne m'oblige pas à te la dire », dit Henri en repoussant sa chaise avec violence.

Il monta l'escalier, s'assit devant sa table. Elle aurait mérité qu'il le lui montre, ce manuscrit, comme ça aurait été débarrassé d'elle. Évidemment, au moment de la publication, il serait obligé de modifier ces pages : à moins qu'elle ne meure entre-temps ; en attendant, quand il les relisait, il se sentait vengé ! « En un sens, la littérature est plus vraie que la vie, se dit-il. Dubreuilh s'est foutu de moi, Louis est un salaud, Paule m'empoisonne l'existence : et je leur fais des sourires. Sur le papier on va jusqu'au bout de ce qu'on sent. » Il parcourut encore une fois la scène de rupture : comme on rompt facilement, sur le papier ! on hait, on crie, on tue, on se tue ; on va jusqu'au bout : c'est pour ça que c'est faux. « Soit, se dit-il ; mais c'est drôlement satisfaisant. Dans la vie sans cesse on se renie et les autres gens vous contredisent. Paule m'exaspère : cependant tout à l'heure je la prendrai en pitié et elle pense qu'au fond j'ai de l'amour pour elle. Sur le papier, j'arrête le temps et j'impose au monde entier mes certitudes : elles deviennent l'unique réalité. » Il dévissa le capuchon de son stylo. Paule ne lirait jamais ces pages ; pourtant il triomphait comme s'il l'avait obligée à se reconnaître dans le portrait qu'il avait tracé d'elle : une fausse amoureuse qui n'aime que ses comédies et ses rêves ; une femme qui joue la grandeur, la générosité, l'abnégation alors qu'elle est sans orgueil et sans courage, butée dans l'égoïsme de ses feintes passions. C'est ainsi qu'il la voyait, et sur le papier elle coïncidait exactement avec cette vision.

Henri fit de son mieux les jours suivants pour éviter de nouveaux éclats. Paule avait encore trouvé une raison de s'indigner : la conférence qu'il avait accepté de donner chez Claudie. Il essaya d'abord de se justifier : même Dubreuilh avait parlé chez Claudie, il s'agissait de ramasser de l'argent pour un home d'enfants, on ne pouvait pas refuser. Comme elle ne désarmait pas, il décida de se taire. Visiblement cette tactique ne fit qu'exaspérer Paule ; elle se taisait elle aussi, mais elle semblait retourner dans sa tête des résolutions importantes. Le jour de la conférence, elle le regardait d'un air si dur tandis qu'il nouait une cravate devant le miroir de leur chambre qu'il pensa avec espoir : « C'est elle qui va me proposer de rompre. » Il demanda d'une voix aimable :

— Décidément tu ne m'accompagnes pas ?

Elle rit si brusquement que s'il ne l'avait pas connue il aurait cru qu'elle était folle : « La bonne farce ! T'accompagner à ce carnaval !

— Comme tu voudras.

— J'ai mieux à faire », dit-elle d'une voix qui appelait une question ; il demanda docilement :

— Qu'est-ce que tu as à faire ?

— C'est mon affaire ! dit-elle avec hauteur.

Cette fois il n'insista pas, mais comme il se donnait un dernier coup de peigne, elle dit d'un ton provocant :

— Je vais passer à *Vigilance*, voir Dubreuilh.

443

Henri se retourna vivement ; elle n'avait pas manqué son effet : « Pourquoi veux-tu voir Dubreuilh ?

— Je t'ai prévenu qu'un de ces jours j'irais m'expliquer avec lui.

— Sur quoi ?

— J'ai beaucoup de choses à lui dire de ma part, et aussi de la tienne.

— Je te prie de ne pas te mêler de mes rapports avec Dubreuilh, dit Henri ; tu n'as rien à lui dire du tout et tu n'iras pas le voir.

— Je te demande pardon, dit-elle ; je n'ai que trop tardé. Cet homme est ton mauvais génie et il n'y a que moi qui puisse t'en délivrer. »

Henri sentit que le sang lui montait au visage ; qu'est-ce qu'elle allait raconter à Dubreuilh ? Henri s'était exprimé librement devant Paule dans des moments de colère ou d'inquiétude : impossible de supporter que certaines de ces paroles soient répétées ; mais comment la dissuader ? on l'attendait chez Claudie, il ne trouverait pas en cinq minutes le moyen de la convaincre, il fallait l'attacher, ou l'enfermer. Il balbutia : « Tu divagues.

— Vois-tu, quand on vit très seule comme moi on a beaucoup de temps pour penser, dit Paule ; je pense à toi et à tout ce qui te concerne, et quelquefois, je vois. Dubreuilh, je l'ai vu il y a quelques jours avec une précision extraordinaire : et j'ai compris qu'il ferait tout pour achever de te détruire.

— Ah ! si tu te mets à avoir des visions ! » dit-il. Il cherchait un moyen d'intimider Paule ; il n'en trouvait qu'un : la menacer de rompre.

— Ce n'est pas seulement à mes visions que je me fie ! dit Paule d'une voix volontairement mystérieuse.

— Et à quoi d'autre ?

— Je me suis renseignée, dit-elle ; elle fixait sur

444

Henri un regard enjoué; il la dévisagea avec perplexité :

— Anne ne t'a sûrement pas dit que Dubreuilh veut
me détruire.

— Qui te parle d'Anne? dit-elle. Anne! elle est
encore plus aveugle que toi.

— Alors, quel est l'extralucide que tu as consulté?
demanda-t-il; il se sentait vaguement inquiet.

Le regard de Paule se fit grave : « J'ai parlé avec
Lambert.

— Lambert? où l'as-tu vu? dit Henri. La colère lui
desséchait la gorge.

— Ici; c'est un crime? dit Paule d'un air tranquille.
Je lui ai téléphoné de venir.

— Quand ça?

— Hier. Lui non plus il n'aime pas Dubreuilh, dit-
elle avec satisfaction.

— C'est un abus de confiance! » dit Henri. Penser
qu'elle avait parlé à Lambert avec son vocabulaire
ridicule et sa dérisoire véhémence, ça donnait envie de
la gifler.

— Tu parles toujours de pureté, d'élégance, reprit-il
d'une voix furieuse, mais une femme qui partage la vie
d'un homme, sa pensée, ses secrets, et qui en dispose
dans son dos, sans le prévenir elle agit d'une manière
crasseuse; tu entends, dit-il en la saisissant par le
poignet : crasseuse.

Elle secoua la tête : « Ta vie est ma vie puisque je lui
ai sacrifié la mienne; j'ai des droits sur elle.

— Je ne t'ai jamais demandé aucun sacrifice, dit-il.
J'ai essayé de t'aider l'année dernière à te faire une vie
à toi : tu n'as pas voulu; ça te regarde, mais tu n'as
aucun droit sur moi.

— Je n'ai pas voulu a cause de toi, dit-elle, parce que
tu as besoin de moi

445

— Tu crois que j'ai besoin de ces scènes perpétuelles ? tu te trompes drôlement ! Il y a des moments où tu me donnes envie de ne jamais remettre les pieds ici. Et je vais te dire une chose : si tu vas voir Dubreuilh, je ne te le pardonnerai pas. Tu ne me reverras pas.

— Mais je veux te sauver ! dit-elle avec passion. Tu ne comprends pas que tu es en train de te perdre ! tu acceptes tous les compromis, tu vas parler dans les salons... Et je sais pourquoi tu n'oses plus me montrer ce que tu écris : ta faillite se reflète dans ton travail, et tu le sens. Tu as honte. Tu as tellement honte que tu enfermes ton manuscrit à clef : il faut que ce soit quelque chose de bien abject. »

Henri la regarda avec haine : « Si je te montre ce manuscrit, tu me donnes ta parole que tu n'iras pas voir Dubreuilh. »

Brusquement le visage de Paule fléchit : « Tu me le montreras ?

— Me donnerais-tu ta parole ? »

Elle réfléchit · « Je te donnerais ma parole de ne pas y aller aujourd'hui.

— Ça me suffit », dit Henri. Il ouvrit le tiroir, en tira le gros cahier vert-de-gris et le jeta sur le lit.

— Je peux le lire ? c'est vrai ? dit Paule d'une voix déconcertée ; son assurance de tragédienne l'avait quittée, et elle avait l'air plutôt pitoyable, soudain.

— Tu peux.

— Oh ! je suis si contente, dit-elle ; elle sourit timidement : « Ce soir, nous en discuterons, comme autrefois. »

Il ne répondit pas. Il regardait ce cahier que Paule caressait du plat de la main. Seulement du papier, de l'encre, ça avait l'air aussi inoffensif que les poudres enfermées à clef dans la pharmacie de son père ; en vérité. il était plus lâche qu'un empoisonneur.

— Au revoir, cria-t-elle par-dessus la balustrade tandis qu'il s'enfuyait à travers le studio.

— Au revoir.

Dans l'escalier il continuait de fuir, il essayait en vain de faire le vide dans sa tête. Ce soir, quand il reverrait Paule, elle aurait lu. Elle lirait chaque phrase, elle relirait chaque mot : c'était un assassinat. Il s'arrêta. La main appuyée à la rampe il remonta lentement quelques marches et le gros chien noir se jeta sur lui en aboyant. Il haïssait ce chien, cet escalier, l'amour fanatique de Paule, ses silences, ses éclats, ses malheurs. Il redescendit quatre à quatre jusqu'à la rue.

C'était un de ces beaux jours d'hiver un peu brumeux où le fond de l'air est rose ; par la baie vitrée, Henri apercevait un morceau de ciel soyeux ; il ramena son regard vers son auditoire, mais c'était plus difficile de parler.quand on les voyait. Petits chapeaux, bijoux, fourrures : il y avait surtout des femmes, de celles qui ont de beaux restes et qui croient savoir les accommoder. En quoi ça les intéressait-il, l'histoire du journalisme français ? Il faisait trop chaud, l'air sentait le parfum ; le regard d'Henri rencontra le sourire ténu de Marie-Ange et Vincent lui fit une grimace rieuse ; quelque part, entre une milliardaire argentine et une mécène bossue, Lambert était assis et Henri redoutait de se retrouver face à face avec lui : il avait honte ; de nouveau il abaissa les yeux et laissa les paroles couler de sa bouche.

— Mer-veilleux !

Claudie avait donné le signal des applaudissements, ils tapaient dans leurs mains, ils déchaînaient leurs voix, ils se précipitaient vers l'estrade. Huguette Volange ouvrit une petite porte dans le dos d'Henri :

447

« Venez par ici. Claudie va mettre les da-dames à la porte; elle n'a retenu que vos amis et quelques intimes. Vous devez mourir de soif », ajouta-t-elle en entraînant Henri vers le buffet où Julien, seul en face de deux serveurs, vidait une coupe de champagne.

— Tu m'excuseras, je n'ai rien entendu, dit-il d'une voix bruyante. Moi, si je suis venu, c'est pour me saouler gratis.

— Tu es tout excusé; les conférences, c'est aussi emmerdant à écouter qu'à faire, dit Henri.

— Pardon! je ne me suis pas emmerdé du tout, dit Vincent; c'était même instructif. Il rit : « Je boirai quand même bien un verre, moi aussi.

— Bois! » dit Henri; il amena vivement sur son visage un sourire gracieux; une dame à cheveux blancs, Légion d'honneur au sein, s'élançait vers lui :

— Merci de votre concours! c'était magnifique! Savez-vous que vous avez fait une plus grosse recette que Duhamel?

— J'en suis ravi, dit Henri. Il cherchait Lambert des yeux. Que lui avait dit Paule? Jamais Henri n'avait mis Lambert au courant de sa vie privée; évidemment il savait des choses intimes sur lui par Nadine, mais ça, Henri s'en foutait, l'histoire avec Nadine ç'avait été de l'eau claire. Paule, c'était différent. Il sourit à Lambert :

— Ça t'ennuierait de me ramener en moto quand ce carnaval sera terminé?

— Ça me ferait plaisir ! dit Lambert d'un ton tout à fait naturel.

— Merci! on pourra bavarder un peu.

Il s'interrompit parce que Claudie entrait impétueusement dans le salon et se précipitait vers lui :

448

« Vous allez être tout à fait chou, vous allez dédicacer quelques livres : ces dames sont des admiratrices passionnées.

— Avec plaisir », dit Henri ; il ajouta à mi-voix : « Mais je ne peux pas rester, on m'attend au journal.

— Il faut que vous voyiez les Belhomme, elles viennent exprès pour vous : elles vont arriver d'une minute à l'autre.

— Dans une demi-heure, je file », dit Henri. Il prit le livre qu'une grande blonde lui tendait : « Quel nom ?

— Vous ne le connaissez pas, dit la blonde avec un petit sourire hautain, mais vous le connaîtrez : Colette Masson. »

Elle remercia d'un autre mystérieux sourire et sur un autre livre il inscrivit un autre nom. Quelle comédie ! Il signait, il souriait, il souriait, il signait ; le petit salon s'était rempli, ils étaient légion, les intimes de Claudie. Eux aussi ils souriaient, ils serraient la main d'Henri, leurs yeux brillaient d'une curiosité qui ressemblait à de la grivoiserie, et ils disaient les mots qu'ils avaient dits la dernière fois à Duhamel, qu'ils répéteraient indifféremment la prochaine fois à Mauriac ou à Aragon. De temps en temps, un lecteur zélé se croyait obligé d'exhaler son admiration : celui-ci avait été bouleversé par la description d'une insomnie, celui-là par une phrase sur les cimetières : il s'agissait toujours d'un passage insignifiant, écrit avec indifférence. Guite Ventadour demanda à Henri avec reproche pourquoi il choisissait comme héros de si tristes messieurs : et elle souriait à la ronde à un tas de gens infiniment plus tristes. « Comme on est sévère pour les personnages de roman ! pensait Henri, on ne leur passe pas une faiblesse. Et comme ils lisent tous bizarrement ! Je suppose qu'au lieu de suivre les chemins qu'on leur trace, la plupart traversent les

449

pages en aveugles ; de temps en temps un mot résonne en eux, éveillant Dieu sait quels souvenirs ou quelles nostalgies ; ou bien dans une image ils croient apercevoir quelque reflet d'eux-mêmes : ils s'arrêtent un instant, ils se mirent, et ils repartent à tâtons. Il vaudrait mieux ne jamais voir ses lecteurs en face », pensa-t-il. Il s'approcha de Marie-Ange qui le toisait d'un air moqueur :

— Pourquoi ricanes-tu ?

— Je ne ricane pas, j'observe ; elle persifla : « Tu as raison de vivre caché ; tu n'es pas brillant.

— Qu'est-ce qu'il faut faire pour être brillant ?

— Regarde ton ami Volange et prends des leçons.

— Je ne suis pas doué », dit Henri.

Ça ne l'amusait pas de les éblouir ; et c'était aussi vain de prétendre les scandaliser. Julien tonitruait tout en vidant avec ostentation coupe sur coupe, et on riait avec indulgence autour de lui : « Moi si j'avais un nom pareil, clamait-il, vivement que je m'en débarrasserais. Belzunce, Polignac, La Rochefoucauld, ça a traîné dans toutes les pages de l'histoire de France, c'est plein de poussière. » Il pouvait les insulter, proférer les pires incongruités, ils seraient enchantés ; s'il n'est pas consacré par des titres, des prix, des décorations, alors il est bon qu'un poète soit un bouffon. Julien croyait les dominer, et il les confirmait dans la conscience de leur supériorité. Non, le seul procédé c'était ne pas fréquenter ces gens-là. Les écrivains mondains et les pseudo-intellectuels qui s'empressaient autour de Claudie étaient peut-être plus déprimants encore. Ça ne les amusait pas d'écrire ; ça ne les intéressait pas de penser, et tout l'ennui qu'ils s'infligeaient se reflétait sur leur visage. Leur seul souci, c'était le personnage qu'ils se fabriquaient et la réussite de leur carrière, et ils ne se fréquentaient que pour se jalouser de plus près. Une affreuse engeance. Henri sourit avec sympathie en apercevant Scriassine : il était fanatique, brouillon, insupportable, mais bien vivant et quand il se servait des mots c'était par passion, non pour les monnayer contre de l'argent, des compliments, des honneurs ; chez lui la vanité ne venait qu'après, et elle n'était qu'un travers superficiel.

— J'espère que tu ne m'en veux pas, dit Scriassine.

— Bien sûr que non, tu avais bu. Comment ça va ? Tu crèches toujours ici ?

— Oui. Je suis descendu exprès pour te dire bonjour ; j'espérais que le beau monde serait parti. C'est devant ça que tu as parlé et que Claudie veut que je parle ?

— Ce n'est pas un mauvais public, dit Volange qui s'était rapproché d'un pas nonchalant. Il distribua à la ronde un petit sourire hautain et arrêta son regard sur Lambert : « Les gens qui ont beaucoup d'argent affectent la futilité ; mais en fait ils ont souvent le sens des vraies valeurs. Le luxe de Claudie par exemple est très intelligent.

— Le luxe, ça m'emmerde », dit Scriassine.

Marie-Ange pouffa de rire et Louis la regarda d'un air dur.

— Vous voulez dire le faux luxe, dit Huguette avec indulgence.

— Le faux, le vrai : je n'aime pas le luxe.

— Comment peut-on ne pas aimer le luxe ? dit Huguette.

— Je n'aime pas les gens qui aiment le luxe, dit Scriassine. A Vienne, ajouta-t-il brusquement, nous vivions trois dans un taudis et nous n'avions en tout qu'un pardessus ; on crevait de faim. Ç'a été le plus beau temps de ma vie.

451

— Voilà qui témoigne d'un curieux complexe de culpabilité, dit Volange d'une voix amusée.

— Je connais mes complexes, ils n'ont rien à voir ici, dit Scriassine sèchement.

— Bien sûr que si ! vous êtes tous les deux de puritains, comme tous les gens de gauche, dit Volange en se tournant vers Henri ; le luxe vous choque, parce que vous ne supportez pas d'avoir mauvaise conscience. C'est redoutable, cette austérité ; on refuse le luxe : et de fil en aiguille, on refuse la poésie et l'art.

Henri ne répondit pas ; il n'attachait pas d'importance aux paroles de Volange ; ce qui l'intéressait, c'est de constater comme il avait changé depuis leur dernière entrevue : il n'y avait plus de trace d'humilité dans sa voix ni dans ses sourires. Toute sa vieille arrogance lui était revenue.

— Le luxe et l'art, ce n'est pas la même chose, dit Lambert d'une voix timide.

— Non, dit Louis. Mais si personne n'avait plus mauvaise conscience, si le mal disparaissait de la terre, l'art disparaîtrait aussi. L'art est une tentative pour intégrer le mal. Les progressistes organisés veulent supprimer le mal : ils condamnent l'art à mort. Il soupira : « Le monde qu'ils nous promettent sera bien morne. »

Henri haussa les épaules : « Vous autres, les antiprogressistes organisés, vous êtes marrants. Tantôt vous prophétisez qu'on n'arrivera jamais à supprimer l'injustice ; tantôt vous déclarez que la vie va devenir fade comme une bergerie. On peut vous retourner vos arguments !

— Ça me semble très intéressant cette idée que le mal est nécessaire à l'art », dit Lambert en interrogeant Louis du regard.

Claudie posa sa main sur le bras d'Henri :

452

— Voilà Lucie Belhomme, dit-elle, cette grande brune très élégante ; venez que je vous présente.

Elle désignait une longue femme sèche, vêtue de noir ; était-elle élégante ? Henri n'avait jamais bien compris le sens de ce mot ; pour lui, il y avait des femmes désirables et d'autres qui ne l'étaient pas ; celle-ci ne l'était pas.

— Et voici mademoiselle Josette Belhomme, dit Claudie.

La petite était belle, incontestablement ; mais pour jouer le personnage de Jeanne cette silhouette mondaine ne convenait pas du tout ; fourrures, parfum, hauts talons, ongles rouges, sous les torsades de ses cheveux ambrés, c'était une poupée de luxe parmi d'autres.

— J'ai lu votre pièce, elle est magnifique, dit Lucie Belhomme d'une voix positive ; et je suis sûre qu'elle peut faire beaucoup d'argent : pour ces choses-là, j'ai le flair. J'en ai parlé à Vernon, le directeur du Studio 46 qui est un grand ami à moi. Il est très intéressé.

— Il ne la trouve pas trop scandaleuse ? dit Henri.

— Un scandale peut servir une pièce ou la couler ; ça dépend de beaucoup de choses. Je crois que je pourrais convaincre Vernon de prendre le risque. Il y eut un silence, et sans transition, presque insolemment elle enchaîna : « Vernon serait disposé à donner sa chance à Josette ; elle n'a joué encore que de petits rôles, elle a seulement vingt et un ans ; mais elle a du métier et elle sent le personnage d'une manière étonnante ; je voudrais que vous l'entendiez dans la grande scène du deux.

— Ça sera avec plaisir », dit Henri.

Lucie se tourna vers Claudie : « Vous n'avez pas un coin tranquille où la petite pourrait passer la scène ?

— Oh ! pas maintenant », dit Josette.

453

Elle regardait sa mère et Henri d'un air effarouché ;
elle n'avait pas l'assurance habituelle à ces luxueux
mannequins ; on aurait plutôt dit qu'elle était intimidée par sa propre beauté ; elle était vraiment belle avec
ses grands yeux sombres, sa bouche un peu trop
lourde, et sous ses cheveux fauves sa peau limpide et
crémeuse

— C'est l'affaire de dix minutes, dit Lucie.

— Mais je ne peux pas comme ça, à froid, dit Josette.

— Rien ne presse, dit Henri. Si vraiment Vernon
accepte la pièce, nous prendrons un rendez-vous.

Lucie eut un petit sourire : « Je peux vous assurer
qu'il acceptera s'il est entendu que Josette a le rôle. »

De la gorge jusqu'à la racine des cheveux, la tendre
peau de blonde s'embrasa. Henri sourit gentiment à
Josette :

— Voulez-vous que nous fixions un jour. Mardi, vers
quatre heures, ça vous irait ?

Elle inclina la tête.

— Vous n'avez qu'à venir chez moi, dit Lucie. Vous
serez très bien pour travailler.

— Le rôle vous intéresse ? demanda-t-il d'un ton
conventionnel.

— Bien sûr.

— J'avoue que je n'imaginais pas Jeanne si belle,
dit-il gaiement.

Un sourire poli erra autour de la bouche tragique
sans réussir à s'y poser ; on avait appris à Josette tous
les jeux de physionomie nécessaires au succès, mais
elle les exécutait mal ; ce lourd visage aux yeux sans fin
faisait éclater tous les masques.

— Une actrice n'est jamais trop belle, dit Lucie.
Quand votre bonne femme se ramène sur scène à
moitié déshabillée, ce que le public veut voir, c'est ça,
dit-elle en relevant brusquement la jupe de Josette,

découvrant jusqu'à mi-cuisse de longues jambes soyeuses.

— Maman !

La voix consternée de Josette toucha Henri ; n'était-elle vraiment qu'une poupée de luxe toute pareille aux autres ? Elle n'a sûrement pas inventé la poudre, se dit Henri ; mais on avait peine à croire que ce pathétique visage pût ne rien signifier.

— Ne joue pas les ingénues, ça n'est pas ton emploi, dit Lucie Belhomme d'une voix sèche ; elle ajouta : « Tu n'inscris pas le rendez-vous ? »

Docilement, Josette ouvrit son sac et en tira un agenda ; Henri aperçut un mouchoir de dentelle et un petit poudrier d'or : ça lui semblait plein de mystère jadis, l'intérieur d'un sac féminin. Un instant, il retint dans sa main les longs doigts taillés en sucre d'orge :

— A mardi.

— A mardi.

— Elle vous plaît ? dit Claudie avec un petit rire canaille quand les deux femmes se furent éloignées : si le cœur vous en dit, vous pouvez y aller : elle n'est pas très regardante, la pauvre gosse.

— Pourquoi pauvre ?

— Lucie n'est pas facile à vivre ; vous savez, les femmes qui en ont bavé trop longtemps avant de réussir, généralement c'est pas des tendres.

A un autre moment, Henri aurait écouté avec amusement les commérages de Claudie ; mais il y avait Volange et Lambert qui causaient d'un air animé ; Volange pérorait, avec des gestes gracieux, et Lambert hochait la tête en souriant. Henri aurait voulu intervenir. Il se sentit soulagé quand il vit Vincent se détacher du buffet. Il cria d'une voix bruyante :

— Je voudrais vous poser une question, une seule : qu'est-ce qu'un type comme vous fait ici ?

— Vous voyez, je suis en train de causer avec Lambert, dit Louis calmement. Vous, vous vous saoulez, c'est non moins clair.

— On ne vous a peut-être pas prévenu, dit Vincent : il s'agit d'une séance au profit des enfants de déportés. Votre place n'est pas ici.

— Qui connaît sa place exacte en ce monde? dit Louis. Si vous croyez connaître la vôtre, c'est sans doute qu'il y a une grâce spéciale pour les ivrognes.

— Oh! c'est que Vincent, c'est quelqu'un! dit Lambert d'une voix mordante. Il sait tout, il juge tout le monde, il ne se trompe jamais et vous n'avez pas besoin de le payer pour qu'il vous donne des leçons.

Jamais Vincent n'avait été aussi pâle; on aurait dit que du sang allait couler de ses yeux; il balbutia :

— Je sais reconnaître un salaud...

— Je crois que ce jeune homme aurait besoin de soins médicaux, dit Louis. Un garçon de cet âge, suant l'alcool, c'est un spectacle déprimant.

Henri s'approcha vivement : « Toi qui intègres si vaillamment le mal, te voilà bien puritain soudain! Vincent fait la part du diable à sa façon; pourquoi est-ce qu'on ne se saoulerait pas?

— Un salaud, et un fils de salaud, murmura Vincent dans un sourire sanglant, forcément ça se plaît ensemble.

— Qu'est-ce que tu as dit? Répète! » dit Lambert.

Vincent affermit sa voix : « Je dis qu'il faut que tu sois un joli salaud pour t'être réconcilié avec le type qui a donné Rosa. Tu te rappelles Rosa?

— Descends dans la cour avec moi, on va s'expliquer, dit Lambert.

— Pas besoin de descendre. »

Henri retint Vincent, tandis que Louis posait sa

main sur l'épaule de Lambert : « Laissez tomber, dit Louis.

— Je veux lui casser la gueule.

— Un autre jour, dit Henri. Tu m'as promis de me ramener en moto, et je suis pressé. Et toi, fous-nous la paix », dit-il amicalement à Vincent qui proférait des sons inarticulés.

Lambert se laissa entraîner, mais en traversant la cour il dit d'un air sombre : « Tu n'aurais pas dû m'empêcher, je lui aurais donné une sale leçon. Je sais cogner, tu sais.

— Je ne dis pas non, mais les coups de poing, c'est con.

— J'aurais dû taper tout de suite au lieu de causer, dit Lambert. Je n'ai pas les réflexes. Quand il faudrait taper, je cause.

— Vincent avait bu et tu sais bien qu'il est un peu tordu, dit Henri. Ne t'occupe donc pas de ce qu'il raconte.

— C'est trop commode ! s'il était si cinglé que ça tu ne serais pas tellement copain avec lui », dit Lambert avec colère. Il enfourcha sa motocyclette : « Où vas-tu ?

— Chez moi. Je passerai au journal un peu plus tard », dit Henri.

Il venait d'avoir brusquement une vision de Paule ; elle était assise au milieu du studio, immobile le regard fixe : elle avait lu. La scène de rupture elle l'avait lue, phrase par phrase, mot à mot ; elle savait tout ce qu'Henri pensait d'elle. Il avait besoin de la revoir, tout de suite. Lambert fonçait le long des quais avec rage. Quand il s'arrêta devant le dernier feu rouge, Henri demanda.

— On boit un verre ?

Il fallait qu'il revoie Paule tout de suite, mais à

457

l'idée de se retrouver en face d'elle le cœur lui manquait.

— Si tu veux, dit Lambert d'un ton maussade.

Ils entrèrent dans le café-tabac au coin du quai et
commandèrent des vins blancs au comptoir.

— Tu ne vas tout de même pas me faire la tête parce
que je t'ai empêché de te tabasser avec Vincent ? dit
Henri gentiment.

— Je ne comprends pas comment tu peux supporter
ce type-là, dit Lambert avec emportement. Ses saoule-
ries, ses chemises crasseuses, ses histoires de bordel, et
avec tout ça ses grands airs de desperado, tout ça me
débecte. Il a tué des types dans le maquis, c'est arrivé à
bien d'autres, ce n'est pas une raison pour se promener
dans la vie avec son âme en écharpe. Et Nadine qui
l'appelle un archange, sous prétexte qu'il est à moitié
impuissant ! Non, je ne comprends pas, répéta Lambert. S'il est tordu, qu'on lui administre quelques bons
électrochocs, et qu'il cesse de nous casser les pieds.

— Tu es très injuste ! dit Henri.

— Je crois plutôt que c'est toi qui es partial.

— Je l'aime bien, dit Henri un peu sèchement. Il
ajouta : « Ce n'est pas de Vincent que je voulais te
parler. Paule m'a dit un drôle de truc : qu'elle t'avait
convoqué hier pour te poser des questions sur
Dubreuilh. J'ai trouvé ça tout à fait déplacé ; la
situation a dû être plutôt embarrassante pour toi.

— Mais non, dit Lambert vivement ; je n'ai pas bien
compris ce qu'elle me voulait au juste, mais elle a été
très gentille. »

Henri dévisagea Lambert ; il avait vraiment l'air
sincère ; peut-être Paule s'était-elle tenue devant lui :
« En ce moment, elle déteste Dubreuilh ; c'est une
femme très excessive, tu t'en es peut-être rendu
compte.

— Oui, mais comme moi non plus je n'aime pas beaucoup Dubreuilh, ça ne m'a pas gêné, dit Lambert.

— Alors tant mieux ! Je craignais que cette entrevue n'ait été désagréable.

— Pas du tout.

— Tant mieux ! répéta Henri. A tout à l'heure. Merci de m'avoir ramené. »

Henri s'engagea à pas lents dans la ruelle. Il n'y avait plus de sursis possible : dans deux minutes, il serait en face de Paule, il sentirait son regard sur son visage, et il faudrait trouver des mots. « Je nierai. Je lui dirai qu'Yvette n'a rien de commun avec elle, que je lui ai emprunté des mots, des gestes, mais que j'ai tout déformé. » Il commença à monter l'escalier. « Elle ne me croira jamais ! » pensa-t-il. Peut-être ne le laisserait-elle même pas parler. Peut-être... Il hâta le pas ; sa gorge s'était serrée et il monta les dernières marches en courant. Pas un bruit, pas un aboiement, pas une sonnerie, pas une musique de radio : « Un silence de mort », se dit-il. Et il pensa avec horreur : « Elle s est tuée ! » Il s'arrêta devant la porte ; on entendait un murmure de voix.

— Entre.

Paule souriait, elle était vivante ; la concierge assise au bord du divan se leva : « Voilà que je vous ai fait perdre votre temps avec mes histoires.

— Mais pas du tout, dit Paule. Vous m'avez beaucoup intéressée.

— Soyez tranquille, demain je lui parlerai au propriétaire, dit la concierge.

— Le plafond est en train de s'effondrer, dit Paule gaiement tandis que la concierge refermait la porte. Elle est sympathique, cette femme, ajouta-t-elle ; elle m'a raconté des histoires étonnantes sur les clochards du quartier, il y aurait un livre à écrire.

— J'imagine », dit Henri. Il regardait Paule avec un mélange de déception et de soulagement ; elle avait bavardé tout l'après-midi avec la concierge, elle n'avait pas eu le temps de lire le manuscrit, tout était à recommencer : et il savait bien qu'il n'en aurait pas le courage.

— Elle t'a empêchée de lire mon roman ? dit-il d'une voix neutre ; il se força à sourire : « C'était bien la peine ! »

Paule le regarda d'un air scandalisé : « Mais je l'ai lu bien sûr !

— Ah ! qu'est-ce que tu en penses ?

— C'est magistral », dit-elle avec simplicité.

Il prit le cahier, le feuilleta avec une apparente indifférence.

— Comment trouves-tu le personnage de Charval ? il te semble sympathique ?

— Pas exactement ; mais il a une vraie grandeur, dit Paule. Je suppose que c'est ça que tu as voulu ?

Henri fit oui de la tête : « Tu as aimé la scène du 14 juillet ? »

Paule réfléchit .

— Ce n'est pas le passage que je préfère.

Henri ouvrit le cahier à la page fatale : « Et la rupture avec Yvette, qu'est-ce que tu en penses ?

— Elle est saisissante.

— Tu trouves ? »

Elle le regarda avec un peu de soupçon : « Pourquoi est-ce que ça t'étonne ? » Elle eut un petit rire : « C'est à nous que tu pensais en l'écrivant ? »

Il jeta le cahier sur la table : « Tu es bête !

— Ça sera ton plus beau livre », dit Paule d'une voix impérieuse. Elle passa tendrement la main dans les cheveux d'Henri : « Je ne comprends vraiment pas pourquoi tu étais si cachottier.

— Je ne sais plus moi-même », dit-il.

Henri se sentit presque intimidé par l'épaisseur du silence ; tapis, rideaux, tentures calfeutraient la grande pièce cossue ; à travers les portes fermées, on n'entendait pas une rumeur vivante : au point qu'Henri se demanda s'il n'allait pas renverser des meubles pour éveiller quelqu'un.

— Je vous ai fait attendre ?

— Bien peu, dit-il poliment.

Josette restait plantée en face de lui, un sourire apeuré aux lèvres ; elle portait une robe de couleur ambrée, fragile et très indiscrète ; « elle n'est pas regardante », avait dit Claudie ; ce sourire, le silence, les divans couverts de fourrure, invitaient clairement à toutes les audaces ; trop clairement ; s'il avait profité de ces complicités, Henri aurait eu l'impression de commettre sous l'œil d'une maquerelle ricanante un détournement de mineure. Il dit avec un peu de raideur : « Si vous voulez bien, nous nous mettrons tout de suite au travail ; je suis un peu pressé ; avez-vous un texte ?

— Je sais le monologue par cœur, dit Josette.

— Allons-y. »

Il posa son exemplaire sur un guéridon et se carra dans une bergère ; c'était le plus dur, ce monologue ; Josette n'y comprenait rien et elle était terrorisée ; Henri était gêné de la voir qui se dépensait à tort et à travers avec l'espoir éperdu de lui plaire ; décidément, il se faisait l'effet d'un riche maniaque en train d'assister dans un bordel de haut vol à une exhibition spéciale.

— Essayons la scène trois du second acte, dit-il ; je vous donnerai la réplique.

— C'est difficile de jouer en lisant, dit Josette.

461

— Essayons.

Une scène d'amour, Josette s'y retrouvait un peu mieux ; elle avait une bonne diction ; son visage, sa voix étaient vraiment émouvants : qui sait ce qu'un metteur en scène adroit arriverait à tirer d'elle ? Henri dit gaiement :

— Vous n'y êtes pas du tout ; mais il y a de l'espoir.

— Vous croyez ?

— J'en suis sûr. Asseyez-vous là, que je vous explique un peu le personnage.

Elle s'assit à côté de lui ; il y avait bien longtemps qu'il ne s'était pas trouvé assis à côté d'une fille aussi belle. Tout en parlant, il respirait ses cheveux ; son parfum sentait le parfum, comme tous les parfums, mais chez elle ça semblait presque une odeur naturelle ; et ça donnait à Henri une terrible envie de respirer cette autre odeur, moite et tendre qu'il devinait sous la robe ; fourrager dans ces cheveux, enfouir sa langue dans cette bouche rouge : c'était facile, ça l'était même trop. Il sentait que Josette attendait son bon plaisir avec une résignation vraiment décourageante.

— Vous avez compris ? demanda-t-il.

— Oui.

— Alors, allez-y : recommençons.

Ils reprirent la scène ; elle essayait de mettre de l'âme dans chaque réplique et ce fut beaucoup plus mauvais que la première fois

— Vous en faites trop, dit-il. Soyez plus simple.

— Ah ! je n'y arriverai jamais ! dit-elle d'une voix désolée.

— En travaillant vous y arriverez.

Josette poussa un long soupir. Pauvre môme ! par-dessus le marché sa mère allait lui reprocher de ne pas avoir su se faire sauter. Henri se leva. Il regrettait un

462

peu ses scrupules : comme cette bouche était désirable ! coucher avec une femme vraiment désirable, il se rappelait quelle joie ça pouvait être.

— On va prendre un autre rendez-vous, dit-il.

— Je vous fais perdre votre temps !

— Pour moi ce n'est pas du temps perdu, dit Henri. Il sourit : « Si vous n'avez pas peur de perdre le vôtre, peut-être que la prochaine fois après le travail on pourrait sortir ensemble ?

— On pourrait.

— Vous aimez danser ?

— Naturellement.

— Eh bien, je vous emmènerai danser »

Le samedi suivant Henri retrouva Josette chez elle, rue Gabrielle, dans un salon aux meubles satinés de rose et de blanc. Il eut un petit choc en la revoyant. La vraie beauté, dès qu'on la quitte des yeux, on la trahit : la peau de Josette était plus pâle, ses cheveux plus sombres qu'il ne se le rappelait, et il y avait des paillettes dans ses yeux, on aurait dit le fond d'un gave. Tout en lui donnant distraitement la réplique, Henri parcourait du regard le jeune corps moulé de velours noir et il se disait que ce physique, cette voix suffiraient à faire excuser bien des maladresses. D'ailleurs, bien dirigée, on ne voyait pas pourquoi Josette serait plus maladroite qu'une autre. Par moments, elle trouvait même des accents émouvants. Il était décidé à tenter le coup.

— Ça ira, dit-il avec chaleur. Bien sûr, il faudra travailler dur, mais ça ira.

— Je voudrais tant ! dit-elle.

— Et maintenant, allons danser, dit Henri. Je pensais qu'on pourrait descendre à Saint-Germain-des-Prés : qu'est-ce que vous en dites ?

— Comme vous voudrez.

Ils allèrent s'asseoir dans une cave de la rue Saint-Benoît, sous le portrait d'une femme à barbe. Josette portait une robe à surprises : elle enleva un boléro et découvrit des épaules rondes et mûres qui contrastaient avec son visage enfantin. « Voilà ce qui me manquait pour que ça m'amuse de m'amuser, se dit Henri gaiement : une belle gueuse à côté de moi. »

— Dansons-nous ?

— Dansons.

Ça lui donnait un peu le vertige de tenir dans ses bras ce corps tiède et complaisant. Comme il avait aimé ce genre de vertige ! il l'aimait encore. Et il aimait de nouveau le jazz, la fumée, les voix jeunes, la gaieté des autres. Il était prêt à aimer ces seins, ce ventre. Seulement avant de tenter un geste il aurait tout de même voulu sentir que Josette avait un peu de sympathie pour lui.

— Ça vous plaît cet endroit ?

— Oui. Elle hésita : « C'est spécial, n'est-ce pas ?

— Je suppose que oui. Quel genre d'endroit préférez-vous ?

— Oh ! ici c'est très bien », dit-elle avec empressement.

Dès qu'il essayait de la faire parler, elle avait l'air terrorisée. Sa mère avait dû lui apprendre soigneusement à se taire. Ils se turent jusqu'à deux heures du matin en buvant du champagne et en dansant. Josette n'avait l'air ni triste ni gaie. A deux heures, elle demanda à rentrer sans qu'il pût savoir si c'était par ennui, par fatigue ou par discrétion. Il la raccompagna chez elle. Dans l'auto, elle demanda avec une politesse appliquée : « J'aimerais bien lire un livre de vous.

— C'est facile. » Il lui sourit : « Vous aimez lire ?

— Quand j'ai le temps.

464

— Mais vous n'avez pas souvent le temps ? »

Elle soupira : « Non forcément. »

Était-elle tout à fait sotte ? ou un peu demeurée ? ou paralysée de timidité ? C'était difficile de décider. Elle était si belle que normalement elle aurait dû être stupide : mais en même temps sa beauté la faisait paraître mystérieuse.

Lucie Belhomme décida que le contrat serait signé chez elle après un dîner amical. Henri téléphona à Josette pour lui demander de fêter avec lui cette bonne nouvelle. D'une voix mondaine, elle le remercia de son livre, qu'il avait fait poser chez elle avec une aimable dédicace, et elle lui donna rendez-vous pour le soir dans un petit bar de Montmartre.

— Alors, vous êtes contente ? demanda-t-il en retenant un instant la main de Josette.

— De quoi ? dit Josette. Elle avait l'air un peu moins jeune que de coutume, et pas contente du tout.

— Le contrat. On le signe, c'est décidé ; ça ne vous fait pas plaisir ?

Elle porta à ses lèvres un verre d'eau de Vichy.

— Ça me fait peur, dit-elle à voix basse.

— Vernon n'est pas fou, ni moi ; n'ayez pas peur : vous serez très bonne.

— Mais ça n'était pas du tout comme ça que vous voyiez le personnage ?

— Je ne pourrais plus le voir autrement.

— C'est vrai ?

— C'est vrai.

C'était vrai ; elle jouerait le rôle plus ou moins bien, mais il ne voulait pas imaginer que Jeanne pût avoir d'autres yeux, une autre voix.

— Vous êtes si gentil ! dit Josette.

Elle le regardait avec une vraie gratitude ; mais qu'elle s'offrît par gratitude ou par calcul, ça ne faisait

465

pas de différence, ça n'est pas ça qu'Henri voulait. Il ne bougea pas. A travers de doux silences languissants, ils parlèrent des metteurs en scène possibles, de la distribution et des décors qu'Henri souhaitait; Josette restait inquiète; il la raccompagna jusqu'à sa porte; elle garda sa main :

— Alors, à lundi, dit-elle d'une voix étranglée.

— Vous n'avez plus peur? dit-il. Vous allez dormir sagement?

— Si, dit-elle, j'ai peur.

Il sourit : « Vous ne m'offrez pas un dernier whisky? »

Elle le regarda d'un air heureux : « Je n'osais pas! »

Elle monta vivement l'escalier, elle rejeta sa cape de fourrure, découvrant son buste gainé de soie noire; elle tendit à Henri un grand verre où la glace tintait gaiement.

— A votre succès! dit-il.

Elle toucha vivement le bois de la table . « Ne dites pas ça! Mon Dieu! ça serait si terrible si j'étais mauvaise! »

Il répéta : « Vous serez bonne! »

Elle haussa les épaules : « Je rate tout ! »

Il sourit : « Ça m'étonne.

— C'est comme ça. » Elle hésita : « Je ne devrais pas vous le dire : c'est vous qui n'aurez plus confiance. J'ai été voir une cartomancienne cet après-midi; elle m'a annoncé que j'allais au-devant d'une grave déception.

— Les cartomanciennes exagèrent toujours, dit Henri fermement. Vous ne vous seriez pas commandé une robe neuve par hasard?

— Oui, pour lundi.

— Eh bien, elle sera manquée; voilà votre déception.

466

« — Oh ! mais ça serait désolant ! dit Josette. Qu'est-ce que je mettrai à ce dîner ?

— Une déception, c'est forcément décevant, dit-il en riant. Allez, vous serez tout de même la plus belle, ajouta-t-il, lundi comme toujours ; et c'est moins grave que de jouer de travers, non ?

— Vous avez une manière si gentille d'arranger les choses ! dit Josette ; c'est dommage que vous ne puissiez pas voler sa place au bon Dieu. »

Elle était tout près de lui ; était-ce seulement la gratitude qui gonflait sa bouche, qui voilait ses yeux ?

— Mais je ne lui céderais pas la mienne ! dit-il en la prenant dans ses bras.

Quand Henri ouvrit les yeux, il aperçut dans la pénombre un mur capitonné de vert pâle, et la gaieté de ce lendemain lui sauta au cœur ; elle exigeait des plaisirs vifs et salés : l'eau froide, le gant de crin ; il se glissa hors du lit sans réveiller Josette et lorsqu'il sortit de la salle de bains, lavé, vêtu et affamé, elle dormait encore ; il traversa la chambre sur la pointe des pieds et se pencha sur elle ; elle gisait enroulée dans sa moiteur, dans son odeur, avec ses cheveux éclatants qui coulaient sur ses yeux, et il se sentit merveilleusement heureux d'avoir cette femme à lui, et d'être un homme ; elle entrouvrit un œil, un seul comme si elle avait essayé de retenir dans l'autre son sommeil.

— Tu es déjà levé ?

— Oui. Je vais boire un café au bistrot du coin et je reviens.

— Non ! dit-elle. Non ! Je te fais du thé.

Elle frottait ses yeux engourdis, elle sortait de ses draps, toute chaude dans sa chemise mousseuse. Il la prit dans ses bras :

— Tu as l'air d'un petit faune.

— Une faunesse.

— Un petit faune.

Elle tendit sa bouche avec un air charmé. Un
princesse persane, une petite Indienne, un renard, u
volubilis, une belle grappe de glycine, ça leur faisai
toujours plaisir quand on leur disait qu'elles ressem
blaient à quelque chose : à autre chose. « Mon peti
faune », répéta-t-il en l'embrassant légèrement. Ell
enfila son peignoir, ses sandales, et il la suivit dans l
cuisine ; le ciel brillait, le carreau blanc étincelai
Josette s'affairait avec des gestes hésitants.

— Lait ou citron ?

— Un peu de lait.

Elle avait posé le plateau à thé dans le boudoi
couleur de peau, et il regardait avec curiosité le
guéridons, les poufs à volants. Pourquoi Josette qu
s'habillait si bien, dont la voix et les gestes étaient s
harmonieux, habitait-elle dans ce mauvais décor d
cinéma ?

— C'est toi qui as installé cet appartement ?

— C'est maman et moi.

Elle le regarda d'un air inquiet et il dit très vite :

— Il est très joli.

Quand avait-elle cessé d'habiter chez sa mère
pourquoi ? pour qui ? il avait envie de lui poser un ta
de questions, soudain. Il y avait derrière elle toute un
existence dont chaque journée, chaque heure avait ét
vécue une à une : chaque nuit ; et il en ignorait tout. C
n'était pas le moment de lui faire subir un interroga
toire, mais il se sentait mal à l'aise au milieu de tou
ces bibelots mal choisis, de ces invisibles souvenirs.

— Tu ne sais pas ce qu'on devrait faire ? aller s
promener tous les deux : c'est un si beau matin.

— Se promener ? où ?

— Dans les rues.

— Tu veux dire, à pied ?

468

— Oui ; marcher à pied dans les rues.

Elle avait l'air déconcerté : « Alors, il faut que je m'habille ? »

Il rit : « Ça serait préférable ; mais tu n'as pas besoin de te déguiser en dame.

— Qu'est-ce que je vais mettre ? »

Comment s'habille-t-on pour se promener à pied dans les rues à neuf heures du matin ? Elle ouvrait ses placards, ses tiroirs, elle palpait des écharpes et des blouses. Elle enfila un long bas soyeux et Henri retrouva au creux de sa main la mémoire de cette soie gonflée de chair et qui brûlait.

— Ça va comme ça ?

— Tu es ravissante.

Elle portait un petit tailleur sombre, une écharpe verte, elle avait relevé ses cheveux : elle était ravissante.

— Tu ne trouves pas qu'il me grossit ce tailleur ?

— Non.

Elle se regardait dans la glace d'un air soucieux : que voyait-elle ? être femme, être belle, comment sent-on ça du dedans ? comment sent-on cette caresse de soie au long des cuisses et contre la chaleur du ventre celle du satin lustré ? Et il se demanda : « Comment se rappelle-t-elle notre nuit ? a-t-elle dit d'autres noms avec cette voix nocturne ; lesquels ? Pierre, Victor, Jacques ? Et qu'est-ce que ça signifie pour elle le nom d'Henri ? » Il désigna son roman posé en évidence sur un guéridon.

— Tu l'as lu ?

— Je l'ai regardé. Elle hésita : « C'est bête, je ne sais pas lire.

— Ça t'ennuie ?

— Non ; mais je me retrouve tout de suite en train de rêver à autre chose. Je pars sur un mot.

— Et où vas-tu ? je veux dire : à quoi rêves-tu ?

— Oh ! c'est vague ; quand on rêve, c'est vague. Tu penses à des endroits, à des gens ?

— A rien : je rêve. »

Il la prit dans ses bras et demanda en souriant :

— Tu as été souvent amoureuse ?

— Moi ? elle haussa les épaules. De qui ?

— Beaucoup de types ont été amoureux de toi : tu es si belle.

— C'est humiliant d'être belle, dit-elle en détournant la tête.

Il relâcha son étreinte ; il ne savait trop pourquoi elle lui inspirait tant de compassion ; elle vivait luxueusement, elle ne travaillait pas, elle avait des mains de demoiselle : et devant elle, il fondait de pitié.

— C'est drôle d'être dans les rues de si bonne heure, dit Josette en levant vers le ciel un visage fardé.

— C'est drôle d'être ici, avec toi, dit-il en serrant son bras. Il respirait joyeusement l'air du dehors ; tout semblait neuf, ce matin. Le printemps était neuf, il s'ébauchait à peine mais déjà on goûtait dans l'air une tiède complicité ; la place des Abbesses sentait le chou et le poisson, des femmes en peignoir examinaient d'un air soupçonneux les premières salades ; leurs cheveux poisseux de sommeil avaient des couleurs inédites qui ne relevaient ni de la nature ni de l'art.

— Regarde cette vieille fée, dit-il en désignant une vieillarde couverte de fards et de bijoux et coiffée d'un grand chapeau crasseux.

— Oh ! je la connais, dit Josette ; elle ne souriait pas : je serai peut-être comme ça un jour.

— Ça m'étonnerait. Ils descendirent quelques marches en silence ; Josette trébuchait sur ses talons trop hauts ; il demanda : « Quel âge as-tu ?

— Vingt et un ans.

— Je veux dire : pour de vrai ? »

Elle hésita : « J'ai vingt-six ans. Mais ne dis pas à maman que je te l'ai dit, ajouta-t-elle avec terreur.

— J'ai déjà oublié, dit-il. Tu as l'air si jeune ! »

Elle soupira : « Parce que je me surveille ; c'est fatigant.

— Ne te fatigue donc pas ! » dit-il tendrement ; il serra plus fort son bras : « Il y a longtemps que tu veux faire du théâtre ?

— Je n'ai jamais voulu être mannequin ; et je n'aime pas les vieux messieurs », dit-elle entre ses dents.

C'était évidemment sa mère qui lui avait choisi ses amants ; peut-être était-il vrai qu'elle n'avait jamais aimé ; vingt-six ans, ces yeux, cette bouche, et ignorer l'amour : elle méritait d'être plainte ! « Et moi, que suis-je pour elle ? se demanda-t-il. Que serai-je ? » En tout cas son plaisir de cette nuit était sincère, sincère cette lumière confiante dans ses yeux. Ils arrivaient sur le boulevard de Clichy où somnolaient des baraques foraines ; deux enfants tournaient en rond sur un petit manège ; les montagnes russes dormaient sous une bâche.

— Tu sais jouer au billard japonais ?

— Non.

Elle se planta docilement à côté de lui devant un des plateaux troués et il demanda : « Tu n'aimes pas les foires ?

— Je n'ai jamais été à la foire.

— Tu n'es jamais montée sur les montagnes russes ? ou dans le train fantôme ?

— Non. Quand j'étais petite, on était pauvres ; puis maman m'a mise en pension ; et quand j'en suis sortie, j'étais une grande personne.

— Quel âge avais-tu ?

— Seize ans. »

Elle lançait avec application les billes de bois vers les cases rondes : « C'est difficile.

— Mais non, regarde : tu as presque gagné. » Il reprit son bras : « Un de ces soirs nous monterons sur les chevaux de bois.

— Toi, tu montes sur les chevaux de bois ? dit-elle d'un air incrédule.

— Pas quand je suis tout seul, bien sûr. »

De nouveau elle trébuchait sur la chaussée en pente raide.

— Tu es fatiguée ?

— Mes souliers me font mal.

— Entrons ici, dit Henri en poussant au hasard la porte d'un café ; c'était un tout petit bistrot aux tables couvertes de toile cirée. « Qu'est-ce que tu prends ?

— Un vichy.

— Pourquoi toujours du vichy ?

— A cause du foie, expliqua-t-elle d'un air triste.

— Un vichy, un vin rouge », commanda Henri. Il désigna une pancarte accrochée au mur : « Regarde ! »

De sa voix lente et profonde, Josette lut : « Combattez l'alcoolisme en buvant du vin. » Elle se mit à rire franchement :

— C'est drôle ! Tu connais de drôles d'endroits.

— Je n'étais jamais venu ici ; mais tu sais, on découvre des tas de choses quand on se promène. Tu ne te promènes jamais ?

— Je n'ai pas le temps.

— Qu'est-ce que tu fais donc ?

— Il y a toujours tant à faire ; les cours de diction, les courses, le coiffeur : tu n'imagines pas quel temps ça prend, le coiffeur ; et puis les thés, les cocktails.

— Ça t'amuse tout ça ?

— Tu en connais des gens qui s'amusent ?

472

— J'en connais qui sont contents de leur vie ; moi par exemple.

Elle ne dit rien et il l'enlaça doucement :

— Qu'est-ce qu'il faudrait pour que tu sois contente ?

— N'avoir plus besoin de maman et être sûre de ne jamais redevenir pauvre, dit-elle d'un trait.

— Ça va t'arriver. Qu'est-ce que tu feras alors ?

— Je serai contente.

— Mais qu'est-ce que tu feras ? tu voyageras ? tu sortiras ?

Elle haussa les épaules : « Je n'y ai pas pensé. »

Elle sortit de son sac un poudrier en or et elle rectifia sa bouche : « Il faut que je m'en aille ; j'ai un essayage, dans la boîte de maman. » Elle regarda Henri avec inquiétude : « Tu crois vraiment qu'elle sera ratée, ma robe ?

— Mais non, dit-il en riant, je crois que la cartomancienne s'est complètement trompée : ça leur arrive, tu sais. C'est une belle robe ?

— Tu la verras lundi. » Josette soupira : « Il va falloir que je me montre un peu, pour ma publicité ; alors je dois m'habiller.

— Ça ne t'ennuie pas de t'habiller ?

— Si tu savais comme c'est fatigant, ces essayages ! Après ça j'ai mal à la tête toute la journée. »

Il se leva et ils remontèrent vers la station de taxis :

— Je t'accompagne.

— Ne te dérange pas.

— C'est pour mon plaisir, dit-il tendrement.

— Tu es gentil.

Ça lui allait droit au cœur quand elle disait : « Tu es gentil » avec cette voix et ces yeux. Dans le taxi, il installa la tête de Josette sur son épaule et il se demanda : « Qu'est-ce que je peux faire pour elle ? »

L'aider à devenir une actrice, oui, mais elle n'aimait pas spécialement le théâtre, ça ne remplirait pas ce vide qu'il sentait en elle ; et si elle ne réussissait pas ? elle n'était pas satisfaite par l'austère futilité de sa vie, mais à quoi l'intéresser ? Essayer de lui parler, lui ouvrir l'esprit... Il n'allait quand même pas la promener dans les musées, la traîner au concert, lui prêter des livres, lui exposer le monde. Il embrassa doucement ses cheveux. Il aurait fallu l'aimer : c'est toujours à ça qu'on en revient avec les femmes ; il faudrait toutes les aimer d'un amour exclusif.

— A ce soir, dit-elle.

— Oui ; j'irai t'attendre dans notre petit bar.

Elle pressa doucement sa main et il sut qu'ils pensaient ensemble : à cette nuit dans notre lit. Quand elle eut disparu dans l'immeuble solennel il se mit à descendre à pied vers la Seine. Onze heures et demie « J'arriverai en avance chez Paule, ça lui fera plaisir », se dit-il. Il avait envie ce matin de faire plaisir à tout le monde. « Pourtant, pensa-t-il avec un peu d'anxiété, il faut que je lui parle » ; après avoir tenu Josette dans ses bras, il ne pouvait plus supporter l'idée de passer des nuits avec Paule. « Peut-être que ça lui sera égal : elle sait très bien que je ne la désire plus », se dit-il avec espoir. Paule avait évité de se reconnaître dans la triste héroïne de son roman ; et pourtant elle avait changé depuis cette lecture ; elle ne faisait plus jamais de scènes, elle n'avait pas protesté en voyant qu'Henri transportait peu à peu dans sa chambre d'hôtel ses papiers, ses vêtements ; il y dormait très souvent. Qui sait si elle n'accepterait pas avec une sorte de soulagement de s'installer dans une amitié tranquille ? Ce ciel de printemps était si joyeux qu'il semblait possible de vivre sincèrement sans faire souffrir personne. Au coin de la rue, Henri s'arrêta en hésitant devant une marchande de fleurs : il était tenté d'apporter à Paule, comme autrefois, une grosse botte de violettes pâles ; mais il eut peur de sa surprise. « Une bouteille de bon vin, ça sera moins compromettant », décida-t-il en entrant dans l'épicerie voisine. Il était joyeux en montant l'escalier. Il avait soif, il avait faim, il sentait déjà dans sa bouche le goût robuste du vieux bordeaux et il serrait la bouteille contre son cœur comme si elle avait résumé toute l'amitié qu'il voulait offrir à Paule.

Sans frapper, tout doucement, comme autrefois, il mit la clef dans la serrure et il poussa la porte ; elle n'entendit rien ; elle était agenouillée sur le tapis jonché de vieux papiers : il reconnut ses lettres ; elle tenait dans ses mains une photographie de lui et elle la regardait avec un visage que jamais il ne lui avait vu elle ne pleurait pas et on comprenait devant ses yeux secs que dans toutes les larmes s'attarde un espoir ; elle contemplait face à face son destin elle n'en attendait plus rien, et elle y consentait encore. Elle était si seule devant l'image inerte qu'Henri se sentit dépossédé de lui-même. Il referma la porte sans pouvoir se défendre d'une irritation qui paralysait sa pitié ; quand il frappa, il y eut un bruit inquiet de soie froissée et de papier, puis elle dit : « Entrez », d'une voix mal assurée.

— Qu'est-ce que tu fabriquais donc ?

— Je relisais de vieilles lettres ; je ne t'attendais pas si tôt.

Elle avait jeté les papiers sur la bergère et caché la photographie ; son visage était calme, mais morne ; il aurait dû se rappeler qu'elle n'était plus jamais gaie ; il posa avec dépit la bouteille sur la table.

— Tu ferais mieux de ne pas t'ensevelir dans le passé et de vivre un peu plus dans le présent, dit-il.

— Oh ! tu sais, le présent ! elle jeta sur la table un regard aveugle Je n'ai pas mis le couvert.

— Veux-tu que je t'emmène au restaurant?

— Non! non! J'en ai pour une minute.

Elle marcha vers la cuisine et il tendit la main vers les lettres : « Laisse-les! » dit-elle avec violence.

Elle s'en saisit et les jeta dans un placard. Il haussa les épaules; en un sens, elle avait raison, tous ces vieux mots figés s'étaient changés en mensonges. En silence, il regarda Paule s'activer autour de la table : ça ne serait pas facile de lui parler d'amitié.

Ils s'assirent en face l'un de l'autre devant les raviers de hors-d'œuvre et Henri déboucha la bouteille.

— Tu aimes le bordeaux rouge n'est-ce pas? dit-il d'une voix empressée.

— Mais oui, dit-elle avec indifférence.

Bien sûr; pour elle ce n'était pas un jour de fête; prétendre célébrer avec Paule ses nouvelles amours, c'était un comble d'aveuglement et d'égoïsme; mais tout en se blâmant, Henri sentait une furtive rancune à fleur de peau.

— Tu devrais tout de même sortir un peu, dit-il.

— Sortir? dit-elle avec l'air de tomber des nues.

— Oui; mettre le nez dehors, voir des gens.

— Pour quoi faire?

— Et rester terrée dans ce trou toute la journée, à quoi ça t'avance-t-il?

— Je l'aime bien, mon trou, dit-elle avec un triste sourire. Je ne m'ennuie pas.

— Tu ne peux pas continuer comme ça toute ton existence. Tu ne veux plus chanter, bon, c'est une affaire entendue. Mais alors essaie de trouver autre chose à faire.

— Quoi donc?

— On va chercher.

Elle secoua la tête : « J'ai trente-sept ans et je ne connais aucun métier. Je peux me faire chiffonnière ; et ncore !

— Ça s'apprend, un métier ; rien ne t'empêche l'apprendre. »

Elle regarda Henri avec inquiétude : « Tu voudrais que je gagne ma vie ?

— Ce n'est pas une question d'argent, dit-il vivement. Je voudrais que tu t'intéresses à des choses, que u t'occupes.

— Je m'intéresse à nous, dit-elle.

— Ça ne suffit pas.

— Ça me suffit depuis dix ans. »

Il rassembla tout son courage :

— Écoute Paule, tu sais bien que les choses ont changé entre nous, ça ne sert à rien de se mentir. Nous vons eu un grand et bel amour ; avouons-nous qu'il st en train de se transformer en amitié. Ça ne signifie as que nous nous verrons moins souvent, pas du tout, jouta-t-il avec empressement ; mais il faut que tu etrouves une indépendance.

Elle le regardait fixement : « Je n'aurai jamais l'amitié pour toi. » Un petit sourire effleura ses lèvres · Ni toi pour moi.

— Mais si, Paule... »

Elle l'interrompit : « Regarde, ce matin tu n'as pas u attendre l'heure fixée ; tu es arrivé vingt minutes en vance ; et tu as frappé si fébrilement ? tu appelles ça e l'amitié.

— Tu te trompes. »

La colère le reprenait devant son entêtement ; mais il e rappelait quelle désolation il avait surprise sur ce visage et les mots hostiles mouraient dans sa gorge ; ils chevèrent le repas en silence ; le visage de Paule

477

interdisait tout babillage. En sortant de table elle demandait d'une voix neutre :

— Tu rentres ici ce soir ?

— Non.

— Tu ne rentres plus souvent », dit-elle ; elle eut un triste sourire : « Ça fait partie de ton nouveau plan d'amitié ? »

Il hésita : « Ça s'est trouvé comme ça. »

Elle le dévisagea pendant un long moment avec intensité et elle dit lentement : « Je t'ai dit qu'à présent je t'aimais en toute générosité, dans un respect absolu de ta liberté. Ça signifie que je ne te demande aucun compte ; tu peux coucher avec d'autres femmes, et me le taire sans te sentir coupable envers moi. Ce qu'il y a de quotidien et de banal dans ta vie, j'y suis de plus en plus indifférente.

— Mais je n'ai rien à te cacher, dit-il avec gêne.

— Ce que je veux te dire, dit-elle gravement, c'est que tu n'as pas à avoir de scrupules ; quoi qu'il t'arrive tu peux revenir dormir ici sans te juger indigne de nous. Je t'attendrai cette nuit. »

« Tant pis ! pensa Henri, elle l'aura voulu ! » et il dit tout haut : « Écoute, Paule, je vais te parler franchement : je trouve que nous ne devons plus passer de nuits ensemble. Toi qui tiens tant à notre passé, tu sais bien quelles belles nuits nous avons eues autrefois ; n'en gâchons pas le souvenir. Il n'y a plus assez de désir entre nous, maintenant.

— Tu n'as plus de désir pour moi ? dit Paule d'une voix incrédule.

— Pas assez, dit-il. Ni toi pour moi, ajouta-t-il. Ne me dis pas le contraire ; moi aussi j'ai de la mémoire.

— Mais tu te trompes ! dit Paule. Tu te trompes tragiquement ! C'est un affreux malentendu ! Je n'ai pas changé ! »

478

Il savait qu'elle mentait ; mais à elle-même sans doute autant qu'à lui :

— En tout cas, moi j'ai changé, dit-il doucement. Une femme, c'est peut-être différent, mais un homme, c'est impossible qu'il désire indéfiniment le même corps. Tu es aussi belle qu'autrefois, mais tu m'es devenue trop familière. »

Il chercha anxieusement le visage de Paule et il essaya de lui sourire ; elle ne pleurait pas : elle avait l'air paralysée d'horreur ; elle murmura avec effort :

— Tu ne coucheras plus ici ? c'est bien ça que tu es en train de me dire ?

— Oui ; mais ça ne fera pas tant de différence...

Elle l'arrêta d'un geste ; elle n'acceptait que les mensonges qu'elle se forgeait elle-même ; c'était aussi difficile de lui adoucir la vérité que de la lui imposer.

— Va-t'en, dit-elle sans colère. Va-t'en, répéta-t-elle, j'ai besoin d'être seule.

— Laisse-moi t'expliquer...

— S'il te plaît ! dit-elle. Va-t'en.

Il se leva : « Comme tu veux ; mais je reviendrai demain et nous causerons », dit-il.

Elle ne répondit pas ; il referma la porte derrière lui et il resta un moment sur le palier, guettant le bruit d'un sanglot, d'une chute, d'un geste ; mais c'était le silence. En descendant l'escalier, Henri pensait à ces chiens à qui l'on coupe les cordes vocales avant de les soumettre aux tortures de la vivisection : pas un signe de leur souffrance dans le monde ; ça serait moins intolérable de les entendre hurler !

Ils ne causèrent pas le lendemain, ni les jours suivants : Paule affectait d'avoir oublié leur conversation et Henri ne tenait pas à revenir dessus. « Il faudra bien que je finisse par lui parler de Josette : mais pas tout de suite », se disait-il. Il passait toutes ses nuits dans la chambre vert pâle, c'était des nuits très passionnées, mais quand il se levait le matin, Josette n'essayait jamais de le retenir. Le jour de la signature du contrat, ils étaient convenus de rester ensemble tard dans l'après-midi : ce fut elle qui le quitta dès deux heures pour aller chez son coiffeur. Était-ce de la discrétion ? de l'indifférence ? Ce n'est pas commode de mesurer les sentiments d'une femme prodigue de son corps et qui n'a rien d'autre à donner. « Et moi ? vais-je me mettre à tenir à elle ? » se demanda-t-il en regardant distraitement les vitrines du faubourg Saint-Honoré. Il se sentait un peu désemparé. Il était trop tôt pour aller au journal ; il décida de passer au Bar Rouge. Autrefois, c'est là qu'il allait chaque fois qu'il avait un moment à tuer. Ça faisait des mois qu'il n'y avait pas mis les pieds, mais rien n'avait changé. Vincent, Lachaume, Sézenac étaient assis à leur table habituelle. Sézenac avait le même air endormi.

— Ça fait plaisir de te voir ! dit Lachaume en souriant largement. Tu as déserté le quartier ?

— Plus ou moins. Henri s'assit et commanda un café : « J'avais envie de te voir aussi, mais pas seulement pour le plaisir, dit-il avec un demi-sourire. Plutôt pour te dire ma façon de penser : c'est dégueulasse d'avoir passé cet article sur Dubreuilh, le mois dernier. »

Le visage de Lachaume se rembrunit : « Oui, Vincent m'a dit que tu étais contre. Mais quoi ? Beaucoup de choses qu'a dites Ficot sont vraies, non ?

— Non ! l'ensemble de ce portrait est tellement faux que pas un détail n'est vrai. Dubreuilh un ennemi de la classe ouvrière ! Allons, allons ! tu ne te rappelles pas ? Il y a un an, à cette même table, tu m'expliquais qu'on devait travailler coude à coude, toi, tes copains, Dubreuilh et moi. Et tu publies cette saleté ! »

Lachaume le regarda avec un air de reproche : « Contre toi, *L'Enclume* n'a jamais rien publié.

— Ça viendra ! dit Henri.

— Tu sais bien que non.

— Pourquoi attaquer Dubreuilh de cette manière et à ce moment-là ? dit Henri. Vos autres journaux étaient à peu près polis avec lui. Et puis soudain, sans raison, à propos d'articles qui ne sont même pas politiques, vous vous mettez à l'insulter grossièrement ! »

Lachaume hésita : « D'accord, dit-il, le moment était mal choisi et je reconnais que Ficot y a été un peu fort. Mais il faut comprendre ! Il nous emmerde, ce vieux, avec son humanisme à la noix. Sur le plan politique, le S.R.L. n'est pas bien gênant ; mais comme théoricien, Dubreuilh a du bagout, il risque d'influencer les jeunes, et qu'est-ce qu'il leur propose ? de concilier le marxisme avec les vieilles valeurs bourgeoises ! avoue que ce n'est pas de ça qu'on a besoin aujourd'hui ! les valeurs bourgeoises, il s'agit de les liquider.

— Dubreuilh défend autre chose que les valeurs bourgeoises, dit Henri.

— C'est ce qu'il prétend ; mais justement, c'est là qu'il y a mystification. »

Henri haussa les épaules : « Je ne suis pas d'accord. Mais de toute façon, pourquoi ne pas avoir dit ce que tu me dis là au lieu de présenter Dubreuilh comme un chien de garde de la bourgeoisie ?

— On est obligé de simplifier, si on veut se faire comprendre, dit Lachaume.

— Allons donc ! *L'Enclume* s'adresse à des intellectuels : ils auraient parfaitement compris dit Henri avec agacement.

— Ah ! ce n'est pas moi qui ai écrit cet article dit Lachaume.

481

— Mais tu l'as accepté. »

La voix de Lachaume changea :

— Tu crois que je fais ce que je veux ? je viens de te dire que je trouvais le moment mal choisi et qu'à mon avis Ficot y a été trop fort. Moi je pense qu'on devrait discuter avec un type comme Dubreuilh au lieu de l'insulter. Si on avait eu notre revue, mes copains et moi, c'est ça qu'on aurait fait...

— Une revue où tu te serais exprimé en toute liberté, dit Henri avec un sourire. Il n'en est plus question ?

— Non.

Il y eut un petit silence ; Henri dévisagea Lachaume :

— Je sais ce que c'est qu'une discipline. Mais tout de même, ça ne te gêne pas de rester à *L'Enclume* si tu n'es pas d'accord ?

— Je pense qu'il vaut encore mieux que ce soit moi qui sois là qu'un autre, dit Lachaume. J'y resterai tant qu'on m'y laissera.

— Tu penses qu'on ne va pas t'y laisser ?

— Tu sais, le P.C. ce n'est pas le S.R.L. dit Lachaume. Quand il y a deux tendances qui s'affrontent, ceux qui sont perdants deviennent facilement suspects.

Il y avait tant d'amertume dans sa voix qu'Henri demanda : « Dis donc, toi qui m'exhortais tant à entrer au P.C., c'est peut-être toi qui vas en sortir.

— J'en connais qui n'attendent que ça ! C'est un beau panier de crabes, les intellectuels du parti ! » Lachaume secoua la tête : « N'empêche : jamais je ne partirai. Il y a eu des moments où j'en ai bien eu envie, ajouta-t-il. On n'est pas des saints. Mais on apprend à encaisser

— J'ai l'impression que je n'apprendrai jamais, dit Henri.

— Tu dis ça, dit Lachaume. Mais si tu étais

convaincu que dans l'ensemble c'est le parti qui tient le bon bout, tu penserais que tes petites histoires personnelles ne pèsent pas lourd à côté des trucs qui sont en jeu. Tu comprends, reprit-il avec animation, il y a une chose dont je suis sûr, c'est qu'il n'y a que les communistes qui font du travail utile. Alors, méprise-moi si tu veux : mais j'avalerai n'importe quoi plutôt que de m'en aller.

— Oh ! je te comprends ! » dit Henri. Il pensa : « Qui donc est vraiment intègre ? J'adhère au S.R.L. parce que j'en approuve la ligne, mais je néglige le fait que très probablement son action échouera. Lachaume vise l'efficacité et accepte des méthodes qu'il désapprouve. Personne n'est tout entier présent en chacun de ses actes, c'est l'action même qui l'interdit. »

Il se leva : « Je vais au journal.

— Moi aussi », dit Vincent.

Sézenac se souleva sur sa chaise : « Je vous accompagne.

— Non, j'ai à parler à Perron », dit Vincent d'un ton désinvolte.

Quand ils eurent poussé la porte du bar, Henri demanda : « Qu'est-ce qu'il devient, Sézenac ?

— Pas grand-chose ; il dit qu'il traduit, mais personne ne sait quoi ; il crèche chez des copains et il bouffe ce qu'on lui donne. En ce moment, il dort chez moi.

— Fais gaffe, dit Henri.

— A quoi ?

— C'est dangereux les drogués, dit Henri, ça donnerait père et mère.

— Je ne suis pas fou, dit Vincent ; il n'a jamais rien su, sur rien. Il me plaît, ajouta-t-il ; avec lui, pas de compromis : c'est le désespoir à l'état pur. »

Ils descendirent la rue en silence et Henri demanda :

— Tu as vraiment à me parler ?

— Oui. Vincent chercha le regard d'Henri : « C'es
vrai cette histoire qu'on raconte, que ta pièce doit s
jouer en octobre au Studio 46, et que c'est la petit
Belhomme qui sera vedette ?

— Je signe ce soir avec Vernon. Pourquoi m
demandes-tu ça ?

— Tu ne sais sans doute pas que la mère Belhomm
a été tondue et elle ne l'avait pas volé. Elle a u
château en Normandie, elle y a reçu des tas d'officier
allemands, elle couchait avec et vraisemblablement l
petite aussi.

— Pourquoi viens-tu me raconter ces ragots ? di
Henri. Depuis quand te prends-tu pour un flic, et est-c
que tu crois que je les aime ?

— Ce ne sont pas des ragots ; il existe un dossier, j'a
des copains qui l'ont vu : des lettres, des photos qu'u
gars s'est amusé à recueillir en pensant que ça pourrai
lui servir un jour.

— Tu l'as vu, toi ?

— Non.

— Bien entendu. De toute façon, je m'en fous, di
Henri avec indignation. Ça ne me regarde pas.

— Empêcher les salauds de reprendre les com
mandes du pays, refuser de se commettre avec eux, ç
nous regarde tous.

— Va réciter ta leçon ailleurs.

— Écoute, ne te mets pas en colère, dit Vincent. J
voulais te prévenir que la mère Belhomme est visée, o
l'a à l'œil et ça serait con que tu aies des emmerde
ments à cause de cette peau.

— Ne t'en fais pas pour moi, dit Henri.

— Ça va, dit Vincent. Je voulais que tu sois prévenu
c'est tout. »

Ils achevèrent le trajet en silence ; mais il y avait un

484

voix qui s'était installée dans la poitrine d'Henri et qui répétait sans répit : « La petite aussi. » Tout l'après-midi, elle scanda le refrain. Josette avait presque avoué que sa mère l'avait plus d'une fois vendue ; et d'ailleurs tout ce qu'Henri attendait d'elle, c'était encore quelques nuits et peut-être quelques nuits encore. Pourtant, au long de l'interminable dîner, tandis qu'il la regardait sourire à Vernon avec une complaisance endormie, il éprouvait jusqu'à l'angoisse le désir de se retrouver seul avec elle et de l'interroger.

— Alors vous êtes content, c'est signé ! dit Lucie.

Sa robe et ses bijoux collaient à sa peau aussi étroitement que ses cheveux ; on aurait cru qu'elle était née, qu'elle dormait, qu'elle mourrait dans une robe signée Amaryllis ; une mèche dorée ondulait parmi ses cheveux noirs et Henri la contemplait fasciné : quelle gueule avait-elle sous un crâne rasé ?

— Je suis très content.

— Dudule vous dira que quand je prends une affaire en main, on peut être tranquille.

— Oh ! c'est une femme extraordinaire, dit Dudule calmement.

Claudie avait assuré à Henri que Dudule, l'amant en titre, était un grand honnête homme. Il avait en effet sous ses cheveux argentés ce visage reposé et droit qu'on ne rencontre que chez les coquins d'envergure : ceux qui sont assez riches pour acheter leur propre conscience ; peut-être d'ailleurs était-il honnête selon son code à lui.

— Vous direz à Paule qu'elle est une horreur de ne pas être venue ! dit Lucie.

— Elle était vraiment trop fatiguée, dit Henri.

Il s'inclina devant Josette pour prendre congé ; toutes les femmes étaient vêtues de noir, avec des bijoux brillants, elle était en noir elle aussi, elle avait

485

l'air écrasée par la masse de ses cheveux; elle lui tendit la main en souriant avec une politesse appliquée; pendant toute la soirée, pas un cillement n'avait démenti son apparente indifférence. L'hypocrisie lui était-elle si facile? elle était si simple, si franche, si innocente, la nuit, dans sa nudité. Dans un trouble mélange de tendresse, de pitié, d'horreur, Henri se demandait s'il y avait aussi des photographies d'elle, dans le dossier.

Depuis quelques jours, les taxis marchaient à nouveau librement; il y en avait trois qui stationnaient place de la Muette et Henri en prit un pour monter à Montmartre; il venait tout juste de commander un whisky quand Josette se laissa tomber à côté de lui dans un profond fauteuil : « Il a été chic Vernon, dit-elle, et puis, c'est un pédé, j'ai de la chance, il ne m'embêtera pas.

— Qu'est-ce que tu fais quand les types t'embêtent?

— Ça dépend; quelquefois, c'est délicat.

— Ils ne t'ont pas trop embêtée les Allemands pendant la guerre? dit Henri en essayant de garder un ton naturel.

— Les Allemands? » Elle rougit comme une fois déjà il l'avait vue rougir, de la naissance des seins à la racine des cheveux : « Pourquoi me demandes-tu ça? qu'est-ce qu'on t'a raconté?

— Que ta mère avait reçu des Allemands dans son château de Normandie.

— Le château a été occupé; mais ça n'était pas notre faute. Je sais. Des gens du village ont fait courir de vilains bruits parce qu'ils détestent maman : elle ne l'a pas volé d'ailleurs, elle n'est pas gentille. Mais elle n'a rien fait de moche, elle a toujours tenu les Allemands à distance. »

486

Henri sourit : « Et puis si ça s'était passé autrement, tu ne me le dirais pas.

— Oh! pourquoi dis-tu ça? » dit-elle. Elle le regardait avec une moue tragique et une buée voilait ses yeux. Il fut un peu effrayé du pouvoir qu'il avait sur ce beau visage.

— Ta mère avait sa maison de couture à faire marcher et les scrupules ne l'étouffent pas; elle aurait pu chercher à se servir de toi.

— Qu'est-ce que tu crois donc? dit-elle d'un air terrorisé.

— Je suppose que tu as été imprudente, que tu es sortie avec des officiers par exemple.

— J'étais polie, rien de plus; je leur parlais, et quelquefois ils m'ont ramenée en auto du village à la maison. Josette haussa les épaules. « Moi je n'avais rien contre eux, tu sais, ils étaient très corrects et j'étais jeune, je n'y comprenais rien à cette guerre, j'avais envie que ça finisse, c'est tout. » Elle ajouta très vite : « Maintenant je sais comme ils ont été horribles avec les camps de concentration et tout..

— Tu ne sais pas grand-chose; mais ça ne fait rien », dit Henri tendrement. En 43, elle n'était pas tellement jeune : Nadine n'avait alors que dix-sept ans. Mais on ne pouvait pas les comparer; Josette avait été mal élevée, mal aimée, personne ne lui avait rien expliqué Elle avait souri trop aimablement aux officiers allemands quand elle les rencontrait dans les rues du village, elle était montée dans leur auto : ça suffisait à scandaliser les populations, après coup. Y avait-il eu davantage? mentait-elle? elle était si franche et si hypocrite : comment savoir? Et de quel droit? pensat-il avec un brusque dégoût. Il avait honte d'avoir joué au policier.

— Est-ce que tu me crois? dit-elle timidement

487

— Je te crois. Il l'attira contre lui. « Ne parlons plus de tout ça, dit-il, ne parlons plus de rien. Rentrons chez toi. Rentrons vite. »

Le procès de M. Lambert s'ouvrit à Lille à la fin du mois de mai ; l'intervention de son fils le servit certainement, et puis il dut faire jouer de grosses influences : il fut acquitté. « Tant mieux pour Lambert », pensa Henri en apprenant le verdict. Quatre jours plus tard, Lambert travaillait au journal quand on lui téléphona de Lille : son père qui devait arriver à Paris par le rapide du soir était tombé par la portière du train ; son état était très grave. En fait, on sut une heure plus tard qu'il avait été tué sur le coup. Lambert enfourcha sa motocyclette sans presque articuler un son, et quand il rentra à Paris, après l'enterrement, il resta tapi chez lui sans donner signe de vie.

« Il faut que je passe le voir, je passerai cet après-midi », se dit Henri après quelques jours de silence ; il avait vainement essayé de téléphoner, Lambert avait coupé le téléphone. « Un sale coup », se répétait Henri, tout en regardant sans conviction les papiers étalés sur sa table. Ce bonhomme était vieux, et pas bien sympathique, et Lambert avait pour lui beaucoup plus de pitié que d'affection : pourtant Henri n'arrivait pas à prendre cette histoire avec insouciance. Drôle de caprice du destin, ce verdict, et puis cet accident. Il essaya de ramener son attention sur les feuilles dactylographiées.

« Midi. Josette va venir et je n'aurai pas parcouru ce dossier », se dit-il avec remords. Karaganda, Tzardskouy, Ouzbek : il n'arrivait pas à animer ces noms barbares, ces chiffres. Pourtant il aurait été souhaitable qu'il eût pris connaissance de ces papiers avant la réunion de l'après-midi. En vérité, s'il ne réussissait pas à s'y intéresser, c'est qu'il ne leur faisait guère crédit. Quelle confiance accorder à un document remis par Scriassine ? Existait-il ce mystérieux fonctionnaire soviétique évadé de l'enfer rouge tout exprès pour divulguer ces informations ? Samazelle l'affirmait, il prétendait même l'avoir identifié ; mais Henri demeurait sceptique. Il tourna une page.

— Coucou.

C'était Josette, enveloppée d'un grand manteau blanc ; elle avait lâché sur ses épaules ses cheveux magnifiques ; avant même qu'elle eût refermé la porte, Henri s'était levé et l'avait prise dans ses bras. D'ordinaire, dès leur premier baiser, il se trouvait enfermé dans un monde en miniature, au milieu de joujoux sans poids ; aujourd'hui, la métamorphose était un peu plus difficile que de coutume, ses soucis restaient collés à sa peau.

— C'est donc ici que tu habites ? dit-elle gaiement. je comprends que tu ne m'aies jamais invitée : c'est drôlement moche ! Mais où mets-tu tes livres ?

— Je n'en ai pas. Quand j'ai lu un livre je le prête à des amis qui ne me le rendent pas.

— Je croyais qu'un écrivain ça vivait toujours entre des murs tapissés de livres. Elle le regardait d'un air de doute : « Tu es sûr que tu es un vrai écrivain ? »

Il se mit à rire : « En tout cas, j'écris.

— Tu travaillais ? est-ce que je suis arrivée trop tôt ? demanda-t-elle en s'asseyant.

— Laisse-moi cinq minutes et je suis à toi, dit-il. Tu veux regarder les journaux ? »

Elle fit une petite moue : « Il y a des faits divers ?

— Je croyais que tu t'étais mise aux articles politiques, dit-il avec reproche. Non ? c'est déjà fini ?

— Ce n'est pas de ma faute, j'ai essayé, dit Josette.

Mais les phrases me filent sous les yeux. J'ai l'impression que tout ça ne me concerne pas, ajouta-t-elle d'un air malheureux.

— Alors amuse-toi avec l'histoire du pendu de Pontoise », dit-il.

Narylsk, Igarka, Absagachev. Les noms, les chiffres restaient morts. Lui aussi, les phrases lui filaient sous les yeux, il avait l'impression que tout ça ne le concernait pas. Ça se passait si loin, dans un monde si différent, si difficile à juger.

— Tu as une cigarette ? dit Josette à voix basse.

— Oui.

— Et des allumettes.

— Voilà. Pourquoi parles-tu tout bas ?

— Pour ne pas te déranger.

Il se leva en riant : « J'ai fini. Où est-ce que je t'emmène déjeuner ?

— Aux " Îles Borromées ", dit-elle avec décision.

— Cette boîte ultra-snob qu'on a inaugurée avanthier ? Non, s'il te plaît ; trouve autre chose.

— Mais... J'ai retenu notre table, dit-elle.

— C'est facile de la décommander. » Il tendit la main vers le téléphone ; elle l'arrêta :

— C'est qu'on nous attend.

— Qui ça ?

Elle baissa la tête et il répéta : « Qui nous attend ?

— C'est une idée de maman ; il faut que je commence ma publicité tout de suite. Les Îles, c'est la boîte dont on parle. Elle a demandé à des journalistes de me faire une petite interview photographique, dans le genre : " L'auteur en train de s'entretenir avec son interprète... "

— Non, mon chéri, dit Henri. Fais-toi photographier tant que tu voudras, mais sans moi.

— Henri ! » Les yeux de Josette étaient pleins de

490

larmes, elle pleurait avec une aisance enfantine qui le bouleversait. « J'ai fait faire cette robe exprès, j'étais si contente...

— Il y a bien d'autres restaurants plaisants et où nous serons tranquilles.

— Mais puisqu'on m'attend ! » dit-elle avec désespoir ; elle fixa sur lui ses grands yeux humides. « Écoute, tu peux bien faire quelque chose pour moi.

— Mais, mon amour qu'est-ce que tu fais pour moi ?

— Moi ? mais je...

— Oui tu..., dit-il gaiement. Mais moi aussi, je... »

Elle ne riait pas. « Ce n'est pas pareil, dit-elle gravement. Je suis une femme. »

Il rit encore et il pensa : « Elle a raison, elle a mille fois raison : ça n'est pas pareil. »

— Tu tiens tant que ça à ce déjeuner ? dit-il.

— Tu ne comprends pas ! c'est nécessaire à ma carrière. Il faut se montrer et faire parler de soi si on veut réussir.

— Il faut surtout faire bien ce qu'on fait ; joue bien et on parlera de toi.

— Je veux mettre toutes les chances de mon côté, dit Josette. Son visage se durcit : « Tu crois que c'est drôle d'avoir à demander l'aumône à maman ? Et quand je m'amène dans ses salons, et qu'elle me dit devant tout le monde : " Pourquoi portes-tu des sabots ? " tu crois que c'est gai.

— Qu'est-ce qu'ils ont ces souliers ? ils sont très jolis.

— Ils sont bien pour déjeuner à la campagne, mais beaucoup trop sport pour la ville.

— Je t'ai toujours trouvée si élégante...

— Parce que tu n y connais rien, mon chéri », dit-elle avec tristesse. Elle haussa les épaules : « Tu ne

491

sais pas ce que c'est, la vie d'une femme qui n'est pas arrivée. »

Il posa la main sur la main douce : « Tu arriveras, dit-il. Allons nous faire photographier aux " Îles Borromées ". » Ils descendirent l'escalier et elle demanda :

— Tu as l'auto ?

— Non. Nous prendrons un taxi.

— Pourquoi n'as-tu pas une auto à toi ?

— Tu ne t'es pas encore aperçue que je n'ai pas d'argent ? Crois-tu que tu n'aurais pas les plus beaux souliers de Paris ?

— Mais pourquoi n'as-tu pas d'argent ? demanda-t-elle quand ils furent installés dans le taxi. Tu es encore plus intelligent que maman et Dudule. Tu n'aimes pas l'argent ?

— Tout le monde l'aime ; mais pour en avoir vraiment, il faut aimer ça plus que tout.

Josette réfléchit. « Ce n'est pas que j'aime l'argent plus que tout, mais j'aime les choses qu'on achète avec. »

Il entoura ses épaules de son bras. « Peut-être que ma pièce va nous rendre très riches ; alors nous t'achèterons les choses que tu aimes.

— Et tu m'emmèneras dans de beaux restaurants ?

— Quelquefois », dit-il gaiement.

Mais il se sentait mal à l'aise tandis qu'il s'avançait dans le jardin fleuri, sous les regards des femmes habillées avec trop d'éclat et des hommes aux visages lustrés. Les buissons de roses, le vieux tilleul, la gaieté de l'eau ensoleillée, toute cette beauté vénale le laissait insensible, et il se demanda : « Qu'est-ce que je viens foutre ici ? »

— C'est joli, n'est-ce pas ? dit Josette avec ardeur. J'adore la campagne, ajouta-t-elle. Un grand sourire

492

ransfigurait son visage résigné et Henri sourit aussi :
« Très joli : qu'est-ce que tu veux manger ?
— Je crois que ce sera un pamplemousse et une
grillade, dit Josette à regret. A cause de la ligne. »

Elle avait l'air toute jeune dans sa robe de toile verte
qui découvrait des bras moelleux et drus, et au fond,
sous ses déguisements de femme sophistiquée, comme
elle était naturelle ! C'était normal qu'elle eût envie de
réussir, de se montrer, de s'habiller, de s'amuser ; et
elle avait l'immense mérite d'avouer ses désirs avec
sincérité sans se soucier de savoir s'ils étaient nobles
ou sordides. Même s'il lui arrivait de mentir, elle était
plus vraie que Paule qui ne mentait jamais ; il y avait
bien de l'hypocrisie dans ce code du sublime que Paule
s'était fabriqué ; Henri imagina le masque hautain
qu'elle eût opposé à ce luxe facile, et le sourire étonné
de Dubreuilh, le regard effarouché d'Anne. Ils allaient
tous hocher la tête d'un air consterné quand paraîtraient cette interview et ces photos.

« C'est vrai que nous sommes tous quelque peu
puritains, pensa-t-il. Moi compris. C'est parce que nous
détestons qu'on nous mette en face de nos privilèges. »
Il avait voulu éviter ce déjeuner, pour ne pas s'avouer
qu'il avait les moyens de se l'offrir. « Et pourtant au
Bar Rouge, avec des copains, je ne compte pas l'argent
que je claque en une soirée. »

Il se pencha vers Josette : « Tu es contente ?
— Oh ! tu es si gentil ! dit-elle. Il n'y a que toi. »

Il aurait fallu être stupide pour sacrifier à des tabous
puérils un tel sourire. Pauvre Josette ! elle n'avait pas
si souvent l'occasion de sourire. « Les femmes ne sont
pas gaies », pensa-t-il en la regardant. Son histoire
avec Paule s'achevait minablement ; Nadine, il n'avait
rien su lui donner. Josette... eh bien, ça serait différent.
Elle voulait arriver : il la ferait arriver. Il sourit

493

aimablement aux deux journalistes qui s'approchaient.

Quand deux heures plus tard un taxi le déposa
devant l'immeuble de Lambert, Nadine franchissait la
porte cochère. Elle lui sourit cordialement; elle estimait avoir eu le beau rôle dans leur histoire et elle était
toujours très aimable avec lui.

— Tiens! te voilà aussi! C'est fou ce qu'il est
entouré, le cher orphelin!

Henri la regarda avec un peu de scandale : « Ce n'est
pas spécialement drôle cette histoire.

— Qu'est-ce qu'il en a à foutre que ce vieux salaud
soit mort? » dit Nadine. Elle haussa les épaules : « Je
sais bien que mon rôle, ça serait d'être sœur de charité
et consolatrice, et tout : mais je ne peux pas. Aujour-
d'hui j'étais pourrie de bonnes résolutions : et voilà
Volange qui se ramène. J'ai décampé.

— Volange est là-haut?

— Mais oui. Lambert le voit souvent, dit-elle sans
qu'Henri pût déceler s'il y avait ou non de la perfidie
dans son ton négligent.

— Je monte quand même, dit Henri.

— Je te souhaite du plaisir. »

Il monta lentement l'escalier. Lambert voyait souvent Volange : pourquoi ne le lui avait-il pas dit? « Il a
peur que ça ne m'agace », pensa-t-il. Le fait est que ça
l'agaçait. Il sonna. Lambert lui sourit sans entrain.

— Ah! c'est toi? c'est gentil...

— Quel heureux hasard, dit Louis. Voilà des mois
qu'on ne s'était vus!

— Des mois! Henri se tourna vers Lambert; il
faisait très orphelin dans son complet de flanelle dont
le revers était barré d'un crêpe noir : un complet dont

494

M. Lambert avait dû approuver la classique élégance :
« Tu n'as peut-être pas grande envie de bouger, ces
jours-ci, dit-il ; mais il y a une réunion importante cet
après-midi chez Dubreuilh. *L'Espoir* aura des décisions
à prendre. Je voudrais beaucoup que tu m'accompagnes. »

En vérité, il n'avait pas besoin de Lambert, mais il
souhaitait l'arracher à ses ruminations.

— J'ai plutôt la tête ailleurs, dit Lambert ; il se jeta
dans un fauteuil et dit d'une voix sombre : « Volange
est certain que mon père n'est pas mort d'un accident ;
il a été descendu. »

Henri tressaillit : « Descendu ?

— Les portières ne s'ouvrent pas toutes seules, dit
Lambert ; il ne s'est pas suicidé alors qu'il venait d'être
acquitté.

— Tu ne te rappelles pas l'histoire Molinari, entre
Lyon et Valence ? dit Louis. Et celle de Péral ? eux aussi
sont tombés d'un train peu après leur acquittement.

— Ton père était âgé, fatigué, dit Henri ; l'émotion
du procès a pu lui porter à la tête. »

Lambert secoua la tête : « Je saurai qui a fait ça ! dit-
il. Je le saurai. »

Les mains d'Henri se crispèrent ; c'était ça qui le
lancinait depuis huit jours : ce soupçon. « Non ! sup-
plia-t-il en lui-même, pas Vincent ! ni lui ni un autre ! »
Molinari, Péral, ça lui était bien égal ; et peut-être bien
que le vieux M. Lambert était aussi salaud qu'eux ;
mais il revoyait trop exactement ce visage qui avait
saigné sur le ballast, un visage jaune qu'éclairaient des
yeux d'un bleu étonné ; il fallait que ce fût un accident.

— Il y a des bandes de tueurs en France, c'est un fait,
dit Louis. Il se leva : « Comme c'est affreux ces haines
qui ne consentent pas à mourir ! » Il y eut un silence et
il dit d'une voix engageante : « Viens donc dîner un de

ces soirs à la maison, on ne se voit plus jamais, c'est trop bête ; il y a un tas de choses dont je voudrais parler avec toi.

— Dès que j'aurai un peu de temps », dit Henri vaguement.

Quand la porte se fut refermée derrière lui, Henri demanda . « Ç'a été très pénible, ces journées de Lille ? »

Lambert haussa les épaules : « Il paraît que ce n'est pas viril d'être secoué quand on vous assassine votre père ! dit-il d'une voix chargée de rancune. Tant pis ! J'avoue que ça m'a plutôt sonné !

— Je comprends », dit Henri ; il sourit : « C'est des idées de femme, ces histoires de virilité. »

Quels sentiments Lambert avait-il eus pour son père ? il n'avouait que la pitié, il laissait deviner de la rancune : sans doute s'y mêlait-il de l'admiration, du dégoût, du respect, une tendresse déçue ; en tout cas, cet homme avait compté pour lui. Henri dit de sa voix la plus affectueuse :

— Ne reste pas comme ça dans ton coin, à te ronger les sangs. Fais un effort, viens avec moi ; ça t'intéressera et tu me rendras service.

— Oh ! puisque de toute façon tu as ma voix, dit Lambert.

— J'aimerais ton opinion, dit Henri. Scriassine prétend qu'un haut fonctionnaire soviétique échappé de l'U.R.S.S. lui aurait apporté des renseignements sensationnels : accablants pour le régime, bien entendu ; il a suggéré à Samazelle que *L'Espoir*, *Vigilance* et le S.R.L. aident à les divulguer. Mais quelle valeur ont-ils ? J'en ai eu des lambeaux entre les mains, mais sans aucun moyen de les critiquer.

Le visage de Lambert s'anima : « Ah ! ça, ça

m'intéresse », dit-il. Il se leva brusquement : « Ça m'intéresse beaucoup. »

Quand ils entrèrent dans le bureau de Dubreuilh, celui-ci était seul avec Samazelle :

— Rendez-vous compte, publier ces informations avant tout le monde, mais ça serait sensationnel ! disait Samazelle. Le dernier plan quinquennal date du mois de mars et on en ignore à peu près tout. La question des camps de travail en particulier va bouleverser l'opinion. Remarquez qu'elle avait été déjà soulevée avant la guerre ; en particulier la fraction à laquelle j'appartenais s'en était préoccupée ; mais en ce temps nous n'éveillions guère d'écho. Aujourd'hui tout le monde se trouve obligé de prendre parti devant le problème de l'U.R.S.S., et voilà que nous sommes en mesure d'éclairer ce problème d'un jour nouveau.

La voix de Dubreuilh semblait toute menue après cet énorme bourdon : « *A priori*, ce genre de témoignage est doublement suspect, dit-il ; d'abord parce que l'accusateur s'est accommodé si longtemps du régime qu'il dénonce ; ensuite parce qu'une fois qu'il s'en est séparé on ne peut guère s'attendre à ce qu'il mesure ses attaques.

— Que sait-on au juste sur lui ? demanda Henri.

— Il s'appelle George Peltov. Il était directeur de l'Institut agronomique de Tebriouka... dit Samazelle, et il s'est enfui il y a un mois de la zone russe allemande dans la zone occidentale. Son identité est parfaitement établie.

— Mais non son caractère », dit Dubreuilh.

Samazelle eut un geste d'impatience : « En tout cas, vous avez étudié le dossier que Scriassine nous a communiqué. Les Russes reconnaissent eux-mêmes l'existence des camps et de l'internement administratif.

— D'accord, dit Dubreuilh. Mais combien d'hommes dans ces camps ? c'est toute la question.

— Quand j'étais en Allemagne l'an dernier, dit Lambert, le bruit courait que jamais il n'y avait eu tant de prisonniers à Buchenwald que depuis la libération russe.

— Quinze millions me semble une hypothèse très modérée, dit Samazelle.

— Quinze millions ! » répéta Lambert.

Henri sentit une panique lui monter à la gorge. Il avait déjà entendu parler de ces camps : mais vaguement, et il n'y avait pas arrêté sa pensée, on raconte tant de choses ! Quant à ce dossier, il l'avait feuilleté sans conviction ; il se méfiait de Scriassine ; sur le papier les chiffres avaient semblé aussi imaginaires que les noms aux consonances baroques. Mais voilà que le fonctionnaire russe existait et Dubreuilh prenait cette affaire au sérieux. C'est bien commode l'ignorance, mais ça ne donne pas la mesure de la réalité. Il était aux Iles Borromées avec Josette, il faisait beau, il s'offrait quelques petits scrupules de conscience faciles à désarmer. Pendant ce temps-là à tous les coins de la terre des hommes étaient exploités, affamés, assassinés.

Scriassine entra précipitamment dans la pièce et tous les yeux se tournèrent vers l'inconnu aux cheveux noir et argent, aux yeux brillants comme des morceaux d'anthracite qui le suivait sans sourire, avec un visage aussi immobile que celui d'un aveugle-né. Ses sourcils charbonneux se rejoignaient au-dessus du nez à l'arête aiguë ; il était grand, impeccablement habillé.

— Mon ami George, dit Scriassine. Provisoirement nous nous en tiendrons à ce nom. Il regarda autour de lui : « L'endroit est absolument sûr ? aucune chance que

498

notre conversation soit surprise ? qui habite au-dessus ?

— Un professeur de piano très inoffensif, dit Dubreuilh. Et les gens d'en dessous sont en vacances. »

C'était la première fois qu'Henri ne songeait pas à sourire des airs importants de Scriassine ; cette grande silhouette sombre à ses côtés prêtait à la scène une inquiétante solennité. Tout le monde s'assit et Scriassine dit : « George peut parler en russe ou en allemand. Il a avec lui des documents qu'il va résumer et commenter pour vous. De toutes les questions sur lesquelles il apporte de terrifiantes lumières, c'est celle des camps de travail qui présente l'intérêt le plus immédiat. C'est par là qu'il va commencer.

— Qu'il parle en allemand : je traduirai, dit Lambert vivement.

— Comme vous voudrez. » Scriassine dit quelques mots en russe, et George hocha la tête sans que son masque remuât ; il semblait paralysé par une douloureuse et indélébile rancune. Soudain, il se mit à parler ; son regard demeurait fixe, dirigé au-dedans de lui-même vers des visions qui n'étaient pas de ce monde ; mais de sa bouche morte s'échappait une voix colorée, passionnée, tour à tour sèche et pathétique ; Lambert gardait les yeux rivés sur ses lèvres, comme s'il avait déchiffré le langage d'un sourd-muet.

— Il dit que nous devons bien comprendre d'abord que l'existence des camps de travail n'est pas un phénomène accidentel et dont on pourrait donc espérer un jour l'abolition, dit Lambert. Le programme d'investissement de l'État soviétique exige des surplus qui ne peuvent être fournis que par un travail excédentaire. Si la consommation des ouvriers libres s'abaissait au-dessous d'un certain niveau, la productivité du travail en serait diminuée d'autant. On a donc procédé à la création systématique d'un sous-prolétariat ne

recevant en échange d'un travail maximum qu'un
strict minimum vital : un tel ajustement n'est possible
qu'en système concentrationnaire. »

Un silence mortuaire s'était abattu sur le bureau,
personne ne bougeait ; George reprit la parole et
Lambert de nouveau monnaya en mots la voix tragique : « Le travail correctif a existé dès le début du
régime ; mais c'est en 1934 que la N.K.V.D. a été
investie du droit d'ordonner, par simple mesure admi-
nistrative, l'internement dans un camp de travail pour
une période n'excédant pas cinq ans ; pour les peines
plus longues, un jugement préalable est nécessaire. Les
camps ont été en partie vidés entre 40 et 45 ; beaucoup
de prisonniers ont été incorporés dans l'armée, d'autres sont morts de la famine. Mais depuis un an ils se
remplissent de nouveau. »

Maintenant George indiquait sur les papiers étalés
devant lui des noms, des chiffres, et Lambert traduisait
au fur et à mesure. Karaganda, Tzardskouy, Ouzbek.
Ce n'était pas des mots : c'était des morceaux de steppe
glacée, des marais, des baraquements pourris où des
hommes et des femmes travaillaient quatorze heures
par jour pour six cents grammes de pain ; ils mouraient de froid, de scorbut, de dysenterie, d'épuise-
ment. Dès qu'ils devenaient trop faibles pour travailler, on les parquait dans des hôpitaux où systématiquement on les affamait à mort. « Mais est-ce vrai ? » se
dit Henri avec révolte. George était suspect, la Russie
était si loin, et on raconte tant de choses ! Il regarda
Dubreuilh dont le visage fermé n'exprimait rien.
Dubreuilh avait choisi de douter : le doute, c'est la
première défense, mais il ne faut pas non plus s'y fier.
Toutes ces choses qu'on raconte, il y en a qui sont
vraies. Henri avait douté en 38 que la guerre fût pour
demain ; en 40 il avait douté des chambres à gaz.

500

George exagérait sûrement : mais sûrement il n'avait pas tout inventé. Henri ouvrit sur ses genoux l'épais dossier; tout ce qu'il avait lu distraitement quelques heures plus tôt prenait soudain un sens terrible. Il y avait là, traduits en anglais, des textes officiels qui admettaient l'existence des camps. Et on ne pouvait pas sans mauvaise foi récuser en bloc tous ces témoignages provenant les uns d'observateurs américains, les autres de déportés livrés aux nazis et retrouvés dans leurs bagnes. Impossible de le nier : en U.R.S.S. aussi des hommes exploitaient à mort d'autres hommes !

Quand George se tut, il y eut un long silence.

— Vous avez accepté avec un masochisme naturel à des intellectuels l'idée d'une dictature de l'esprit, dit Scriassine. Mais ces crimes organisés contre l'homme, contre tous les hommes, pouvez-vous les endosser ?

— Il me semble que la réponse ne fait pas de doute, dit Samazelle.

— Je vous demande pardon, pour moi il y a un doute, dit Dubreuilh d'une voix sèche. Je ne sais ni pourquoi votre ami s'est échappé ni pourquoi il a si longtemps collaboré avec ce régime qu'il dénonce devant nous; je suppose que ses raisons étaient excellentes; mais je ne veux pas risquer de prêter la main à une manœuvre antisoviétique. D'ailleurs nous ne sommes pas habilités à vous répondre au nom du S.R.L. : la moitié du comité seulement est présente.

— Si nous étions d'accord, nous emporterions sûrement sa décision, dit Samazelle.

— Comment pouvez-vous hésiter! Le visage de Lambert brillait d'indignation. « Quand même le quart seulement de ce qu'il raconte serait vrai, il faudrait le crier tout de suite, dans mille haut-parleurs. Vous ne savez pas ce que c'est qu'un camp ! Qu'il soit russe ou nazi, c'est pareil : nous n avons pas combattu les uns pour encourager les autres... »

Dubreuilh haussa les épaules : « De toute façon il n'est pas question pour nous de modifier le régime de l'U.R.S.S. mais seulement d'agir aujourd'hui eı France sur l'idée qu'on se fait de l'U.R.S.S.

— C'est en quoi cette affaire nous concerne directement, dit Lambert.

— D'accord, mais nous serions criminels de nous y embarquer sans informations suffisantes, dit Dubreuilh.

— Autrement dit, vous doutez de la parole de George ? dit Scriassine.

— Je ne la prends pas pour un évangile. »

Scriassine frappa sur le dossier posé sur le bureau :

— Et tout ça, qu'est-ce que vous en faites ?

Dubreuilh secoua la tête : « J'estime qu'aucun fait n'est sérieusement établi. »

Scriassine se mit à parler volubilement en russe ; George lui répondit d'une voix impassible.

— George dit qu'il se charge de vous fournir des preuves décisives. Envoyez quelqu'un en Allemagne occidentale : il a là des amis qui vous renseigneront avec précision sur les camps de la zone soviétique. Et puis, on a retrouvé dans les archives du Reich certains documents transmis par l'U.R.S.S. après le pacte germano-soviétique : ils indiquent des chiffres que vous pourrez vous faire communiquer.

— J'irai en Allemagne, dit Lambert. Et tout de suite.

Scriassine le regarda d'un air approbateur.

— Passez me voir, dit-il. C'est une mission délicate qu'il faudra préparer avec soin. Scriassine se tourna vers Dubreuilh : « Si nous vous apportons les preuves que vous réclamez, êtes-vous décidé à parler ?

— Apportez vos preuves et le comité décidera, dit

Dubreuilh avec impatience. En attendant, tout ça c'est du bavardage. »

Scriassine se leva, George aussi : « Je vous demande à tous le secret le plus absolu sur la conversation que nous venons d'avoir. George a tenu à vous rencontrer personnellement : mais vous imaginez quels dangers le menacent dans une ville comme Paris. »

Ils hochèrent tous la tête d'un air rassurant : George s'inclina avec raideur et il suivit Scriassine sans ajouter un mot.

— Je regrette ce délai, dit Samazelle. Sur le fond de la question, il n'y a aucun doute possible. Nous pourrions publier tout de suite les extraits du code et ça suffirait déjà à soulever l'opinion.

— Soulever l'opinion contre l'U.R.S.S.! dit Dubreuilh. C'est justement ce que nous devons éviter, surtout maintenant !

— Mais ce n'est pas la droite qui profitera de cette campagne : c'est le S.R.L., et il en a bien besoin ! dit Samazelle. La situation a changé depuis les élections et si nous nous entêtons à vouloir ménager la chèvre et le chou, le S.R.L. est foutu, ajouta-t-il avec véhémence. Le succès des communistes va décider beaucoup d'hésitants à s'inscrire au P.C.; et beaucoup vont se jeter par terreur dans les bras de la réaction. Les premiers, rien à faire ; mais les autres, nous pouvons les avoir si nous attaquons franchement le stalinisme et si nous promettons le regroupement d'une gauche indépendante de Moscou.

— Drôle de gauche, qui rassemblera des anticommunistes sur un programme anticommuniste ! dit Dubreuilh.

— Vous savez ce qui va arriver ? dit Samazelle d'une voix irritée. Si on continue comme ça, dans deux mois le S.R.L. n'est plus qu'un petit groupe d'intellectuels asservi aux communistes, à la fois méprisé et manœuvré par eux.

— Personne ne nous manœuvre! dit Dubreuilh.

Henri entendait à travers un brouillard ces voix agitées. Le sort du S.R.L., pour le moment il s'en foutait. Dans quelle mesure George avait-il dit la vérité, c'était la seule question. A moins qu'il n'eût menti sur toute la ligne, ça serait désormais impossible de penser à l'U.R.S.S. comme on y pensait autrefois, tout était à reconsidérer. Dubreuilh ne voulait rien reconsidérer, il se réfugiait dans le scepticisme; Samazelle n'attendait que cette occasion pour tonner contre les communistes. Henri n'avait aucune envie de rompre avec les communistes: mais il ne voulait pas non plus se mentir. Il se leva: « Toute la question c'est de savoir si George a dit vrai ou non. En attendant, on parle dans le vide.

— C'est bien mon avis », dit Dubreuilh.

Lambert et Samazelle sortirent avec Henri. La porte était à peine refermée que Lambert grommela: « C'est vrai que Dubreuilh est vendu! il veut étouffer cette affaire. Mais ce coup-ci, il n'aura pas la loi.

— Malheureusement, le comité le suit toujours, dit Samazelle. En fait, le S.R.L., c'est lui.

— Mais *L'Espoir* n'est pas forcé d'obéir au S.R.L.! » dit Lambert.

Samazelle sourit: « Ah! c'est une grave question que vous soulevez là! » Il ajouta d'une voix rêveuse: « Évidemment, si nous décidions de parler tout de suite, personne ne pourrait nous en empêcher! »

Henri le regarda avec surprise: « Vous envisagez une rupture entre *L'Espoir* et le S.R.L.? qu'est-ce qui vous prend?

— Au train où vont les choses, dans deux mois il n'y aura plus de S.R.L., dit Samazelle. Je souhaite que *L'Espoir* lui survive ! »

Il s'éloigna en souriant de son grand sourire rond et Henri s'accouda au parapet du quai :

— Je me demande ce qu'il mijote ! dit-il.

— S'il souhaite que *L'Espoir* redevienne un journal libre, il a bien raison ! dit Lambert. Là-bas ils ont rétabli l'esclavage. Ici, ils assassinent ! Et on veut que nous ne protestions pas !

Henri regarda Lambert : « Au cas où Samazelle proposerait une rupture, n'oublie pas ce que tu m'as promis : qu'en tout cas tu me soutiendrais.

— D'accord, dit Lambert. Seulement je te préviens : si Dubreuilh s'entête à étouffer l'affaire, je quitte le journal, je revends mes parts.

— Écoute, on ne peut rien décider avant que les faits ne soient établis, dit Henri.

— Qui décidera qu'ils sont établis ? dit Lambert.

— Le comité.

— C'est-à-dire Dubreuilh. S'il est de parti pris, il ne se laissera pas convaincre !

— C'est aussi du parti pris que de se laisser convaincre sans preuve ! dit Henri avec un peu de reproche.

— Ne me dis pas que George a inventé tout ça ! Ne me dis pas que tous ces documents étaient des faux ! » dit Lambert avec feu. Il dévisagea Henri avec soupçon : « Tu es bien d'accord que si c'est la vérité, il faut la dire ?

— Oui, dit Henri.

— Alors, ça va. Je vais partir en Allemagne le plus vite possible, et je te jure que là-bas je ne perdrai pas mon temps. » Il sourit : « Je te pose quelque part ?

— Non, merci, je vais marcher un peu », dit Henri.

Il allait dîner chez Paule et il n'était pas pressé de la

505

retrouver. Il se mit en marche à petit pas. Dire la vérité : jusqu'ici ça n'avait jamais posé de sérieux problèmes ; il avait répondu oui à Lambert sans hésiter : c'était presque un réflexe. Mais en fait il ne savait ni ce qu'il devait croire, ni ce qu'il devait faire, il ne savait rien : il était encore étourdi comme s'il avait reçu un grand coup sur la tête. Évidemment, George n'avait pas tout inventé. Peut-être même tout était-il vrai. Il y avait des camps où quinze millions de travailleurs étaient réduits à l'état de sous-hommes ; mais grâce à ces camps le nazisme avait été vaincu et un grand pays se construisait en qui s'incarnait la seule chance des mille millions de sous-hommes croupissant de faim en Chine et aux Indes, la seule chance des millions d'ouvriers asservis à une condition inhumaine, notre seule chance. « Va-t-elle nous manquer elle aussi ? » se demanda-t-il avec crainte. Il se rendait compte que jamais il ne l'avait sérieusement mise en question ; les tares, les abus de l'U.R.S.S., il les connaissait : n'empêche qu'un jour le socialisme, le vrai, celui où se réconcilieraient justice et liberté finirait par triompher en U.R.S.S., et par l'U.R.S.S. ; si ce soir cette certitude le quittait, alors tout l'avenir sombrerait dans les ténèbres : nulle part ailleurs on n'apercevait même un mirage d'espoir. « Est-ce pour ça que je me réfugie dans le doute ? se demanda-t-il ; est-ce que je refuse l'évidence par lâcheté, parce que l'air ne serait plus respirable s'il n'y avait plus un coin de la terre vers lequel on pût se tourner avec un peu de confiance ? Ou au contraire, pensa-t-il, c'est peut-être en accueillant avec complaisance les images d'horreur que je triche. Faute de pouvoir me rallier au communisme, ça serait un soulagement de le détester résolument. Si seulement on pouvait être tout à fait pour, ou tout à fait contre ! Mais pour être contre, il faudrait avoir d'autres chances à offrir aux hommes : et c'est trop évident que la révolution se fera par l'U.R.S.S. ou ne se fera pas. Pourtant, si l'U.R.S.S. n'a fait que substituer un système d'oppression à un autre, si elle a rétabli l'esclavage, comment lui garder la moindre amitié ?... » « Peut-être que le mal est partout », se dit Henri. Il se rappelait cette nuit dans un refuge des Cévennes où il était voluptueusement endormi dans les délices de l'innocence : si le mal était partout, ça n'existait pas l'innocence. Quoi qu'il fît, il aurait tort : tort s'il divulguait une vérité tronquée, tort s'il dissimulait, fût-elle tronquée, une vérité. Il descendit sur la berge. Si le mal est partout, il n'y a aucune issue, ni pour l'humanité, ni pour soi-même. Est-ce qu'il faudra en arriver à penser ça ? Il s'assit et regarda avec hébétude couler l'eau.

DU MÊME AUTEUR

LA LONGUE MARCHE, essai sur la Chine (1957).

MÉMOIRES D'UNE JEUNE FILLE RANGÉE (1958). (Folio n° 786).

LA FORCE DE L'ÂGE (1960). (Folio n° 1782).

LA FORCE DES CHOSES (1963). (Folio n°s 764 et 765).

LA VIEILLESSE (1970).

TOUT COMPTE FAIT (1972). (Folio n° 1022).

LES ÉCRITS DE SIMONE DE BEAUVOIR, La vie – L'écriture (1979), par Claude Francis et Fernande Gontier. Avec en appendice des textes inédits ou retrouvés.

LA CÉRÉMONIE DES ADIEUX, suivi de ENTRETIENS AVEC JEAN-PAUL SARTRE, août-septembre 1974 (1981). (Folio n° 1805).

LETTRES À SARTRE. Tome I : 1930-1939. Tome II : 1940-1963 (1990). *Édition établie, présentée et annotée par Sylvie Le Bon de Beauvoir.*

JOURNAL DE GUERRE, septembre 1939-janvier 1941 (1990). *Édition établie, présentée et annotée par Sylvie Le Bon de Beauvoir.*

LETTRES À NELSON ALGREN. Un amour transatlantique, 1947-1964 (1997). *Texte établi, traduit de l'anglais, présenté et annoté par Sylvie Le Bon de Beauvoir.* (Folio n° 3169).

CORRESPONDANCE CROISÉE SIMONE DE BEAUVOIR -JACQUES-LAURENT BOST, 1937-1940 (2004). *Édition établie, présentée et annotée par Sylvie Le Bon de Beauvoir.*

Témoignage

DJAMILA BOUPACHA (1962), en collaboration avec Gisèle Halimi.

Scénario

SIMONE DE BEAUVOIR (1979), un film de Josée Dayan et Malka Ribowska, réalisé par Josée Dayan.

Aux Éditions du Mercure de France

Entretiens

SIMONE DE BEAUVOIR AUJOURD'HUI. Six entretiens avec Alice Schwarzer (1983).

Impression Bussière
à Saint-Amand (Cher),
le 22 janvier 2008.
Dépôt légal : janvier 2008.
1ᵉʳ dépôt légal dans la collection : juin 1972.
Numéro d'imprimeur : 082059/1.
ISBN 978-2-07-036769-6./Imprimé en France.

158740